U0163962

許錟輝總策畫　中華章法學會主編

跨界章法學研究叢書　第三冊

唐宋詞章法學

陳滿銘　著

萬卷樓圖書股份有限公司出版

總序

「章法學」又稱「雙螺旋層次邏輯學」，是研究深藏於宇宙人生「萬事萬物」之間，以「陰陽二元」雙螺旋互動為基礎，產生層層「轉化」的動態作用，而形成其「雙螺旋層次邏輯」系統的一門學問。若要挖掘這種使「萬事萬物」不斷「轉化」之「雙螺旋層次邏輯」，將它們彰顯出來，則非靠由一般「科學方法」提升到哲學層面的「方法論」不可。而這些「方法論」，是可在「陰陽二元」的不斷互動下，主要經「移位」（秩序）、或「轉位」（變化）、「對比、調和」與「包孕」（聯貫⟷統一），產生「互動、循環、往復而提升」之「0一二多」雙螺旋層次邏輯運動，構成其「微觀」（方法論：個別）、「中觀」（方法論原則：概括）而「宏觀」（方法論系統：體系）的完整體系，以呈現其普遍性與適應性，而由此正式打開「跨界章法學」研究的一扇扇大門[1]。

---

1 此扇門自1974年開始逐漸打開，見陳滿銘：《比較章法學》（臺北市：萬卷樓圖書公司，2012年11月初版）。頁1-377。即以個人專著而言，除《比較章法學》外，《學庸義理別裁》（2002年）、《論孟義理別裁》（2003年）、《蘇辛詞論稿》（2003年）、《意象學廣論》（2006年）、《辭章學十論》（2006年）、《多二一（0）螺旋結構論——以哲學、文學、美學為研究範圍》（2007年）、《篇章意象學》（2011年），皆屬「跨界章法學」之性質。

一　微觀層面的跨界章法學

這主要是就「章法類型（結構）」[2] 而言的。凡是「章法」都由「陰陽二元」互動，呈現其層次邏輯關係，而形成多種類型。這種「陰陽二元」互動觀念的論述，在中國的哲學古籍裡，很容易找到。其中以《周易》與《老子》二書，為最早而最明顯。

在此，限於篇幅，僅舉《周易》來看，它以「陰陽」為其一對基本概念，是由此陰（斷 --）陽（連 —— ）二爻而衍為四象，再由四象而衍為八卦、六十四卦的。而八卦之取象，是兩相對待的，即乾（天）為「三連」（☰）而坤（地）為「六斷」（☷）、震（雷）為「仰盂」（☳）而艮（山）為「覆碗」（☶）、離（火）為「中虛」（☲）而坎（水）為「中滿」（☵）、兌（澤）為「上缺」（☱）而巽（風）為「下斷」（☴）；而所謂「三連」（陰）與「六斷」（☷）、「仰盂」（☳）與「覆碗」（☶）、「中虛」（☲）與「中滿」（☵）、「上缺」（☱）與「下斷」（☴），正好形成四組兩相互動之運作關係，以呈現其簡單的「二元互動」之邏輯結構。後來將此八卦重疊，推演為六十四卦，雖更趨複雜，卻依然存有這種「二元互動」的運作關係，如「坎（☵）上震（☳）下」（〈屯〉）與「震（☳）上坎（☵）下」（〈解〉）、「艮（☶）上巽（☴）下」（〈蠱〉）與「巽（☴）上艮（☶）下」（〈漸〉）、「乾（☰）上兌（☱）下」（〈履〉）與「兌（☱）上乾（☰）下」（〈夬〉）、「離上（☲）坤（☷）下」（〈晉〉）與「坤（☷）上離（☲）下」（〈明夷〉）……等，就是如此。而〈雜卦〉云：

2　陳滿銘：《章法學綜論》（臺北市：萬卷樓圖書公司，2003年6月初版），頁17-33。又，蒲基維：〈章法類型概說〉，《大學國文選．教師手冊．附錄三》（臺北市：普林斯頓國際公司，2011年7月二版修訂），頁483-523。

> 乾，剛；坤，柔。比，樂；師，憂。臨、觀之意，或與或求。……震，起也；艮，止也。損、益，衰盛之始也。大畜，時也；無妄，災也。萃，聚，而升，不來也。謙，輕；而豫，怡也。……兌，見；而巽，伏也。隨，無故也；蠱，則飭也。剝，爛也；復，反也。晉，晝也，明夷，誅也。井，通；而困，相遇也。咸，速也；恆，久也。渙，離也；節，止也。解，緩也；蹇，難也。睽，外也；家人，內也。否、泰，反其類也。……革，去故也；鼎，取新也。小過，過也；中孚，信也。豐，多故也；親寡，旅也。離，上；而坎，下也。……大過，顛也；頤，養正也。既濟，定也；未濟，男之窮也。姤，遇也，柔遇剛也；……夬，決也；剛決柔也。君子道長，小人道憂也。

這些卦的要義或特性，都兩兩互動，如剛和柔、樂與憂、與和求、起和止、衰和盛、時和災、見和伏、速和久、離和止、外和內、否和泰、去故和取新、多故和親寡、上和下……等等。由此反映宇宙人生之「雙螺旋層次邏輯」，為人生行為找出準則，以適應宇宙自然之動態規律[3]。

到目前為止，透過「模式研究」（人為探索）以對應「客觀存在」（自然呈現）[4] 的努力結果，已發現之「章法類型」有：今昔、久

3 陳滿銘：〈論螺旋邏輯學的創立——以哲學螺旋與科學螺旋為鍵軸探討其體系之建構〉，《國文天地．學術論壇》31卷1期（2015年6月），頁116-136。又參見徐復觀：《中國人性論史．先秦篇》（臺北市：臺灣商務印書館，1978年10月四版），頁202；陳望衡：《中國古典美學史》（長沙市：湖南教育出版社，1998年8月一版一刷），頁182。

4 陳滿銘：〈論辭章之無法與有法——以客觀存在與科學研究作對應考察〉，彰化師大《國文學誌》23期（2011年12月），頁29-63。

暫、遠近、內外、左右、高低、大小、視角轉換、知覺轉換、時空交錯、狀態變化、本末、淺深、因果、眾寡、並列、情景、論敘、泛具、虛實（時間、空間、假設與事實、虛構與真實）、凡目、詳略、賓主、正反、立破、抑揚、問答、平側（平提側注、平提側收）、縱收、張弛、插補、偏全、點染、天（自然）人（人事）、圖底、敲擊……等類型[5]，都由「陰陽二元」互動所形成。大抵而論，屬於本、先、靜、低、內、小、近……的，為「陰」為「柔」，屬於末、後、動、高、外、大、遠……的，為「陽」為「剛」[6]。如「正反」法以「正」為「陰」而「反」為「陽」、「因果」法以「因」為「陰」而「果」為「陽」，而其他的也皆如此，以反映自然運動的雙螺旋層次邏輯準則。

就單以「偏（陽）全（陰）」而言，「三一」語言學派創始人王希杰認為就是「方法論」，說：「值得一提的是，在〈從偏全的觀點試解讀四書所引生的一些糾葛〉一文[7]中，滿銘教授說：『讀古書，尤其是有關義理方面的專著，很多時候是不能一味單從「偏」（局部）或「全」（整體）的觀點來瞭解其義的。讀《四書》也不例外，必須審慎地試著辨明「偏」還是「全」的觀點來加以理解，才不至於犯混同的毛病。』……我認為，滿銘教授的這一說法是具有『方法論』意義的。」[8]

可見這些由「陰陽二元」互動所形成之「章法類型」（含「章法結構」），能在《周易》中尋得其哲理根源，成為「章法學」中屬於

5 陳滿銘：《章法學綜論》，頁17-32。

6 陳望衡：《中國古典美學史》，頁184。

7 陳滿銘：〈從偏全的觀點試解讀《四書》所引生的一些糾葛〉，臺灣師大《中國學術年刊》13期（1992年4月），頁11-22。

8 王希杰：〈陳滿銘教授和章法學〉，《畢節學院學報》總96期（2008年2月），頁1-5。

「微觀」層面之「方法論」；而由此呈現「微觀」層面之「跨界章法學」。

二　中觀層面的跨界章法學

這主要是就「章法規律」而言[9]的。由「章法類型」所形成之「章法結構」，是在「陰陽二元」互動之作用下，由「移位」或「轉位」與「對比、調和」、「包孕」而形成的。其中由「移位」呈現「秩序律」；「轉位」呈現「變化律」；「對比、調和」徹下、徹上以呈現「聯貫律」；由「包孕」徹下、徹上以呈現「統一律」。而這種「雙螺旋層次邏輯」之四大規律，乃先由「秩序」或「變化」而「聯貫」，然後趨於「統一」，形成「雙螺旋層次邏輯系統」。這種理論，可見於《周易》與《老子》[10]。在此，也只歸本於《周易》作簡要探討。

先以「秩序」而言，涉及「移位」，此乃「陰陽二元」最基本的一種互動，是在對待往來中起伏消息、迭相推盪而產生的。因為事物之發展是統一物分裂為兩相對待，而相互作用的運作過程，而此對待面的相互作用，在《周易》的《易傳》中以相互推移（剛柔相推）、相互摩擦（剛柔相摩）、與相互衝擊（八卦相盪）等各種表現形式[11]，為順向移位與逆向移位，提出了最精微的論證。就以〈乾卦〉來看，由初九的「潛龍，勿用」，移向九二的「見龍在田，利見大

9　「中觀」層面，原含「規律」、「族性」、「多元」與「比較」等內容，在此特舉「規律」以概其餘。參，見陳滿銘：〈章法學三觀論〉，高雄師大《國文學報》21期．特約稿（2015年1月），頁1-33。

10　陳滿銘：〈論章法四大律之方法論原則——以「多、二、一（0）」螺旋結構作系統探討〉，臺灣師大《中國學術年刊》33期．春季號（2011年3月），頁87-118。

11　馮友蘭：《中國哲學史新編》二（臺北市：藍燈文化公司，1991年12月初版），頁376。

人」，移向九三的「君子終日乾乾，夕惕若。厲，無咎」；再移向九四的「或躍在淵，無咎」；然後躍升，移向九五的「飛龍在天，利見大人」，形成一連串的順向位移。上九，則因已到達了極限、頂點，會由吉變凶，漸次另形成逆向移位，開始向對待面轉化，造成另一種轉位，故說是「亢龍有悔」了。而這種「移位」全離不開雙向「陰陽互動」作用：

順向：陰 ——→ 陽

逆向：陽 ——→ 陰

而六爻之所以能夠用以模擬事物的運動變化，是因「六位」能體現「道」的陰陽互動、統一之規律性。而此「六位」原則一確立，整個自然界與人類社會的基本規律全都可加以反映，故〈說卦傳〉將其概括為「分陰分陽」,「六位而成章」，以「六位」體現著哲學原理。「六爻」體現著事物在一定規律支配下的變化運動過程，從時間性上可畫分為潛在的與顯露的兩大階段，以一卦的卦象去體現，而其運動變化即可以由此清楚地瞭解而加以掌握[12]。因此，內外卦之間可以相互往來升降，六個爻畫之間也可以相互往來升降；通過這種往來升降的相互作用，就使種種的轉化運動，產生了一連串的順向移位（陰→陽）與逆向移位（陽→陰）；如：

1.「正反」法：「正（陰）→反（陽）」（順向）、「反（陽）→正（陰）」（逆向）

12 徐志銳：《周易陰陽八卦說解》（臺北市：里仁書局，2000年3月初版四刷），頁60-73。

2. 「因果」法：「因（陰）→果（陽）」（順向）、「果（陽）→因（陰）」（逆向）

這種「移位」全離不開「陰陽二元」之互動作用，由此呈現「秩序律」。

次以「變化」而言，涉及以「移位」為基礎的「轉位」[13]。由於「陰陽」互動、生生而一，使《周易》哲學之發展形成開放的序列。這一序列正體現在〈乾〉、〈坤〉兩卦的「用九」、「用六」上。而「用九」、「用六」並不局限於〈乾〉、〈坤〉兩卦，而是為六十四卦發其通例，然後每一卦位在九、六互變中，均可一一尋出因「移位」而造成「轉位」的變動歷程。由〈乾〉、〈坤〉，而至〈既濟〉、〈未濟〉，〈序卦〉不但說明了由運動變化而形成秩序的無窮盡歷程，也表示了宇宙萬物由六十四卦的位位互移，運動變化到達極點時，即會形成「大反轉」，反本而回復其根，形成另一個互動的循環系統。這一個「大反轉」，就是一個「大轉位」。這種「大轉位」可用下圖來表示：

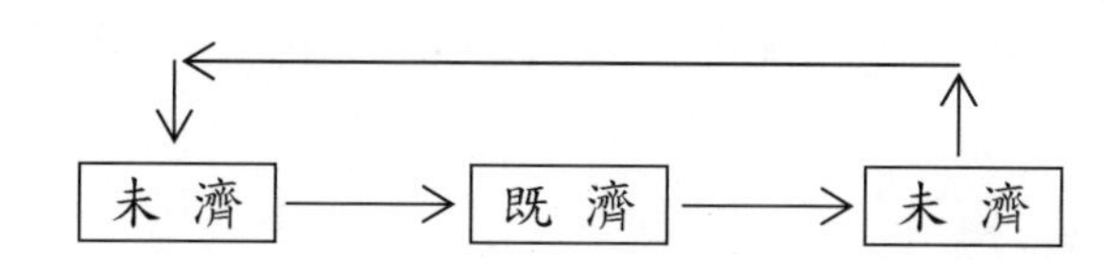

這雖是就「大轉位」而言，但「小轉位」又何嘗不是如此呢？就在這互動的「循環系統」中，自然涵蘊著無限的陰陽之「轉位」，如下圖：

13 陳滿銘：〈章法的「移位」、「轉位」結構論〉，臺灣師大《師大學報・人文與社會類》49卷2期（2004年10月），頁1-22。又，黃淑貞：〈《周易》「移位」、「轉位」論〉，《孔孟月刊》44卷5、6期（2006年2月），頁4-14。

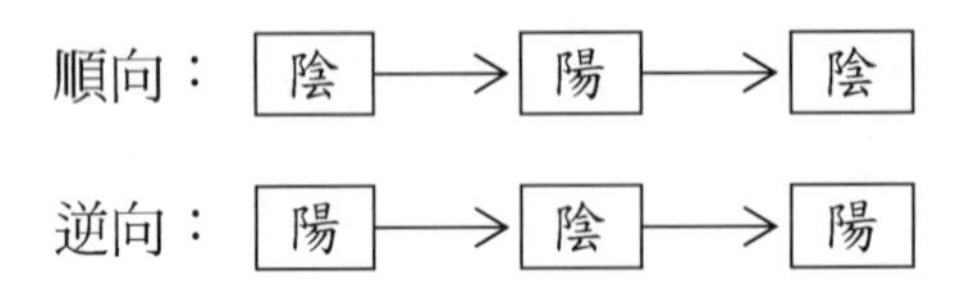

這種互動之「循環系統」，由陰陽、剛柔的相摩相推，太儀而兩儀，兩儀而四象，四象而八卦，八卦而六十四卦；再由六十四卦的位位互移、反轉，運動變化到達極點，形成「大位移」、「大反轉」，反本而回復其根，使萬物生生而無窮。因此，《周易》講「生生之德」的「生生」，即不絕之意，也深具新陳代謝之意。說明了由「陰陽二元」互動而轉化，宇宙萬物就在一次又一次的大小「移位」、「轉位」中，循環反復，永無止境。其中以「轉位」來說，產生「陰→陽→陰」（順向）與「陽→陰→陽」（逆向）的變化，如：

1. 「正反」法：「正（陰）→反（陽）→正（陰）」（順向）、「反（陽）→正（陰）→反（陽）」（逆向）
2. 「因果」法：「因（陰）→果（陽）→因（陰）」（順向）、「果（陽）→因（陰）→果（陽）」（逆向）

而由此呈現「變化律」。

再以「聯貫」而言，這種「轉化」主要有兩種：「對比」與「調和」。以「對比」而言，也稱「異類相應的聯繫」，如上引〈雜卦〉所謂的「剛」與「柔」、「樂」與「憂」、「與」與「求」、「起」與「止」、「衰」與「盛」、「時」與「災」、「見」與「伏」、「速」與「久」、「離」與「止」、「否」與「泰」……等都是，對此，戴璉璋說：「以上各卦所標示的特性或要義：剛和柔、樂和憂、與和求、起和止、盛和衰等等，都是異類相應的聯繫。」[14] 。以「調和」而言，是由史伯、晏嬰「同」的觀念發展出來的。原來的「同」，指「同一物的加多或重複」，到了《周易》，則指同類事物的「相從」，〈雜卦〉云：「屯，見而不失其居；蒙，雜而著。……大壯，則止；遯，則退也。大有，眾也；同人，親也。……小畜，寡也；履，不處也。需，不進也；訟，不親也。……歸妹，女之終也；漸，女歸待男行也。」這是以「止」和「退」、「眾」和「親」、「寡」和「不處」、「不進」和「不親」、「女之終」和「女歸待男行」等的相類而形成「同類相從的聯繫」（調和），對此，戴璉璋說：「依〈序卦傳〉，屯與蒙都是代表事物始生、幼稚時期的情況，〈雜卦傳〉作者用『見而不失其居』、『雜而著』來描述屯、蒙兩掛的特性，也都是就始生的事物而言。此外引〈大壯〉以下各卦的『止』和『退』、『眾』和『親』、『寡』和『不處』、『不進』和『不親』、『女之終』和『女歸待男行』，都是同類相從的聯繫。」[15]。而這所謂的「對比」、「調和」，是對應於「剛柔」來說的[16]。如說得徹底一點，即一切「對比」與「調和」，都是由於陰（柔）陽（剛）相對、相交、相和的結果，如單以「章法類型」來說，「正反」法為「對比」、「因果」法為「調和」[17]。這樣結構由單一而系統、下徹而上徹，以凸顯了相反相成的互動作用，而趨於「統一」的「雙螺旋層次邏輯結構」；「聯貫律」即由此呈現。

---

14 戴璉璋：《易傳之形成及其思想》（臺北市：文津出版社，1988年11月臺灣初版），頁196。

15 戴璉璋：《易傳之形成及其思想》，頁195。

16 歐陽周、顧建華、宋凡聖編著：《美學新編》（杭州市：浙江大學出版社，2001年5月一版九刷），頁81。又，仇小屏：《古典詩詞時空設計美學》（臺北市：文津出版社，2002年11月初版一刷），頁332。

17 仇小屏：〈論辭章章法的對比與調和之美〉，《章法學論文集》上冊（福州市：海潮攝影藝術出版社，2002年12月第一版），頁78-97。

終以「統一」而言，主要涉及「包孕」。在《周易》六十四卦中，除「乾」、「坤」兩卦，一為「陽之元」，一為「陰之元」外，其他的六十二卦，全是由「陰陽二元」互動而含融、聯貫而統一的。《周易・繫辭下》說：「陽卦多陰，陰卦多陽。其故何也？陽卦奇，陰卦偶。」對此，清焦循注云：「陽卦之中多陰，則陰卦之中多陽。兩相孚合捋多益寡之義也。如〈萃〉陽卦也，而有四陰，是陰多於陽，則以〈大畜〉孚之。〈大有〉陰卦也，而有五陽，是陽多於陰，則以〈比〉孚之。設陽卦多陽，則陰卦必多陰，以旁通之；如〈姤〉與〈復〉、〈遯〉與〈臨〉是也。聖人之辭，每舉一隅而已。……奇偶指五，奇在五則為陽卦，宜變通於陰；偶在五則為陰卦，宜進為陽。」[18] 可見《周易》六十四卦，有陽卦與陰卦之分，而要分辨陽卦與陰卦，照焦循的意思，是要看「奇在五」或「偶在五」來決定，意即每卦以第五爻分陰陽，如是陽爻則為陽卦，如為陰爻則是陰卦[19]。如此卦卦都產生「陰陽包孕」之作用。這種作用，如鎖定單一結構，擴及全面，以「陽／陰或陽」而言，則可形成下列三種不同的包孕式結構：

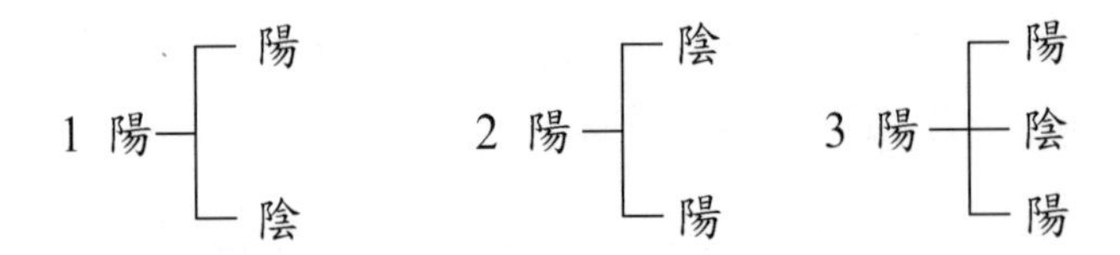

其中1、2兩種，如：

---

18 陳居淵：《易章句導讀》（濟南市：齊魯書社，2002年12月一版一刷），頁209。

19 陽卦與陰卦之分，或以為要看每一卦之爻畫線段的總數來決定，如為奇數屬陽，如是偶數則為陰。見鄧球柏：《帛書周易校釋》（長沙市：湖南人民出版社，2002年6月三版一刷），頁536。

1.「正反」法：「反（陽）／反（陽）→正（陰）」、「反（陽）／正（陰）→反（陽）」
2.「因果」法：「果（陽）／果（陽）→因（陰）」、「果（陽）／因（陰）→果（陽）」

這些都可形成「移位」結構外，3又可合而形成「轉位」結構，如：

1.「正反」法：「反（陽）／反（陽）→正（陰）→反（陽）」
2.「因果」法：「果（陽）／果（陽）→因（陰）→果（陽）」

以「陰／陽或陰」而言，則可形成下列三種不同的包孕式結構：

1 陰—陽／陰

2 陰—陰／陽

3 陽—陰／陽／陰

其中1、2兩種，如：

1.「正反」法：「正（陰）／反（陽）→正（陰）」、「正（陰）／正（陰）→反（陽）」
2.「因果」法：「因（陰）／果（陽）→因（陰）」、「因（陰）／因（陰）→果（陽）」

這些都一樣可形成「移位」結構外，3又可合而形成「轉位」結構[20]，

20 其中有關於《易傳》的論述，詳見陳滿銘：〈章法包孕式結構論——以「多、二、一（0）」螺旋結構切入作考察〉，《江南大學學報・人文社會科學版》5卷4期（2006

如：

1.「正反」法：「反（陽）／正（陰）→反（陽）→正（陰）」
2.「因果」法：「果（陽）／因（陰）→果（陽）→因（陰）」

於是就在這種作用下，結構由單一而系統，以產生下徹的作用，統合了「秩序、變化、聯貫」的轉化運動，而由此呈現「統一律」。

可見這四大「章法規律」，對「章法類型（結構）」來說，有「概括」作用，都可從《周易》(《老子》）裡尋得其哲理源泉，成為「章法學」中屬於「中觀」層面之「方法論原則」。對此，王希杰說：「陳滿銘教授……把章法變成一門科學——可以把握，有規律規則可以遵循的學問。這是一個了不起的貢獻。……但是……法則太多，可能顯得繁瑣、瑣碎，使人難以把握的。可貴的是，陳滿銘教授……力圖建立統率這些比較具體的法則的更高的原則。……創建了四大原則：（1）秩序律（2）變化律（3）聯貫律（4）統一律……這符合科學的最簡單性原則，而且也是變化無窮的。這其實就是《周易》的『方法論原則』，乾坤兩卦，生成六十四卦。所以他的章法學是一個具有生成轉化潛能的體系，或者說是具有生成性。因此是具有生命力的。」[21]

可見這些由「章法類型（結構）」所形成之「章法規律」，能在《周易》中尋得其哲理根源，成為「章法學」中屬於「微觀」層面之「方法論」；而由此呈現「中觀」層面之「跨界章法學」。

年8月），頁85-90。又，陳滿銘：〈論章法包孕結構之陰陽變化——以蘇辛詞為例作觀察〉，臺北大學《中文學報》15期〔特稿〕(2014年3月），頁1-24。

21 王希杰：〈陳滿銘教授和章法學〉，頁1-5。又，陳滿銘：〈論章法四大律之方法論原則——以「多、二、一（0）」螺旋結構作系統探討〉，頁87-118。

三　宏觀層面的跨界章法學

這主要是就「雙螺旋層次邏輯系統」而言的。從根本來看，「陰陽二元」互動乃一切「轉化」之根源，就拿八卦與由八卦重疊而成的六十四卦來說，即全由「陰陽」二爻所構成，以象徵並概括宇宙人生的各種變化，〈說卦〉說的「觀變於陰陽而立卦」，就是這個意思。《易傳》以為就在這種「陰陽」的相對、相交、相和之「互動」作用下，變而通之，通而久之，於是創造了天地萬物（含人類），達於「統一」的境地[22]。而《易傳》這種「互動」的「轉化」思想，也可推源到「和」的觀念，它始於春秋時之史伯，他從四支（肢）、五味、六律、七體（竅）、八索（體）、九紀（臟）到十數、百體、千品、萬方、億事、兆物、經入、姟極，提出「和」的觀點[23]，「作為對事物的多樣性、多元性衝突融合的體認」[24]，而後到了晏子，則作進一步之論述，認為「和」是指兩種相對事物之融而為一，即所謂「清濁、小大、短長、疾徐、哀樂、剛柔、遲速、高下、出入、周疏，以相濟也」[25]。如此由「多樣的和（統一）」（史伯）進展到「兩樣（對待）的和（統一）」（晏子），再進一層從對待多數的「兩樣」

---

22 陳望衡：「《周易》中的陰陽理論強調的不是相反事物的對立，而是相反事務的相交、相和。《周易》認為，陰陽相交是生命之源，新生命的產生不在於陰陽的對立，而在陰陽的交感、統一。因此陰陽的相合不是量的增加，而是新質的產生，是創造。因此，陰陽相交、相合的規律就是創造的規律。」見《中國古典美學史》，頁182。

23 《國語・鄭語》，易中天注譯、侯迺慧校閱：《新譯國語讀本》（臺北市：三民書局，1995年11月初版），頁707-708。

24 張立文：《中國哲學邏輯結構論》（北京市：中國社會科學出版社，2002年1月一版一刷），頁22。

25 《左傳・昭公二十年》，楊伯俊：《春秋左傳注》（臺北市：源流文化公司，1982年4月再版），頁1419-1420。

中提煉出源頭的「剛（陽）柔（陰）」，而成為「剛（陽）柔（陰）的統一」（《易傳》），形成了「『多』（多樣事物、多樣對待）→『二』（剛柔、陰陽）→『一』（統一）」的順序，進程逐漸是由「委」（有象）而追溯到「源」（無象），很合於歷史發展的軌跡。而這種結構，如對應於「三易」（《易緯・乾鑿度》）而言，則「多」說的是「變易」、「二」說的是「簡易」，而「一」說的是「不易」。因此「三易」不但可概括《周易》之內容與特色，也可藉以呈現「多⟷二⟷一」的雙螺旋層次邏輯系統[26]。

以順向而言，其結構為「多→二→一」，若倒過來，由「源」而「委」地來說，就成為「一→二→多」[27]了。在《老子》、《易傳》中就可找到這種說法，如：

> 道生一，一生二，二生三，三生萬物。萬物負陰抱陽，沖氣以為和。（《老子・四十二章》）
>
> 易有太極，是生兩儀，兩儀生四象，四象生八卦。（《周易・繫辭上》）

這樣，結合《周易》和《老子》來看，它們所主張的「道」，如僅著

---

26 《周易》六十四卦，由第一卦〈乾〉至第六十三卦〈既濟〉為一循環，而由第六十四卦〈未濟〉倒回〈乾卦〉開始為又一循環，如此不斷循環就有「螺旋」意涵在內。見陳滿銘：〈論「多」、「二」、「一（0）」的螺旋結構——以《周易》與《老子》為考察重心〉，臺灣師大《師大學報・人文與社會類》48卷1期（2003年7月），頁1-21。

27 就由「無」而「有」而「無」的整個循環過程而言，可以形成「（0）一、、二、三（多）」（正）與「三（多）、二、一（0）」（反）的螺旋關係。此種螺旋關係，涉及哲學、文學、美學……等，見陳滿銘：〈意象「多、二、一（0）」螺旋結構論——以哲學、文學、美學作對應考察〉，《濟南大學學報・社會科學版》17卷3期（2007年5月），頁47-53。

眼於其「同」，則它們主要透過「相反相成」、「返本復初」而循環不已的螺旋作用，不但將「一→多」的順向歷程與「多→一」的逆向歷程前後銜接起來，更使它們層層推展，「循環、往復而提高」不已，而形成了螺旋式結構，以呈現宇宙創生、含容而轉化的萬物基本動態規律。

而最值得注意的是：就在這「由一而多」（順）、「多而一」（逆）的過程中，是有「二」介於中間，以產生承「一」啟「多」的作用的。而這個「二」，從「道生一，一生二，二生三，三生萬物」等句來看，該就是「一生二，二生三」的「二」。雖然對這個「二」，歷代學者有不同的說法，大致說來，以為「二」是指「陰陽二（兩）氣」[28]。而這種「陰陽二氣」的說法，其實也照樣可包含「天地」在內，因為「天」為「乾」為「陽」，而「地」則為「坤」為「陰」；所不同的，「天地」說的是偏於時空之形式，用於持載萬物[29]；而「陰陽」指的則是偏於「二氣之良能」[30]，用於創生萬物。這樣看來，老子的「一」該等同於《易傳》之「太極」、「二」該等同於《易傳》之「兩儀」（陰陽），因此所呈現的，和《周易》（含《易傳》）一樣，是「一→二→多」與「多→二→一」之原始結構。不過，值得一提的是：（一）即使這「一」、「二」、「多」之內容，和《周易》（含《易傳》）有所不同，也無損於這種結構的存在。（二）「道生一」的「道」，既是「創生宇宙萬物的一種基本動力」，而它「本身又體現了無（无）」[31]，那麼正如王弼所注「欲言無（无）耶，而物由以成；欲

---

28 以上諸家之說與引證，見黃釗：《帛書老子校注析》（臺北市：臺灣學生書局，1991年10月初版），頁231。

29 徐復觀：《中國人性論史．先秦篇》，頁335。

30 朱熹：《四書集注》（臺北市：學海出版社，1984年9月初版），頁31。

31 林啟彥：《中國學術思想史》（臺北市：書林出版社，1999年9月一版四刷），頁34。

言有耶，而不見其形」[32]，老子的「道」可以說是「无」，卻不等於實際之「無」(實零)[33]，而是「恍惚」的「无」(虛零)，以指在「一」之前的「虛理」[34]。這種「虛理」，如勉強以「數」來表示，則可以是「(0)」。這樣，順、逆向的結構，就可調整為「(0) 一→二→多」(順)與「多→二→一(0)」(逆)，以補《周易》(含《易傳》)之不足，這就使得宇宙萬物創生、含容的順、逆向歷程，更趨於完整而周延了[35]。而順、逆向的統合，可用「0一二多」來表示 其關係可用如下簡圖加以呈現：

(一) 單層結構系統圖：

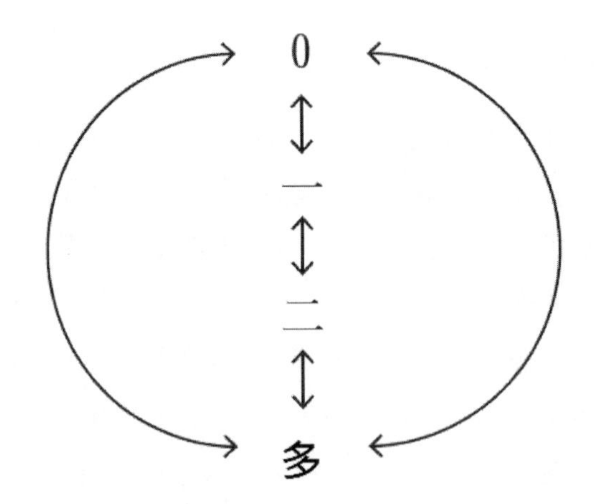

32 王弼：《老子王弼注》(臺北市：河洛圖書出版社，1974年10月臺景印初版)，頁16。

33 馮友蘭：《馮友蘭選集》上卷(北京市：北京大學出版社，2000年7月一版一刷)，頁84。

34 唐君毅：《中國哲學原論．導論篇》(香港：新亞研究所，1966年3月出版)，頁350-351。

35 陳滿銘：〈論「多、二、一(0)」的螺旋結構──以《周易》與《老子》為考察重心〉，頁1-21。

（二）多層結構系統圖：

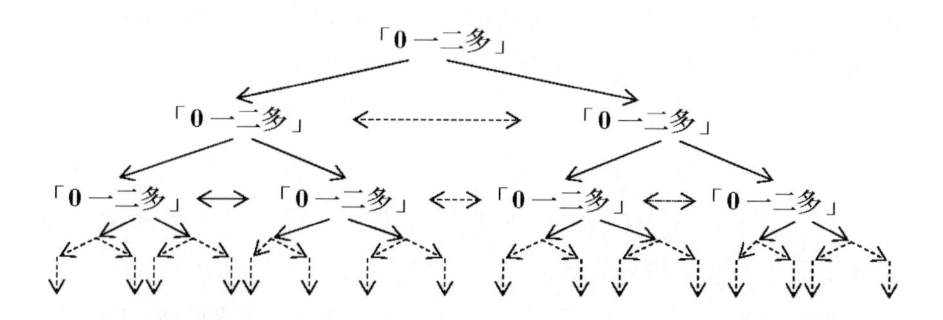

而此「層次邏輯」每一層的的內容或意象雖可以萬變、億變，但其雙螺旋結構卻不變，都以「陰陽二元」之互動為「二」，「秩序（移位）、變化（轉位），聯貫（包孕、對比與調和：下徹）為「多」，「統一」（包孕、對比、調和：上徹）為「一0」。

如此配合「章法類型（含「章法結構」）」（微觀）與「四大規律」（中觀）來看，它們的關係可表示如下簡圖：

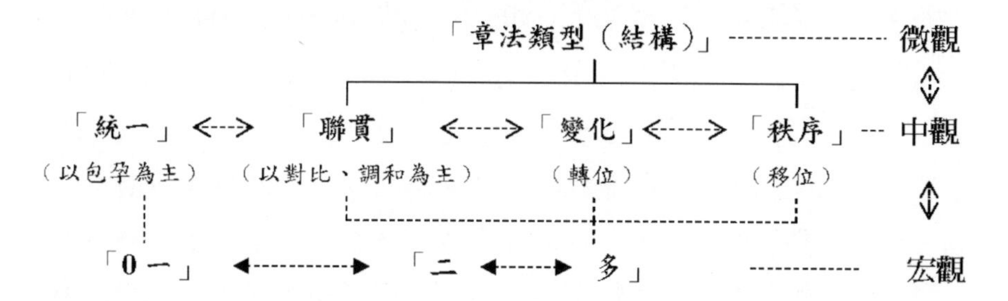

由此可見「宏觀」層的「0一二多」雙螺旋層次邏輯系統──「方法論系統」[36]，是可統合「微觀」層的「章法類型（結構）」、「中觀」層的「四大規律」（「秩序（移位）」或「變化（轉位）」、「聯貫」（以對

36 陳滿銘：〈論章法結構之方法論系統──歸本於《周易》與《老子》作考察〉，臺灣師大《國文學報》46期（2009年12月），頁61-94。

比、調和為主）與「統一（以包孕為主）」，而形成其章法學「方法論」之「三觀」體系的。而這些動態的層次邏輯理則，都同樣源出於《周易》與《老子》，清晰可辨。

可見這些由「章法類型（結構）」與「章法規律」為基礎所形成之「0一二多」雙螺旋層次邏輯系統，能在《周易》、《老子》中尋得其哲理根源，成為「章法學」中屬於「宏觀」層面之「方法論」；而由此呈現「宏觀」層面之「跨界章法學」。

綜上所述，可知「跨界章法學」是可形成其「三觀」體系的。而這一體系之確立，與「章法學」相關的研究有「雙螺旋互動」之密切關係，從四十餘年前開始，個人帶動博、碩士團隊，經由「歸納（果→因）←→演繹（因→果）」的雙螺旋互動，先從各體辭章作品之解析中，歸納為「模式」，再以演繹，歸根於《周易》與《老子》，為「模式」尋出哲理依據，如此不斷地「求異←→求同」，作「互動、循環、往復而提升」之研討，才逐漸地使「章法學」研究方法形成「方法論」體系，以呈現其「三觀」的「雙螺旋層次邏輯系統」。

對此，「三一語言學」的創始人王希杰，先論「章法學體系」時說：「章法學作為一門學問，不是有關部門章法的個別的知識，而是章法知識的總和，是一種概念的系統。章法學是一門實用性很強的學問，也有極高的學術價值。它同文章學、修辭學、語用學、文藝學、美學、邏輯學等都具有密切關係。章法學已經初步形成了一門科學。陳滿銘教授初步建立了科學的章法學體系。」[37] 再論「章法的客觀性」時就說：「凡存在的事物，都有是『章』有『法』的。德國哲學家黑格爾說：凡存在的，都是合理的。這個『理』，其實就是『章』和『法』。」然後論臺灣「章法學的方法論原則」時說：「有一篇論

37 王希杰：〈章法學門外閑談〉，《國文天地》18卷5期（2003年6月），頁53-57。

文，題目叫做〈談詞章學的兩種基本作法：歸納與演繹〉(《中等教育》27卷3、4期，1976年6月)，歸納法和演繹法其實也就是章法學的基本方法。……章法學的成功，是歸納法的成功，這近四十種章法規則是從大量的文章中歸納出來的，一律具有巨大的解釋力，覆蓋面很強。同時也是演繹法的成功的運用，例如《章法學綜論》中的『變化律』的十五種結構，很明顯是邏輯演繹出來的，當然也是得到許多文章的驗證的。……值得一提的是，……大量運用模式化手法。這本是很好的方法，但是……可能顯得繁瑣、瑣碎，使人難以把握的。可貴的是，……並不滿足於單純地『歸納（歸納 ⟷ 演繹）法則』，他們力圖建立統率這些比較具體的法則的更高的原則。」[38]

而辭章學大家鄭頤壽，先論「臺灣辭章學研究的哲學思辨」時說：「章法學……涉及文章學、修辭學、語體學、邏輯學以及美學等諸多方面。綜合研究這諸多方面的章法現象及其理論體系的學問……臺灣學者陳滿銘教授，在研究這一方面具有突出的成就，雖非絕後，實屬空前。……新的學科建設必須站在哲學的高度，並以之作指導，才能高瞻遠矚，不斷開拓，建構科學的理論體系。中國古老的哲學多門，其中最有影響的是樸素的辯證法思想，……它具有濃厚的文化底蘊，融進了我國的許多學科、各個領域和生活，至今仍有強盛的生命力。臺灣辭章章法研究，能充分運用我國傳統(《周易》、《老子》)的辯證法。陳滿銘教授的《章法學新裁》一書，談篇章結構，就用了辯證法的觀點，……仇小屏博士的《篇章結構類型論》(上、下)也是全書用辯證法來建構體系的。」[39]又論「三觀體系」時說：「篇章辭章學的『三觀』理論建構了科學的、體系嚴密的學科理論大廈，是『篇

38 王希杰：〈陳滿銘教授和章法學〉，頁1-5。

39 鄭頤壽：〈臺灣辭章學研究述評〉，《國文天地》17卷10期（2001年3月），頁99-107。

章辭章學』藝術之所以能夠成『學』的最主要依據。分清這『三觀』、『大廈』的建構就有了層次性、邏輯性；抓住這『三觀』，就抓住了學科體系的『綱』和『目』。我們用『三觀』理論所作的概括、評價，應該基本上描寫了篇章辭章學的理論體系。……是從具體的『方法』到概括的『規律』，……從一個個的『章法』入手，一個、兩個、十個、三十幾個、四十幾個……『集樹成林』（微觀）之後，又由博返約，把它們分別類聚於秩序律、變化律、聯貫律、統一律之中，有總有分，形成四個章法的『族系』（中觀）。這就把章法條理化、系統化了。……（又）從分別的『章法』、『規律』到統領『全軍』的理論框架『（0）一、二、多（「多、二、一（0）」）』（宏觀）。這是認識的又一個飛躍、昇華，它加強了學科的哲學性、科學性。」[40]

又，語言風格學大家黎運漢，在論「章法學方法論體系」時說；「一門學科的建立與研究方法密切相關，學科的進步與發展有時也要依靠新的方法來解決。因此，『漢語辭章章法』要成為獨立的學科，也跟其他學科一樣，要有自己的『方法論體系』。陳滿銘教授的章法學論著中雖然沒有專章講述『方法論』，但其幾部論著中無處不散發著他在『方法論』上的自覺。……體現出其章法學具有了較為完備的『方法論體系』。」[41]

四十餘年來，臺灣章法學的研究就這樣在許多學者的支持與鼓勵下，由「章法類型（結構）」（微觀：個別）而「章法規律」（中觀：概括）而「0一二多」（宏觀：體系），形成完整的「跨界章法學」之雙螺旋層次邏輯系統，這樣由「清醒自覺」（自然）而「認知確定」

40 鄭頤壽：〈陳滿銘創建篇章辭章學——代序〉，見《陳滿銘與辭章章法學》（臺北市：文津出版社，2007年12月一版一刷），頁（7）-（12）。

41 黎運漢：〈陳滿銘對辭章法學的貢獻〉，《陳滿銘與辭章章法學》，頁52-70。

（人為），一路摸索，步步辛苦爬高，而在今天危然臨下，深深嘆幾口氣的同時，卻有「卻顧所來徑，蒼蒼橫翠薇」（李白〈下終南山過斛斯山人宿置酒〉詩）的感動。所謂「辛苦必有收穫」，真希望研究團隊能繼續不畏辛苦，以此為基礎，加倍努力，靈活運用具有原始性、普遍性之「章法學三觀方法論體系」，繼續多方研討，從各個角度找出「事事物物」逐層「轉化」作「雙螺旋互動」的「層次邏輯系統」，一面加深對「辭章章法學」之研究，一面擴大推出「跨界章法學」，並儘量將成果化深為淺、轉繁為簡，作積極之推廣，以期獲得各界更多的支持與鼓勵。

四　本叢書的推出

本叢書就是在這樣的期許與努力下，決定由章法學研究團隊積極陸續推出成果。本輯所呈現者即其初步成果，含如下六冊：

（一）顏智英的《辭章章法變化律研究》：「變化律」，是宇宙運動的規律，萬事萬物由於陰陽二元的互動而發生運動變化，變化的歷程之中又形成了「移位」、「轉位」等現象，中、西方哲人都觀察到了這些自然界運動變化的規律，而有「變化哲學」的著述產生。「變化律」，也是人心共有的心理反映，人們抽繹出自然界移位及轉位的「變化之理」，透過人之「心」，可以投射到哲學、文學、藝術等的領域，應用的範圍十分廣泛。本書即為「變化律」在文學辭章章法分析的應用，先從中、西方的哲學典籍探討變化律的哲學義涵，再落實至文學作品（以古典詩詞為考察文本）材料間關係的實際分析，歸納梳理出章法變化律會形成「移位」及「轉位」等兩大類型的章法結構，而且可以涵蓋章法所有的結構現象，最後，尋繹章法變化律的心理基礎與美學特色，完整地呈現章法變化律的理論體系，也有效凸顯出「變化律」在章法規律系統中的重要地位。

（二）黃淑貞的《辭章章法四大律》：所有形式的存有，顯示了動態性、聯繫性、整體性等三種基調。在「動」的歷程中，它會產生不斷的變化；而其歷程，必然形成秩序，也必然經由局部和局部的聯貫，逐步趨於整體的統一。章法四大律，根植於這些邏輯規律。本書以《周易》《老子》為核心文獻，探討秩序與變化的移位轉位，探討陰陽二元對待與對比、調和，掌握宇宙萬物由「多」而「二」而「統一」的運行規律。在章法層面，卯榫理論和實踐，探究四大律的原則、範圍和內容。至此，哲學的意味和章法的內涵，終有了動態的整體的聯繫。

（三）陳滿銘的《唐宋詞章法學》：早在二〇〇七年就有學者認為本書作者「在當代詞學史上首要的貢獻是開創了『詞學章法學』這一新的研究領域。」又說他：「以章法學方法來剖析唐宋詞人創作的實踐來看。『章法學』的確能解此急。」且說：「在完成『章法學』全部體系建構的同時，也就開創了『詞學章法學』這一研究領域。」（曹辛華〈論陳滿銘先生的詞學貢獻〉）過了將近十年之後，終於推出本書，而縮小範圍，僅聚焦於「唐宋詞」，安排如下十章來探討：依序是：章法學「三觀」系統、時空虛實、包孕邏輯、多層解析、辭章評賞、篇章思維、篇章意象、創新潛能、潛顯互動、章法風格。這十章，除第一章為總論，藉理論體系以統合其他九章外，其餘九章都從不同層面或角度切入，用章法對「唐宋詞」作兼顧「求異 ⟷ 求同」、「直覺表現 ⟷ 模式探索」雙螺旋互動之探討，以見「唐宋詞章法學」之重要內涵，供研究者參考。

（四）蒲基維的《辭章風格教學新論》:「風格教學」是語文教學中重要的一環，也是訓練學生培育鑑賞能力、提升美感素養所必備的學習範疇。歷來對於辭章風格的分析，多偏於印象式、直覺式的批評，對於學生而言，仍舊是霧裡看花，終隔一層。本書從辭章學的意象、修辭、章法、主題等領域切入，探討風格形成的內在規律，建構具體的的理論。並以中學一綱多本的詩歌教材為分析對象，不僅理論與實務兼備，更提供教師具體可尋的風格鑑賞原則，有助於引導學生領略辭章的風格之美。

（五）陳滿銘的《陰陽雙螺旋互動論——以「0一二多」層次邏輯系統作通貫觀察》:「陰 ⟷ 陽」雙螺旋互動，主要以「0一二多」雙螺旋層次邏輯系統、大自然「轉化」四律（秩序：移位、變化：轉位、聯貫：對比與調和、統一：包孕）與方法論等三大內涵形成其系統。而就由此系統貫通「歸納（陽）⟷ 演繹（陰）」、「異（陽）⟷ 同（陰）」、「包孕（合：陰）⟷ 包孕（分：陽）」、「意（陰）⟷ 象（陽）」、「意（陰）⟷ 象（陽）」、「有法（陽）⟷ 無法（陰）」、完形「形（陽）⟷ 質（陰）」、《老子》「二（陰陽分）⟷ 三（陰陽轉化）」、《中庸》「誠（陰）⟷ 明（陽）」等內容，以見「陰⟷ 陽」雙螺旋互動於一斑。

（六）陳滿銘的《中庸天人雙螺旋互動思想研究》:本書作者早在民國六十九（1980）年三月就寫成《中庸思想研究》一書，由文津出版社出版。當時雖以「天人」互動為「鍵軸」來通貫全書脈絡，卻不僅未用「雙螺旋」一詞強調其「往復、提升」之互動作用，也還沒建構成「0一二多」雙螺旋層次邏輯的完整體系來作一統合，更何況又已絕版多年。因此希望本書能在《中庸思想研究》一書之基礎上，藉近年所開創的「陰陽雙螺旋互動」與「0一二多層次邏輯系統」進行梳理、融貫，以新面貌和讀者見面。全書共八章：前七章所論，或「分」」或「合」，對《中庸》「天 ⟷ 人」雙螺旋互動思想須作全面性之統整，並作相關探討；而第八章則為「綜（結）論」， 針對全書主要內容，先著眼於「思想體系」，以「中和」為核心融通相關的論點，如「仁性 ⟷ 知（智）性」、「誠 ⟷ 明」、「成己 ⟷ 成物」、「三知 ⟷ 三行」與「誠 ⟷ 至誠」等，以見其完整之思想體系；其次著眼於「義理邏輯」，舉最基本之「歸納（實證性科學）⟷ 演繹（假設性哲學）」與「偏（曲）⟷ 全（化）」的層次螺輯類型作說明，並以西方心理學派之「完形論」:「部分相加」≠（<）「整體」的主要論點加以統合；然後用「0一二多」將思想體系與義理邏輯予以融通，繪製簡圖加以表示，以收一目了然的效果。希望千慮一得，能稍稍有助於《中庸》天人雙螺旋互動思想之研究與發揚，以供學者參考。

以上六冊，就「三觀系統」來說，前三冊比較偏於「中觀」，卻下徹於「微觀」，也上徹於「宏觀」；而後三冊則比較偏於「宏觀」，卻下徹於「中觀」與「微觀」。因為「三觀系統」本身形成的就是「雙螺旋互動」的關係，是無法斷然拆開的。殷切地希望繼本套叢書之後，能一輯一輯地陸續推出，以增進大眾對「跨界章法學」的了解，從而參與研究之行列。

還有，必須一提的是：本套叢書是「章法學研究系列叢書」中的第二套，與二〇一四年出版的第一套《辭章章法學體系建構叢書》有著「雙螺旋互動」的關係。因此，閱讀時能兼顧這兩套叢書，是最為理想的。

值此出版前夕，念及這本叢書之所以能在極短時間內順利出版，完全要歸功於萬卷樓圖書公司總經理梁錦興先生、副總經理兼副總編輯張晏瑞先生的辛勤設計，與主編吳家嘉小姐、校對林秋芬小姐的編排與校對；為此，誠摯地向他（她）們致上萬分的謝意！

陳滿銘

序於國文天地雜誌社

2016年10月9日

目次

自序

由於從小就喜歡詩詞，東哼哼、西背背地，雖不甚了解它們的涵義，但總覺得很容易由此脫離現實世界，投入廣大之虛時空，朦朦朧朧地憑直覺捕捉它們的美，而深受感動，因此一有時間就陶醉其中，而樂此不疲。

所謂「詩莊詞媚」,「詞」是比「詩」更能以它靈動的姿態吸引人的，所以當時很自然地漸漸就有比較偏愛「詞」之傾向。而在「詞」的園地裡，一開始比較喜愛善於白描之李後主與李清照，後來則特別喜歡善於「言志」(身世之感)，，蘇東坡與辛稼軒。就在這種偏愛之促使下，單以專著而言，先是寫成了學位論文《稼軒長短句研究》(1967)，後是撰成了升等論文《蘇辛詞比較研究》(1971)。這兩本論著對後來由系（臺灣師大國文系）安排擔任大三「詞選及習作」與大四「專家詞」之課程，是有直接關聯的。

就在這種喜愛與課程影響下，陸續推出了幾種相關論著：首先是《詩詞新論》(1994)，其次是《詞林散步——唐宋詞結構分析》(2000)，接著是《蘇辛詞論稿》(2003)，然後是《唐宋詞拾玉——以篇章結構分析為軸心》(2010)。

此外，也發表了一些相關的學報論文或一般期刊論文，單以學報論文而言，主要的有：

1. 〈辭章鑑賞與思維系統——以集蘇辛詞各一首有關古今人評注為例作說明〉,《國文天地・學術論壇》31卷8期（2016年1月），頁112-135。

2.〈論章法包孕結構之陰陽變化——以蘇辛詞為作觀察〉，臺北大學《中文學報》15期．特稿（2014年3月），頁1-24。
3.〈思維系統與辭章內涵——以文本評析為作觀察〉，高雄師大《國文學報》19期．特約稿（2014年1月），頁1-30。（文本舉李後主〈相見歡〉、白居易〈長相思〉為例）
4.〈試論篇章風格中剛柔成分之量化——以稼軒「豪壯沉鬱」詞為例作探討〉，彰化師大《國文學誌》25期（2012年1月），頁61-102。
5.〈論才、學、識之邏輯層次——以多二一(0)螺旋結構切入作考察〉，高雄師大《國文學報》15期（2012年1月），頁1-32。（舉白居易〈長相思〉為例）
6.〈論辭章多層面之解析——以白居易〈長相思〉為例作考察〉，《臺北市立教育大學學報．人文社會類》42卷2期（2011年11月），頁81-108。
7.〈論「凡目」、「圖底」章法之包孕式結構——以蘇辛詞為例作考察〉，臺灣師大《國文學報》49期（2011年6月），頁161-188。
8.〈論東坡清俊詞的章法風格〉，《宋代文學研究叢刊》9期（2004年7月），頁311-344。
9.〈論時空交錯的虛實複合結構——以蘇辛詞為例〉，臺灣師大《中國學術年刊》23期（2002年6月），頁357-379。
10.〈蘇東坡的境遇與其詞風〉，臺灣師大《國文學報》30期（2001年6月），頁163-194。
11.〈古語古句在蘇辛詞裡的運用〉，臺灣師大《國文學報》6期（1977年6月），頁215-232。

這些論文所舉之例，全是唐宋詞。假如所舉之例，只有部分為唐宋詞的學報論文，則另有一百多篇；而舉於其他論著中的，為數也不少。因此，「唐宋詞」一直是個人所相當重視的。

對個人研究「唐宋詞」的一些小成果，先後受到了幾位學者之注意而加以評論，略舉如下：

一　以相關論著而言

（一）《蘇辛詞比較研究》

對此論著，何貴初以「詞條」方式被收入《中國文學大辭典》，作了如下推介：

> 《蘇辛詞比較研究》，古代文學研究論著，陳滿銘著。臺北文津出版社1980年出版。蘇軾和辛棄疾是宋代豪放詞派的兩員大將，但因性情、學問、襟抱及所處時代與環境不同，表現於歌詞者，亦往往有異。本書分五章論述：第一章「蘇辛詞擇調之比較研究」，作者用統計學的方法，得出蘇辛二家選用的詞調，大同而小異，並列出二家所慣用的詞調及其篇數的簡表。第二章「蘇辛詞行韻之比較研究」，指出蘇軾用韻嚴、辛棄疾用韻寬，至於選用韻部，亦異多於同。第三章「蘇辛詞用詞之比較研究」，就兩家所引用經語、史語、子語和集與作比較，得出蘇詞從語言和句法來看近於詩、辛詞則近於古文的結論。第四章「蘇辛詞內容之比較研究」，二家詞作題材多樣、內容豐富，作者分七大類加以比較。第五章「蘇辛詞風格之比較研究」，作者先就二家詞格的分期來論述，再作綜合比較，認為

> 蘇詞以「清雄」而辛詞以「豪壯」為其最大特色。蘇詞多「空靈動盪」，於雄健之中，時饒清曠之致；辛詞「慷慨縱橫」，於豪宕之中，時趨壯烈之途。書末有三個附錄：（1）〈蘇辛年表〉，（2）〈蘇辛詞韻表〉，（3）〈重要參考書目〉[1]

此外，鞏本棟在《辛棄疾評傳》中也作了如下評述：

> 關於蘇、辛詞的比較，可以說，自辛棄疾的弟子范開編《稼軒詞》並為其作序便開始了。所論或著眼於其同，或側重於抉發其異，各有所見。現代以來，關於蘇、辛詞的比較研究亦愈益深入、細緻。例如，王國維先生論「東坡之詞曠，稼軒之詞豪」（《人間詞話》），我們前曾引述的鄭騫先生之論蘇、辛異同，從性情襟抱上著眼，都是很精到的。又如繆鉞先生從藝術淵源的角度，提出蘇詞原於《莊》、辛詞源於《騷》。而葉嘉瑩先生比較蘇、辛詞的異同，認為題材和主題的「無意不可入，無是不可言」方面，二者皆有絕大的魄力和眼界，在風格上，則蘇詞超曠、辛詞沉鬱。這同樣是十分深刻的。另，臺灣學者陳滿銘先生所著《蘇、辛詞比較研究》（文津出版社1970〔應是1980〕年版）一書，分別對蘇、辛詞的擇調、用韻、用語、內容和風格等，進行了具體、細緻的比較和辨析，也不失為蘇、辛比較研究的途徑之一。[2]

---

1 馬良春、李福田主編：《中國文學大辭典》（天津市：天津人民出版社，1991年10月一版一刷），頁2668。

2 匡亞明主編：《中國思想家評傳叢書》96（南京市：南京大學出版社，1998年12月一版一刷），頁400。

（二）《詞林散步——唐宋詞結構分析》

對此論著，曹辛華指出：

> 《詞林散步——唐宋詞結構分析》雖是詞選式的著作，但它標誌著陳氏明確將章法學運用到純粹的詞學研究中，也標誌著詞學章法學的真正誕生。之所以說「真正誕生」，是因為陳氏在是著出版之前，早在20世紀80年代已嘗試從詞中歸納章法學理論，以及運用章法學理論來批評詞作。如在80年代他發表過〈演繹法在詩詞裏的運用〉(《國文天地》三卷九期)，〈歸納法在詩詞裏的運用〉(《國文天地》三卷十一期)、〈詞的章法與結構〉(《教學與研究》十一期）等論文；90年代則發表了〈凡目法在蘇辛詞裏的運用〉(《國文天地》十一卷，十一、十二期)、〈談見於詩詞裏的凡目結構〉(《第一屆中國修辭學學術研討會論文集》)、〈文章主旨或綱領安置於篇腹的結構類型——以蘇辛詞為例〉(《人文及社會學科教學通訊》十一卷三期）等論文。進入新世紀，陳氏又發表了〈文章主旨置於篇外的謀篇形式——以詩詞為例〉、〈論時空交錯的虛實複合結構——以蘇辛詞為例〉等論文。這些論文要麼由詞體歸納章法理論，要麼以章法理來剖析詞藝；是陳氏建構詞學章法學的印證。[3]

而宗廷虎主編《20世紀中國修辭學（上卷)》則認為：

> 《詞林散步——唐宋詞結構分析》，臺北萬卷樓圖書有限公司

3　曹辛華：〈論陳滿銘先生的詞學貢獻〉，收入仇小屏、陳佳君等主編：《陳滿銘與辭章章法學》(臺北市：文津出版社，2007年12月一版一刷)，頁332-334。

> 2000年1月出版。全書計約24萬字，分「唐五代篇」、「北宋篇」、「南宋篇」三部分。「唐五代篇」計收李白、張志和等10家詞共29首詞；「北宋篇」計收范仲淹、張先等13家共53首詞；「南宋篇」計收朱敦儒、岳飛等9家共38首詞。作者在該書《例言》中說：「凡久享盛譽之詞家、廣經傳誦之名作，皆在選錄之列，足以借觀唐宋詞壇一首或若干代表作外，並於每家之前，綴以小傳，變之迹。」全書寫作體例是：「所選各家，均以時代先後為序，除各選每詞作之後，另加『注釋』、『分析』兩欄，並附以『結構分析表』，以為深究、鑑賞之階。」

又說：

> 該書從修辭學角度看，其價值就在於每首詞所附的「結構分析表」，分析表的樣式和《文章結構分析》同出一轍。不同的是，《文章結構分析》分析的對象包括詞、曲、散文等各種體裁，而該書則僅就唐宋詞進行結構分析。每一首詞的結構分析都通過表格形式展現，與傳統的詩詞鑑賞的寫法大不相同。確實達到了簡潔明了、一目了然的獨特效果。這裡也可以反映出篇章結構修辭在作品鑑賞、批評方面特殊的意義與價值。[4]

此外，孟建安也說：

> 就章法分析來說，陳先生在幾乎所有的理論性文章和專著中都有豐富的用例，而且還出版了專著《文章結構分析》、《詞林散

4 宗廷虎主編：《20世紀中國修辭學（上卷）》（北京市：中國人民大學出版社，2007年12月一版一刷），頁402-403。

步——唐宋詞結構分析》等書。後者還選唐五代、北宋、南宋等朝代的名篇佳作120篇，進行了專門性的章法分析。從該書給出的導讀（例言），可以看出章法分析的基本思路和基本模式。筆者略作梳理歸納如下：從目的上來看，是為了大專「詞選」教學或中等學校學生課外閱讀、社會青年進修之用；從所選作品的時間來看，以兩宋為主，間及唐、五代；從選錄的作品數量來看，共計120首詞，其中唐、五代共10家29首，北宋共13家53首，南宋9家共38首；從所選的作家及作品來看，都是盛譽之詞家、廣經傳誦之名作；從排列順序來看，均以時代先後為序；從分析的基本模式來看，是按照「小傳→作品實體→注釋→分析」的順序進行的。而且，就一首作品的分析而言，陳先生都匯給出相應的章法結構分析圖表，即便是該書以外的其他論著中的章法用例分析，也幾乎沒有例外。這就為作品鑑賞和章法教學提供了很好的的借鑑，便於學習者循「規」蹈「矩」，提高鑑賞的速度、效率和能力。[5]

（三）《蘇辛詞論稿》

對此論著，曹辛華認為：

> 從研究內容上講，陳氏對蘇辛詞的研究涉及多個方面。如對蘇辛境遇的探求，對蘇辛詞風的定位，對蘇辛詞內容的分析；對蘇辛詞用典的發明，對辛詞作法的歸納：對蘇辛詞結構類型的概括、對蘇辛詞擇調問題和行韻問題的研究，甚至蘇辛詞年表

5 孟建安：〈陳滿銘與漢語辭章章法學研究〉，收入仇小屏、陳佳君等主編：《陳滿銘與辭章章法學》，頁123-124。

等，其中新見頗多。如對蘇詞風格，對蘇詞風格，歷來人們以為「豪放」目之，至20世紀，龍榆生、胡雲翼、吳世昌、王水照等先生始著文明辨，但是對蘇詞風格到底該如何定性迄今，有以「清曠」目之者，有以「清雄」目之者。陳滿銘先生於《蘇、辛詞論稿》中則主多樣，應如辛棄疾詞「備四時之氣」（王易《詞曲史》）。由此他拎出了蘇軾「清峻」之詞風，通過歸納分析，認為「『清峻』是『清雄』風格的一個表現，是其中最足以反映作者生命情調的一種」，「蘇東坡之清峻詞，大都以『幽獨』為其骨髓。」（參見陳滿銘《蘇、辛詞論稿》）

又說：

從論述方式來看，陳氏對蘇、辛詞通常採用「綜論」的方式。如在論述蘇、辛詞異同時，不時採用比較方法與以章法理貫串始終，同時採用了先總後分的敘述方式；在對二人詞作內容進行比較分析時，又用集評方式來加強論斷，還以按語的形式對詞作的系年等問題進行了要言不煩的考論。如對蘇東坡境遇與其詞風關係的探求，避免常見的「詞人生平」介紹的方式，而是緊緊結合詞人境界對其詞風的影響。陳氏認為：「一個人的作品，是會因其才、學、識而形成其基本風格的，而這種基本風格，也統統會因其境遇之不同，使它產生一些變化，而呈現不同的面貌；就以蘇東坡而言，他的詞以『清雄』為其基調，卻因其境遇之不同而產生一些變化。」（陳滿銘《蘇、辛詞論稿》，第1頁）由於他能緊扣境界與詞風的關係，再加上獨特的法學這把「解剖刀」，才能將蘇詞風格的種種細微變化一一揭示出來。三個時期三種風格——疏雋、超曠、平淡彙成了蘇詞的總體風格——「清雄」。[6]

二　以剖析方法而言

（一）黎運漢在論「構建了較為完備的辭章章法學方法論體系」時強調「多角度切入法」說：

> 辭章章法現象是一個十分複雜的語文現象，它的生成既植根於民族文化沃土，又從相關學科汲取營養，因而研究章法現象的章法學必然關涉到文章學、修辭學、語體學、風格學、言語交際學、邏輯學、心理學、社會學、文化學和美學諸多方面；同時，「章法」是因體而異的，不同的文體有不同的章法。陳教授深明此理，故分析章法現象，能自覺運用多角度切入法，這表現在兩個方面：一是從多學科的角度來闡釋，即根據文章的內容與形式的特點從不同學科的角度切入，例如，從「虛實」的角度切入分析岳飛的〈滿江紅〉，籍插敘的方式帶出主旨，以窺詞之特色；……對蘇軾〈念奴嬌〉從「今昔」、「虛實」、「正反」、「內外」等多角度去分析，以見其章法之變化多姿。如此妙用這種研究法，很有助於增強章法分析之廣度與實用性，同時也體現出章法之活用性與陳教授運用章法之嫻熟本領。

又強調「圖表展示法」說：

> 現代很多科學論著都運用圖表來配合語言敘述，以增強語言的

6　曹辛華：〈論陳滿銘先生的詞學貢獻〉，收入仇小屏、陳佳君等主編：《陳滿銘與辭章章法學》，頁341-342。

簡明性。陳滿銘教授的章法論著廣泛使用圖表，將研究成果在詳述之後，簡要地展示出來。無論是綜合論述，還是單篇作品分析都是如此。……如〈論章法與情意的關係〉時，分析白居易的〈長相思〉(《論粹》第60頁）……對其情意（內容）的表層結構，用下表來呈現：

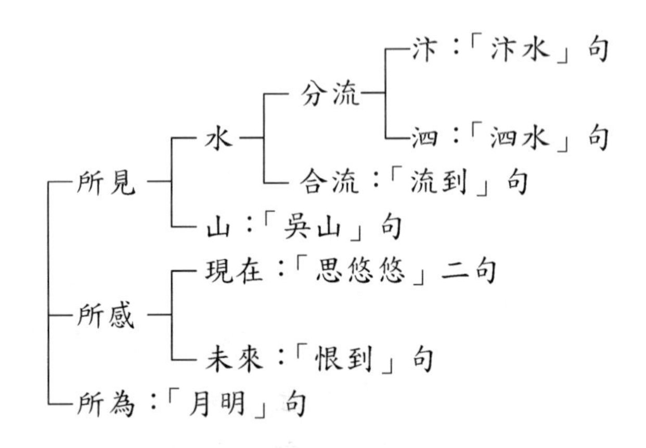

再如，內容結構類型中，分析王國維「一切景語皆情語」一句後……分析李煜〈望江南〉(《綜論》第139頁）：「多少恨，昨夜夢魂中。還似舊時游上苑，車如流水馬如龍。花月正春風。」分析後便用下圖表示：

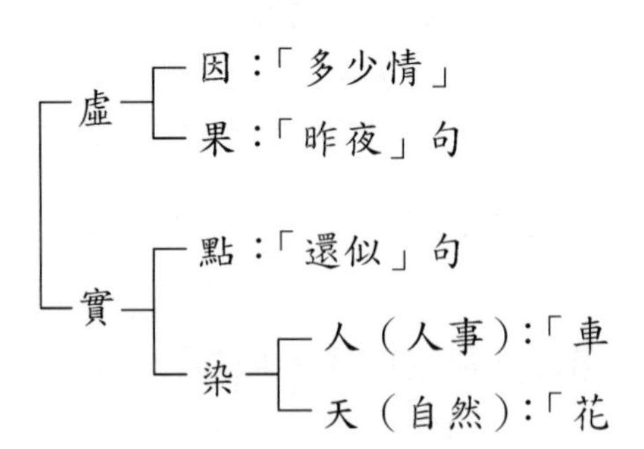

……總之，陳滿銘教授的辭章章法學論著，展現了創新的章法觀，建立了比較系統、合理的理論體系，揭示了章法現象本體的基本規律，運用了比較科學的研究方法，使漢語章法學基本具備了成為一門新學科的資格。[7]

（二）王德春在論「詞句與話語結合」時指出：

修辭學或辭章學的研究，既要考慮一著的得失，更要考慮全局的安危。用詞造句，設格調音固然重要，而總效果的體現在於謀篇。正如劉勰所說：「篇之彪炳，章無疵也。章之明靡，詞無玷也。句之清英，字不妄也。」(《文心雕龍·章句篇》)優美的詞句在彪炳的篇章中才能顯示修辭效果。說話作文不僅要注意詞句的錘煉，更要注意篇的謀劃，這已是語言學界的共識。近年來語言學界不僅研究辭彙語法，更重視從不同角度分析話語，捕捉話語資訊核心。……我翻讀滿銘教授的書，他的篇篇分析都印證我的想法。例如，他分析蘇軾的〈西湖送述古〉一詞，先指出前面時空的襯托，待分析「明朝愁煞人」句時說道：「就虛時間，設想到『明日』之離愁，拈出『愁』字，以統括全詞。」

又論「內容與形式結合」時說：

多年來，形式主義語言學派重視對語言進行形式分析，忽視對

7 黎運漢：〈陳滿銘對辭章章法學的貢獻〉，收入仇小屏、陳佳君等主編：《陳滿銘與辭章章法學》，頁121-122。

意義內容的分析。我多次說過，語言是音義結合的辭彙和語法的體系。不管是表達客體概念意義的辭彙單位，還是表達關係功能意義的語法單位和規則，都是由語音物質外殼和語義內容結合而成的。離開內容的形式和離開形式的內容都不是語言單位。由語言單位組成的話語當然也是音義結合的。只是話語資訊比詞句相加的意義更為豐富。滿銘在研究章法時一直堅持形式與內容相結合的原則，他不同意把章法僅僅歸結為形式，認為章法所探求的是情意（內容）的深層結構。章法不是強加於文章的外在框架，而是深蘊文章情意（內容）之內的內在條理。他在分析〈長相思〉時，指出此詞藉自身之所見、所為來寫相思之情。先用山水之景襯托悠悠別恨，再即景抒情，從所見到所感，轉到「恨到歸時方始休」。再到所為，轉到「月明人倚樓」，對恨做具體的描繪。可見，章法不僅與情意（內容）有著密不可分的關係，而且也藉以形成情意的深層結構。[8]

（三）林大礎、鄭娟榕在論「結構分析表的特殊功用」時強調：

陳教授巧妙而恰當地選擇「結構分析表」作為橋樑，把章法理論與辭章作品緊密聯繫起來。他每闡述一種「章法」或「章法風格」，就揮灑自如地運用「結構分析表」對辭章作品進行具體分析。於是，它在「橋樑作用」之外，至少又獲得「一石四鳥」的功效：一是體現了陳教授治學上理論密切聯繫實際的科學精神；二是使章法理論得以「小試牛刀」，讓「英雄有用武

8 王德春：〈適應語言學發展趨勢的論著——評陳滿銘教授的辭章學〉，收入仇小屏、陳佳君等主編：《陳滿銘與辭章章法學》，頁46-51

之地」，實際上就是使它「經受風雨」（即接受實踐檢驗）而「落地生根」（即顯示其科學性、實用性，而深入人心）；三是在學習、運用章法知識方面，對學習者起到了良好的示範作用；四是增加了章法學的「可信度」，也增強了學習者的信心。因此，「結構分析表」在構建辭章章法學過程中所發揮的特殊功用，確實是值得稱道的。這也從另一方面體現了陳教授治學上縝密思考、精心選擇的嚴謹作風。[9]

（四）張春榮在論「結構分析表自不同角度切入」時指出：

陳滿銘《章法學新裁》（2001，萬卷樓）……全書善於配合「結構分析表」，自不同角度切入，以見「章法」之靈動活用，絕非機械固定之反應。其中〈談篇章結構分析的切入角度〉（頁420-434），……分析岳飛〈滿江紅〉，分別自「凡目」、「虛實」加以掌握；……分析蘇軾〈念奴嬌〉，亦自「今昔」、「虛實」、「反正」、「內外」（物內、物外）四角度，復調賞析，以見名篇章法變化之姿。凡此，均為其深造自得之明證。又〈談篇章的縱向結構〉（頁489-552），分析李之儀〈卜算子〉，結合「事」與「情」主要成分，見其主要章法為：「泛具」、「虛實」、「因果」等；分析辛棄疾〈摸魚兒〉，結合「事」、「景」、「情」主要成分，見其主要章法為：「泛具」、「凡目」等；似此則為「縱向」（主要靠情、理、景、事）、「橫向」（主要靠章法）整合；結合運思脈絡，十字架開之深

9 林大礎、鄭娟榕：〈開闢漢語辭章學的新領域——陳滿銘教授創建辭章章法學評介〉，收入仇小屏、陳佳君等主編：《陳滿銘與辭章章法學》，頁168-169。

入觀照。進而，指出以「情」、「理」、「景」、「事」為主的成分，各有適用章法（頁535、534、540、541）；其中條列歸納，極具參考價值。[10]

三　以建構體系而言

茲分兩層面來看：

（一）章法學層面

從四十多年前開始，個人帶動博、碩士團隊，經由「歸納（果→因）⟷ 演繹（因→果）」的雙螺旋互動，先從各體辭章作品之解析中，歸納為「模式」，再以演繹，歸根於《周易》與《老子》，為「模式」尋出哲理依據，如此不斷地「求異 ⟷ 求同」，作「互動、循環、往復而提高」之研討，才逐漸地使「章法學」研究形成「方法論」體系，以呈現其「三觀」（微觀、中觀、宏觀）的「雙螺旋層次邏輯系統」[11]。

對此，「三一語言學」的創始人王希杰，先論「章法學體系」時說：

> 章法學作為一門學問，不是有關部門章法的個別的知識，而是章法知識的總和，是一種概念的系統。章法學是一門

10 張春榮：〈拓殖與深化——陳滿銘《章法學新裁》〉，《文訊》188期（2001年6月），頁26-27。

11 陳滿銘：〈論辭章章法學三觀體系之建構〉，中山大學《文與哲》學報，23期（2013年12月），頁333-388。又，陳滿銘：〈論篇章「異、同」互動的雙螺旋層次系統——以「0一二多」為鍵軸、蘇辛詞「篇章結構」為實例作探討〉，《國文天地．學術論壇》32卷3期（2016年8月），102-136。

> 實用性很強的學問，也有極高的學術價值。它同文章學、修辭學、語用學、文藝學、美學、邏輯學等都具有密切關係。章法學已經初步形成了一門科學。陳滿銘教授初步建立了科學的章法學體系。[12]

又論「四個領域的成就」時說：

> 臺灣師範大學國文系陳滿銘教授是「四書」學家、詩詞學家、章法學家和語文教育家。但是他首先是章法學家。四書學是他的為人、治學的基礎。詩詞學研究是他的章法學的材料來源，也是章法學規則的核對總和運用。語文教學是他的章法研究的出發點，他的章法學理論服務於語文教學。……上個世紀最後的幾十年裏，張志公學生提倡「辭章學」，也在北京大學講授過辭章學，造成了一定的影響。影響更大的是鄭頤壽教授，他在理論體系的建構方面做了不少工作，取得了可喜的成功。但是，在我看來，真正初步建立了許多章法學的是陳滿銘教授，他把章法變成一門科學——可以把握，有規律規則可以遵循的學問。這是一個了不起的貢獻。

再「章法的客觀性」時就說：

> 凡存在的事物，都有是「章」有「法」的。德國哲學家黑格爾說：凡存在的，都是合理的。這個「理」，其實就是「章」和「法」。

---

12 王希杰：〈章法學門外閑談〉，《國文天地》18卷5期（2003年6月），頁53-57。

然後論臺灣「章法學的方法論原則」時說：

> 滿銘教授有一篇論文，題目叫做〈談詞章學的兩種基本作法：歸納與演繹〉(《中等教育》27卷3、4期，1976年6月)，歸納法和演繹法其實也就是章法學的基本方法。……章法學的成功，是歸納法的成功，這近四十種章法規則是從大量的文章中歸納出來的，一律具有巨大的解釋力，覆蓋面很強。同時也是演繹法的成功的運用，例如《章法學綜論》中的「變化律」的十五種結構，很明顯是邏輯演繹出來的，當然也是得到許多文章的驗證的。……值得一提的是，……大量運用模式化手法。這本是很好的方法，但是……可能顯得繁瑣、瑣碎，使人難以把握的。可貴的是，……並不滿足於單純地「歸納（歸納 ⟷ 演繹）法則」，他們力圖建立統率這些比較具體的法則的更高的原則。[13]

而辭章學大家鄭頤壽，先論「臺灣辭章學研究的哲學思辨」時說：

> 章法學……涉及文章學、修辭學、語體學、邏輯學以及美學等諸多方面。綜合研究這諸多方面的章法現象及其理論體系的學問……臺灣學者陳滿銘教授，在研究這一方面具有突出的成就，雖非絕後，實屬空前。……新的學科建設必須站在哲學的高度，並以之作指導，才能高瞻遠矚，不斷開拓，建構科學的理論體系。中國古老的哲學多門，其中最有影響的是樸素的辯

13 以上三則引文，見王希杰：〈陳滿銘教授和章法學〉，《畢節學院學報》總96期（2008年2月），頁1-5。

> 證法思想，……它具有濃厚的文化底蘊，融進了我國的許多學科、各個領域和生活，至今仍有強盛的生命力。臺灣辭章章法研究，能充分運用我國傳統（《周易》、《老子》）的辯證法。陳滿銘教授的《章法學新裁》一書，談篇章結構，就用了辯證法的觀點，……來建構體系的。[14]

又論「三觀體系」時說：

> 篇章辭章學的「三觀」理論建構了科學的、體系嚴密的學科理論大廈，是「篇章辭章學」藝術之所以能夠成「學」的最主要依據。分清這「三觀」、「大廈」的建構就有了層次性、邏輯性；抓住這「三觀」，就抓住了學科體系的「綱」和「目」。我們用「三觀」理論所作的概括、評價，應該基本上描寫了篇章辭章學的理論體系。……是從具體的「方法」到概括的「規律」，……從一個個的「章法」入手，一個、兩個、十個、三十幾個、四十幾個……「集樹成林」（微觀）之後，又由博返約，把它們分別類聚於秩序律、變化律、聯貫律、統一律之中，有總有分，形成四個章法的「族系」（中觀）。這就把章法條理化、系統化了。……（又）從分別的「章法」、「規律」到統領「全軍」的理論框架「（0）一、二、多」、「多、二、一（0）」（宏觀）。這是認識的又一個飛躍、昇華，它加強了學科的哲學性、科學性。[15]

---

14 鄭頤壽：〈臺灣辭章學研究述評〉，《國文天地》17卷10期（2001年3月），頁99-107。

15 鄭頤壽：〈陳滿銘創建篇章辭章學——代序〉，收入仇小屏、陳佳君等主編：《陳滿銘與辭章章法學》，頁（7）-（12）。

又，語言風格學大家黎運漢，在論「章法學方法論體系」時說；

> 一門學科的建立與研究方法密切相關，學科的進步與發展有時也要依靠新的方法來解決。因此，「漢語辭章章法」要成為獨立的學科，也跟其他學科一樣，要有自己的「方法論體系」。陳滿銘教授的章法學論著中雖然沒有專章講述「方法論」，但其幾部論著中無處不散發著他在「方法論」上的自覺。……體現出其章法學具有了較為完備的「方法論體系」。[16]

(二) 唐宋詞層面

用章法理論來研究或分析唐宋詞或其他文體，是同時進行的。對此，曹辛華就指出：

> 章法學，是研究篇章邏輯結構的一問學問。早在齊梁，劉勰《文心雕龍・章句》中便對文章的章法作過論述，後來人們在文學批評、文學評點時也經常運用「章法」來描述寫作法與剖析作品。但由於中國傳統學術具有尚感悟、少抽象、乏系統、欠科學等特徵。有關章法研究一直未細化，並上升到學科理論層面。陳氏為此歷時30餘年，明確了「章法學」的內涵與外延，逐漸確立了「章法學」這一學科。……作為詞學前輩的吳世昌、唐圭璋等雖著力於此，但是理論闡發不夠。陳滿銘則在總結傳統章法理論與歸納包括唐宋詞作在內的文章章法規律的基礎上，建構出章法學體系，並運用這種方法於唐宋詞的研究

16 黎運漢：〈陳滿銘對辭章法學的貢獻〉，收入仇小屏、陳佳君等主編：《陳滿銘與辭章章法學》，頁52-70。

> 中。既立足於「體制內」，又發散於「體制外」。從這個意義上來說，陳氏以章法學方法研究詞學，是對「體制外」與「體制內」兩派的研究方法的結合，從而刷新詞學研究方法的同時，也為當代詞學研究提供了一條切實可行的有效途徑。

而且，他認為「詞學章法學」即由此建立起來了，他說：

> 陳滿銘先生在當代詞學史上首要的貢獻是開創了詞學章法學這一新的研究領域。……雖然陳氏一直致力於章法研究，但直至2001年才出版了《章法學新裁》一書，正式以「章法學」之名，接受大眾之檢驗。（同前第12頁）由此可見，到2000年，陳氏在完成「章法學」全部體系建構的同時，也就開創了詞學章法學這一研究領域。

又說：

> 陳氏以章法學來研究詞學的方法，至少有四大「新意」：為人們研究詞體的結構類型、規律，從理論上提供了一支「衝鋒槍」；為人們把握詞作的「義旨」，提供了一面「透視鏡」；為人們研究詞人的創作模式提供了一把「解剖刀」；為人們探求詞體美感，準備了一台「顯微儀」。由此四點可概見，陳氏對詞學研究方法的刷新。

而且強調：

陳滿銘先生的詞學研究可圈可點之處尚多。如他將章法學、哲學、邏輯學、美學與詞學研究融彙起來。這種融會貫通的研究方法是詞學研究後輩應該效法的。因為時至今日，如果還採取「單打一」的研究方式，很難逾越前人藩籬，也很難有新的突破。如在加強詞學研究與詞學普及的聯繫方面，陳氏不但大膽地創構新的詞學章法學體系，還在研究生教育中積極實踐。除了前文提到的仇小屏博士的《古典詩詞時空設計之研究》等論文外，像林承坯《辛稼軒詠物詞研究》（臺灣師範大學碩士論文，1992年）、楊麗玲《蘇東坡啄物詞研究》（1997年）、郭靜慧《辛稼軒山水田園研究》（1999年）、李靜雯《點染章法析論》（2002年）、許婷《晏幾道離別詞研究》（2002年）、江姿慧《晏殊《珠玉詞》研究》（2002年）、塗碧霞《凡目章法析論》（2003年）、蒲基維《章法風格論——以蘇軾詞、姜夔詞為考察對象》（2003年）、黃文鶯《賀鑄在詞史上的承繼與開展》（2004年）等等研究生論文，都是在其指導下完成的。這些論文大多採用章法學手段來從理論或創作上研究詞學。可以說是「詞學章法學」的高層次「演習」。而其《詞林散步——唐宋詞結構分析》則專門面向詞學愛好者的「科普」式著作，是陳氏將詞學章法學理論「淺顯化」的表現。此著既是教科書詞選，又是教人賞詞作詞的著作。正如他在〈常見於稼軒詞裏的幾種辭章作法〉結論中所云：「初學詞章的人如果能夠把這些根本的作法細加揣摩，並加類比，以至於心領神會，運用到各類作品的欣賞與寫作上面，則所謂『熟能生巧』，自不難增進自己的讀寫本領，使它逐漸向高妙的境地」。（《蘇、辛詞論稿》，第105頁）。另外，陳氏還在《國文天地》開闢「唐宋詞拾玉」這樣的專欄，面向中學生來談詞。這種做法既將傳統詞話「現代化」了，又達到了巨集揚詞學的目的。[17]

以上多位學者種種之肯定與鼓勵，是令人鼓舞的。經過了那麼多年，重新細心拜讀，有「言猶在耳」的密切感覺。而對「詞學章法學」而言，由於個人對元、明、清與現代詞學，涉獵不深，因此，就以唐、宋為範圍，安排如下十章來探討：

第一章　章法學「三觀」系統
第二章　時空虛實
第三章　包孕邏輯
第四章　多層解析
第五章　辭章評賞
第六章　篇章思維
第七章　篇章意象
第八章　創新潛能
第九章　潛顯互動
第十章　章法風格

這十章除第一章為總論，藉理論體系以統合其他九章外，其餘九章都從不同層面或角度切入，用章法對「唐宋詞」作兼顧「求異 ⟷ 求同」、「直覺表現 ⟷ 模式探索」雙螺旋互動[18]之探討，以見「唐

17 曹辛華：〈論陳滿銘先生的詞學貢獻〉，收入仇小屏、陳佳君等主編：《陳滿銘與辭章章法學》，頁330-345。

18 陳滿銘：〈論篇章「異、同」互動的雙螺旋層次系統——以「0一二多」為鍵軸、蘇辛詞「篇章結構」為實例作探討〉，《國文天地．學術論壇》32卷3期（2016年8月），頁102-136。又，陳滿銘：〈篇章風格論——以直觀表現與模式探索作對應考察〉，臺灣師大《中國學術年刊》32期．春季號（2010年3月），頁129-166。

宋詞章法學」之重要內涵。且在此必須說明的是：於二〇一四年八月由萬卷樓圖書公司出版個人的《辭章章法學體系建構叢書》十冊，而《唐宋詞拾玉──以篇章結構分析為軸心》就收在其中；可以和此書形成「作品←→理論」雙螺旋互動的關係來閱讀，以求增進對「唐宋詞章法學」之了解。

這本書的出版，得到萬卷樓圖書公司總經理梁錦興先生、副總經理兼副總編輯張晏瑞先生、主編吳家嘉小姐、校對林秋芬小姐的辛勤設計、編排與校對，在此，誠摯地致上萬分謝意！還有要補充說明的是，由於各章要求忠實地呈現其研究的階段性歷程與其內容結構之完整，以致難避免對同一重要主題有重複探討而舉例說明的現象，但是其論述之深淺、繁簡與偏全是各有差異的；不過，無論怎麼說，都是缺憾：在此，謹請　讀者見諒！

陳滿銘

序於國文天地雜誌社

2016年10月7日

第一章
章法學「三觀」系統

「章法學」是研究深藏於宇宙人生「萬事萬物」之間，以「陰陽二元」互動為基礎，經其「移位」（秩序）、「轉位」（變化）、「對比、調和」（聯貫：上下徹）與「包孕」（統一），產生「互動、循環、往復而提升」之「0一二多」雙螺旋層次邏輯運動，使「萬事萬物」層層「轉化」，構成其「微觀」（基礎性）、「中觀」（概括性、多元性）而「宏觀」（系統性、藝術性）的完整體系，以呈現其普遍性與適應性，而由此打開跨界研究的一扇大門[1]。

而此「三觀」，是可彼此互動而形成雙螺旋層次邏輯關係的，這種關係，可用如下簡圖呈現：

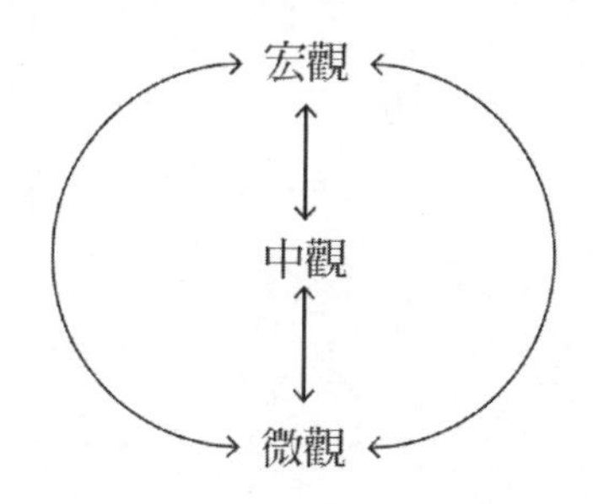

1　此扇門自1974年開始逐漸打開，見陳滿銘：《比較章法學》（臺北市：萬卷樓圖書公司，2012年11月初版）。頁1-377。即以個人專著而言，除《比較章法學》外，《學庸義理別裁》（2002年）、《論孟義理別裁》（2003年）、《蘇辛詞論稿》（2003年）、《意象學廣論》（2006年）、《辭章學十論》（2006年）、《多二一（0）螺旋結構論——以哲學、文學、美學為研究範圍》（2007年）、《篇章意象學》（2011年），皆屬「跨界章法學」之性質。

凡事物之「轉化」，脫離不了之「起因」、「過程」與「結果」。如《易》有「三易」（簡易、變易、不易）、「三才」（天、地、人），儒家主張「三德」（智、仁、勇）、三綱（明明德、親民、止於至善），佛家主張「三觀」（空觀、假觀、中觀）、史家主張三長（才、學、識）……等，不一而足。這是形成此「三觀」理則之主因[2]，而也由此受到重視。

第一節　微觀層面

這主要是就「雙螺旋層次邏輯類型」，即「章法類型」[3]與「章法結構」[4]而言的。凡是「章法」都由「陰陽二元」互動，呈現其層次邏輯關係，而形成多種類型。這種「陰陽二元」互動觀念的論述，在我國的哲學古籍裡，很容易找到。其中以《周易》與《老子》二書，為最早而最明顯。

先以《周易》來看，它以「陰陽」為其一對基本概念，是由此陰（斷--）陽（連━）二爻而衍為四象，再由四象而衍為八卦、六十四卦的。而八卦之取象，是兩相對待的，即乾（天）為「三連」（☰）而坤（地）為「六斷」（☷）、震（雷）為「仰盂」（☳）而艮（山）為「覆碗」（☶）、離（火）為「中虛」（☲）而坎（水）為「中滿」（☵）、兌（澤）為「上缺」（☱）而巽（風）為「下斷」（☴）；而所謂「三連」（陰）與「六斷」（☷）、「仰盂」（☳）與「覆

2　陳滿銘：〈章法學三觀論〉，高雄師大《國文學報》21期．特約稿（2015年1月），頁1-33。

3　陳滿銘：《章法學綜論》（臺北市：萬卷樓圖書公司，2003年6月初版），頁17-33。

4　陳滿銘：〈論二元互動與章法結構——以「多、二、一（0）」螺旋結構切入作綜合考察〉，《東吳中文學報》18期（2009年11月），頁1-32。

碗」(☶)、「中虛」(☲) 與「中滿」(☵)、「上缺」(☱) 與「下斷」(☴)，正好形成四組兩相互動之運作關係，以呈現其簡單的「二元互動」之邏輯結構。後來將此八卦重疊，推演為六十四卦，雖更趨複雜，卻依然存有這種「二元互動」的運作關係，如「坎（☵）上震（☳）下」(〈屯〉) 與「震（☳）上坎（☵）下」(〈解〉)、「艮（☶）上巽（☴）下」(〈蠱〉) 與「巽（☴）上艮（☶）下」(〈漸〉)、「乾（☰）上兌（☱）下」(〈履〉) 與「兌（☱）上乾（☰）下」(〈夬〉)、「離上（☲）坤（☷）下」(〈晉〉) 與「坤（☷）上離（☲）下」(〈明夷〉) ……等，就是如此。而〈雜卦〉云：

> 乾，剛；坤，柔。比，樂；師，憂。臨、觀之意，或與或求。……震，起也；艮，止也。損、益，衰盛之始也。大畜，時也；無妄，災也。萃，聚，而升，不來也。謙，輕；而豫，怡也。……兌，見；而巽，伏也。隨，無故也；蠱，則飭也。剝，爛也；復，反也。晉，晝也，明夷，誅也。井，通；而困，相遇也。咸，速也；恆，久也。渙，離也；節，止也。解，緩也；蹇，難也。睽，外也；家人，內也。否、泰，反其類也。……革，去故也；鼎，取新也。小過，過也；中孚，信也。豐，多故也；親寡，旅也。離，上；而坎，下也。……大過，顛也；頤，養正也。既濟，定也；未濟，男之窮也。姤，遇也，柔遇剛也；……夬，決也；剛決柔也。君子道長，小人道憂也。

這些卦的要義或特性，都兩兩互動，如剛和柔、樂與憂、與和求、起和止、衰和盛、時和災、見和伏、速和久、離和止、外和內、否和泰、去故和取新、多故和親寡、上和下……等等。由此反映宇宙人生之「雙螺旋層次邏輯」，為人生行為找出準則，以適應宇宙自然之動態規律[5]。

後以《老子》來看，這種「陰陽二元」互動，也處處可見，如：

> 天下皆知美之為美，斯惡已；皆知善之為善，斯不善已。故有無相生，難易相成，長短相較，高下相傾，音聲相和，前後相隨。（第二章）
>
> 寵辱若驚，貴大患若身。何謂寵辱若驚？寵為下，得之若驚，失之若驚，是謂寵辱若驚。（第十三章）
>
> 曲則全，枉則直，窪則盈，敝則新，少則得、多則惑，是以聖人抱一，為天下式。（第二十二章）
>
> 知其雄，守其雌，為天下谿；為天下谿，常德不離，復歸於嬰兒。知其白，守其黑，為天下式；為天下式，常德不忒，復歸於無極。知其榮，守其辱，為天下谷；為天下谷，常德乃足，復歸於樸。（第二十八章）

如上所引，「美」（喜）與「惡」（怒）、「善」（是）與「不善」（非）[6]、「有」與「無」、「難」與「易」、「長」與「短」、「高」（上）與「下」、「前」與「後」、「寵」（榮）與「辱」、「得」與

---

5 陳滿銘：〈論螺旋邏輯學的創立——以哲學螺旋與科學螺旋為鍵軸探討其體系之建構〉，《國文天地．學術論壇》31卷1期（2015年6月），頁116-136。又參見徐復觀：《中國人性論史》（臺北市：臺灣商務印書館，1978年10月四版），頁202；陳望衡：《中國古典美學史》（長沙市：湖南教育出版社，1998年8月一版一刷），頁182。

6 王弼注二章：「美者，人心之所進樂也；惡者，人心之所惡疾也。美、惡，猶喜、怒也；善、不善，猶是、非也。喜、怒同根，是、非同門；故不得而偏舉也。此六者，皆陳自然不可偏舉之名數。」見《老子王弼注》（臺北市：河洛圖書出版社，1974年10月臺景印初版），頁3。

「失」、「曲」（偏）與「全」、「枉」（曲）與「直」、「窪」與「盈」、「敝」與「新」、「少」與「多」、「重」與「輕」、「靜」與「躁」、「雄」與「雌」、「白」與「黑」等，形成兩相對待而互動的「陰陽二元」。

而「章法」即由「陰陽二元」螺旋互動所形成，如就辭章層面而言，可藉以呈現篇章內容材料的邏輯關係，是含「篇法」在內的[7]。《文心雕龍．章句》論「篇」、「章」、「句」、「字」，而其篇名就以「章」含「篇」、以「句」含「字」。因此「章法結構」或其「系統」，是該析為「篇」與「章」來看待的。

由於「章法結構」或其「系統」，是有其客觀性的[8]，始由「陰陽二元」之互動作用為基礎，再對應於「章法規律」，經橫向之「移位」、「轉位」與縱向之「包孕」過程[9]，使「陰⟷陽」產生多種變化，然後形成細緻、複雜、多層的結構或系統[10]。

對這種「章法」的注意，在中國相當地早。除劉勰《文心雕龍．章句》篇外，後來呂東萊的《古文關鍵》、謝枋得的《文章軌範》、託

---

7 鄭頤壽：「陳教授之研究『章法』始終都含『篇法』。他是在『篇』中論『章法』；如今，又進一步在『章法』中論『篇法』，把『篇法』和『章法』交融起來。這是一個很好的學術發展態勢，它暗示我們包含在『辭章章法學』中的『篇章辭章學』已經十月懷胎，即將呱呱墜地。這是一個難能可貴的開拓。……不管是分析散文，還是詩、詞、曲的『章法』，作者總是著眼於全篇（詩中稱『首』，詞中稱『闋』或『篇』），總是從『篇法』之全局剖析構成作品之各個『局部』關係的『章法』，最後歸納出『篇法』的內部結構。……這是『章法學』的成功之處。」見〈含「篇法」的「辭章章法學」的發展——評介陳滿銘《章法學論粹》及其相關論著〉，《國文天地》19卷4期（2003年9月），頁106-112。

8 王希杰：〈陳滿銘教授和章法學〉，《畢節學院學報》總76期（2008年2月），頁1-5。

9 每一章法類型與結構，都關涉到「對比、調和」，見陳滿銘：《章法學綜論》，頁341-352。

10 陳滿銘：〈論章法結構之方法論系統——歸本於《周易》與《老子》作考察〉，臺灣師大《國文學報》46期（2009年12月），頁61-94。

名歸有光的《文章指南》和劉熙載的《藝概》……等，也都或多或少地涉及「章法」，只可惜，都「但見其樹而不見其林」。於是在偶然的機緣下，從四十多年前開始，兼顧理論與應用，且透過「模式研究」（人為探索）以對應「客觀存在」（自然呈現）[11] 的努力結果，終於找出約四十多種「章法類型」，而臻於「集樹成林」的階段性工作成果。這些「章法類型」是：今昔、久暫、遠近、內外、左右、高低、大小、視角轉換、知覺轉換、時空交錯、狀態變化、本末、淺深（輕重）、因果、眾寡、並列、情景、論敘、泛具、虛實（時間、空間、假設與事實、虛構與真實）、凡目、詳略、賓主、正反、立破、抑揚、問答、平側（平提側注、平提側收）、縱收、張弛、插補、偏全、點染、天（自然）人（人事）、圖底、敲擊等[12]。它們用在「篇」或「章」（節、段），都可以擔負組織材料、貫通情意之作用。

因為這些「章法類型」，是建立在「陰陽二元」雙螺旋互動之基礎上的，所以每一「章法類型」本身即自成「陰陽」、「剛柔」。大抵而論，屬於本、先、靜、低、內、小、近……的，為「陰」為「柔」，屬於末、後、動、高、外、大、遠……的，為「陽」為「剛」。而《周易・繫辭上》所謂「天尊地卑，乾坤定矣；卑高以陳，貴賤位矣；動靜有常，剛柔斷矣」，雖然沒有明說何者為「剛」？何者為「柔」？然而從其整個「陰陽、剛柔」學說看來，卻可清楚地加以辨別。陳望衡說：

> 《周易》中的剛柔也不只是具有性的意義，它也用來象徵或概

11 陳滿銘：〈論辭章之無法與有法——以客觀存在與科學研究作對應考察〉，彰化師大《國文學誌》23期（2011年12月），頁29-63。

12 陳滿銘：《章法學綜論》，頁17-32。又，蒲基維：〈章法類型概說〉，《大學國文選・教師手冊・附錄三》（臺北市：普林斯頓國際公司，2011年7月二版修訂），頁483-523。

> 括天地、日月、晝夜、君臣、父子這些相對立的事物。而且，剛柔也與許多成組相對立的事物性質相連屬，如動靜、進退、貴賤、高低……剛為動、為進、為貴、為高；柔為靜、為退、為賤、為低。[13]

這樣以「陰陽」或「剛柔」來看「章法類型」，都可歸本於《周易》與《老子》的論述而辨別它們的「陰陽、剛柔」來。譬如：

> 賓主法：以「主」為陰為柔、「賓」為陽為剛。
> 正反法：以「正」為陰為柔、「反」為陽為剛。
> 凡目法：以「凡」為陰為柔、「目」為陽為剛。
> 圖底法：以「圖」為陰為柔、「底」為陽為剛。
> 因果法：以「因」為陰為柔、「果」為陽為剛。

以此為基礎，各種「章法類型」就可以因「移位」如「陽→陰」或「陰→陽」、又可因「轉位」如「陰→陽→陰」或「陽→陰→陽」，作橫向擴展，而形成各種結構型態[14]。

而「章法結構」只有靠「移位」、「轉位」作橫向的拓展是不夠的，必須藉「包孕」作縱向的推深，形成層級，以組織成為完整系統。就在這種包孕式結構中，有兩種基本類型：其一是陰柔屬性：「陰／『陰、陽』」的結構類型：這種類型，以「因果」章法為例，形成的是「因／『因、果』」的結構；其二是陽剛屬性：「陽／『陰、陽』」的結構類型：這種類型，以「圖底」章法為例，形成的是「底

---

13 陳望衡：《中國古典美學史》，頁184。

14 陳滿銘：〈章法的「移位」、「轉位」結構論〉，臺灣師大《師大學報．人文與社會類》49卷2期（2004年10月），頁1-22。

／『圖、底』」的結構[15]。一般說來，任何「章法結構」或其「系統」，都會出現這兩種基本類型。

由於「轉位」比較複雜，並非每一辭章都會出現這種結構，所以這種「章法結構」或其系統，可單由「移位」（橫向）與「包孕」（縱向）所組成，也可由「移位」（橫向）、「轉位」（橫向）與「包孕」（橫向）所組成。這種情況不僅是「章」如此，就是「篇」也這樣。

可見這些由「陰陽二元」互動所形成之「章法類型」與「章法結構」，亦即「雙螺旋層次邏輯類型」及其「系統」，都能在《周易》、《老子》中尋得其哲理根源，成為「章法學」——「雙螺旋層次邏輯學」中屬於「微觀」層面之「方法論」依據。

第二節　中觀層面

這主要是就「螺旋層次邏輯」中「概括性」（章法規律、族系分類）與「多元性」（角度、比較）而言的。

一　章法規律的概括性

「章法規律」是在「陰陽二元」雙螺旋互動之作用下，由「移位」或「轉位」與「對比、調和」、「包孕」而形成的。其中由「移位」呈現「秩序律」；「轉位」呈現「變化律」；「對比、調和」徹下、徹上以呈現「聯貫律」；由「包孕」徹下、徹上以呈現「統一律」。而這種「雙螺旋層次邏輯」之四大規律，乃先由「秩序」而「變化」而

15　陳滿銘：〈章法包孕式結構類型論——以凡目、圖底、因果等同一章法為例作考察〉，《興大中文學報》30期（2011年12月），頁121-149。

「聯貫」，然後趨於「統一」，形成「雙螺旋層次邏輯系統」。這種理論，可見於《周易》與《老子》[16]。在此，限於篇幅，也只歸本於《周易》作簡要探討。

先以「秩序」而言，涉及「移位」，此乃「陰陽二元」最基本的一種互動，是在對待往來中起伏消息、迭相推蕩而產生的。因為事物之發展是統一物分裂為兩相對待，而相互作用的運作過程，而此對待面的相互作用，在《周易》的《易傳》中以相互推移（剛柔相推）、相互摩擦（剛柔相摩）、與相互衝擊（八卦相蕩）等各種表現形式[17]，為順向移位與逆向移位，提出了最精微的論證。就以〈乾卦〉來看，由初九的「潛龍，勿用」，移向九二的「見龍在田，利見大人」，移向九三的「君子終日乾乾，夕惕若。厲，無咎」；再移向九四的「或躍在淵，無咎」；然後躍升，移向九五的「飛龍在天，利見大人」，形成一連串的順向位移。上九，則因已到達了極限、頂點，會由吉變凶，漸次另形成逆向移位，開始向對待面轉化，造成另一種轉位，故說是「亢龍有悔」了。而這種「移位」全離不開雙向「陰陽互動」作用：

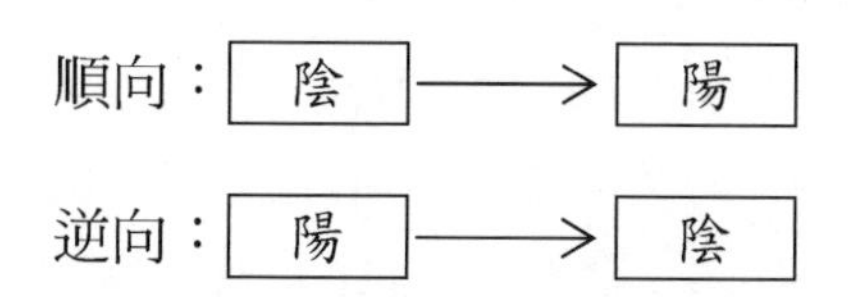

而六爻之所以能夠用以模擬事物的運動變化，是因「六位」能體現「道」的陰陽互動、統一之規律性。而此「六位」原則一確立，整個自然界與人類社會的基本規律全都可加以反映，故〈說卦傳〉將其概

16 陳滿銘：〈論章法四大律之方法論原則——以「多、二、一（0）」螺旋結構作系統探討〉，臺灣師大《中國學術年刊》33期．春季號（2011年3月），頁87-118。

17 馮友蘭：《中國哲學史新編》二（臺北市：藍燈文化公司，1991年12月初版），頁376。

括為「分陰分陽」,「六位而成章」,以「六位」體現著哲學原理。「六爻」體現著事物在一定規律支配下的變化運動過程,從時間上可劃分為潛在的與顯露的兩大階段,以一卦的卦象去體現,而其運動變化即可以由此清楚地瞭解而加以掌握[18]。因此,內外卦之間可以相互往來升降,六個爻畫之間也可以相互往來升降;通過這種往來升降的相互作用,就使種種的轉化運動,產生了一連串的順向移位(陰→陽)與逆向移位(陽→陰);如:

1. 「正反」法:「正(陰)→反(陽)」(順向)、「反(陽)→正(陰)」(逆向)
2. 「因果」法:「因(陰)→果(陽)」(順向)、「果(陽)→因(陰)」(逆向)

這種「移位」全離不開「陰陽二元」之互動作用,由此呈現「秩序律」。

次以「變化」而言,涉及以「移位」為基礎的「轉位」[19]。由於「陰陽」互動、生生而一,使《周易》哲學之發展形成開放的序列。這一序列正體現在〈乾〉、〈坤〉兩卦的「用九」、「用六」上。而「用九」、「用六」並不局限於〈乾〉、〈坤〉兩卦,而是為六十四卦發其通例,然後每一卦位在九、六互變中,均可一一尋出因「移位」而造成「轉位」的變動歷程。由〈乾〉、〈坤〉,而至〈既濟〉、〈未濟〉,〈序卦〉不但說明了由運動變化而形成秩序的無窮盡歷程,也表示了宇宙

---

18 徐志銳:《周易陰陽八卦說解》(臺北市:里仁書局,2000年3月初版四刷),頁60-73。

19 陳滿銘:〈章法的「移位」、「轉位」結構論〉,頁1-22。又,黃淑貞:〈《周易》「移位」、「轉位」論〉,《孔孟月刊》44卷5、6期(2006年2月),頁4-14。

萬物由六十四卦的位位互移，運動變化到達極點時，即會形成「大反轉」，反本而回復其根，形成另一個互動的循環系統。這一個「大反轉」，就是一個「大轉位」。這種「大轉位」可用下圖來表示：

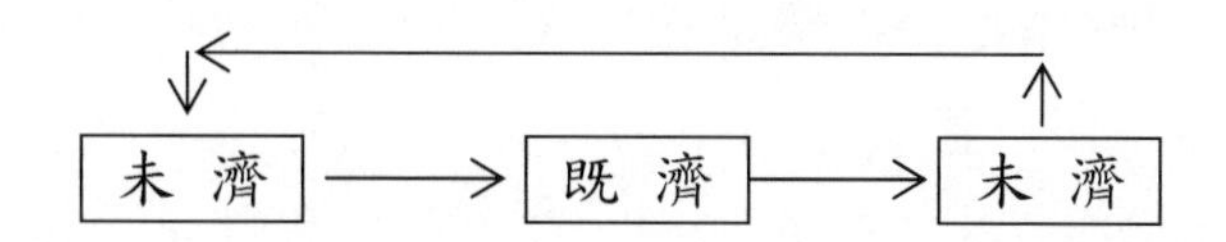

這雖是就「大轉位」而言，但「小轉位」又何嘗不是如此呢？就在這互動的「循環系統」中，自然涵蘊著無限的陰陽之「轉位」，如下圖：

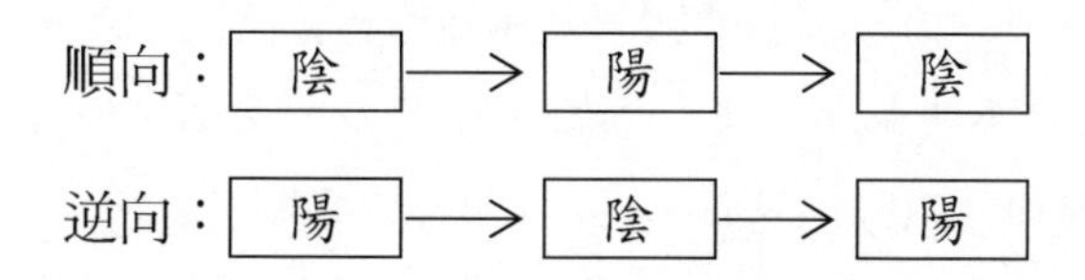

這種互動之「循環系統」，由陰陽、剛柔的相摩相推，太儀而兩儀，兩儀而四象，四象而八卦，八卦而六十四卦；再由六十四卦的位位互移、反轉，運動變化到達極點，形成「大位移」、「大反轉」，反本而回復其根，使萬物生生而無窮。因此，《周易》講「生生之德」的「生生」，即不絕之意，也深具新陳代謝之意。說明了由「陰陽二元」互動而轉化，宇宙萬物就在一次又一次的大小「移位」、「轉位」中，循環、反復，永無止境。其中以「轉位」來說，產生「陰→陽→陰」（順向）與「陽→陰→陽」（逆向）的變化，如：

1. 「正反」法：「正（陰）→反（陽）→正（陰）」（順向）、「反（陽）→正（陰）→反（陽）」（逆向）
2. 「因果」法：「因（陰）→果（陽）→因（陰）」（順向）、「果（陽）→因（陰）→果（陽）」（逆向）

而由此呈現「變化律」。

再以「聯貫」而言，這種「轉化」主要有兩種：「對比」與「調和」。以「對比」而言，也稱「異類相應的聯繫」，如上引〈雜卦〉所謂的「剛」與「柔」、「樂」與「憂」、「與」與「求」、「起」與「止」、「衰」與「盛」、「時」與「災」、「見」與「伏」、「速」與「久」、「離」與「止」、「否」與「泰」……等都是，對此，戴璉璋說：「以上各卦所標示的特性或要義：剛和柔、樂和憂、與和求、起和止、盛和衰等等，都是異類相應的聯繫。」[20] 以「調和」而言，是由史伯、晏嬰「同」的觀念發展出來的。原來的「同」，指「同一物的加多或重複」，到了《周易》，則指同類事物的「相從」，〈雜卦〉云：「屯，見而不失其居；蒙，雜而著。……大壯，則止；遯，則退也。大有，眾也；同人，親也。……小畜，寡也；履，不處也。需，不進也；訟，不親也。……歸妹，女之終也；漸，女歸待男行也。」這是以「止」和「退」、「眾」和「親」、「寡」和「不處」、「不進」和「不親」、「女之終」和「女歸待男行」等的相類而形成「同類相從的聯繫」（調和），對此，戴璉璋說：「依〈序卦傳〉，屯與蒙都是代表事物始生、幼稚時期的情況，〈雜卦傳〉作者用『見而不失其居』、『雜而著』來描述屯、蒙兩卦的特性，也都是就始生的事物而言。此外引〈大壯〉以下各卦的『止』和『退』、『眾』和『親』、『寡』和『不處』、『不進』和『不親』、『女之終』和『女歸待男行』，都是同類相從的聯繫。」[21] 而這所謂的「對比」、「調和」，是對應於「剛柔」來說的 [22]。如說得徹底一點，即一切「對比」與「調和」，都是由於陰

20 戴璉璋：《易傳之形成及其思想》（臺北市：文津出版社，1988年11月臺灣初版），頁196。

21 戴璉璋：《易傳之形成及其思想》，頁195。

22 歐陽周、顧建華、宋凡聖編著：《美學新編》（杭州市：浙江大學出版社，2001年5

（柔）陽（剛）相對、相交、相和的結果，如單以「章法類型」來說，「正反」法為「對比」、「因果」法為「調和」[23]。這樣結構由單一而系統、下徹而上徹，以凸顯了相反相成的互動作用，而趨於「統一」的「雙螺旋層次邏輯結構」；「聯貫律」即由此呈現。

終以「統一」而言，主要涉及「包孕」。在《周易》六十四卦中，除「乾」、「坤」兩卦，一為陽之元，一為陰之元外，其他的六十二卦，全是由「陰陽二元」互動而含融、聯貫而統一的。《周易·繫辭下》說：「陽卦多陰，陰卦多陽。其故何也？陽卦奇，陰卦偶。」對此，清焦循注云：「陽卦之中多陰，則陰卦之中多陽。兩相孚合捋多益寡之義也。如〈萃〉陽卦也，而有四陰，是陰多於陽，則以〈大畜〉孚之。〈大有〉陰卦也，而有五陽，是陽多於陰，則以〈比〉孚之。設陽卦多陽，則陰卦必多陰，以旁通之；如〈姤〉與〈復〉、〈遯〉與〈臨〉是也。聖人之辭，每舉一隅而已。……奇偶指五，奇在五則為陽卦，宜變通於陰；偶在五則為陰卦，宜進為陽。」[24] 可見《周易》六十四卦，有陽卦與陰卦之分，而要分辨陽卦與陰卦，照焦循的意思，是要看「奇在五」或「偶在五」來決定，意即每卦以第五爻分陰陽，如是陽爻則為陽卦，如為陰爻則是陰卦[25]。如此卦卦都產生「陰陽包孕」之作用。這種作用，如鎖定單一結構，擴及全面，以「陽／陰或陽」而言，則可形成下列三種不同的包孕式結構：

月一版九刷），頁81。又，仇小屏：《古典詩詞時空設計美學》（臺北市：文津出版社，2002年11月初版一刷），頁332。

23 仇小屏：〈論辭章章法的對比與調和之美〉，《章法學論文集》上冊（福州市：海潮攝影藝術出版社，2002年12月第一版），頁78-97。

24 陳居淵：《易章句導讀》（濟南市：齊魯書社，2002年12月一版一刷），頁209。

25 陽卦與陰卦之分，或以為要看每一卦之爻畫線段的總數來決定，如為奇數屬陽，如是偶數則為陰。見鄧球柏：《帛書周易校釋》（長沙市：湖南人民出版社，2002年6月三版一刷），頁536。

1 陽 ─ 陽／陰　　2 陽 ─ 陰／陽　　3 陽 ─ 陽／陰／陽

其中1、2兩種，如：

1.「正反」法：「反（陽）／反（陽）→正（陰）」、「反（陽）／正（陰）→反（陽）」

2.「因果」法：「果（陽）／果（陽）→因（陰）」、「果（陽）／因（陰）→果（陽）」

這些都可形成「移位」結構外，3又可合而形成「轉位」結構，如：

1.「正反」法：「反（陽）／反（陽）→正（陰）→反（陽）」

2.「因果」法：「果（陽）／果（陽）→因（陰）→果（陽）」

以「陰／陽或陰」而言，則可形成下列三種不同的包孕式結構：

1 陰 ─ 陽／陰　　2 陰 ─ 陰／陽　　3 陰 ─ 陰／陽／陰

其中1、2兩種，如：

1.「正反」法：「正（陰）／反（陽）→正（陰）」、「正

（陰）／正（陰）→反（陽）」

2.「因果」法：「因（陰）／果（陽）→因（陰）」、「因（陰）／因（陰）→果（陽）」

這些都一樣可形成「移位」結構外，3又可合而形成「轉位」結構[26]，如：

1.「正反」法：「反（陽）／正（陰）→反（陽）→正（陰）」

2.「因果」法：「果（陽）／因（陰）→果（陽）→因（陰）」

於是就在這種作用下，結構由單一而系統，以產生下徹的作用，統合了「秩序、變化、聯貫」的「轉化」運動，而由此呈現「統一律」。

二　章法族系的概括性

到目前為止，已經發現和確立的「章法類型」，有四十多種。而每種單一的章法，皆有其個別的「特性」（異），因此有它們獨立存在的必要，以適應千變萬化的辭章作品。然而，一個具有科學化和系統性的學科研究，實應兼顧「異」與「同」，將「往下分析深入」的鎖

26 其中有關於《易傳》的論述，詳見陳滿銘：〈章法包孕式結構論——以「多、二、一（0）」螺旋結構切入作考察〉，《江南大學學報・人文社會科學版》5卷4期（2006年8月），頁85-90。又，陳滿銘：〈論章法包孕結構之陰陽變化——以蘇辛詞為例作觀察〉，臺北大學《中文學報》15期〔特稿〕（2014年3月），頁1-24。

細（異）與「往上提升融貫」的統整（同）形成互動之關係[27]，因此，除了一一確立個別的章法之外，還必須往上就其「共性」（同），化繁為簡，有體系的整合出章法的幾大家族，一方面使學科邁向精緻化和系統化，一方面亦使章法能利於廣泛應用。

家族的「共性」（同），即「族性」，而所謂的「族性」，指的即是某些章法所共同具有的特色。在目前所開發出來的近四十種章法中，可依此大致分作三類：「對比類」、「調和類」、「中性類」，而形成「三觀」。運用前二類章法時，在材料的選取上，就必然會選用對比或調和的材料，因此毫無疑問地會造成對比美或調和美；而且在此二類之下，針對材料的來源，還可再分成三類，即「同一事物造成對待者」、「不同事物造成對待者」，以及「皆有可能者」，又形成「三觀」。至於第三類章法則是二元所造成的對待關係尚未確立，可能是對比、也可能是調和，必須進一步檢視所選用的材料，才可以確定造成的是對比或是調和的關係，因此稱作「中性類」；而且此類所涵蓋的章法甚多，其中又頗多用「底」來襯托「圖」者，因此可以區分出「圖底類」（含時空、虛實），無法歸入此類者，皆歸入「其他類」。不過，需要說明的是：插敘法、補敘法無法列入此三類中。那是因為此二種章法是與文章的主體產生對待關係，無法單獨明確地抓出是對比還是調和，所以不加以分類。不過，必須強調的是，這種分類只是「大致如此」，並非全不能變動。

關於各個章法詳細的歸類，可以參看下表[28]：

---

27 陳滿銘：《章法學新裁．卻顧所來徑：代序》（臺北市：萬卷樓圖書公司，2001年1月初版），頁10。

28 這種歸類表，由仇小屏所提供。見陳滿銘《章法學綜論》，頁457-458。現已稍作調整，將「敲擊法」由「調和類」改為「中性類」。

對比類	同一事物：立破法、抑揚法、縱收法 不同事物：正反法 兩者皆可：張弛法
調和類	同一事物：本末法、淺深法、因果法、泛具法、凡目法、平側法、點染法、偏全法 不同事物：賓主法、並列法、情景法、論敘法 兩者皆可：知覺轉換法
中性類	圖底類：圖底法 時空：今昔法、久暫法、遠近法、內外法、左右法、高低法、大小法、視角變換法、時空交錯法 虛實：空間的虛實法、時間的虛實法、假設與事實法 其他類：詳略法、天人法、眾寡法、狀態變換法、問答法、敲擊法

這種的分類法，被用於頗多以「篇章結構」為主題的學位論文，而蒲基維〈章法類型概說〉也用這種分類[29]，而很值得注意的是：最近大陸學者就依此分類，寫了兩篇論文：一是孫建友、羅素梅的〈論毛澤東詩詞的辭章藝術〉[30] 與宋貝貝、周紅海的〈蘇軾詞的辭章藝術〉[31]，可見這種「族系」分類法，是被廣泛接受的。不過，在此三

29 蒲基維：〈章法類型概說〉，《大學國文選．教師手冊．附錄三》，頁483-523。

30 孫建友、羅素梅：〈論毛澤東詩詞的辭章藝術〉，《中文》總18期（2008年春），頁22-31。

31 宋貝貝、周紅海：「辭章章法學是當代漢語辭章學的一個分支，臺灣的陳滿銘先生是辭章章法學的奠基人。所謂章法，就是文章的組織結構，即由邏輯思維而形成的組織句、段而成篇的邏輯關系。作家在進行創作時，就會自覺或不自覺地受到章法的支配。……作為漢語辭章學中成就最突出的一個專門學科，辭章章法學將會日益理論化、科學化，它將會和修辭學、邏輯學、文學、心理學等更加緊密地結合起來，具有更強的實用性和藝術性。」見〈蘇軾詞的辭章藝術〉，《阜陽師範學院學報．社會科學版》總153期（2013年6月），頁22-26。

類中，「中性類」的章法一呈現於任何一篇辭章，成為結構，便非「對比」即「調和」了。正因為如此，「中性類」族系就有存在的必要，而和「對比」即「調和」，正好合於「三觀」之理則。

三　採用角度的多元性

「章法學」（雙螺旋層次邏輯學）在作「基礎」、「概括」研究之同時，也將所採「角度」（潛與顯、縱與橫、繁與簡、零度與偏離）與所作「比較」逐漸拓展為「多元」，以建構其理論體系。

（一）角度多元

在此以「潛與顯」、「縱與橫」、「繁與簡」與「零度與偏離」形成「多元」。因限於篇幅，僅舉「潛與顯」為例，略作說明：

宇宙人生之萬事萬物，都脫不開「陰陽二元」雙螺旋互動系統之牢籠，自然其中就存在著「潛性」（陰）與「顯性」（陽）之「二元互動」這一環。大體而言，同一種或同一類事物，如著眼於其「陽」面，將比較趨於表層而顯著，這就形成「顯性」；如著眼於「陰」面，則會比較趨於內層而潛伏，這就形成「潛性」[32]。而此兩者之彼此呼應，對「章法結構」與「篇章義旨」兩者而言，無論「調和」或「對比」都會造成雙螺旋互動之結果。

若從「求異」、「求同」層面看，「章法」有著眼於「求同」層面，而帶有「共相」性質者，這是比較表面而顯著的；也有著眼於「求異」層面，而帶有「特色」性質者，這是比較深入而潛伏的。也就是

32 陳滿銘：〈論潛性與顯性之互動類型——以辭章章法為例作觀察〉，《畢節學院學報》27卷1期（2009年1月），頁1-7。

因為「章法」有「潛」與「顯」之別，所以每每造成了「兼格」[33]之現象。

對此，王希杰教授先就「潛顯」問題，提出了精闢的見解。他說：「章法有顯性和潛性之分。顯性和潛性是相對的，多層次的。章法有顯性和潛性之分。語言文字方面的組合銜接方式，是看得見摸得著的，是一種顯性章法。內容的組合和銜接不能直接觀察，是潛性章法。運用一定形式標誌表現出來的章法關係，是顯性章法。不用明顯標誌表現的章法關係，是潛性章法。例如馬致遠的《越調．天淨沙．秋思》，運用的是傳統的以景抒情手法，章法學家叫作「情景法」，但顯性的只有景物，卻沒有情，或者說其情是潛性的。這裡的情是通過遠近對立來表現的：『枯藤老樹昏鴉，小橋流水人家，古道西風瘦馬。夕陽西下』，這近在咫尺的圖畫不是很美麗的嗎？為什麼要把近在咫尺的地方說成是『天涯』呢？為什麼面對這樣的如詩如畫的地方卻要說『斷腸』呢？說是近在咫尺，這是物理世界的事實，說是『天涯』海角，那是詩人的內心世界的感受——這小橋流水人家不是自己的家鄉！他的家鄉遠在那遙遠的地方，他現在不能回到他的家鄉去——他懷念的是屬於他的『小橋流水人家』。這首小令的深層章法是空間的兩種遠近對立：物理世界的空間和心理世界空間的遠近強烈的巨大的對立。而這對立是他所無法克服的——西風（秋天）、昏鴉（黃昏）、古道和枯藤（他已經老了）、瘦馬（貧寒）強合了這種不可克服的對立感。詩歌的特點是含蓄。所謂含蓄，其實就是表層的顯性的章法和深層的潛性的章法之間的不一致性。詩歌的闡解釋和欣賞中最重要的是對其深層的潛性章法的揭示。已經出現了的章法規則是顯

33 陳滿銘：〈論王希杰「潛顯與兼格」之章法觀〉，《國文天地》24卷6期（2008年11月），頁87-93。

性章法，可能有、但目前還沒有出現的章法，是潛性章法。已經出現了的章法雖然很多，但畢竟還是有限的。文章還將不斷地湧現出來，可能的章法將逐漸被開發出來，新章法的出現是必然的事情。這就是說，許多目前的潛性章法在條件成熟的時候是可以從潛性轉化為顯性章法的。同時，現有的某些章法也有可能不再被運用，由顯性章法轉化為潛性章法。從這個意義上說，章法學不但要研究顯性章法，還可以研究可能出現的章法，為新章法的開發利用作出應有的貢獻。就這個意義說，章法學不是凝固的學問，它是大有發展前途的，它是面向未來的學問[34]」。

可見「章法」之「潛⟷顯」雙螺旋互動，是必須注意的。

(二) 比較多元

當今科技發達，要求「科學化」作跨領域之研究，更早已成必然趨勢。而累積「科學化」的成果而形成獨門學科者，可說多得數也數不清，如從「求同」之層面而言，有神學、哲學、科學、美學……等，若從「求異」之層面來說，則又多至千百種，如天文學、思維學、語言學、文藝學、辭章學、寫作學、閱讀學、語文教學、意象學、結構學、建築學、心理學、統計學、定性分析學、定量分析學、比較學、民俗學、社會學、政治學、歷史學、地理學、植物學、動物學、色彩學、網路科技……等就是。因此由「求異」而「求同」，藉「科學化」之跨領域研究成果，來提升學術研究的品質，已經成為一個「共識」。而章法學之研究，當然也不例外，而且一開始就藉「科學化」作了跨領域的研究。

---

34 見王希杰：〈章法三論〉，《南通紡織職業技術學院學報．綜合版》5卷1期（2005年3月），頁20-23。

因此「比較章法學」──「跨界章法學」之研究，是亟待開拓的。而「章法」之比較有兩大分野：一是內部比較，一是外部比較。由於它們的範圍極為多樣而廣泛，開始時不得不以「辭章」領域所涉為焦點。到目前為止，已作過比較的[35]，就「內部比較」而言，從「求異」與「求同」兩方面比較了「章法與章法異同」，涉及的是「章法學」與「層次邏輯學」。就「外部比較」而言，先以辭章學內部為範圍：首先為「章法與修辭藝術」，用「形象思維」與「邏輯思維」切入作比較，主要關涉到的是「思維學」與「修辭學」；其次是「章法與內容結構」，用「主題」與「意象」所分析的「內容材料」作比較，主要關涉到的是「主題學」與「意象學」；又其次是「章法與篇章風格」，用篇章剛柔成分之量化表現風格作比較，主要關涉到的是「風格學」與「定量分析學」。後以辭章學外部為範圍：首先是「章法與意象系統」，先根據《周易》探討「意象」之形成，再用「三大思維」（形象、邏輯、統合）呈現的「意象系統」作比較，主要關涉到的是「哲學」、「思維學」與「意象學」；其次是「章法與思考訓練」一章，用「邏輯思維」梳理的「思考形式」作比較，主要關涉到的是「層次邏輯學」、「思維學」與「心理學」；又其次是「章法與完形理論」，用格式塔「完形說」連接「意」（情、理）與「象」（事、物）作比較，主要關涉到的是「心理學」、「意象學」與「美學」；最後是「章法與螺旋結構」，歸本於《周易》與《老子》所提煉出的「多二一（0）」結構作比較，主要關涉到的是「哲學」、「層次邏輯學」與「美學」。

在此，也限於篇幅，僅舉「章法與內容結構」為例，略作說明，以見一斑。就「章法與內容結構」而言，「主題（整體意象：義旨與

---

35 陳滿銘：《比較章法學》，頁1-377。

材料）」是篇章的「內容」，而「章法」（含篇法）所呈現的是「篇章邏輯」，乃篇章「內容的形式」，其關係極密切。

一直以來，辭章家都認為「辭章」是離不開「內容」與「形式」的。大體而言，辭章之主要內涵，如「個別意象」、「詞彙」、「文法」「章法」、「主題」（含義旨與材料）與「風格」，無不涉及「內容」與「形式」。其中的「個別意象」、「詞彙」與「文法」，主要屬於「字句」範圍；而「章法」、「主題」（含義旨與材料）與「風格」，主要屬於「篇章」範圍。

篇章是辭章中最重要的一環。就「辭章」而言，乃結合「形象思維」、「邏輯思維」與「綜合思維」而形成。這三種思維，各有所主。如果是將一篇辭章所要表達之「意」，訴諸各種偏於主觀之聯想、想像，和所選取之「象」連結在一起，或者是專就個別之「意」、「象」等本身設計其表現技巧的，皆屬「形象思維」（運用典型的藝術形象來顯示各種事物的特質）；這涉及了「取材」、「措詞」等有關「意象」之形成與表現等問題，而主要以此為研究對象的，就是意象學（狹義）、詞彙學與修辭學等。如果是專就各種「象」，對應於自然規律，結合「意」，訴諸偏於客觀之聯想、想像，按秩序、變化、聯貫與統一之原則，前後加以安排、佈置，以成條理的，皆屬「邏輯思維」（用抽象概念來顯示各種事物的組織）；這涉及了「運材」、「佈局」與「構詞」等有關「意象」之組織等問題，而主要以此為研究對象的，就語句言，即文（語）法學；就篇章言，就是章法學。至於合「形象思維」與「邏輯思維」而為一，探討其整個「意象」體性的，則為「綜合思維」，這涉及了「立意」、「確立體性」等有關「意象」之統合等問題，而主要以此為研究對象的，為主題學、意象學（廣義）、文體學、風格學等。而以此整體或個別為對象加以研究的，則統稱為辭章學或文章學[36]。

而這些辭章的內涵，都是針對辭章作「模式之探討」加以確定的。它們分別與形象思維、邏輯思維或綜合思維有著密切的關係。其中有偏於字句範圍的，主要為詞彙、修辭、文（語）法與意象（個別）；有偏於章與篇的，主要為意象（整體含個別）與章法；有偏於篇的，主要為一篇主旨與風格。因此辭章的篇章，是主要以意象（個別到整體）與章法為其內涵，而以主旨與風格來「一以貫之」的。

換另一個角度看，辭章是離不開「意象」的。而「意象」有廣義與狹義之別：廣義者指全篇，屬於整體，可以析分為「意」與「象」，形成「二元」；狹義者指個別，屬於局部，往往合「意」與「象」為一來稱呼。而整體是局部的總括、局部是整體的條分，所以兩者關係密切。不過，必須一提的是，狹義之「意象」，亦即個別之「意象」，雖往往合「意」與「象」為一來稱呼，卻大都用其偏義，造成「包孕」的效果，以「桃花」的意象而言，用的是偏於「意象」之「意」，因為「桃花」乃偏於「象」，如其意象之一為愛情，而愛情是「意」；而「流浪」的意象，則用的是偏於「意象」之「象」，因為流浪乃偏於「意」，如其意象之一為浮雲，而浮雲是「象」。因此，前者往往是一「象」多「意」，後者則為一「意」多「象」。而它們無論是偏於「意」或偏於「象」，通常都通稱為「意象」。如著眼於整體（含個別）的「意象」（意與象）來看，則它應偏於綜合思維，能統合形象思維與邏輯思維，並貫穿辭章的各主要內涵，以見意象在辭章上之地位[37]。

---

36 見陳滿銘：〈論語文能力與辭章研究——以「多、二、一（0）」螺旋結構作考察〉，臺灣師大《國文學報》36期（2004年12月），頁67-102。

37 見陳滿銘：〈意、象互動論——以「一意多象」與「一象多意」為考察範圍〉，中山大學《文與哲》學報11期（2007年12月），頁435-480。

先從「意象」之形成與表現來看，都是與形象思維有關的，因為形象思維所涉及的，是「意」（情、理）與「象」（事、景）之結合及其表現。其中探討「意」（情、理）與「象」（事、景〔物〕）之結合者，為「意象學」，這是就意象之形成來說的。而探討「意」（情、理）與「象」（事、景〔物〕）本身之表現者，如就原型求其符號化的，是「詞彙學」；如就變型求其生動化的，則為「修辭學」。

再從「意象」之組織來看，是與邏輯思維有關的，而邏輯思維所涉及的，則是意象（意與意、象與象、意與象、意象與意象）之排列組合，其中屬篇章者為「章法學」，屬語句者為「文法學」。

然後從「意象」之統合來看，是與綜合思維有關的，而綜合思維所涉及的，乃是核心之「意」（情、理），即一篇之中心意旨——「主旨」（統合內容義旨）與審美風貌——「風格」。

由此看來，形象思維、邏輯思維與綜合思維三者，涵蓋了辭章的各主要內涵，而都離不開「意象」。單由「象」與「意」來說，如涉及後天之「辭章研究」（讀），所循的是「由象而意」之逆向邏輯結構；如涉及先天之「語文能力」（寫）而言，所循的則是「由意而象」之順向邏輯結構[38]。

總結上述，結合意象系統與辭章體系，其關係可呈現如下列簡圖：

38 見陳滿銘：〈辭章意象論〉，臺灣師大《師大學報．人文與社會類》50卷1期（2005年4月），頁17-39。

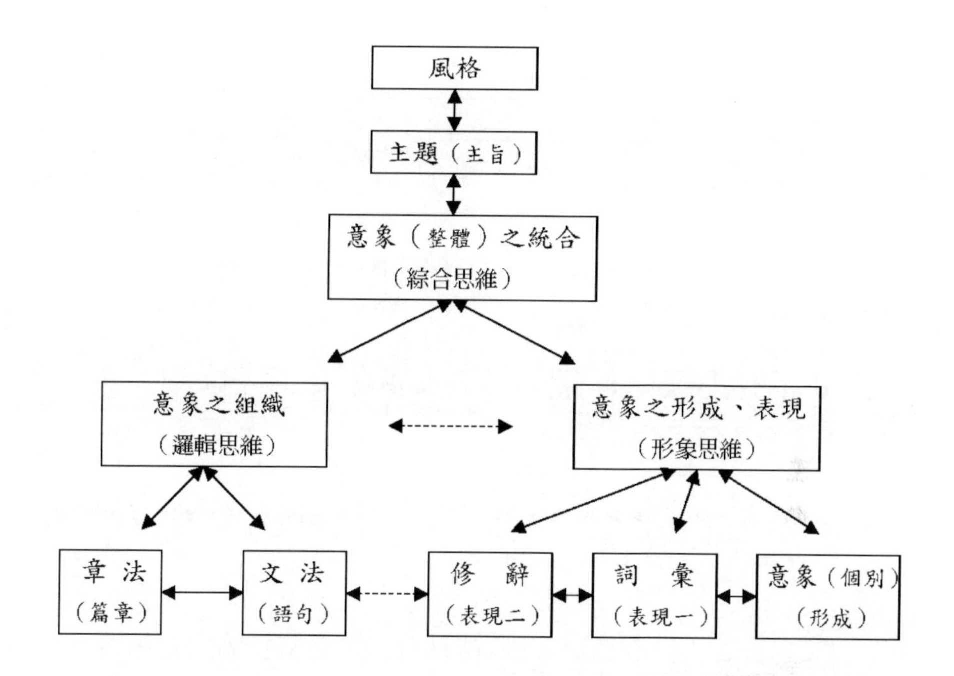

這些內涵主要包含綜合思維的「風格」、「主題」、邏輯思維的「章法」、「文法」與形象思維的「修辭」、「詞彙」、「個別意象」。若按《文心雕龍・章句》篇所分「篇法」、「章法」、「句法」與「字法」來看，則其中的「個別意象」、「詞彙」與「文法」，主要屬於「字句」範疇；而「章法」、「主題」（含義旨與材料）與「風格」，主要屬於「篇章」範疇。如此「內容」與「形式」可概分為「字句」（以形式為主）與「篇章」（以內容為主）兩大部分，可用如下系統簡圖來表示它們包孕的關係：

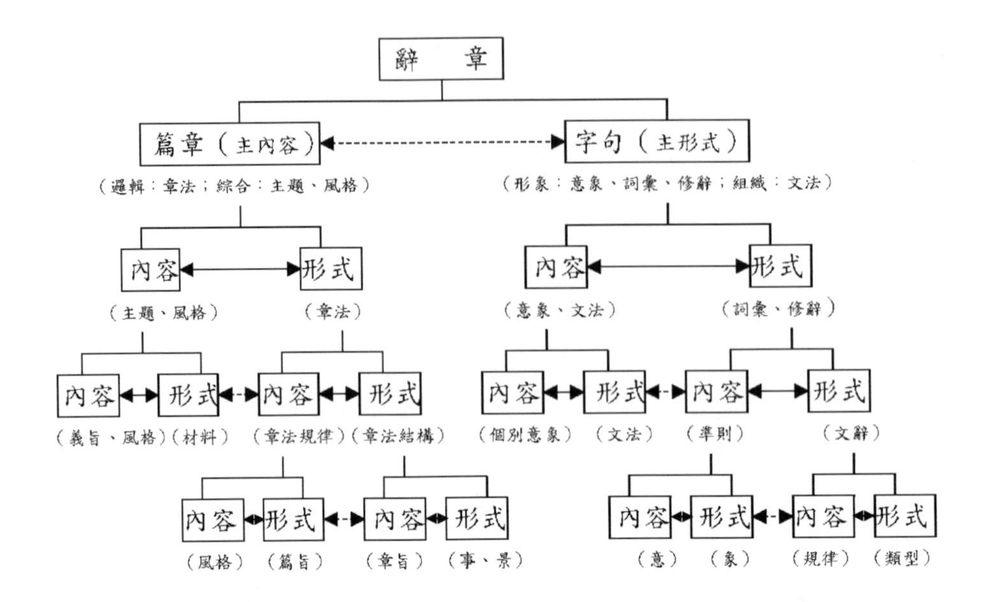

可見「主題（整體意象：義旨與材料）」是篇章的內容，而「章法」（含篇法）所呈現的是「篇章邏輯」，乃篇章「內容的形式」。對此，王希杰就指出：

> 文章是由內容和形式兩個方面所構成的。其內容是資訊和思想，其形式是語言文字和表達方式。兩個方面也都有內容和形式的區別——我閱讀了陳滿銘教授及其弟子的精彩著作之後所得到的印象是，章法學的對象主要是文章的內容，……「材料」就是內容，但是不研究「材料」本身，只研究材料的形式，就是材料同材料之間的關係，所以是（文章的）「內容的形式」——文章內容的「組織形式」。當然文章內容的「組織形式」需要響應的形式來表現它。文章是內容和形式的統一體。[39]

39 見王希杰：〈章法學門外閒談〉，《平頂山師專學報》18卷3期（2003年6月），頁53-54。

他把「章法」視為文章「內容的組織形式」，雖然沒有強調是「篇章」，但這種意涵相當明顯；而且涉及整個辭章，指出「文章是內容和形式的統一體」，是十分有見地的。

以上所論「概括性」與「多元性」，就辭章章法學三觀體系之建構而言，是屬於「中觀」的層面。

第三節　宏觀層面

一　系統性

「章法」之系統性，涉及「0一二多」的雙螺旋層次邏輯結構。這種結構反映了古代的聖賢，探討宇宙萬物創生、含容的動態歷程。大致說來，古代的聖賢是先由「有象」（現象界）以探知「無象」（本體界），逐漸形成「多→二→一（0）」的逆向結構；再由「無象」（本體界）以解釋「有象」（現象界），逐漸形成「（0）一→二→多」的順向結構的。就這樣一順一逆，往復探求、驗證，久而久之，終於確認了兩者是「互動、循環、往復而提升」的雙螺旋層次邏輯關係[40]。

而這種系統形成之過程，在〈序卦傳〉裡就約略地加以交代，雖然它們或許「因卦之次，託以明義」[41]，但由於卦、爻，均為象徵之

40 凡「二元對待」之兩方，都會產生互動、循環而提升的作用，而形成雙螺旋層次邏輯結構。而所謂「螺旋」，本用於教育課程之理論上，早在十七世紀，即由捷克教育家夸美紐思所提出，見許建鉞編譯：《簡明國際教育百科全書》（北京市：新華書局北京發行所，1991年6月一版一刷），頁611。又，相對於人文，科技界亦發現生命之「基因」和「DNA」等都呈現螺旋結構。參見約翰·格里賓著，方玉珍等譯：《雙螺旋探密——量子物理學與生命》（上海市：上海科技教育出版社，2001年7月版），頁271-318。

41 戴璉璋：《易傳之形成及其思想》，頁196。

性質，乃一種概念性符號，即一般所說的「象」，象徵著宇宙人生之變化與各種物類、事類。就以《周易》而言，它的六十四卦，從其排列次序看，就粗具這種特點[42]。而各種物類、事類在「變化」中，循「由天（天道）而人（人事）」來說，所呈現的是「（一）二→多」的結構，這可說是〈序卦傳〉上篇的主要內容；而循「由人（人事）而天（天道）」來說，則所呈現的是「多→二（一）」的結構，這可說是〈序卦傳〉下篇的主要內容。再看《易傳》：

> 一陰一陽之謂道，繼之者善也，成之者性也。……生生之謂易，成象之謂乾，效法之謂坤。（《周易・繫辭上》）
> 是故易有太極，是生兩儀，兩儀生四象，四象生八卦。（同上）

在這些話裡，《易傳》的作者用「易」、「道」或「太極」來統括「陰」（坤）與「陽」（乾），作為萬物生生不已的根源。而此根源，就其「生生」這一含意來說，即「易」，所以說「生生之謂易」；就其「初始」這一象數而言，是「太極」，所以《說文解字》於「一」篆下說「惟初太極，道立於一，造分天地，化成萬物」[43]；就其「陰陽」這一原理來說，就是「道」，所以說「一陰一陽之謂道」。分開來說是如此，若合起來看，則三者可融而為一。這樣，其順向歷程就可用「一→二→多」的結構來呈現，其中「一」指「太極」、「道」、「易」，「二」指「陰陽」、「乾坤」（天地），「多」指「萬物」（含人事）。如果對應於〈序卦傳〉由天而人、由人而天，亦即「既濟」而「未濟」

---

42 徐復觀：《中國人性論史》，頁202。

43 黃慶萱：《周易縱橫談》（臺北市：三民書局，1995年3月初版），頁33-34。

之的循環來看，則此「一→二→多」，就可以緊密地和逆向歷程之「多→二→一」接軌，形成其雙螺旋層次邏輯系統。

這種邏輯系統，在《老子》一書中，不但可以找到，而且更趨完整：

> 無，名天地之始；有，名萬物之母。(第一章)
> 致虛極，守靜篤，萬物並作，吾以觀復。凡物芸芸，各復歸其根。歸根曰靜，是謂復命，復命曰常。知常曰明。(第十六章)
> 道生一，一生二，二生三，三生萬物。萬物負陰而抱陽，沖氣以為和。(第四十二章)

從上引文字裡，不難看出老子這種由「無」而「有」而「無」的主張。所謂「道生一，一生二，二生三，三生萬物」，是就「由無而有」，亦即「一而多」的順向過程來說的。而所謂「各復歸其根」，是就「有」而「無」，亦即「多而一」的逆向過程來說的。而在此兩者之間，老子是以「反」作橋樑加以說明的。而這個「反」，除了「相反」、「返回」之外，還有「循環」的意思[44]。如此「相反相成」、循環不已，說的就是「變化」，而「變化」的結果，就是「返回」至「道」的本身，這可說是變化中有秩序、秩序中有變化之一個「互動、循環、往復而提升（下降）的」雙螺旋歷程。

這樣，結合《周易》和《老子》來看，在「由一而多」(順)、「多而一」(逆）的循環過程中，是有「二」介於中間，以產生承「一」啟「多」的作用的。而這個「二」，該就是「一生二，二生

---

44 姜國柱：《中國歷代思想史·壹、先秦卷》(臺北市：文津出版社，1993年12月初版一刷)，頁63。

三」的「二」。而此「二」，乃指「陰陽二（兩）氣」。如此，老子的「一」該等同於《易傳》之「太極」、「二」該等同於《易傳》之「兩儀」（陰陽），因此所呈現的，和《周易》一樣，是「一→二→多」與「多→二→一」之原始結構。不過，值得注意的是：「道生一」的「道」，既是創生宇宙萬物的一種基本動力，那麼老子的「道」可以說是「無」，卻不等於實際之「無」（實零）[45]，而是「恍惚」的「無」（虛零），以指在「一」之前的「虛理」[46]。這種「虛理」，如勉強以「數」來表示，則可以是「（0）」。這樣，順、逆向的結構，就可調整為「（0）一→二→多」（順）與「多→二→一（0）」（逆），使得宇宙萬物創生、含容的順、逆向歷程，更趨於完整而周延了[47]。茲用簡圖表示如下：

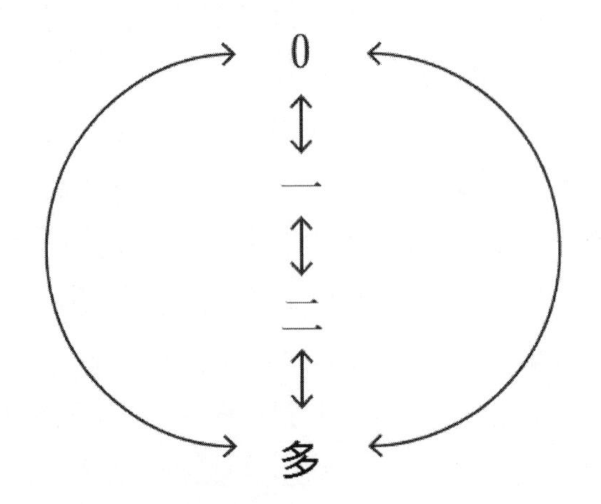

45 馮友蘭：「謂道即是无。不過此『无』乃對於具體事物之『有』而言的，非即是零。道乃天地萬物所以生之總原理，豈可謂為等於零之『无』。」見《馮友蘭選集》上卷（北京市：北京大學出版社，2000年7月一版一刷），頁84

46 唐君毅：《中國哲學原論．導論篇》（香港：人生出版社，1966年3月出版），頁350-351。

47 陳滿銘：〈論「多、二、一（0）」的螺旋結構——以《周易》與《老子》為考察重心〉，臺灣師大《師大學報．人文與社會類》48卷1期（2003年7月），頁1-20。

如以「三觀」來看待，「多」是「微觀」、「二」是「中觀」、「一（0）」是「宏觀」，它們各自「互動、循環而提升」，產生層層雙螺旋作用，而形成「0一二多」（含雙向）的雙螺旋層次邏輯系統。這樣落於統合篇章之「章法結構」來看，各層結構為「多」←→「二」，一篇主旨為「一」，而風格為「（0）」。

二　藝術性

要特別強調的是，「章法學」是離不開「篇章意象」的，而它的藝術境界，是以篇章的內容材料（真——義旨）、篇章的邏輯組織（善——章法）與篇章的審美風貌（美——風格），形成其「三觀」理則的，如此用「真、善、美」形成「三觀」來呈現「篇章意象」，使「真、善、美」與「多、二、一（0）」螺旋結構也產生了對應關係。底下即分三層略予說明：

首先以「真、善、美」而言，在西洋探討得既早且多。雖然從古以來對其涵義的界定，由「神秘」、「直觀」而「客觀」[48]，儘管不盡相同，然而所含藏「真、善→美」（真←→善→美）或「真→善→美」等三觀的邏輯結構，卻變化不大。因為這種三觀的邏輯結構，相當原始，是可適用於宇宙形成、含容萬物「由上而下」之各個層面的。如果換成「由下而上」來看，則正好相反，各個層面所形成的是

48 朱志榮指亞里士多德：「繼承了泰勒斯以來的哲學成就，特別是柏拉圖的思想成果。然而他的繼承是以批判為基礎，以創新為目標的。在方法論上，和他的老師柏拉圖相比，他在批判柏拉圖『理式』說的基礎上，創立自己的『四因』（質料因、形式因、創造因、目的因）說、『實體』論，並以此為基石提出了和柏拉圖根本分歧的『摹仿論』。他拋棄了柏拉圖的直觀的甚至神秘的哲學思辨，對客觀世界進行冷靜的科學分析。」見《古近代西方文藝理論》（上海市：華東師範大學出版社，2002年8月一版一刷），頁42。

「美→真、善」（美→善←→真）或「美→善→真」的邏輯結構。而這種「由上而下」與「由下而上」的順逆向結構加以整合簡化，則可表示如下：

真 ◀——▶ 善 ◀——▶ 美

意即按「由上而下」的順向來看，它所呈現的是「真→善→美」的邏輯結構；而依「由下而上」的逆向來看，則它所呈現的是「美→善→真」的邏輯結構；而無論順、逆向都脫離不了「三觀」的關係[49]。

其次以「篇章意象」而言，是「辭章」中最重要的一環。而「辭章」乃結合「形象思維」、「邏輯思維」與「綜合思維」而形成。這三種思維，各有所主。如果是將一篇辭章所要表達之「意」，訴諸各種偏於主觀之聯想、想像，和所選取之「象」連結在一起，或者是專就個別之「意」、「象」等本身設計其表現技巧的，皆屬「形象思維」（運用典型的藝術形象來顯示各種事物的特質）；這涉及了「取材」、「措詞」等有關「意象」之形成與表現等問題，而主要以此為研究對象的，就是意象學（狹義）、詞彙學與修辭學等。如果是專就各種「象」，對應於自然規律，結合「意」，訴諸偏於客觀之聯想、想像，按秩序、變化、聯貫與統一之原則，前後加以安排、佈置，以成條理的，皆屬「邏輯思維」（用抽象概念來顯示各種事物的組織）；這涉及了「運材」、「佈局」與「構詞」等有關「意象」之組織等問題，而主要以此為研究對象的，就語句言，即文（語）法學；就篇章言，就是章法學。至於合「形象思維」與「邏輯思維」而為一，探討其整個

---

49 陳滿銘：〈論「真、善、美」的螺旋結構──以章法「多、二、一（0）」結構作對應考察〉，臺灣師大《中國學術年刊》27期．春季號（2005年3月），頁151-188。

「意象」體性的，則為「綜合思維」，這涉及了「立意」、「確立體性」等有關「意象」之統合等問題，主要以此為研究對象的，為主題學、意象學（廣義）、文體學、風格學等。而以此整體或個別為對象加以研究的，則統稱為辭章學或文章學[50]。由此看來，形象、邏輯與綜合三種思維，涵蓋了辭章的各主要內涵，而都離不開「意象」。其中「篇章意象」所涉及的是「章法」（邏輯結構）──「善」、「主旨」（內容義旨）──「真」與「風格」（審美風貌）──「美」。

而這種「真」、「善」、「美」與「0一二多」之雙螺旋層次邏輯結構，是相對應的，其關係可用圖來表示：

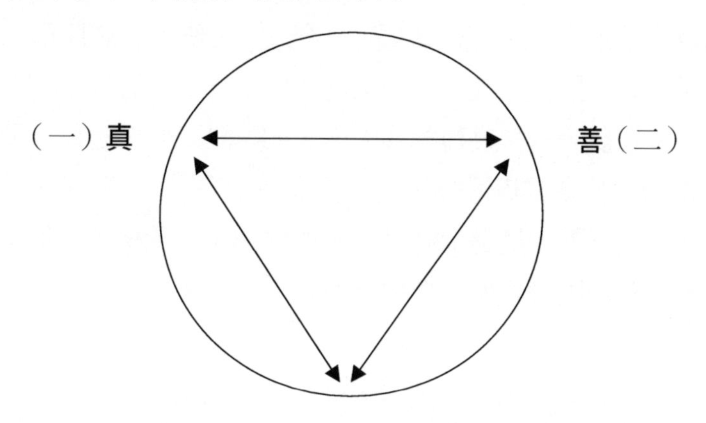

「主體：(0)」⟷美⟷「(多) 客觀」

其中的「(0)」，在美學上，指主體之「美感」，而這主體可以指作者，也可以指讀者；在辭章上，指風格、境界等。「一」，在美學上，指「真」；在辭章上，指作者所要表達的核心情、理，即一篇「主旨」。「二」，在美學上，指「規律」，「包括自然界發展的規律，也包括人類社會發展的規律」；在辭章章法上，指兩相對待之「陰陽

50 陳滿銘：〈論語文能力與辭章研究──以「多、二、一（0）」螺旋結構作考察〉，頁67-102。

二元」，一篇之核心結構與各輔助結構即由此而形成，以呈現一篇「規律」，而其中居於徹下徹上的關鍵性地位的，即核心結構。「多」，在美學上，指客體之「美」；在辭章章法上，指由「陰陽二元對待」所形成之各輔助結構，藉以組合個別意象或材料。

而篇章意象之「美」涉及「剛」與「柔」之變化，清代姚鼐的〈復魯絜非書〉，就提出了這個觀點，認為風格之多樣，是由「剛」（陽）與「柔」（陰）的「消長」而造成的[51]。就以篇章各層之意象組織而言，即以此「陰陽二元」之互動為基礎，經其「調和」性或「對比」性之「移位」（順、逆）、「轉位」（抝）與「包孕」所形成；如此透過它們所產生之或強或弱之「勢」[52]，使得層層篇章意象組織之「陰柔」或「陽剛」起了「多寡進絀」（多少、消長）的變化。而這種變化，可試著依據幾種相關因素，如陰陽二元、對比、調和、移位、轉位、包孕、結構層級、核心結構……等[53]所形成之「勢」的大小強弱，約略對一篇辭章剛柔「多寡進絀」之比例加以推定。大抵而言，據各相關因素作如下之推定：

1. 以陰陽二元而言，判定各二元結構類型之陰陽，以起始者取「勢」之數為「1」（倍）、終末者取「勢」之數為「2」（倍）。

---

51 周振甫：「姚鼐把各種不同風格的稱謂作了高度的概括，概括為陽剛、陰柔兩大類。像雄渾、勁健、豪放、壯麗等都歸入陽剛類，含蓄、委曲、淡雅、高遠、飄逸等都可歸入陰柔類。……陽剛陰柔可以混雜，在混雜中，陰陽之氣可以有的多有的少，有的消有的長，這就造成風格的各種變化。」《文學風格例話》（上海市：上海教育出版社，1989年7月一版一刷），頁13。

52 涂光社：《因動成勢》（南昌市：百花洲文藝出版社，2001年10月一版一刷），頁256-265。

53 陳滿銘：《章法學綜論》，頁298-328。

2. 以調和、對比而言，將「調和」者取「勢」數為「1」（倍）、「對比」者取「勢」之數為「2」（倍）。
3. 以「移位」、「轉位」而言，將「順」之「移位」取「勢」之數為「1」（倍）、「逆」之「移位」取「勢」之數為「2」（倍）、「轉位」之「拗」取「勢」之數為「3」（倍）。
4. 以「包孕」所形成之「層級」而言，將處「底層」者取「勢」之數為「1」（倍）、「上一層」者取「勢」之數為「2」（倍）、「上二層」者取「勢」之數為「3」（倍）……以此類推。
5. 以「核心結構」一層所形成「勢」而言，其數為最高，過此則「勢」之數（倍）逐層遞降。

雖然這些「勢」之數（倍），由於一面是出自推測，一面又為了便於計算，因此其精確度顯然是不足的，卻也已約略可藉以推測出一篇辭章剛柔成分之比例來。而且可由這種剛柔成分比例之高低，大概分為三等，剛好也形成「三觀」：（甲）首先為至剛或至柔：其「勢」之數為「66.66→71.43」；（乙）其次為偏剛或偏柔：其「勢」之數為「54.78→66.65」；（丙）又其次為剛柔互濟[54]：其「勢」之數為「45.23→54.77」。其中「71.43」是由轉位結構的陰陽之比例「5/7」推得，這可說是陰陽之比例之上限；而「66.66」是由移位結構的陰

54 陳望衡：「《周易》強調的不是陰陽、剛柔之分，而是陰陽、剛柔之合。這一點同樣在中國美學、藝術中留下深廣的影響。中國美學向來視剛柔相濟的和諧為最高理想。中國的藝術批評學也總是以剛柔相濟作為一條最高的審美標準。於是，中國的藝術家們也都自覺地去追求剛柔的統一，並不一味地去追求純剛或純柔，而總是或柔中寓剛或剛中寓柔。劉熙載是我國清代卓越的藝術批評家，他的《藝概》一書，涉及文、詩、賦、詞、曲、書法等藝術領域，有不少精闢的論斷，他最為推崇的藝術審美理想就是剛柔相濟。」見《中國古典美學史》，頁186-187。

陽之比例「2/3」推得，這可說是陰陽之比例之中限；至於「45.23」與「54.77」是以「50」為準，用上限與中限之差數「4.77」上下增損推得。如果取整數並稍作調整，則可以是：

1. 至剛、至柔者，其「勢」之數為「66→ 72」。
2. 偏剛、偏柔者，其「勢」之數為「56→ 65」。
3. 剛、柔互濟者，其「勢」之數為「45→ 55」。

如此雖嫌粗糙，但已可初步為姚鼐「夫陰陽剛柔，其本二端，造萬物者糅而氣有多寡、進絀，則，於不可窮，萬物生焉」的說法，作較具體的印證[55]。

綜上所述，「章法」──「雙螺旋層次邏輯」所探討的，乃篇章內容材料之邏輯結構，是源自於人類共通之理則，亦即對應於自然之運動規律來說的。所以一般創作者雖日用而不知、習焉而不察，但它很早就受到辭章學家的注意[56]，只不過所看到的都是其中的幾棵「樹」，而一概不見其「林」。一直到晚近，經過多年努力的探究，才逐漸「集樹成林」，並確定它的原則、範圍和主要內容（含類別與模式），尋得它的哲學、心理基礎和美感效果，建構了一個體系，而形成一個新的學科。

55 陳滿銘：〈章法風格論──以「多、二、一（0）」結構作考察〉，《成大中文學報》12期（2005年7月），頁147-164。

56 章法自來歸入修辭，孔子所謂「修辭立其誠」的「修辭」，即指「內容之形式」，應有章法的意涵在內。而正式提出篇法、章法的，是劉勰《文心雕龍．章句》篇。此後論及章法的就不計其數。見鄭子瑜、宗廷虎主編：《中國修辭學通史》（長春市：吉林教育出版社，2001年2月），〈先秦兩漢魏晉南北朝卷〉（頁1-482）、〈隋唐五代宋金元卷〉（頁1-796）、〈明清卷〉（頁1-450）、〈近現代卷〉（頁1-584）、〈當代卷〉（頁1-493）。

對此，語言學家王希杰認為：「章法學已經初步形成了一門科學。……初步建立了科學的章法學體系。」[57]，辭章學大家鄭頤壽也指出：「臺灣建立了『辭章章法學』的新學科，成果豐碩，……臺灣的辭章章法學體系完整、科學，已經具備成『學』的資格。它研究成果豐碩，已經『集樹而成林了』」。[58] 語言風格學家黎運漢又認為臺灣章法學之研究：「有了較為清醒、自覺的理論意識，……在學科構建中頗為重視理論建設，……有較高的理論品格，綜合呈現出一個較為科學的理論體系，……運用了比較科學的研究方法，使漢語章法學基本具備了成為一門新學科的資格。」[59] 而修辭學家孟建安則指出臺灣章法學之研究：「對漢語辭章章法學研究做出了巨大的貢獻。這種貢獻突出地表現在五個方面：第一，培育了具有強大戰鬥力的科研團隊，取得了極為豐碩的研究成果；第二，提出並闡釋了眾多的新概念和新觀點，解決了許多較為重大的理論問題；第三，引入並堅持了「科學的方法論原則」；第四，提供了章法分析與章法教學的「科學範例」；第五，構建了科學而完備的漢語辭章章法學體系。……已經……成為一門學科，達到了前所未有的高度，具有很強的生命力和感召力。」[60] 這些肯定與鼓勵，令人感動。

而這種體系，共具備「基礎性」（章法類型與結構）、「概括性」（章法規律與族系）、「多元性」（角度、比較）、「系統性」（雙螺旋、「0一二多」螺旋系統）與「藝術性」（「多、二」、「一、（0）」、「0一

57 王希杰：〈章法學門外閒談〉，頁53-54。

58 鄭頤壽：〈中華文化沃土，辭章學圃奇葩——讀陳滿銘《章法學新裁》及其相關著作〉，《海峽兩岸中華傳統文化與現代化研討會文集》（蘇州市：海峽兩岸中華傳統文化與現代化研討會，2002年5月），頁131-139。

59 黎運漢：〈陳滿銘對辭章法學的貢獻〉，《陳滿銘與辭章章法學》（臺北市：文津出版社，2007年12月初版一刷），頁52-70。

60 孟建安：〈陳滿銘與漢語辭章章法學研究〉，《陳滿銘與辭章章法學》，頁80。

二多」)。如以「三觀」(微觀、中觀、宏觀)切入,則可以用如下簡圖來表示:

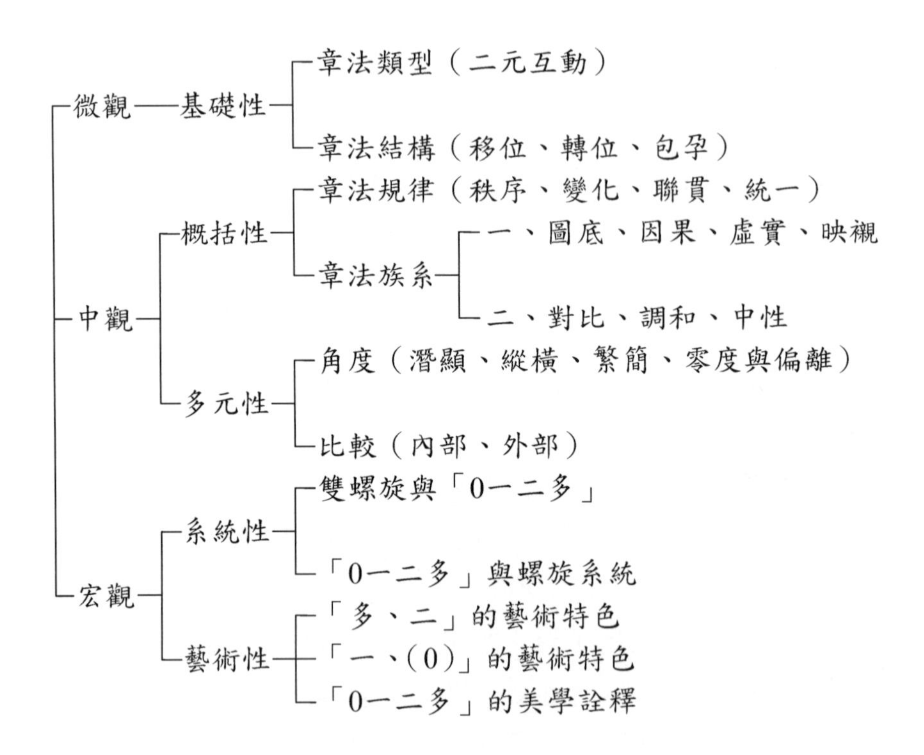

其中「章法規律」、「多元角度」與「章法結構」,「章法家族」、「多元比較」與「章法類型」互相照應,而「雙螺旋」、「多二一(0)」螺旋結構又與「章法結構」、「章法規律」、「章法藝術」……等互相照應;彼此環環相扣,形成一個完整的「三觀」體系。

針對此一「三觀」體系,辭章學家鄭頤壽指出:「篇章辭章學的『三觀』理論建構了科學的、體系嚴密的學科理論大廈,是『篇章辭章學』藝術之所以能夠成『學』的最主要依據。分清這『三觀』,『大廈』的建構就有了層次性、邏輯性;抓住這『三觀』,就抓住了學科體系的『綱』和『目』。我們用『三觀』理論所作的概括、評價,應該基本上描寫了篇章辭章學的理論體系。……是從具體的『方法』到概括的『規律』，……從一個個的『章法』入手，一個、兩個、十個、三十幾個、四十幾個……『集樹成林』（微觀）之後，又由博返約，把它們分別類聚於秩序律、變化律、聯貫律、統一律之中，有總有分；形成……章法的『族系』（中觀）。這就把章法條理化、系統化了。……（又）從分別的『章法』、『規律』到統領『全軍』的理論框架『（0）一、二、多（「多、二、一（0）」）』（宏觀）。這是認識的又一個飛躍、昇華，它加強了學科的哲學性、科學性。」[61] 這段話清晰地概括了章法學「三觀」體系建構的先後過程。

而在這體系中，「微觀」中的「結構類型」也以「移位」、「轉位」與「包孕」形成「三觀」；「中觀」中的「章法族系」又以「對比類」、「調和類」與「中性類」形成「三觀」；「宏觀」中的「篇章統合」再以「多」、「二」與「一（0）」形成「三觀」，「藝術特色」又以「真」、「善」與「美」形成「三觀」；「螺旋體系」更以「微觀」（基礎性）、「中觀」（概括性、多元性）與「宏觀」（系統性、藝術性）形成「三觀」[62]。如此以小「三觀」為基礎，逐層建構大「三觀」的體系，足以看出「三觀」理則對辭章章法學體系建構的重大影響及其普遍性。語言學家王希杰在論「章法的客觀性」時說：「凡存在的事物，都有是『章』有『法』的。德國哲學家黑格爾說：凡存在的，都是合理的。這個『理』，其實就是『章』和『法』。」[63] 而辭章學家鄭頤壽在論「和合思想」時更說：「中華民族從幾千年以來，就十分重

---

61 鄭頤壽：〈陳滿銘創建篇章辭章學——代序〉，見《陳滿銘與辭章章法學》，頁（7）-（12）。

62 陳滿銘：〈論辭章章法學三觀體系之建構〉，《文與哲》學報23期（2013年12月），頁333-388。

63 王希杰：〈陳滿銘教授和章法學〉，頁2。

視、推崇『和合』(又稱「和諧」,或單稱「和」或「合」)這一思想深入到哲學、政治、倫理、美學(含音樂、繪畫、書法藝術等)、醫學、生理衛生直至各個學科及其科研道路。可以說有宇宙、有人類的存在,就有和合的存在。……在《篇章(辭章學)》中用相當大的篇幅論析『和合』(和諧)的思想,並用它統帥篇法和章法,使篇章辭章學更具哲理性。」[64] 因此,如果由此推拓到跨界之研究,如唐宋詞章法學作的就是這種嘗試,相信是會有一些參考價值的。

64 鄭頤壽:〈研究篇章藝術的國學——讀陳滿銘的《篇章辭章學》、《辭章學十論》〉,《國文天地》22卷4期(2006年9月),頁89。

第二章
時空虛實

人生活在宇宙之中，而宇宙就是「時」與「空」的結合體。因此人類本身和周遭的一切，都脫不開「時」與「空」，當然那些藉以反映人之所見、所聞、所思、所感的文學或其他藝術作品，也是如此。而其中文學作品，由於它們不論長短，都不僅適合將「時」與「空」交錯或融合在一起，又特別便利於化「實」為「虛」、轉「虛」為「實」，甚至於複合「虛」與「實」，以呈現出其變化、自由與和諧的高度美感。因此本章即著眼於此，特此種辭章中不可或離之「時」與「空」，由章法切入，單取其交錯（含融合）部分，再配合其中「虛」與「實」複合為一的類型，分「先虛後實」、「先實後虛」、「虛、實、虛」、「實、虛、實」等四種結構，就便舉蘇辛詞為例，並附以結構分析表，作一番考察，以見這種章法結構之藝術奧妙於一斑。

第一節　時空虛實之相關理論

我們的祖先，生活在「時空」之中，早就意識到它的存在，而以「宇宙」稱呼它。《莊子．讓王》說：「余立於宇宙之中，冬日衣皮毛，夏日衣葛絺；春耕種，形足以勞動；秋收斂，身足以休食；日出而作，日入而息，逍遙於天地之間，而心意自得。」這裡所說的「冬」、「夏」、「春」、「秋」與「日出」、「日入」，指的是「時」，亦即「宙」；而「天地」，指的則為「空」，亦即「宇」。所以高誘於《淮南子．原道》「紘宇宙而章三光」句下注云：

四方上下曰宇，古往今來曰宙。

這種牢籠「時」與「空」的「宇宙」，在根本上，不僅是「時空合一體」，更是「流蕩著的生動氣韻」[1]。人類俯仰生息於其中，不可一刻或離，而一切一切的研究與創作，自然也就繞此而生而榮。其中有著力於「物理時空」（或稱客觀時空）一面的，也有著力於「藝術時空」（或稱心理時空）一面的[2]，無論哪一面，都有著輝煌的成就。就以「藝術時空」這一面的耕耘而言，「辭章」一類，可說表現得異常出色。它們往往將「時」與「空」交錯或融合在一起，藉其變化來組織各種材料、表達各種情意。有時以「時」為主、「空」為輔；有時又以「空」為主、「時」為輔[3]；不管怎樣，全離不開「時空」。如果單著眼於「主」，而不計較「輔」的部分，則「時」與「空」可以分呈，而形成「先時後空」、「先空後時」、「時、空、時」、「空、時、空」等結構[4]。其中以「時」為主、「空」為輔的來說，有兩種：一種是雖然所呈現的主要是時間，卻也從旁帶出了空間，亦即在敘事（時）中含寫景（空）成分；另一種是所呈現的，在表面上完全係時間，而把空間含藏其中，亦即純敘事（時），而不帶寫景（空）語

1 宗白華：「我們宇宙既是一陰一陽、一虛一實的生命節奏，所以它根本上是虛靈的時空合一體，是流蕩著的生動氣韻。」見《美學與意境》（北京市：人民出版社，1987年4月一版一刷），頁261。

2 見李元洛：《詩美學》（臺北市：三民書局，1990年2月初版），頁363-377。又見李浩：《唐詩的美學闡釋》（合肥市：安徽大學出版社，2000年4月一版一刷），頁40-75。

3 李浩：「詩人俯仰流觀的並不僅僅是空間形象，同時也還有時間意象，詩人用心靈的眼睛俯仰古今，游心太玄，回環往復，因此，空間中滲透了時間，時間中融合了空間，形成了四維度的空間結構。」《唐詩的美學闡釋》，頁68。

4 其理論與應用，見仇小屏：《篇章結構類型論》上（臺北市：萬卷樓圖書公司，2000年2月初版），頁136-147。

詞。前者如杜甫〈贈衛八處士〉詩的結二句：

明日隔山岳，世事兩茫茫。

這兩句詩，主要是就時間，虛寫「明日」後各分西東的情事，而從中藉由「隔山岳」三字，將空間推擴出去，很技巧地結合時空造成變化，一方面加深了主客今夜相見時悲喜交集之情，一方面也傳達了對國家前途的憂心[5]。附結構簡表如下：

```
          ┌ 因：「明日」句
時（空）──┤
          └ 果：「世事」句
```

後者如陶淵明〈詠荊軻〉詩的頭四句：

燕丹善養士，志在報強嬴。招集百夫良，歲暮得荊卿。

此四句詩，純由時間切入，敘述戰國時燕太子丹為了報秦仇，「歲暮」募得了勇士荊軻的事，作為此詩敘事的開端，藉以帶出底下荊軻刺秦王的過程與奇功不成的結局，來歌頌荊軻[6]。從表面上看，好像與空間完全無關，但它卻藏了燕、秦的國土、招集的場面與荊軻的形

5 金性堯：「詩中的『訪舊半為鬼』，點出了時代背景，『世事兩茫茫』，又擔心著國家前途。」見《唐詩三百首新注》（香港：中華書局香港分局，1987年1月初版），頁12。

6 治芳、楚葵說此詩：「是一首詠史詩。荊軻，戰國末衛國人，曾為燕太子丹謀刺秦王嬴政，未成被殺。本篇描述的便是這一歷史事件。詩中再現了易水餞別的悲壯場面和氣氛，對荊軻的英雄氣概作了由衷的歌頌。」見《歷代敘事詩選譯》（南京市：江蘇教育出版社，1984年10月一版一刷），頁56-57。

象在字裡行間，隨時間的推移而形成層次空間，造成變化，使所敘之事由一團模糊而歸於清晰具體。如果時空不是這樣融合在一起，作品又怎麼能夠感動人呢？附結構簡表如下：

時─┬先（因）：「燕丹」二句
　　└後（果）：「招集」二句

以「空」為主、「時」為輔的來說，也有兩種：一種是雖然所呈現的主要是空間，卻也從中浮出了時間，亦即在寫景（空）中含敘事（時）的成分；另一種是所呈現的，在表面上完全係空間，而把時間含藏其中，亦即純寫景（空）而不帶敘事（時）詞語。前者如杜牧〈秋夕〉詩：

> 銀燭秋光冷畫屏，輕羅小扇撲流螢。天階夜色涼如水，臥看牽牛織女星。

此詩藉宮中秋夕之景，以襯托出宮女之怨情。首句寫室內寂寞的靜景，次句寫室外宮人在無聊遊戲的動景，這主要是著眼於地面來寫的。三句寫天空一片水涼的夜色，結句以「臥看」為媒介，寫在七夕渡河的雙星，這主要是著眼於空中來寫的[7]。就在這寫景的句子中，巧妙地嵌入「秋」、「夜」兩個詞，既用以點題，也用以使作品在空間

7 喻守真：「首句寫秋景，用一『冷』字，可見宮中寂寞景況。二句寫宮人無聊中的遊戲，還待君王的臨幸。三句加『涼如水』是寫夜深，以『天階夜色』一轉，轉出臥看雙星，意謂雙星猶能在七夕渡河相會，何以我久處冷宮，無相見之日。不言怨而怨自在言外，這種間接寫法，在宮詞中很多。蘅塘退士評此詩謂：『層層佈景，是一幅著色人物畫，只「臥看」二字，逗出情思，便通身靈活。』」見《唐詩三百首詳析》（臺北市：臺灣中華書局，1996年4月臺二三版五刷），頁314。

之中明顯地融入時間，以結合兩者，產生變化，增強感染力。附結構簡表如下：

```
           ┌ 低（地面）：「銀燭」二句
空（時）─┤
           └ 高（天空）：「天階」二句
```

後者如李白的〈送友人入蜀〉詩：

山從人面起，雲傍馬頭生。

這是其中的兩句詩，寫的是友人上蜀道之際，衝著友人和馬，迎面而來的崖壁與雲氣，以凸顯出蜀道之險峻、高危[8]，這是經由設想加以虛寫的。初看起來，這兩句詩好像只觸到空間而未及時間，但其中的「人」和「馬」卻在暗中成功地將時間定在友人騎著馬走上蜀道之際，以結合時空產生變化，達到了「懸想的示現」[9]之最高效果。附結構簡表如下：

```
     ┌ 山（靜）：「山從」句
空 ─┤
     └ 雲（動）：「雲傍」句
```

至於「虛實」，和「時空」一樣，原是哲學上所探討的一個重要課題，而落在辭章上來說，則用以指具體與抽象、設想（含虛假）與

---

8 趙山林：「在層巒疊嶂的蜀道上盤旋而行，懸崖峭壁彷彿迎面而來，從人的臉側拔地而起，縹緲的雲氣依傍著馬頭滋生不息，使人猶如騰雲駕霧一般。這種空間的意外拼接，生動地表現出蜀道的險峻、高危，驚心動魄，而詩人寫來又極其自然。」見《詩詞曲藝術論》（杭州市：浙江教育出版社，1998年3月三版七刷），頁166。

9 黃慶萱：《修辭學》（臺北市：三民書局，1975年1月初版），頁373-375。

真實（含現況）的辭章條理，為一大族章法〔如泛具、情景、敘論、凡目、詳略、時間虛實、空間虛實等〕的族長[10]。這種「虛實」章法，用於「時」與「空」，無論以「時」為主、「空」為輔，或以「空」為主、「時」為輔，都可形成「單一」與「複合」的兩類結構。所謂「單一」，是指單虛或單實。單虛者，如杜甫的〈月夜〉詩：

> 今夜鄜州月，閨中只獨看。遙憐小兒女，未解憶長安。香霧雲鬟濕，清輝玉臂寒。何時倚虛幌，相照淚痕乾。

此詩作於長安，寫的是對遠方妻兒的無限思念。其前三聯，設想妻兒遠在鄜州的月下情景，以妻子的「只獨看」與小兒女的「未解憶」，從對面強化自己對她（他）們的思念之情，這主要是就空間來寫的。而末聯，則設想未來有朝一日能和妻兒團聚在一起的情景，藉倚窗對月、照乾淚痕的「懸想的示現」，以推深思念之情，這主要是就時間來寫的。這首詩就這樣全用虛寫而不予實寫，形成了「單虛」的結構。附結構簡表如下：

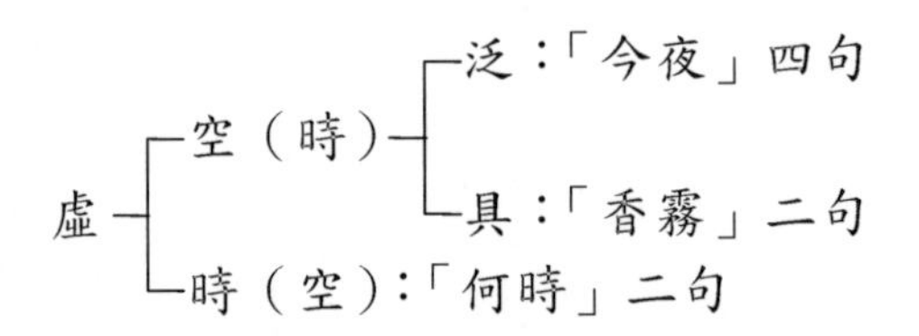

單實者，如趙師秀的〈約客〉詩：

10 陳滿銘：《章法學新裁》（臺北市：萬卷樓圖書公司，2001年1月初版），頁99-110、468-475。另參見陳佳君：《虛實章法析論》（臺北市：文津出版社，2002年12月初版），頁1-355。

黃梅時節家家雨，青草池塘處處蛙。有約不來過夜半，閒敲棋子落燈花。

這首詩寫約客不至的孤寂之情。首句主要用以交代時間，說此刻正屬梅雨季節，而隨著帶出「家家雨」的空間景象，以烘染凄苦的氣氛；次句主要用以敘寫空間，承「家家雨」，描寫了池塘裡處處蛙鳴的空間景象，以加重凄苦的氣氛；以上是就室外來寫的。三句呼應首句，又用以交代時間，說等客人而未至，卻已過了夜半時分，藉時間之久來強化寂寥的心境；結句則呼應次句，主要用以寫空間，寫詩人因失望而在燈花的開落之下，頻敲桌上棋子的形影，更進一層地表白了詩人內心的孤寂；這是就室內來寫的[11]。如此全著眼於時空之「實」來寫，與上一首全著眼於「虛」的，正好相反。附結構簡表如下：

實空（時）─┬─室外：「黃梅」二句
　　　　　　└─室內：「有約」二句

所謂「複合」，是指「虛」與「實」的交相組合。它不但在單「時」（以時為主、空為輔）或單「空」（以空為主、時為輔）之下，可以形成「先虛後實」、「先實後虛」、「虛、實、虛」、「實、虛、實」等主要結構，也可在時空交錯（如「先時後空」、「先空後時」、「時、

11 李元洛說此詩：「從畫面上看，前面兩個鏡頭較為擴大，是遠景、全景，後一個鏡頭較為細小，是近景、小景，相當於電影中的『特寫』。在這一特寫鏡頭中，只見主人失望而仍然不無期待地頻頻敲著桌上的棋子，燈花開了又落，而客人則期期不至。一『敲』一『落』，表現時間之久，憶念之深，企盼之殷，而室外的雨聲、蛙聲，室內的敲棋聲與燈花開落聲，聲聲入耳，這種強動態的聽覺描寫，正深層地表白了主人公內心的孤寂，把那種『客有可人期不來』的情緒與氛圍，表現得分外動人。」見《歌鼓湘靈》（臺北市：東大圖書公司，1990年8月初版），頁400。

空、時」、「空、時、空」、「時、空、時、空」、「空、時、空、時」等）之下，形成如上所舉之虛實結構。如韋應物的〈秋夜寄丘二十二員外〉詩：

> 懷君屬秋夜，散步詠涼天。山空松子落，幽人應未眠。

此詩若單從空間切入，顯然起二句寫的是實空間，即作者所在之地。他在此，特以「散步詠涼天」的動景來具寫「懷君」，而「懷君」即一篇之主旨。結二句寫的則是虛空間，透過設想，將空間投到「丘二十二員外」（即幽人）所在之地，寫他在空山裡因思念自已，聽著「松子落」的聲音而未眠之情景，從對面強化了自已「懷君」之情[12]；這種「先實後虛」的結構，是由單「空」所形成的。附結構簡表如下：

```
┌ 實（空）┬ 泛：「懷君」句
│         └ 具：「散步」句
└ 虛（空）：「山空」二句
```

又如李商隱的〈夜雨寄北〉詩：

> 君問歸期未有期，巴山夜雨漲秋池。何當共剪西窗燭，卻話巴山夜雨時。

這首詩乃客中寄遠之作。若從時間切入，上聯寫的是「現在」（即作

12 陳邦炎：「從整首詩看，作者運用寫實與虛構相結合的手法，使眼前景與意中景同時並列，使懷人之人與所懷之人兩地相連，進而表達了異地相思的深情。」見蕭滌非編：《唐詩大觀》（香港：商務印書館香港分館，1986年1月一版二刷），頁688。

者作此詩之時），主要以「君問」句作交代，為實時間；而下聯寫的是「未來」（即團聚之日），主要以「何當」、「卻話時」等語作交代，為虛時間。若從空間切入，則上聯寫的是實空間，主要以「巴山」句作具體呈現；而下聯寫的則是虛空間，主要以「共剪西窗燭」、「卻話」等景作虛擬的呈現，又由「卻話時」之「虛」（時）拉回到眼前之「實」（空），與「巴山夜雨」之景相疊合，使虛中含實，產生了「往復生姿」的效果[13]。如此既將時空交錯，又把虛實複合，再使之回環往復，自然就「能傳唱古今，歷久彌新」[14]了。附結構簡表如下：

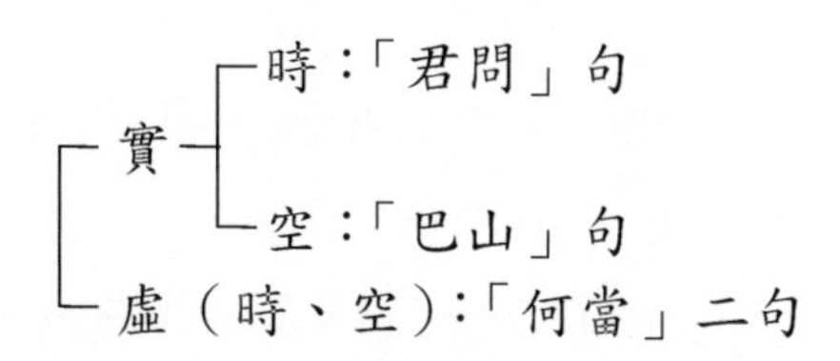

經由上述，不僅大致可看出，「時」與「空」交錯（含融合）、「虛」與「實」單用或複合的類型，也可概見「時空」與「虛實」結合在一起的情況。這對切入一篇辭章的篇章而言，是相當重要的。

第二節　唐宋詞中時空交錯的「先虛後實」結構

這所謂的「虛」與「實」，可以指時間，也可以指空間。照道理說，這種「先虛後實」的結構，該只有「先時（虛）後空（實）」與

13 傅庚生：「此懸想將來之能卻話今日，虛實顛倒，明縱而暗收，蓋遙企於西窗剪燭之樂，正以見巴山夜雨之苦；若微波之漣漪，往復生姿也。」見《中國文學欣賞舉隅》（臺北市：國文天地雜誌社，1990年4月初版），頁73。又李浩：「作者的想像從巴山預先飛馳家中，縈繞西窗，又從家中折轉飛回巴山，形成了一個環狀運動。這其中既有空間上的往復疊映，又有時間上的回環旋轉，且虛實相生，婉轉纏綿，搖曳蕩漾出千種風情。」見《唐詩的美學闡釋》，頁75。

14 李浩語，《唐詩的美學闡釋》，頁75。

「先空（虛）後時（實）」的兩種而已；但在實際上，其中的「虛」與「實」，既可以同時用來並指「時」與「空」，也可以用來單指二者之一，其變化可說是相當多樣的。如蘇軾的〈青玉案〉詞：

> 三年枕上吳中路，遣黃犬，隨君去。若到松江呼小渡。莫驚鴛鷺，四橋盡是，老子經行處。　輞川圖上看春暮，常記高人右丞句。作箇歸期天已許。春衫猶是，小蠻針線，曾濕西湖雨。

此詞題作「和賀方回韻，送伯固還吳中」，據朱（祖謀）注引王（文誥）案之說，作於宋哲宗元祐七年（1092）八月[15]。它首先以九句〔「三年」句起至「常記」句止〕，從虛空間切入，透過設想，寫蘇堅（伯固）這次回吳中故居時，走在途中和回到家園的情景。其中「吳中路」，由三年來之夢（枕上）帶出，是總括地說（凡）；「松江小渡」、「四橋」，是就途中（近故居）說（目一）；而「輞川圖」，以王維故居作比，是就回到家園時說（目二）；這主要是就虛空間來寫的。然後以「作箇歸期」四句，由虛轉實，將空間和時間拉回到這個送別之時和地，藉「小蠻」（喻作者之妾朝雲）[16]曾在杭州為伯固縫衣之事，以回應篇首之「三年」，一方面表達了兩人深固長久的友誼，一方面又暗示伯固不要忘了杭州、不要忘了老朋友；這主要是就實時間來寫的。附結構系統表如下：

---

15 朱（祖謀）注：「案伯固於己巳年（1089）從公杭州，至壬申三年（1092）未歸，故首句云然。王案：壬申八月，詔以兵部尚書召還。」見龍榆生：《東坡樂府箋》（臺北市：華正書局，1978年9月初版）引，頁257。

16 陳邇冬注：「小蠻，人名，唐代大詩人白居易的家妓，善舞。這裡蘇軾借以指他的妾朝雲。」見《蘇軾詞選》（北京市：人民文出版社，1986年7月二版），頁100。

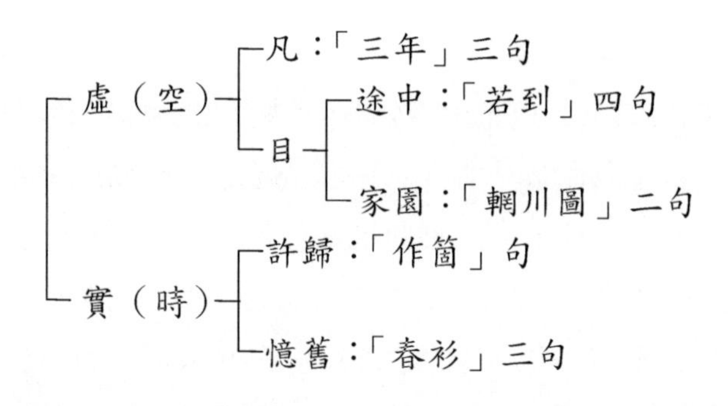

又如辛棄疾的〈沁園春〉詞：

> 三徑初成，鶴怨猿驚，稼軒未來。甚雲山自許，平生意氣；衣冠人笑，抵死塵埃。意倦須還，身閒貴早，豈為蓴羹鱸鱠哉。秋江上，看驚弦雁避，駭浪船回。　東岡更葺茅齋。好都把、軒窗臨水開。要小舟行釣，先應種柳；疏籬護竹，莫礙觀梅。秋菊堪餐，春蘭可佩，留待先生手自栽。沉吟久，怕君恩未許，此意徘徊。

這闋詞題作「帶湖新居將成」，作於宋孝宗淳熙八年（1181）。此所謂「帶湖新居」，在江西上饒縣，經始於作者第二次帥江西時（1180）[17]。因作此詞時，作者正在江西帥任內，故一開篇即由虛空間切入，以絕大篇幅（自篇首至「留待」句止）繞著「新居」來寫。它先以「三徑」三句，突出將成之整個「帶湖新居」，交代好題目；再以「甚雲山」四句，承上述「稼軒未來」，寫該來而未來的無奈；接著以「意倦須還」六句，就主觀與客觀兩層，表出自己該來、欲來的的原因；這是著眼於「全」（新居之整體）來寫的。然後以「東

17 洪邁有〈稼軒記〉詳述此事，見鄧廣銘：《辛稼軒年譜》（臺北市：河洛圖書出版社，1979年6月臺影印初版），頁82-83。

岡」九句（自「東岡」句起至「留待」句止），針對「帶湖新居」，仍不離虛空間（含虛時間），依序寫要在它適當的地點葺茅齋、栽花木的一些打算；這是著眼於「偏」（新居之局部）來寫的。至於「沉吟久」三句，則由虛轉實，寫此刻此地在仕隱之間，猶豫不決、難以言宣的心意[18]，呼應篇首的「未來」作收；這主要是就實時間來寫的。作者就這樣在「先虛（空）後實（時）」的框架下，將自己矛盾的心理活動作了生動的呈現[19]。附結構系統表如下：

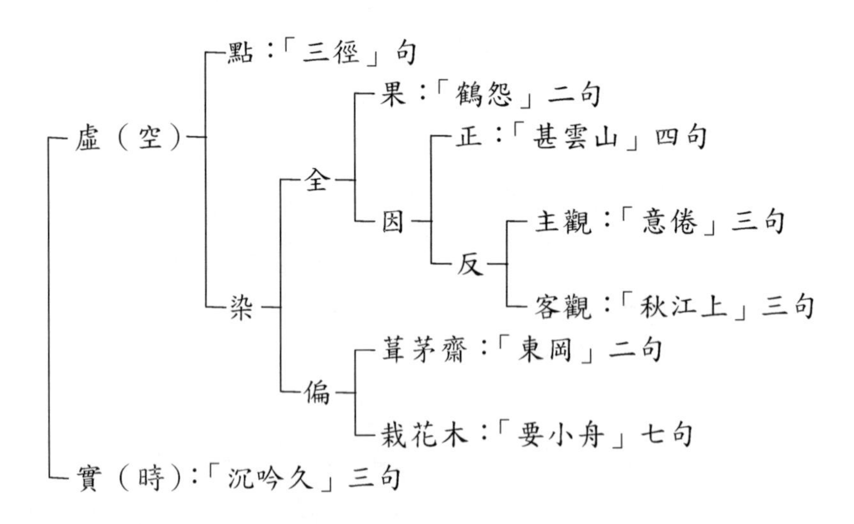

又如辛棄疾的〈菩薩蠻〉詞：

送君直上金鑾殿，情知不久須相見。一日甚三秋，愁來不自

18 常國武：「『沉吟久』三字，寫自己左思右想，在去留之間，心情仍然十分矛盾。『怕君恩未許』，說明對孝宗還存有幻想，對仕宦仍有所留戀。從全詞的藝術結構來看，作者當時的心情確實很矛盾，然而矛盾的主要方面依舊是用世思想。」見《辛稼軒詞集導讀》（成都市：巴蜀書社，1988年9月一版一刷），頁159-160。

19 喻朝剛：「此詞通篇寫心理活動，從不同側面表現用世與退隱的矛盾。」見《辛棄疾及其作品》（長春市：時代文藝出版社，1989年3月一版一刷），頁156。

由。　　九重天一笑，定是留中了。白髮少經過，此時愁奈何！

此詞題作「送鄭守厚卿赴闕」，當作於作者隱居帶湖時（1190-1192？），時鄭厚卿正家居上饒[20]。它直接針對題目之「赴闕」，首先以「送君」二句，把空間投到京城，賀鄭厚卿受詔將「直上金鑾殿」，這主要是就虛空間來寫的；其次以「一日」二句，寫鄭厚卿離開之後，自己將像《詩・王風・采葛》所說的「一日不見，如三秋兮」，會湧生無限的思念（愁），這主要是就虛時間來寫的；再其次以「九重天」二句，預祝鄭厚卿將受到天子之重用，留在朝中任職，這主要是就虛空間來寫的。到了最後，才以「白髮」二句，由虛而實，大力拉回到送別此刻，說自己年老，不堪承受離愁，以表達深切之情誼，這主要是就實時間來寫的。如此用「先虛（空、時、空）後實（時）」的結構來寫，在整齊中含變化，饒有章法。附結構系統表如下：

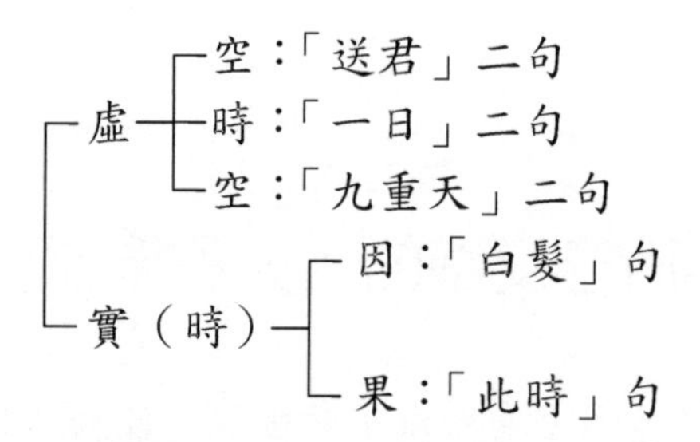

又如辛棄疾的〈點絳唇〉詞：

20 鄭厚卿其人其事，見鄧廣銘：《辛稼軒年譜》，頁95。又見其《稼軒詞編年箋注》（臺北市：華正書局，1978年12月版），頁196、225。

身後虛名，古來不換生前醉。青鞋自喜，不踏長安市。　竹外僧歸，路指霜鐘寺。孤鴻起，丹青手裡，剪破松江水。

此詞作年莫考，反映的是作者的隱退意識。它首先在上片，用「先時後空」的順序，寫自己現在正喜著草鞋，不必置身於「長安」（在此借指臨安），以贏得身後虛名，來交換生前「宜醉、宜遊、宜睡」（〈西江月〉）之樂；而「身後」為虛時間、「長安」為虛空間；可見這主要是著眼於虛時間、虛空間來寫的。然後在下片，用「先遠後近」的順序，先寫眼前所見和尚由竹外歸寺的遠景，再寫畫中所見孤鴻剪水的「奇想」[21] 近景，這主要是著眼於實空間來寫的。如單以時空結構而言，與上幾首顯有不同。附結構系統表如下：

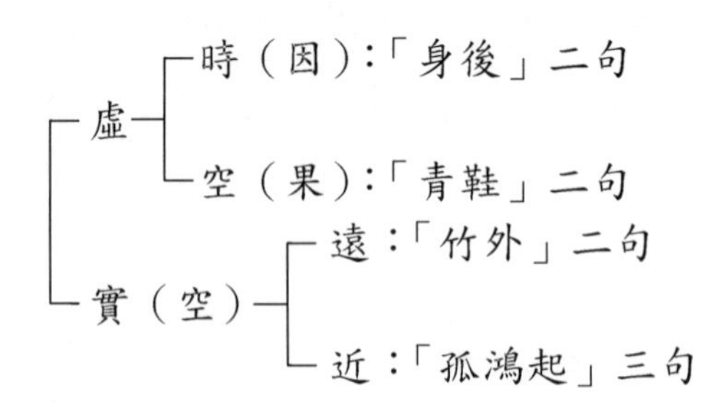

第三節　唐宋詞中時空交錯的「先實後虛」結構

一般說來，辭章裡形成「先虛後實」結構的，比較少見，而形成「先實後虛」結構的，則俯拾皆是。它如以時空呈現，則除可以形成「先時（實）後空（虛）」、「先空（實）後時（虛）」等結構外，也和

21 「丹青」二句，出於杜甫〈戲題王宰畫山水圖歌〉之結二句：「焉得并州快翦刀，翦取吳淞半江水。」吳（摯甫）注：「更以奇想作收。」見高步瀛：《唐宋詩舉要》（臺北市：學海出版社，1974年2月初版），頁226。

「先虛後實」一樣，可組合成多樣類型。如蘇軾的〈菩薩蠻〉詞：

> 秋風湖上蕭蕭雨，使君欲去還留住。今日漫留君，明朝愁煞人。　　佳人千點淚，灑向長河水。不用斂雙蛾，路人啼更多。

這闋詞題作「西湖送述古」，作於宋神宗熙寧七年（1073）。述古，即杭州太守陳襄，時卸任，將赴京城[22]。它直接先以起句，就實空間，寫眼前湖上雨景，以襯托離愁；再以「使君」二句，就實時間，寫此刻留戀情懷，以增添離愁；接著以「明朝」句，就虛時間，設想到「明日」之離愁，拈出「愁」字，以統括全詞；然後以「佳人」四句，就虛空間，進一步寫「明朝」送行時佳人與路人啼淚的情景，來推深離愁，並暗含著述古有遺愛在杭州之讚美[23]，予以收結。這樣以「先實後虛」的結構呈現，層次井然。附結構系統表如下：

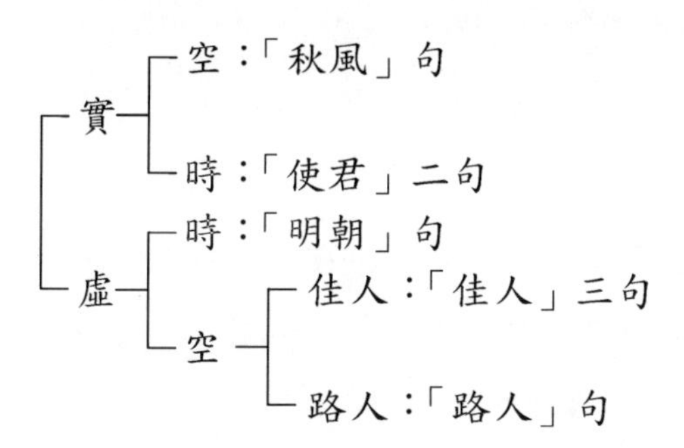

又如蘇軾的〈陽關曲〉詞：

---

22 朱（祖謀）注：「《紀年錄》：甲寅，送述古赴南都作。」見龍榆生：《東坡樂府箋》，頁27。

23 陳邇冬於「路人啼更多」句下注：「意謂好官去任，人們捨不得。」見《蘇軾詞選》，頁19。

> 暮雲收盡溢清寒，銀漢無聲轉玉盤。此生此夜不長好，明月明年何處看！

此詞題作「中秋作」，作於熙寧十年（1077）中秋，時作者在徐州（彭城）[24]。它一開始就由實空間切入，以「暮雲」二句，寫天空中的明月景色；再由實空間轉到實時間，寫一如往年「不長好」的「此夜」；然後由實轉虛，結合時空，以「明月」句，承「不長好」，說自己明年（時）不知在何處度中秋（空），以強烈表達對未來的憂心。此時烏臺詩案正在形成，作者有這種憂心，是很自然的事。附結構系統表如下：

```
      ┌空：「暮雲」二句
 ┌實─┤
 │    └時：「此生」句
 └虛（時、空）：「明月」句
```

又如蘇軾的〈八聲甘州〉詞：

> 有情風、萬里卷潮來，無情送潮歸。問錢塘江上，西興浦口，幾度斜暉？不用思量今古，俯仰昔人非。誰似東坡老，白首忘機。　記取西湖西畔，正春山好處，空翠煙霏。算詩人相得，如我與君稀。約他年東還海道，願謝公、雅志莫相違。西州路，不應回首，為我沾衣。

此詞題作「寄參寥子」，作於元祐四年（1089），時作者正在杭州巽

24 龍榆生：《東坡樂府箋》，頁92。

亭[25]，藉以抒發自己身世之感（含家國之思），並對參寥子表示絕不違早退之約，以深化對他的特殊友誼。它首先從實空間切入，以「有情風」十四句（自開端起至「如我」句止），寫登巽亭時所見西湖水山好景，從而帶出所引生之身世（含家國）感觸和對參寥子的無限懷念。其中「有情風」二句，寫的是黃昏時潮來去的空闊水景，用以領起下面抒情的句子；「問錢塘」三句，是以眼前所面對「西興浦口」的斜暉作為引渡，用回憶、激問之筆，寫過去自己與參寥子一起共度時光的情景；「不用思量」四句，寫的是自己對人事變化、宦海浮沉的「忘機」態度，從中抒發了身世（含家國）之感[26]；「記取」五句，乃以「記取」三句，呼應「幾度斜暉」之「幾度」，一樣用回憶之筆，將眼前所見西湖周遭之煙山美景與過去兩人所共度之時光打併在一起，以領出「算詩人」二句，表達出兩人深刻的友誼。然後由實轉虛，將時間推向未來，用謝安（喻己）與羊曇（喻參寥子）的典故（見《晉書・謝安傳》），呼應「白首忘機」，寫自己絕對守約隱退的心意[27]，以推深兩人情誼。由此可見，這首詞是用「先實（空）後虛

---

25 曾棗莊、吳洪澤：「南宋傅幹《注東坡詞》，題下有『時在巽亭』四字。《咸淳臨安志》：『南園巽亭，在鳳凰山舊府治內，以在郡城東南，故名。』元祐四年（一〇八九）蘇軾知杭州，有〈次韻詹適宣德小飲巽亭〉詩，此詞當作於同時。時參寥住西湖孤山，與巽亭有一段距離，故云『寄』。」見《蘇軾詞選》（臺北市：三民書局，2000年11月初版一刷），頁116。

26 曾棗莊、吳洪澤：「開頭二句以江潮為比興，實際描繪了元祐初年的整個政治形勢。『問錢塘江上』三句，抒發『夕陽無限好，只是近黃昏』（李商隱〈登樂遊原〉）的深沉感慨。……『不用思量今古』二句，化用王羲之〈蘭亭集序〉：『俯仰之間，已為陳跡。』兩句緊承『幾度斜暉』，表明他不僅是詠落日，也在感嘆人事。『誰似東坡老』二句，這是蘇軾表明對潮來潮去、日起日落以及宦海浮沉的態度。」見《蘇軾詞選》，頁114。

27 徐中玉：「這幾句（『約他年』五句）與參寥子相約，日後退隱杭州，並期望付諸實現，使參寥子不致為作者遺憾。」見《蘇東坡文集導讀》（成都市：巴蜀書社，1990年6月一版一刷），頁258。

（時）」的結構寫成的。附結構系統表如下：

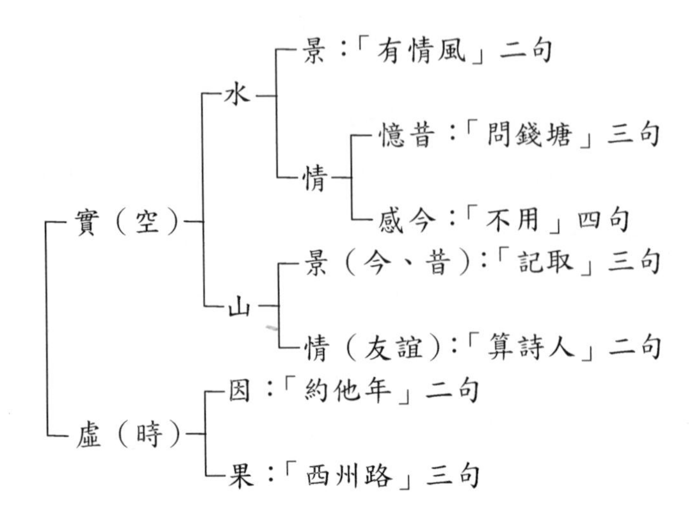

又如辛棄疾的〈鷓鴣天〉詞：

> 聚散匆匆不偶然，二年歷遍楚山川。但將痛飲酬風月，莫放離歌入管絃。　　縈綠帶，點青錢。東湖春水碧連天。明朝放我東歸去，後夜相思月滿船。

這首詞題作「離豫章，別司馬漢章大監」，作於淳熙五年（1178）。它一開始即由實時間入筆，先以「聚散」二句，就「昔」寫二年來的奔波、聚散，含身世之感，為此次之離情作鋪墊；再以「但將」二句，就「今」寫此次之別宴，由此帶出離情；然後由實時間過到實空間，以「縈綠帶」三句，寫在別宴時所面對的水天景色，藉以襯托離情。到了最後，才由實轉虛，以「明朝」二句，依「先時後空」的順序，設想「明朝東歸」後的情景，將離情作進一層之推深，使全詞充滿著離別之情與身世之感[28]。附結構系統表如下：

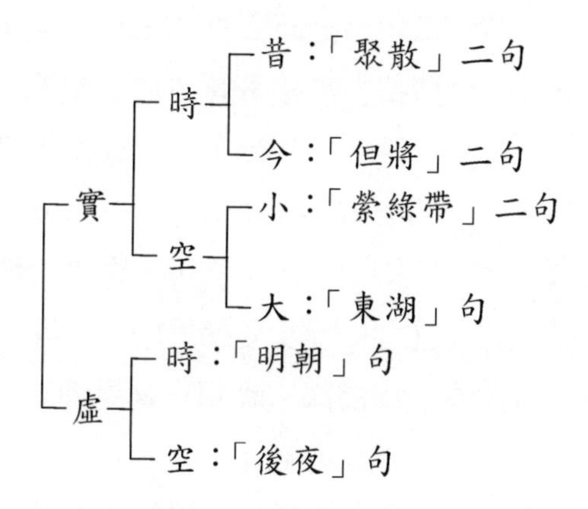

第四節　唐宋詞中時空交錯的「虛、實、虛」結構

在時空交錯（含融合）的前提下，辭章要形成「先虛後實」或「先實後虛」的兩種結構，因兩者均著重在秩序，較為單純，所以在辭章裡都可常見到；而「虛、實、虛」與「實、虛、實」兩者，則由於它們均著重在變化，比較複雜，因此在辭章裡都不易見到。尤其是「虛、實、虛」這種類型，更是如此。但依然在蘇辛詞裡，可以找到它的蹤影。如蘇軾的〈醉落魄〉詞：

> 蒼顏華髮，故山歸計何時決。舊交新貴音書絕。惟有佳人，猶作殷勤別。　離亭欲去歌聲咽，蕭蕭細雨涼吹頰。淚珠不用羅巾浥。彈在羅衫，圖得見時說。

28　常國武：「全詞篇幅雖短，但能將身世之感和離別之情置於一處抒寫，並照顧到景物的襯托，也頗見作者的藝術匠心。」見《辛稼軒詞集導讀》，頁144。

這首詞題作「蘇州閶門留別」，當作於熙寧七年（1074）[29]。它一開篇即置重於虛時間，以「蒼顏」二句，把時間推向未來，發出不知何時才能歸鄉的感嘆，為下敘的離情蓄力。接著置重於實空間，採「主、賓、主」的順序，先以「舊交」四句，敘寫美人唱離歌殷勤送別的場景，以帶出離情，這是「主」；再以「蕭蕭」句，寫不斷吹頰的蕭蕭細雨，以景襯情，此為「賓」；末以「淚珠」句，寫美人淚滴羅衫的情狀，以加重離情，這又是「主」。然後又置重於虛時間，以結句應起，將時間推向未來，用「淚」作橋樑，設想未來見面時的情景，一面藉以安慰「美人」，一面藉以推深離情。如此以「虛（時）、實（空）、虛（時）」的結構呈現，很富於變化。附結構系統表如下：

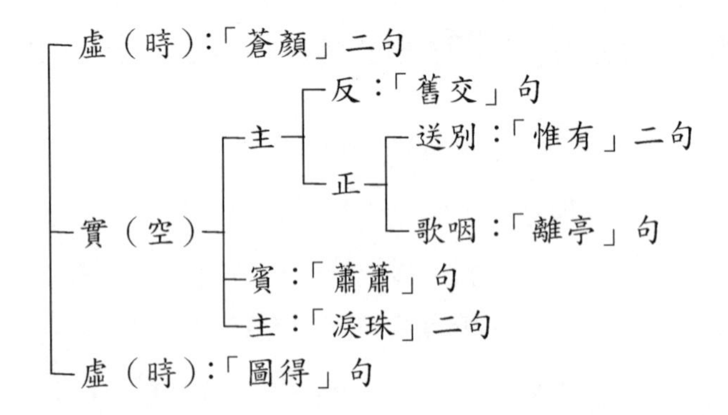

又如蘇軾的〈河滿子〉詞：

> 見說岷峨悽愴，旋聞江漢澄清。但覺秋來歸夢好，西南自有長城。東府三人最少，西山八國初平。　莫負花溪縱賞，何妨藥市微行。試問當壚人在否，空教是處聞名。唱著子淵新曲，應須分外含情。

29 此詞應作於熙寧七年（甲寅）冬，朱（祖謀）注：「王案：甲寅十月，至金閶。」見龍榆生：《東坡樂府箋》，頁48。

此詞題作「湖州作寄益守馮當世」，當作於熙寧九年（1076），時作者在密州，而馮當世（京）在成都[30]。它首先以起二句，主要就虛空間，突出「岷峨」（借指成都），寫馮當世在四川平定茂州夷人叛亂的功績（見《宋史・馮京傳》），一如周宣王時召虎之平淮夷，以表示慶賀之意。接著以「但覺秋來」二句，主要就實時間，承上寫自己「秋來」，因有馮當世鎮守家鄉四川，故有好的「歸夢」。然後以「東府」二句及整個下片，又主要就虛空間，鎖定「成都」來寫：它首以「東府」二句，呼應「江漢澄清」，指出馮當世來鎮守四川，成就了有如唐朝韋皋震服「西山八國」的功業，所以宋神宗特召知樞密院事（熙寧九年十月，見《續資治通鑑》卷71），成為「東府三人（王珪、吳充、馮京）最少」[31]的顯要，以極力讚美馮當世；次以「莫負花溪」四句，勸馮當世不妨在公餘，微服出行，走訪那成都著名的花溪、藥市與文君壚，以察訪民情；末以「唱著子淵」二句，用漢代益州刺使王襄舉王褒，而王褒後來作〈聖主得賢臣頌〉來加以歌頌的故事（見《漢書・王褒傳》），要他識拔當地人才。這樣以「虛（空）、實（時）、虛（空）」的結構來寫，不但讚美了馮當世的武功（主），也對他的文治（賓），作了很高的期許。雖然前後用了很多典故，卻絲毫不損其意味。附結構統表如下：

30 石聲淮、唐玲玲：「題說『湖州作寄益守馮當世』，詞中內容是馮當世作益守時的事，馮當世作益守在熙寧九年丙辰（西元1076年）。這年蘇軾在密州，題說『湖州』，時和地相矛盾。」見《東坡樂府編年箋注》（臺北市：華正書局，1993年8月初版），頁91-92。

31 東府，指樞密院，與中書省，並稱二府。三人，指中書門下平章事吳充、王珪二人，加上馮京。時（西寧九年）王珪五十八歲、吳充和馮京五十六歲，大約馮京出生的月份早，所以說「最少」。見《東坡樂府編年箋注》，頁93-94。

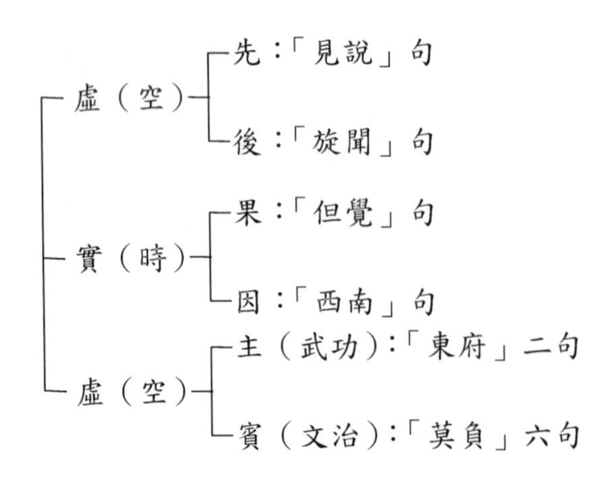

又如辛棄疾的〈千秋歲〉詞：

> 塞垣秋草，又報平安好。尊俎上，英雄表。金湯生氣象，珠玉霏談笑。春近也，梅花得似人難老。　　莫惜金尊倒，鳳詔看看到。留不住，江東小。從容帷幄去，整頓乾坤了。千百歲，從今盡是中書考。

這首詞題作「金陵壽史帥致道。時有版築役。」作於乾道五年（1169）。它首先由虛空間切入，以開端二句，寫邊塞平安無事，為底下之壽慶預鋪路子。其次由虛轉實，正式落到壽宴上來：首以「尊俎上」四句，主要就「空」，寫史致道談笑自若的英雄氣概與金湯永固的重修工程[32]，以交代題目；次以「春近也」二句，依然就「空」，寫冬天盛開的梅花，一面扣緊史致道的生日（在冬至日後），一面說他還很年輕，勝過梅花，以寫他神采奕奕的形象；末以「莫惜」二句，則主要就「時」，寫勸酒的事，並祝他高昇。然後又由實

32 所謂「版築役」，當指鎮淮、飲虹二橋隻重修而言。見鄧廣銘：《稼軒詞編年箋注》，頁13。

轉虛，以「留不住」六句，承「鳳詔看看到」，將時間推向未來，說他會離開江東（指金陵），銜命收復中原，完成統一大業，而一直高居宰輔之位，以加強慶賀的意思。附結構系統表如下：

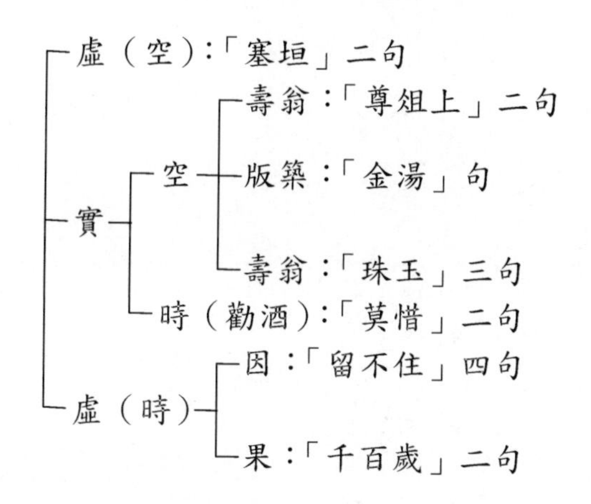

又如辛棄疾的〈清平樂〉詞：

> 此身常健，還卻功名願。枉讀平生三萬卷，滿酌金杯聽勸。
> 男兒玉帶金魚，能消幾許詩書？料得今宵醉也，兩行紅袖爭扶。

此詞題作「壽信守王道夫」，作於紹熙二年（1191），時作者隱居於帶湖。它首先著眼於虛時間，預祝信州太守王道夫（自中）自此能健康地去完成他建立功名的願望。接著著眼於實時間，以「枉讀」四句，寫到壽席之上：先用「枉讀」二句，主要就「空」，承上寫自己酌酒勸王道夫要建功立名的情景；再用「男兒」二句，主要就「時」，以「朝廷那些做高官的，未必就有多少詩書才學」[33]，從反面抒發自己此刻被迫閑居的感慨。最後則又轉實為虛：先以「料得」句，主要就

---

33 見劉坎龍：《辛棄疾詞全集詳注》（烏魯木齊市：新疆人民出版社，2000年11月第一版），頁203。

「時」寫當夜酒醉的時候，再由此領出「兩行」句，主要就「空」寫到時須有美人爭扶的情景[34]，藉「醉酒」表達出祝壽之忱與感慨之深，以收拾全詞。附結構系統表如下：

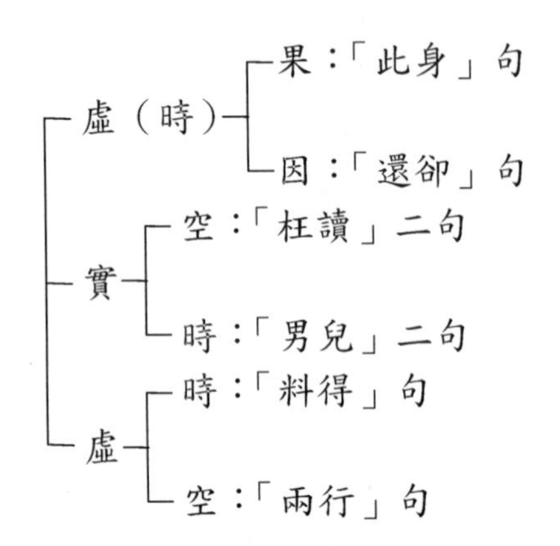

第五節　唐宋詞中時空交錯的「實、虛、實」結構

這種結構，和上一種一樣，均極富於變化，可藉以形成「時空交錯」的多變類型。一般說來，無論「時」與「空」，寫「虛」都比寫「實」為難，尤其在開篇時，更是如此。因此在辭章裡，「實、虛、實」這種結構，比起「虛、實、虛」來，見到的機會自然會多一些，即以蘇辛詞而言，也不例外。如蘇軾的〈蝶戀花〉詞：

> 雨後春容清更麗，只有離人，幽恨終難洗。北固山前三面水，碧瓊梳擁青羅髻。　一紙鄉書來萬里，問我何年，真箇成歸計。回首送春拚一醉，東風吹破千行淚。

34 劉坎龍：「結尾兩句寫酒醉後侍女爭扶的情景，是想像之辭。」見劉坎龍：《辛棄疾詞全集詳注》，頁203。

此詞題作「京口得鄉書」，作於熙寧七年（1074）。由於此時正值春天，所以作者便主要著眼於實空間來寫。他先以起句，泛寫雨後清麗之春景；再以「北固山」二句，鎖定「京口」之地標「北固山」和山下之長江水，將「山」比作「青羅髻」、「水」比作「碧瓊梳」，具寫雨後清麗之春景；而於此兩者之間，特地插入「只有」二句，即景抒情，寫「得鄉書」後的無限離恨；又在此兩者之後，轉而著眼於實時間，正式以「一紙」句交代這時「得鄉書」的這件事實。接著以「問我」二句，承「一紙」句，很技巧地由實轉虛，將時間伸向未來，寫不知何日才能歸鄉的「幽恨」。然後以「回首」二句，又由虛歸實，主要著眼於實空間，寫自己面對東風拚醉落淚的情狀，既和上片所寫之實空間打成一片，將「幽恨」再予具象化，又暗含歸期無望之意[35]，使作品更富於韻味。附結構系統表如下：

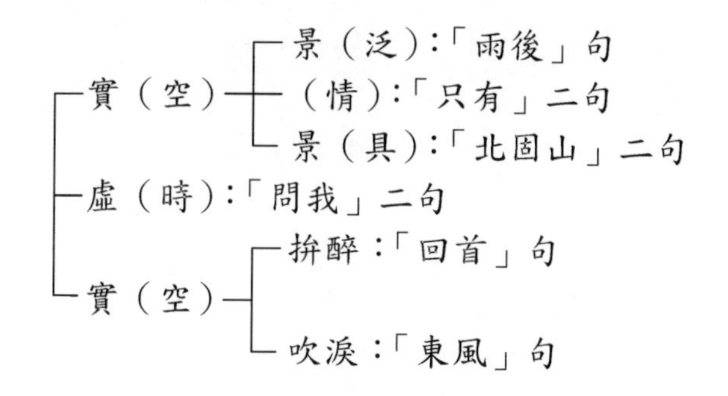

又如蘇軾的〈浣溪沙〉詞：

> 軟草平莎過雨新，輕沙走馬路無塵。何時收拾耦耕身？　日暖桑麻光似潑，風來蒿艾氣如薰。使君元是此中人。

---

35 陳邇冬釋「回首」二句：「二句未對鄉書所問直接回答，但以送春一醉、熱淚千行暗示歸期無望。作者此時距最後一次離開故鄉已六年，雖懷歸心切，終不能如願。」見《蘇軾詞選》，頁10。

這首詞為一套組詞的最後一首，此組詞題作「徐門石潭謝雨，道上作五首。潭在城東二十里，常與泗水增減、清濁相應。」作於元豐元年（1078），時作者在徐州（彭城）。它一開篇就由實空間切入，以「軟草」二句，特別著眼於道旁的莎草與道中的輕沙，寫走在「道上」所見道旁雨後的清新景象，預為下句敘隱逸之思鋪路。接著由實轉虛，將時間推向未來，以「何時」句，即景抒情，抒發了隱退的強烈意願。繼而以「日暖」二句，又回到實空間，特別著眼於「桑麻」的光澤與「蒿艾」的香氣，應起寫走在道上所見雨後的另一清新景象，以強化隱逸之思；最後以結句，主要著眼於實時間，寫此時所以會有強烈的隱退意願，是由於自己原本就來自於田野的緣故。這樣用「實（空）、虛（時）、實（空、時）」的結構來組合材料，將隱逸之旨表達得極為明白。附結構系統表如下：

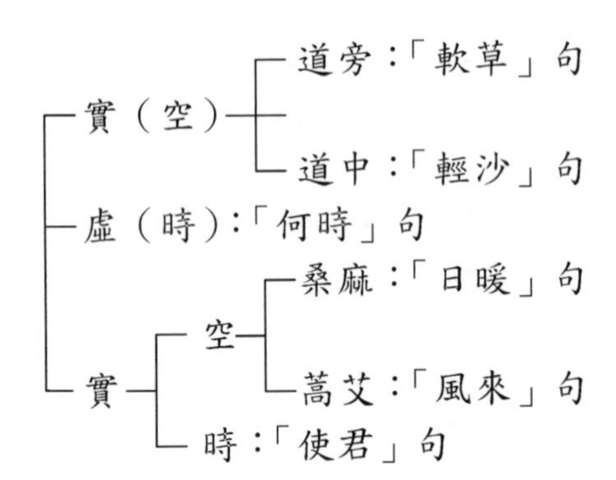

又如辛棄疾的〈臨江仙〉詞：

> 風雨催春寒食近，平原一片丹青。溪頭換渡柳邊行。花飛蝴蝶亂，桑嫩野蠶生。　　綠野先生閒袖手，卻尋詩酒功名。未知明日定陰晴。今宵成獨醉，卻笑眾人醒。

這闋詞題作「即席和韓南澗韻」，作於作者閒退帶湖年間（1182-1190）。它雖是在席上所寫，寫的可能是再現景，而非眼前景，卻同樣屬於實景，與出自設想之虛景，有所不同。所以此詞自篇首起至「卻尋」句止，完全就「實」而寫：其中「風雨」句，先著眼於「時」，指明現在是逼近寒食的暮春時節；「平原」四句，再著眼於「空」，由遠而近地具寫「寒食近」時的田野風光；「綠野」二句，則又倒回來，著眼於「時」，點出「韓南澗」（以裴度為喻）[36]和自己現在過的是吟詩醉酒的閒退生活，既以交代題目，也藉以領出下句。作者著眼於「實」寫到了這裡，才突然地以「未知」一句，轉實為虛，承上兩句，把時間伸向「明日」（未來），寫對前途未卜的疑慮，這和作者另一首作於淳熙十五年（1188）之〈蝶戀花〉詞所謂「今歲花期消息定，只愁風雨無憑準」的意思，是相同的。著眼於「虛」寫了這麼一句，卻又轉回到「實」，寫到此刻之席上來，反用屈原「舉世皆濁我獨清，眾人皆醉我獨醒」（《楚辭・漁父》）的詩意 [37]，發出感慨作收。附結構系統表如下：

---

36 綠野先生，指唐裴度，有別墅，號綠野堂。在此用以指韓南澗。辛棄疾題作「甲辰歲壽韓南澗尚書」的〈水龍吟〉詞有「綠野風煙」之句，即將韓南澗比作裴度。見鄧廣銘：《稼軒詞編年箋注》，頁119。

37 劉坎龍：「詞的下片直抒胸臆，寫自己不受重用，投閒置散，像裴度那樣，飲酒作詩，不問世事，實際上內心深處蘊含了憤懣和牢騷。所以結句反用〈漁父〉中揭示屈原被流放原因的詩句，來表達自己的情懷，引人深思。」見《辛棄疾詞全集詳注》，頁84。

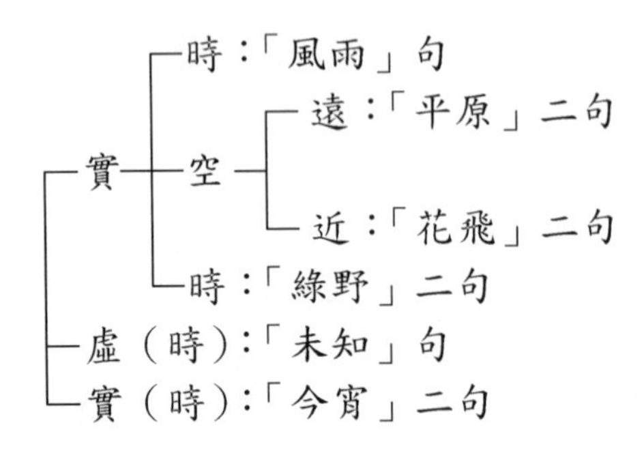

又如辛棄疾的〈虞美人〉詞：

> 翠屏羅幙遮前後，舞袖翻長壽。紫髯冠佩御爐香，看取明年歸奉、萬年觴。　　今宵池上蟠桃席，咫尺長安日。寶煙飛焰萬花濃，試看中間白鶴、駕仙風。

這首詞題作「壽趙文鼎提舉」，當作於紹熙二年（1191）前後。它首先主要由實空間切入，直接鎖緊壽宴，以「翠屏」三句，採「先底後圖」[38] 的順序來寫，先是「翠屏」二句，主要寫筵席上的壽舞，為「底」；再來是「紫髯」句，主要寫筵席上的壽翁，為「圖」。其次以「看取」三句，由實轉虛，主要用「先時後空」的順序，預祝壽翁「明年」將高昇入京；不過必須一提的是，雖然在此插了「今宵」一句，涉及今夜之筵席，但它僅僅為「看取」句（時）與「咫尺」句（空）充作橋樑之用，因此可視為附屬成分，這在辭章上是很常見的。最後以「寶煙」二句，又由「虛」拉回到「實」，主要就實空

38 「底」，指背景，也稱為「地」；「圖」，指焦點。王秀雄：「在視覺心理上，把視覺對象從其背景浮現出來，而讓我們認識得到的物，叫做『圖』（Figure）……其周圍之背景，叫做『地』（Ground）。」見《美術心理學》（臺北市：三信出版社，1975年初版），頁126。另參見仇小屏：〈論「圖底」章法的空間結構〉，《國文天地》17卷5期（2001年10月），頁100-104。

間，依然採「先底後圖」的順序來寫，「底」指「寶煙」句，寫的是筵席上濃如萬花的煙火；「圖」指「試看」句，寫的是筵席上如同仙鶴的壽翁。就這樣，將慶賀之場面表達得十分喜氣，從而加深了祝賀之忱。附結構系統表如下：

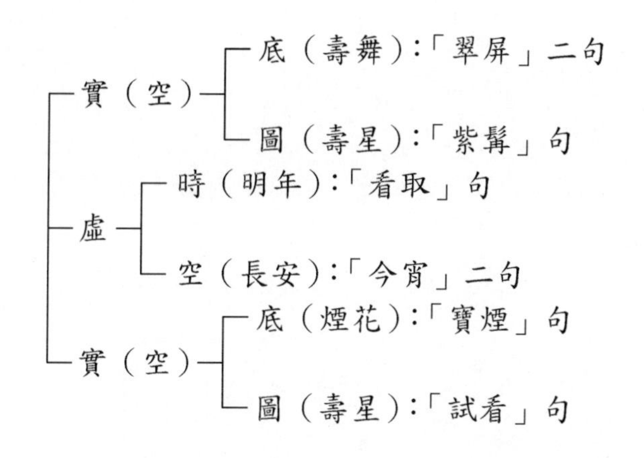

綜上所述，足見辭章（含唐宋詞）在「時空交錯」之下，可以形成「虛實複合」的多種結構。其中「先虛後實」、「先實後虛」或「先時後空」、「先空後時」……等，主要出自於人類求「秩序」的心理，也因而使得辭章形成「秩序」之美。而「虛、實、虛」、「實、虛、實」或「時、空、時」、「空、時、空」……等，則出自於人類求「變化」的心理，也因而使得辭章形成「變化」之美。以上兩種，無論「秩序」或「變化」，均能使「虛」與「實」、「時」與「空」互相呼應而聯貫，成為「對比」（趨於陽剛）或「調和」（趨於陰柔），因此就使得辭章多了「聯貫」（含對比、調和）之美。而最要緊的，就是從篇首到篇末，必須將所要表達的情意，形成主旨或綱領，「一以貫之」（《論語・里仁》），以達於「統一」的目的，這無疑是出自於人類求「統一」的心理，自自然然地就使得辭章包括唐宋詞形成「統一」之美。而這所謂的「秩序」、「變化」、「聯貫」、「統一」，正是辭章章法的四大律[39]，既各有其心理基礎，也各有其美感效果，所謂「人同此心，心同此理」，是不宜以「莫須有」或「無用」來看待它們的。

39 陳滿銘：〈論辭章章法的四大律〉，《國文天地》17卷4期（2001年9月），頁101-107。又參見仇小屏：《篇章結構類型論》上、下，頁1-600。

第三章
包孕邏輯

在辭章層面，「章法」所探討的，是篇章內容材料的雙螺旋層次邏輯結構。由於這種邏輯結構，乃對應於自然，由「陰陽二元」之雙螺旋互動為基礎而形成千變萬化的層次邏輯大系統，足以反映出宇宙創生、含容萬物在時空歷程上那種細緻、複雜與多樣轉化之動態規律；並且又由於此基礎之「陰陽二元」，往往是「陰中有陽」、「陽中有陰」的；所以就使得對應於自然動態規律中的各種「章法」，往往形成各種包孕式之層次邏輯結構，造成層次、含蓄、統一、和諧之美感。本章即鎖定這種結構，先探討其相關理論，再以「凡目」與「圖底」同一章法為考察範圍，分「陽中陽」、「陽中陰」、「陰中陰」「陰中陽」等四種類型，舉蘇辛詞為例酌作說明，然後略作美學之詮釋，以概見這種包孕式層次邏輯結構之奧妙。

第一節　包孕邏輯的相關理論

要探討辭章「章法」中包孕式層次邏輯結構的理論基礎，可從以下兩個層面切入：

一　哲學層面

在哲學或美學上，對所謂「對立的統一」、「多樣的統一」，即「多而一」、「二而一」之概念，都非常重視，一向被目為事物最重要的變化規律或審美原則，似乎已沒有進一步探討之空間。不過，若從《周易》（含《易傳》）與《老子》等古籍中去考察，則可使它更趨於精密、周遍，不但可由「有象」而「無象」，找出「多、二、一（0）」之逆向結構；也可由「無象」而「有象」，尋得「（0）一、二、多」之順向結構；並且透過《老子》「反者道之動」（四十章）、「凡物芸芸，各復歸其根」（十六章）與《周易・序卦》「既濟」而「未濟」之說，將順、逆向結構不僅前後連接在一起，更形成「互動、循環、往復而提升（下降）」不已的雙螺旋邏輯結構，以反映宇宙人生「生生不息」的基本動態規律[1]。

而其中之「二」，指的就是「陰陽二元」。《老子》四十二章云：

> 道生一，一生二，二生三，三生萬物。萬物負陰而抱陽，沖氣以為和。

又《周易・繫辭上》云：

> 一陰一陽之謂道，繼之者善也，成之者性也。
> 是故易有太極，是生兩儀，兩儀生四象，四象生八卦。

---

1 陳滿銘：〈論「多、二、一（0）」的螺旋結構——以《周易》與《老子》為考察重心〉，臺灣師大《師大學報・人文與社會類》48卷1期（2003年7月），頁1-20。而此「螺旋」一詞，本用於教育課程之理論上，早在十七世紀，即由捷克教育家夸美紐思所提出，見許建鉞編譯：《簡明國際教育百科全書》（北京市：新華書局北京發行所，1991年6月一版一刷），頁611。又，相對於人文，科技界亦發現生命之「基因」和「DNA」等都呈現雙螺旋結構。參見約翰・格里賓著，方玉珍等譯：《雙螺旋探密——量子物理學與生命》（上海市：上海科技教育出版社，2001年7月版），頁271-318。

對這《老子》「一生二，二生三」的「二」，雖然歷代學者有不同的說法，但大致說來，有認為只是「數字」而無特殊意思的，如蔣錫昌、任繼愈等便是；有認為是「天地」的，如奚侗、高亨等便是，有認為是「陰陽」的，如河上公、吳澄、朱謙之、大田晴軒等便是[2]。其中以最後一種說法，似較合於原意，因為老子既說「萬物負陰而抱陽」，看來指的雖僅僅是「萬物的屬性」，但萬物既有此屬性，則所謂有其「委」（末）就有其「源」（本），作為創生源頭之「一」或「道」，也該有此屬性才對，所差的只是，老子沒有明確說出而已。

而此「陰陽二元」，經由獨斷的雙螺旋互動作用，不僅是互相對待而且是互相含融、互相統一的。《老子》所謂「萬物負陰而抱陽，沖氣以為和」，就是這個意思。而在《周易》六十四卦中，除「乾」、「坤」兩卦，一為陽之元，一為陰之元外，其他的六十二卦，全是陰陽互相對待而含融而統一的。《周易．繫辭下》說：

> 陽卦多陰，陰卦多陽。其故何也？陽卦奇，陰卦偶。

清焦循注云：

> 陽卦之中多陰，則陰卦之中多陽。兩相孚合捋多益寡之義也。如〈萃〉陽卦也，而有四陰，是陰多於陽，則以〈大畜〉孚之。〈大有〉陰卦也，而有五陽，是陽多於陰，則以〈比〉孚之。設陽卦多陽，則陰卦必多陰，以旁通之；如〈姤〉與〈復〉、〈遯〉與〈臨〉是也。聖人之辭，每舉一隅而已。……

2　以上諸家之說與引證，見黃釗：《帛書老子校注析》（臺北市：臺灣學生書局，1991年10月初版），頁231。

奇偶指五，奇在五則為陽卦，宜變通於陰；偶在五則為陰卦，宜進為陽。[3]

可見《周易》六十四卦，有陽卦與陰卦之分，而要分辨陽卦與陰卦，照焦循的意思，是要看「奇在五」或「偶在五」來決定，意即每卦以第五爻分陰陽，如是陽爻則為陽卦，如為陰爻則是陰卦[4]。用這種分法，《周易》六十四卦剛好陰陽個半，屬於陽卦的是：

乾（下乾上乾） 屯（下震上坎） 需（下乾上坎） 訟（下坎上乾）
比（下坤上坎） 小畜（下乾上巽） 履（下兌上乾） 否（下坤上乾）
同人（下離上乾） 隨（下震上兌） 觀（下坤上巽） 无妄（下震上乾）
大過（下巽上兌） 習（下坎上坎） 咸（下艮上兌） 遯（下艮上乾）
家人（下離上巽） 蹇（下艮上坎） 益（下震上巽） 夬（下乾上兌）
姤（下巽上乾） 萃（下坤上兌） 困（下坎上兌） 井（下巽上坎）
革（下離上兌） 漸（下艮上巽） 巽（下巽上巽） 兌（下兌上兌）
渙（下坎上巽） 節（下兌上坎） 中孚（下兌上巽） 既濟（下離上坎）

在此三十二卦中，除〈乾〉卦是「全陽」外，屬「多陰」而形成「陽中陰」的包孕式結構的，有六卦，即：

〈屯〉、〈比〉、〈觀〉、〈習〉、〈蹇〉、〈萃〉。

3 見陳居淵：《易章句導讀》（濟南市：齊魯書社，2002年12月一版一刷），頁209。

4 陽卦與陰卦之分，或以為要看每一卦之爻畫線段的總數來決定，如為奇數屬陽，如是偶數則為陰。見鄧球柏：《帛書周易校釋》（長沙市：湖南人民出版社，2002年6月三版一刷），頁536。

屬「多陽」而形成「陽中陽」的包孕式結構的，有十五卦，即：

〈需〉、〈訟〉、〈小畜〉、〈履〉、〈同人〉、〈无妄〉、〈大過〉、〈遯〉、〈家人〉、〈夬〉、〈姤〉、〈革〉、〈巽〉、〈兌〉、〈中孚〉。

屬「陰陽多寡相當」而形成「並列」關係的包孕式結構的，有十卦，即：

〈否〉、〈隨〉、〈咸〉、〈益〉、〈困〉、〈井〉、〈漸〉、〈渙〉、〈節〉、〈既濟〉。

據此，可依序用下圖來表示三種不同的包孕式結構：

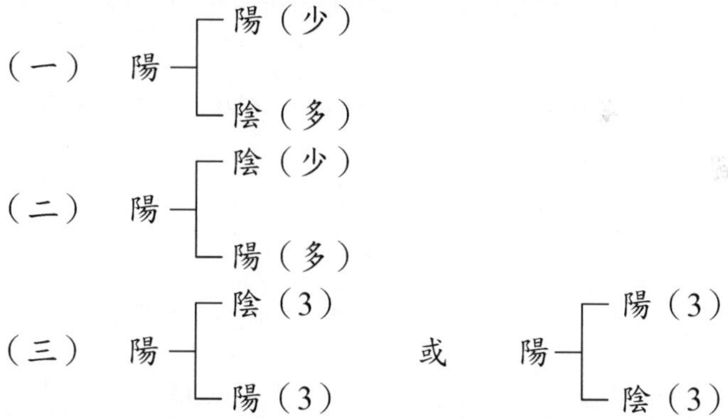

（一） 陽 ─┬─ 陽（少）
　　　　　　└─ 陰（多）

（二） 陽 ─┬─ 陰（少）
　　　　　　└─ 陽（多）

（三） 陽 ─┬─ 陰（3）　　或　　陽 ─┬─ 陽（3）
　　　　　　└─ 陽（3）　　　　　　　└─ 陰（3）

屬於陰卦的是：

坤（坤下坤上）	蒙（下坎上艮）	師（下坎上坤）	泰（下乾上坤）
大有（下乾上離）	謙（下艮上坤）	豫（下坤上震）	蠱（下巽上艮）
臨（下兌上坤）	噬嗑（下震上離）	賁（下離上艮）	剝（下坤上艮）

復（下震上坤）	大畜（下乾上艮）	頤（下震上艮）	離（下離上離）
恆（下巽上震）	大壯（下乾上震）	晉（下坤上離）	明夷（下離上坤）
睽（下兌上離）	解（下坎上震）	損（下兌上艮）	升（下巽上坤）
鼎（下巽上離）	震（下震上震）	艮（下艮上艮）	歸妹（下兌上震）
豐（下離上震）	旅（下艮上離）	小過（下艮上震）	未濟（下坎上離）

在此三十二卦中，除〈坤〉卦是「全陰」外，屬「多陰」而形成「陰中陰」的包孕式結構的，有十五卦，即：

〈蒙〉、〈師〉、〈謙〉、〈豫〉、〈臨〉、〈剝〉、〈復〉、〈頤〉、〈晉〉、〈明夷〉、〈解〉、〈升〉、〈震〉、〈艮〉、〈小過〉。

屬「多陽」而形成「陰中陽」的包孕式結構的，有六卦，即：

〈大有〉、〈大畜〉、〈離〉、〈大壯〉、〈睽〉、〈鼎〉。

屬「陰陽多寡相當」而形成「並列」關係的包孕式結構的，有十卦，即：

〈泰〉、〈蠱〉、〈噬嗑〉、〈賁〉、〈恆〉、〈損〉、〈歸妹〉、〈豐〉、〈旅〉、〈未濟〉。

據此，可依序用下圖來表示三種不同的包孕式結構：

（一）　陰 ┬ 陽（少）
　　　　　 └ 陰（多）

（二）　陰 ┬ 陰（少）
　　　　　 └ 陽（多）

（三）　陰 ┬ 陽（3）　　或　　陰 ┬ 陰（3）
　　　　　 └ 陰（3）　　　　　　 └ 陽（3）

而這些「陽卦」與「陰卦」，是可兩兩相對待，而「捊多益寡」或「旁通」，以達於統一的。它們是：

乾和坤　屯和鼎　蒙和革　需和晉　訟和明夷
師和同人　比和大有　小畜和豫　履和謙　泰和否
隨和蠱　臨和遯　觀和大壯　噬嗑和井　賁和困
剝和夬　復和姤　无妄和升　大畜和萃　頤和大過
習和離　咸和損　恆和益　家人和解　睽和蹇
震和巽　艮和兌　漸和歸妹　豐和渙　旅和節
中孚和小過　既濟和未濟

可見「陰」和「陽」雖兩相對待，卻可以由互動而彼此含融而形成統一。

二　章法層面

辭章是結合「形象思維」、「邏輯思維」與「綜合思維」而形成的。這三種思維，各有所司。一般說來，如果是將一篇辭章所要表達之「情」或「理」，訴諸各種主觀聯想，和所選取之「景（物）」或「事」結合在一起，或者是專就個別之「情」、「理」、「景」（物）、「事」等材料本身設計其表現技巧的，皆屬「形象思維」；這涉及了「立意」、「取材」與「措詞」等問題，而主要以此為研究對象的，就是詞彙學、意象學（個別）與修辭學等。如果是專就「景（物）」或「事」等各種材料，對應於自然規律，結合「情」與「理」，訴諸客觀聯想，按秩序、變化、聯貫與統一之原則，前後加以安排、佈置，以成條理的，皆屬「邏輯思維」；這涉及了「運材」、「佈局」與「構詞」等問題，而主要以此為研究對象的，就字句言，即文（語）法學；就篇章言，就是章法學。至於合「形象思維」與「邏輯思維」而為一的「綜合思維」，則探討辭章之整個情意與體性，而主題學、文體學、風格學等即以此為研究對象。

由於「章法」是屬於「邏輯思維」之範疇，講求者乃篇章之條理或結構，而此條理或結構，又對應於宇宙之運動規律，是人生來即具存於心的[5]，所以人類自有辭章開始，即毫無例外地被應用來安排篇章。雖然作者對此，大都是日用而不知、習焉而不察的，但無損於它的存在與重要性。經過多年的努力，在前人的有限基礎上，用「發現現象以求得通則、規律」的方式，爬羅剔抉，到目前為止，一共確定了約四十多種的「章法類型」，從而找出各自之心理基礎與美感效果，並尋得「四大規律」加以統合，終於形成完整之體系，建立了一個新的學門[6]。茲分類型與規律兩項，略介如下：

5 吳應天：「文章結構規律作為文章本質的關係，恰好跟人類的思維形式相對應，而思維形式又是客觀事物本質關係的反映。」見《文章結構學》（北京市：中國人民大學出版社，1989年8月一版三刷），頁359。

6 鄭頤壽：「臺灣建立了『辭章章法學』的新學科，成果豐碩，代表作是臺灣師大博士生導師陳滿銘教授的《章法學新裁》（以下簡稱「新裁」）及其高足仇小屏、陳佳君等的一系列著作。」見〈中華文化沃土，辭章學圃奇葩——讀陳滿銘《章法學新

（一）章法類型

前人對「章法」的注意，相當地早。劉勰《文心雕龍．章句》篇即有篇法、章法、句法、字法之說，而後來呂東萊的《古文關鍵》、謝枋得的《文章軌範》、託名歸有光的《文章指南》和劉熙載的《藝概》……等，也都或多或少地涉及「章法」，只可惜，都「但見其樹而不見其林」。於是在偶然的機緣下，從四十多年前開始，兼顧理論與應用，經由廣搜旁推的功夫，終於找出約四十多種「章法類型」，近於完成「集樹成林」的工作。這些類型是：今昔、久暫、遠近、內外、左右、高低、大小、視角轉換、知覺轉換、時空交錯、狀態變化、本末、淺深（輕重）、因果、眾寡、並列、情景、論敘、泛具、虛實（時間、空間、假設與事實、虛構與真實）、凡目、詳略、賓主、正反、立破、抑揚、問答、平側、縱收、張弛、插補[7]、偏全、點染、天（自然）人（人事）、圖底、敲擊[8]等。它們用在「篇」或「章」（節、段），都可以擔負組織材料情意之作用，而形成雙螺旋層次邏輯結構或系統。

由於這些「章法類型」，是建立在「陰陽二元」雙螺旋互動之基礎上的，因此每一「章法類型」本身即自成陰陽、剛柔。大抵而論，

裁》及其相關著作〉，《海峽兩岸中華傳統文化與現代化研討會文集》（蘇州市：「海峽兩岸中華傳統文化與現代化研討會」，2002年），頁131-139。又王希杰：「章法學已經初步形成了一門科學。陳滿銘教授初步建立了科學的章法學體系。……如果說唐鉞、王易、陳望道等人轉變了中國修辭學，建立了學科的中國現代修辭學，我們也可以說，陳滿銘及其弟子轉變了中國章法學的研究大方向，建立了科學的章法學，把漢語章法學的研究轉向科學的道路。」見〈章法學門外閑談〉，《平頂山師專學報》18卷3期（2003年6月），頁53-54。

7 以上章法，見陳滿銘：〈談辭章章法的主要內容〉，《章法學新裁》（臺北市：萬卷樓圖書公司，2001年1月初版），頁319-360。

8 以上五種章法，見陳滿銘：〈論幾種特殊的章法〉，臺灣師大《國文學報》31期（2002年6月），頁193-222。

屬於本、先、靜、低、內、小、近……的，為「陰」為「柔」，屬於末、後、動、高、外、大、遠……的，為「陽」為「剛」。而《周易．繫辭上》所謂「天尊地卑，乾坤定矣；卑高以陳，貴賤位矣；動靜有常，剛柔斷矣」，雖然沒有明說何者為「剛」？何者為「柔」？然而從其整個陰陽、剛柔學說看來，卻可清楚地加以辨別。陳望衡說：

> 《周易》中的剛柔也不只是具有性的意義，它也用來象徵或概括天地、日月、晝夜、君臣、父子這些相對立的事物。而且，剛柔也與許多成組相對立的事物性質相連屬，如動靜、進退、貴賤、高低……剛為動、為進、為貴、為高；柔為靜、為退、為賤、為低。[9]

這樣以「陰陽」或「剛柔」來看「章法類型」，則所有以《周易》（含《易傳》）與《老子》之「陰陽二元」為基礎而形成的「章法類型」，都可辨別它們的陰陽或剛柔。譬如：

> 虛實法：以「虛」為陰為柔、「實」為陽為剛。
> 賓主法：以「主」為陰為柔、「賓」為陽為剛。
> 正反法：以「正」為陰為柔、「反」為陽為剛。
> 凡目法：以「凡」為陰為柔、「目」為陽為剛。
> 圖底法：以「圖」為陰為柔、「底」為陽為剛。
> 因果法：以「因」為陰為柔、「果」為陽為剛。

以此為基礎，就可以因「移位」如「凡（陽）→目（陰）」或「圖

9　見陳望衡：《中國古典美學史》（長沙市：湖南教育出版社，1998年8月一版一刷），頁184。

（陰）→底（陽）」、又可因「轉位」如「因（陰）→果（陽）→因（陰）」或「果（陽）→因（陰）→果（陽）」而形成各種「結構類型」了。

（二）章法規律

辭章的「章法」是以「邏輯思維」為主、「形象思維」[10]為輔的，因此簡單地說，它所探討的主要是內容深層的層次邏輯關係，也就是篇章的「條理」，而此「條理」乃源自於人之心理，從內在應接萬事萬物，所呈顯的共通理則[11]。而這共通的理則，落到章法之上，便成為「秩序」、「變化」、「聯貫」、「統一」等四大規律，以反映作者之邏輯思維。其中「秩序」、「變化」與「聯貫」三者，主要著重於個別材料（景與事）之布置，以梳理各種章法結構，重在分析思維；而「統一」則主要著眼於核心情、理之上凝成主旨，或統合材料形成綱領，以貫穿全篇[12]，重在綜合思維。

而章法四大律，如對應於《周易》（含《易傳》）與《老子》所含藏之「多」、「二」、「一0」的螺旋結構來說，其「秩序」、「變化」二律中的順或逆（秩序）的「移位」與變化的「轉位」結構，都可以呈現這種「多樣對待」（「多」）的條理；而章法中「移位」所形成之變化，也與此「多樣對待」（「多」）的條理不謀而合。當然，這裡所說

---

10 邏輯思維與形象思維為人類最基本的兩種思維方式。參見侯健：《文學通論》（北京市：北京大學出版社，1986年版），頁153-157。邏輯思維，或稱抽象思維，見李名方：〈論思維類型與語體分類〉，《李名方文集》（北京市：中國文聯出版社，2002年版），頁223-226。

11 此即「人同此心，心同此理」之「理」，參見陳滿銘：〈談辭章章法的主要內容〉、〈談篇章結構〉，《章法學新裁》，頁319-360、364-419。

12 陳滿銘：〈章法四律與邏輯思維〉，臺灣師大《國文學報》34期（2003年12月），頁87-118。

的「秩序」，也含有「變化」的成分，而「變化」，同樣含有「秩序」的成分，只是為了說明方便，就有所偏重地予以區隔而已。總結起來說，這個部分所呈現的是「多而二」或「二而多」（多樣的二元對待）的結構。而以章法之「聯貫」、「統一」二律而言，則所呈現的是「二而一（0）」或「（0）一而二」（剛柔的統一）的結構：首先是非對比式章法或結構單元「同類相從」所造成的「聯貫」，其次是以「調和」（柔）與「對比」（剛）統合各章法或結構單元，由局部（章）趨於全體（篇）的「聯貫」，又其次是章法或結構單元之「移位」、「轉位」所造成局部「節奏」趨於整篇「韻律」[13]的「聯貫」；這說的都是「二」。然後是以主旨（情、理）或綱領貫穿各個部分（含剛柔、移位、轉位、節奏、韻律等）而凝為一體的「統一」（調和性或對比性）；這說的是「一（0）」或「（0）一」。

這樣看來，如單著眼於研究或鑑賞面，則上述章法的四大規律，恰恰切合於「0一二多」的螺旋系統。其中「秩序與變化」，相當於「多」（多樣），即「多樣的二元對待、互動」；「聯貫」，以其根本而言，相當於「二」（陽剛、陰柔）；而「統一」則相當於「一（0）」。如此由「多樣」（多樣的二元對待、互動）而「二」（剛柔互濟）而「統一」，凸顯了「章法四大規律」所形成的，不是平列的關係，而是「0一二多」的雙螺旋層次邏輯結構或系統。

而這種「0一二多」如落到「章法結構」來說，則「核心結構」[14]以外的所有其他結構，都屬於「多」；而「核心結構」所形成之「二

---

13 陳滿銘：〈論辭章章法「多、二、一（0）」結構的節奏與韻律〉，臺灣師大《國文學報》33期（2003年6月），頁81-124。又歐陽周、顧建華、宋凡聖等：「節奏是韻律的條件，韻律是節奏的深化。」見《美學新編》（杭州市：浙江大學出版社，2001年5月一版九刷），頁79。

14 陳滿銘：〈論章法「多、二、一（0）」的核心結構〉，臺灣師大《師大學報・人文與社會類》48卷2期（2003年12月），頁71-94。

元對待、互動」，自成陰與陽，而「相反相成」，以徹下徹上，形成結構之「調和性」（陰）與「對比性」（陽）的，是屬於「二」；至於辭章之「主旨」或由「統一」所形成之「風格（含韻味、氣象、境界……等）」，則屬於「一（0）」。值得一提的是，以（0）來指「風格（含韻味、氣象、境界……等）」辭章之抽象力量，是相當合理的。

由此可見，若與《周易》「陽中陽」、「陽中陰」與「陰中陰」、「陰中陽」與《老子》「負陰抱陽」的義理邏輯兩相對應，則這種「0一二多」的雙螺旋層次邏輯結構，往往是會在「多而二」的上下兩層（或兩層以上）部分，由各種「章法類型」形成包孕式邏輯結構，而其中又有由同一種「章法類型」所形成者，這可說是最為突出的。

第二節　唐宋詞中屬陽剛屬性的包孕式邏輯結構類型

陽剛屬性的包孕式邏輯結構，有兩種類型：其一是「陽中陽」的結構類型：這種類型，就凡目法[15]而言，形成的是「目中目」（目／目）的結構；就圖底法[16]而言，形成的是「底中底」（底／底）的結

15 「凡目法」是在敘述同一類事、景、情、理時，運用了「總提」與「分應」來組織篇章的一種章法。其形成，基本上是運用了歸納、演繹的邏輯思考；也就是說，歸納式的思考會形成「先目後凡」的結構，演繹式的思考會形成「先凡後目」的結構，而「凡、目、凡」、「目、凡、目」的結構，則是綜合運用了歸納、演繹的推理方式而形成的。所以「凡」是總提，具有統括的力量；「目」則是分應，由於分應的項目是並列的，因而有一種整齊美。而且「凡、目、凡」和「目、凡、目」結構還有一個特點，那就是具有對稱（均衡）與統一的美感。見陳滿銘：〈談見於詩詞裡的凡目結構〉，《第一屆中國修辭學學術研討會論文集》（臺北市：中國修辭學會、臺灣師大國文系，1999年6月），頁95-116。

16 「圖底法」是新發現的一種章法。一般說來，作者在辭章中所用之時、空（包括「色」）材料，有一些是充當「背景」用的，也有某些是用來作為「焦點」的。就

構。其二是「陽中陰」的結構類型：這種類型，就凡目法而言，形成的是「目中凡」（目／凡）的結構；就圖底法而言，形成的是「底中圖」（底／圖）的結構。而這「陽中陽」與「陽中陰」的邏輯結構類型，是緊密地結合在一起，不可分割的。茲分述如下：

（一）凡目法：其陽剛屬性的包孕式結構為：

```
    ┌目            ┌目            ┌凡            ┌凡
目─┤      或  目─┼凡    或  目─┤      或  目─┼目
    └凡            └目            └目            └凡
```

這種結構頗常見，如辛棄疾的〈賀新郎〉：

> 綠樹聽鵜鴂。更那堪、鷓鴣聲住，杜鵑聲切！啼到春歸無尋處，苦恨芳菲都歇。算未抵人間離別。馬上琵琶關塞黑，更長門翠輦辭金闕。看燕燕，送歸妾。　　將軍百戰身名裂，向河梁回頭萬里，故人長絕。易水蕭蕭西風冷，滿座衣冠似雪。正壯士悲歌未徹。啼鳥還知如許恨，料不啼清淚長啼血。誰共我，醉明月。

此為贈別之作，由「賓」和「主」兩個部分組成。「賓」的部分，先由啼鳥之苦恨寫到人間之別恨，然後合人、鳥雙寫，這是採「先目（分應）後凡（總提）」的結構寫成的；而由此所帶出的送別

像繪畫一樣，用作「背景」的，往往對「焦點」能起烘托的作用，即所謂的「底」；而用作「焦點」的，則對「背景」而言，都會產生聚焦的功能，即所謂的「圖」。這種條理用於辭章章法上，也可造成秩序、變化、聯貫的效果，而形成「先圖後底」、「先底後圖」、「圖、底、圖」、「底、圖、底」等結構。見陳滿銘：〈論幾種特殊的章法〉，臺灣師大《國文學報》31期（2002年6月），頁175-204。

之意，即結尾「誰共我，醉明月」兩句，則為「主」的部分。

以「賓中目（分應）」而言，由開篇至「滿座衣冠似雪」止。在此，先寫啼鳥之苦恨，直接敘三種啼鳥，藉牠們的鳴聲以增添送別之恨；此為「目中目（一）」。其次寫人間的別恨，臚列了古代有關送別的恨事，來表達難言之痛，從而推深眼前的送別之情；此為「目中目（二）」。其中頭一件恨事為漢王昭君別帝闕出塞，不過在此必須一提的是：「更長門」句，雖用漢陳皇后事，但「仍承上句意，謂王昭君自冷宮出而辭別漢闕」（鄧廣銘《稼軒詞編年箋注》），這是很合理的看法；第二件恨事為衛莊姜送妾歸陳國；第三件恨事為漢李陵送蘇武回中原；第四件恨事為戰國末荊軻別燕太子丹入秦刺秦王。以上四件送別之恨事，前二者的主角為女子，後二者的主角為男子。這樣分開列舉，所謂「悲歌未徹」，一定和當日時事有所關聯。如進一步加以推敲，前二者當與當時和番聯敵的政策相涉，用以表示諷喻之意；而後二者，則與滯留或喪生於淪陷區的愛國志士相關，用以抒發關切與哀悼之情[17]。不然，送「茂嘉十二弟」，怎麼會恨到「不啼清淚長啼血」呢？

以「賓中凡（總提）」而言，為「正壯士悲歌未徹」三句，合人與鳥來寫：它的上句，用側注以回繳整體的技巧，上收人間的別恨；而下二句，則用以上收啼鳥的苦恨，此為「凡中目（一）」；並表示這種苦恨與別恨的悲劇依然繼續上演，並未結束，以抒發作者滿腔悲憤，此為「凡中目（二）」。

---

17 鞏本棟：「鄧小軍先生所撰〈辛棄疾〈賀新郎・別茂嘉弟詞〉的古典與今典〉一文……認為辛棄疾〈賀新郎〉詞的主要結構，乃是古典字面，今典實指。即借用古典，以指靖康之恥、岳飛之死之當代史。從而亦寄託了稼軒自己遭受南宋政權排斥之悲憤，及對南宋政權對金妥協投降政策之判斷。」見《辛棄疾評傳》（南京市：南京大學出版社，1998年12月一版一刷），頁400-401。

寫「賓」寫到這裡，才過到了「主」，正式點出惜別之意作結。如此層層涵融，所謂「有恨無人省」（蘇軾〈卜算子〉詞），作者之恨，在茂嘉十二弟離開後，將要變得更綿綿不盡了。

附結構系統表如下：

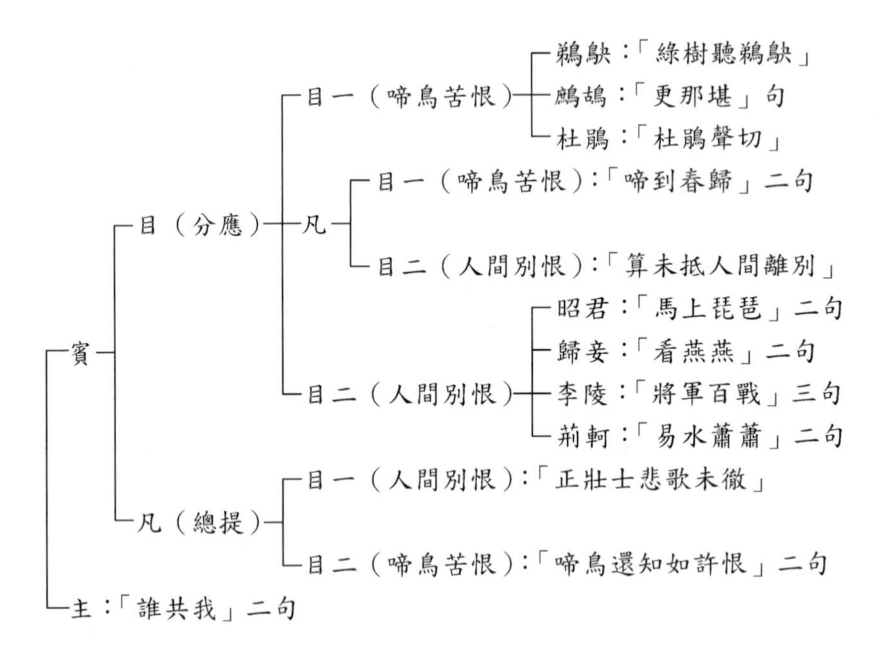

單從陽剛屬性來看，其中的第二、三層就十分明顯地形成如下包孕式結構：

目（陽）—┬目（陽）
　　　　　├凡（陰）
　　　　　└目（陽）

這種結構融入全篇，就與其他結構產生秩序、變化、聯貫（二⟷多）的作用，以趨於統一、和諧（一〔0〕）。

（二）圖底法：其陽剛屬性的包孕式結構為：

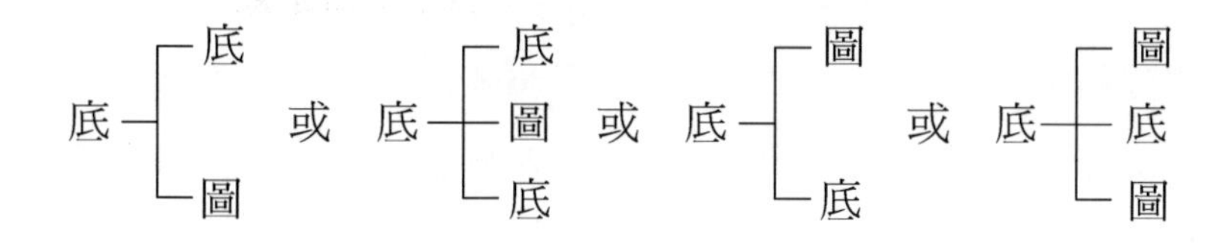

這種結構也常見，如蘇軾的〈念奴嬌〉：

> 大江東去，浪淘盡，千古風流人物。故壘西邊，人道是三國周郎赤壁。亂石崩雲，驚濤裂岸，捲起千堆雪。江山如畫，一時多少豪傑。　　遙想公瑾當年，小喬初嫁了，雄姿英發。羽扇綸巾，談笑間，檣櫓灰飛煙滅。故國神遊，多情應笑我，早生華髮。人生如夢，一尊還酹江月。

此詞題作「赤壁懷古」，為神宗元豐五年（1082）作者謫居黃州時所作，是採「天（物外）、人（物內）、天（物外）」的結構所寫成的。

頭一個「天（物外）」的部分，為起二句，從眼前東去的「大江」（長江）想入，用江中的「浪」、「淘」作媒介，由「空」而「時」，作無限之推擴，回溯到「千古」，扣到無數被浪淘去的「風流人物」身上，揉雜著宇宙人生之哲理，抒發了無限的興亡感慨。而如此由眼前之「有限」（物內）延伸到千古之「無限」（物外），營造出浩瀚的氣勢，既為後一個「天」（物外）將感慨昇華的部分作前導；又為轉入下個「人」（物內）將感慨深化的部分作鋪墊；充分發揮了強化全詞情意的作用。

「人」（物內）的部分，自「故壘西邊」句起至「早生華髮」句止，針對著當年「赤壁」之戰與眼前正在「懷古」的自己，用「先底（背景）後圖（焦點）」的順序，加以敘寫。其中的「底（背景）」，成功地藉眼前赤壁周遭的江山勝景，帶出當年在赤壁之戰裡贏得勝利的一些英雄豪傑，而將重心置於「周郎（公瑾）」身上，有意凸顯他的年輕有為，以反襯出自己之年老與一事無成。在此，作者又用「圖（周郎）、底（眾豪傑）、圖（周郎）」的順序，來組合材料，即先以「故壘」二句寫「底中圖（一）」：一面藉一「故」字，扣緊了「懷古」（題目）之「古」，將時間倒回到「三國」時候，一面藉又「人道是」三字，將口吻略染存疑的成分，指出當年赤壁之所在，從而將主帥「周郎」帶出，為自己之借題發揮，找到一個最好的藉口。這樣留下思索空間，不但不是個缺憾，反而增添了作品的文學情韻；這是前一個「圖（周郎）」的部分。再以「亂石」五句寫「底中底」：就眼前的「赤壁」，寫它周遭的景物，特別突出山崖之險峻與濤浪之洶湧，呈現驚心動魄之氣勢，緊緊地和當年的赤壁大戰場接合。佈景如此，震撼力自然就大，足以為下片敘「周郎」的英雄形象與不朽事業，作有力的襯托。接著以「江山」二句，總括上敘江山勝景和風流人物（含周郎），為下片「周郎」之「圖」，提供最佳背景。這種束上起下的安排，的確很巧妙。以上是「底（赤壁）」的部分。

然後以「遙想」五句，承上片之「圖一」（周郎），鎖定周郎（公瑾），以「遙想」四句寫「底中圖（二）」。在此，用「先點（引子）後染（內容）」的順序加以呈現。它由「遙想」句切入當年，為下面之敘寫作引，是「點」（引子）；而由「小喬」四句，具寫「懷古」內容，為「染」（內容）。就在「染」的四句裡，首以「小喬」句，用插敘手法，寫其年輕得意。次以「雄姿」兩句，成功地塑造出剛柔互濟的儒將形象，一面既傾注了作者對「周郎」的無比追慕、嚮往之情，一面也和自己一事無成而「早生華髮」的衰頹樣子，作成強烈對比。這種由對比所產生的「反襯」作用，是非常顯著的。末以「談笑間」句，承上寫「周郎」從容破曹的儒將意態與英雄偉業；值得特別注意的是：在此緊緊抓住了這次火攻水戰的戰爭特點，用「檣櫓灰飛煙滅」六字，將曹軍慘敗之情景形容殆盡，有無比的概括力，以見「周郎」不朽之成就。以上是後一個「圖（周郎）」的部分。

如此以「圖（周郎）、底（眾豪傑）、圖（周郎）」的結構呈現了大「底」（背景），便順勢地帶出「故國神遊」三句，以寫本詞核心的大「圖（作者）」。在此，作者由「三國」回到眼前，「自笑年華老大，功業無成，而偏偏多情善感，早生華髮」[18]。這所謂「多情」，有人以為是指「周郎」或作者亡妻，雖也說得通，但遠不如指作者自己來得好，因為「多情應笑我」，該是「應笑我多情」的倒裝句，而此「多情」，是說自己「感慨萬千」的意思。作者由「周郎」之年輕有為，反照自己「早生華髮」的衰頽失意，會湧生無限的悲憤之情（多情），是很自然的事。而「笑」，則帶著無奈與解嘲意味，為底下的「人間如夢」，築了一座由「物內」（人）通向「物外」（天）的橋樑。作這樣的解讀，似乎會比較合理一些。

後一個「天（物外）」的部分，指「人間」二句。它的上句「人間如夢」，承上一句之「笑」，由實推向虛，由有限推向無限，以為人間只不過是一場夢而已。有了這種「如夢」的提升，便使作者一下子從「多情」（無限悲憤）中脫身而出，趨於高曠，遂有下句「一尊還酹江月」的動作；而作者透過這個動作，就自然而然地和開篇「天（物外）」部分互相呼應、相融，而與天地合而為一了。

由此看來，作者在這首詞裡，表達的雖是自己時不我與、英雄無用武之地的悲慨，但在悲慨之中，又蘊含著超曠的意致，所以如此的原因，固然很多，然而單就謀篇佈局來說，則顯然和所用「天（物外）、人（物內）、天（物外）」的結構，有絕大關係。

---

18 徐中玉：《蘇東坡文集導讀》（成都市：巴蜀書社，1990年6月第一版），頁246。

附結構系統表如下：

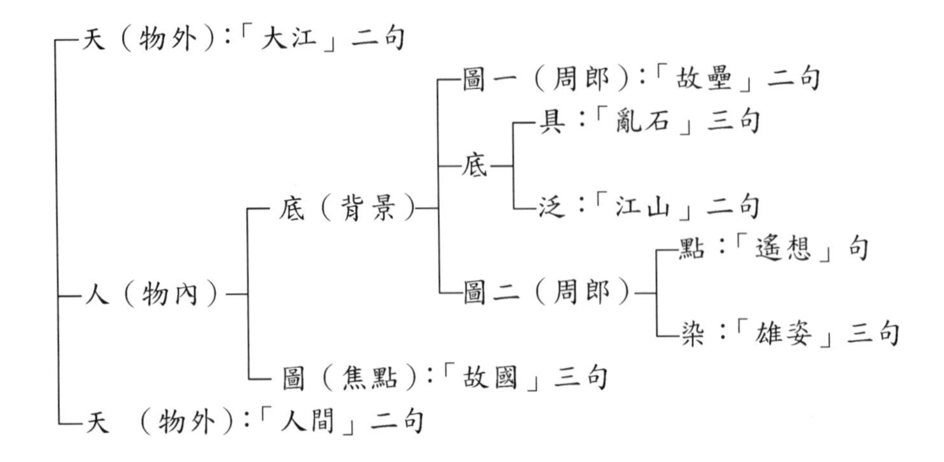

單從陽剛屬性來看，其中第二、三層就十分明顯地形成如下包孕式結構：

底（陽）─┬─圖（陰）
├─底（陽）
└─圖（陰）

這種結構融入全篇，就與其他結構產生秩序、變化、聯貫（二⟷多）的作用，以趨於統一、和諧（一〔0〕）。

第三節　唐宋詞中屬陰柔屬性的包孕式邏輯結構類型

陰柔屬性的包孕式邏輯結構，有兩種類型：其一是「陰中陰」的結構類型：這種類型，就凡目法而言，形成的是「凡中凡」的結構；就圖底法而言，形成的是「圖中圖」的結構；就因果法而言，形成的是「因中因」的結構。其二是「陰中陽」的結構類型：這種類型，就凡目法而言，形成的是「凡中目」的結構；就圖底法而言，形成的是「圖中底」的結構。而這「陰中陰」與「陰中陽」的結構類型，也一樣是緊密地結合在一起，不可分割的。茲分述如下：

（一）**凡目法**：其陰柔屬性的包孕式結構為：

	凡			凡			目			目
凡		或	凡	目	或	凡		或	果	凡
	目			凡			凡			目

這種結構頗常見，如蘇軾的〈賀新郎〉：

> 乳燕飛華屋，悄無人，桐陰轉午，晚涼新浴。手弄生綃白團扇，扇手一時似玉。漸困倚、孤眠清熟。簾外誰來推繡戶，枉教人、夢斷瑤臺曲，又卻是，風敲竹。　　石榴半吐紅巾蹙，待浮花浪蕊都盡，伴君幽獨。穠豔一枝細看取，芳心千重似束。又恐被、秋風驚綠。若待得君來向此，花前對酒不忍觸。共粉淚，兩簌簌。

這是首感慨幽獨的作品，採「先目（分應）後凡（總提）」的結構寫成。

就「目」（分應）而言，自篇首起至「秋風驚綠」句止。作者在此，先用上片寫幽獨的美人：首先寫幽獨的環境，其次寫幽獨的美人由晚浴、困倚、清夢斷的經過，以增強美人幽獨的感染力，這是「目（分應）一」的部分。而在下片，則先以「石榴半吐紅巾蹙」六句，將幽獨的榴花由初開寫到盛開，並由實而虛地寫到衰謝，這是「目（分應）二」的部分。

就「凡」(總提)而言，則自「若待得君來向此」句起至篇末。作者在此，又採「先目(分應)後凡(總提)」之結構，合寫人和花：先以「又恐被」四句寫「凡中目」，分用「君來」上收「目一」的部分，分用「花前」上收「目二」的部分。然後用「共粉淚」兩句寫「凡中凡」，作一總收，寫出榴花驚風衰謝和美人哀憐落淚的失意情狀，使情寓景中，達於人花交融的境界[19]。

附結構系統表如下：

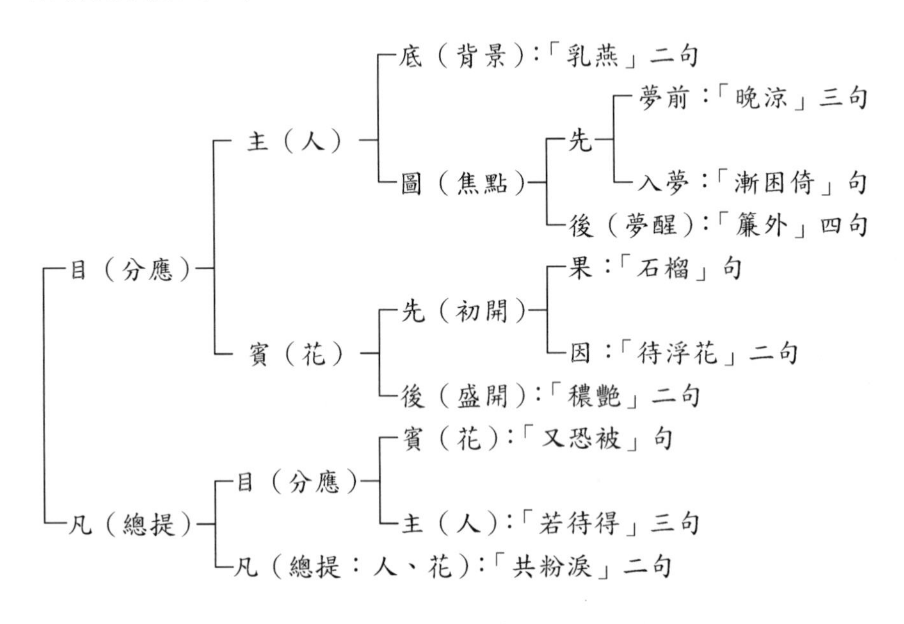

單從陰柔屬性來看，本文之第一、二層就就十分明顯地形成如下包孕式結構：

19 徐中玉:「詞的上片寫佳人，她外貌和靈魂都很美麗，但孤寂無依，紅顏薄命。下片詠榴花，她穠艷而又文靜，不願與浮花浪蕊為伍，甘心陪伴幽獨的佳人。《蓼園詞選》說這首詞『是花是人，婉曲纏綿，耐人尋味不盡』，道出了這首詞藝術上的特點。而榴花和佳人的孤獨，也正反映了作者政治上失意後的悵惘心情。」見《蘇東坡文集導讀》，頁259。

凡（陰）— 目（陽）
　　　　 — 凡（陰）

這種結構融入全篇，就與其他結構產生秩序、變化、聯貫（二 ⟷ 多）的作用，以趨於統一、和諧（一〔0〕）。

（二）圖底法：其陰柔屬性的包孕式結構為：

這種結構也常見，如辛棄疾的〈酒泉子〉：

> 流水無情，潮到空城頭盡白。離歌一曲怨殘陽，斷人腸。
> 東風官柳舞雕牆。三十六宮花濺淚，春聲何處說興亡。燕雙雙。

此詞寫離別之情與興亡之感，是採「先圖後底」（首層）的結構寫成的。其上片為「圖」（首層），又用「先底後圖」（次層）之結構加以呈現：起二句，寫潮打空城的景象，是遼闊的，為「圖中底」；次二句，寫在空城裡人賦離歌的情景，是縮小的，為「圖中圖」。而下片為「底」（首層），也用「先底後圖」（次層）之結構加以呈現：首二句，寫的是金陵故宮的無邊春色，是遼闊的，為「底中底」；結二句，寫的是在故宮裡能說興亡的小小雙燕，是縮小的，為「底中圖」。作者就這樣將這些情景和事物互相間錯起來，便有著無窮的別情與感慨興亡的意思[20]。

---

20 常國武：「此詞篇幅雖短，卻極悲涼蒼勁、沉重深厚之致。上片寫送別。……下片即

附結構簡表如下：

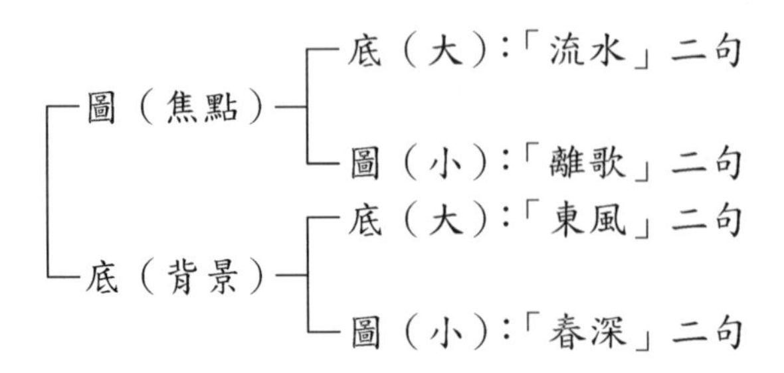

單從陰柔屬性來看，其中第一、二層就十分明顯地形成如下包孕式結構：

圖（陰）─┬─底（陽）
　　　　　└─圖（陰）

這種結構融入全篇，就與其他結構產生秩序、變化、聯貫（二⟷多）的作用，以趨於統一、和諧（一〔0〕）。

第四節　包孕邏輯的美學詮釋

在此分「層次與含蓄」與「統一與和諧」兩層加以說明：

一　層次與含蓄

邏輯結構形成「包孕」，自然會有「層次」與「含蓄」的效果。在「篇章包孕邏輯結構」中的任何同一層面，無論「移位」或「轉

景感慨興亡，與上片『空城』呼應。」見《辛稼軒詞集導讀》（成都市：巴蜀書社，1988年9月一版一刷），頁134。

位」，都會形成「層次」；而任何上下層，無論「陽中陰」或「陰中陽」，都會形成「含蓄」。

首先看「層次」：在王寧、鄒曉麗主編《篇章》一書提到篇章的構成單位中，在詞語、句子、句群之上，存在著層次，有云：

> 一篇文章有一個要表達的意圖，這個意圖通過若干大的意義中心來傳達，這若干個大的意義中心就是一個篇章的層次。[21]。

而林貴中《文章礎石及其他》一書對於層次則有清楚的詮釋：

> 就是文章層面的次序。具體的說，就是文章內：理論的推展安排，情緒的滋長延引，事情的呈現先後與物類的綱目歸屬等，都必須按其輕重、深淺、苦樂、悲喜、前後、大小、巨細……而表現出來。[22]

層次體現著作者思路展開的步驟，是針對整篇文章的意旨出發，而對文章全部內容脈絡的把握。如鄭頤壽《辭章學概論》所言：

> 文章段落層次，或由前至後，或由後至前；或由上到下，或由下到上；或從表至裡，或從裡至表；或從大而小，或從小而大……一般說，都像螺旋似的，一層一層的推進；像剝筍一樣，一層一層地揭示中心。這就是文章的層次性。[23]

---

21 見王寧、鄒曉麗主編：《篇章》（香港：海峰出版社，2000年版），頁107。

22 見林貴中：《文章礎石及其他》（臺北市：文津出版社，1990年版），頁74。

23 見鄭頤壽：《辭章學概論》（福州市：福建教育出版社，1986年10月一版一刷），頁82。

所以，清楚的層次與合適的層次安排將是創作者思路清晰、邏輯嚴密的表現，除了讓文章條理分明，更能藉由一層迫進一層的推進，作出文章的深度，顯出文章的主題，也使欣賞者觀念或印象明確，毫無紊亂紛歧，甚而有不知所云的困惑，這就是層次所帶來的美感效果。

然後看「含蓄」：葉太平在《中國文學的精神世界》一書中曾言：

> 中國古代文學，向以含蓄為尚；含蓄蘊藉是中國古代文學突出的美學風格。[24]

中國如此以「含蓄」作為藝術美的形態與儒、道兩家的思想有相當的關係。童慶炳在《中國古代心理詩學與美學》一書中有云：

> 儒家詩教主張「美」、「刺」，而無論「美」、「刺」都要求委婉曲折，溫柔敦厚，樂而不淫，怨而不怒，不迫不露，不直不粗。道家則認為「天地萬物生於有，有生於無」。「無」為萬物之母。「無」是「有」的根本，並認為「大音希聲」「大象無形」。儒、道兩家上述思想當然是不同的，但也有相通之處。即都重視「無」與「有」、「虛」與「實」、「內」與「外」、「言」與「意」之間的辯證關係。這種相通之處反映到詩學上面，就都以「含蓄」、「蘊藉」、「空靈」為美，以直言、粗語、鋪排語、說盡語為不美。[25]

這涉及了辭章的意脈、意蘊、意趣、意境與風格。不止文學注重

---

24 見葉太平：《中國文學的精神世界》（臺北市：正中書局，1994年版），頁237。

25 見童慶炳：《中國古代心理詩學與美學》（臺北市：萬卷樓圖書公司，1994年3月初版），頁102。

「含蓄」，就是其他的藝術也是如此。正如葛路、克地在《中國藝術神韻》一書中所云：

> 中國的傳統藝術，文學、繪畫、書法、雕刻、建築無不講究含蓄美。含蓄美是中國民族藝術的一大特色。[26]

在這些藝術領域的表現上發展出不選擇直接而毫不保留的彰顯，而採取曲折委婉的含蓄手法，並保留欣賞者思索參與的空間，更見一種內斂深層的用心，「人們常說的言外之意、弦外之音、畫外之畫，即是藝術作品所寓藏的含蓄美。」[27]

整體而論，含蓄之美成為了藝術的追求目標，正如田曼詩《美學》有言：

> 中國藝術的優點：在給人一種只可意會不可言傳的氣氛，中國藝術的最高境界，就是留有一種不可言傳的氣氛，中國藝術的最高境界，就是留有一種不可言諭的韻味，使人心領神會，回味無窮，它所給人的印象是無窮的境界，無限情感的起點，和一種很有力的啟示。中國藝術最重含蓄美……。[28]

這樣的優點就是含蓄手法所帶來的美感效果，可以肯定的是這樣的美感效果，將帶領中國的藝術進入一種高遠的境界。

如扣回「陰陽」來說，則「可言傳」為「陽」、「不可言傳」為「陰」，而反映在作品上，往往是「陰中有陽」、「陽中有陰」的。就

---

26 見葛路、克地：《中國藝術神韻》（天津市：天津人民出版社，1993年版），頁91。
27 見葛路、克地：《中國藝術神韻》，頁91。
28 見田詩曼：《美學》（臺北市：三民書局，1982年版），頁237。

以辭章涉及「意趣」、「意境」的全篇主題、風格而言，是這樣；就是涉及「意脈」、「意蘊」的個別包孕結構來看，又何嘗不是如此呢？

二　統一與和諧

由個別包孕結構的「層次」、「含蓄」，擴展至整體包孕結構的「層次」、「含蓄」，會使辭章經由「統一」而趨於「和諧」。所謂「統一」、「和諧」，歐陽周、顧建華、宋凡聖等在其《美學新編》裡闡釋說：

> 所謂統一，是指各個部分在形式上的某些共同特徵以及它們之間的某種關聯、呼應、襯托、協調的關係，也就是說，各個部分都要服從整體的要求，為整體的和諧、一致服務。有多樣而無統一，就會使人感到支離破碎、雜亂無章、缺乏整體感；有統一而無多樣，又會使人感到刻板、單調和乏味，美感也難以持久。而在多樣與統一中，同中有異，異中求同，寓「多」於「一」，「一」中見「多」，雜而不越，違而不犯；既不為「一」而排斥「多」，也不為「多」而捨棄「一」；而是把兩個對立方面有機地結合起來，這樣從多樣中求統一，從統一中見多樣，追求「不齊之齊」、「無秩序之秩序」，就能造成高度的形式美。[29]

而曹利華在《中華傳統美學體系探源》一書中也做過一番詮釋：

29 見歐陽周、顧建華、宋凡聖等：《美學新編》，頁80-81。

> 和諧就是多種因素的統一，和諧是事物合理、完善的表現，事物部分與整體的聯繫，部分與部分的關聯，此事物與彼事物的互相制約，它們處於相對的平衡、穩定之中，這時就顯現出和諧的狀態，和諧是人類存在和社會繁榮的表現。[30]

和諧是各個部分，各種關係處於平衡、穩定的狀態，使事物能得到更好的運作，是人類存在和社會繁榮的表現，因此，「和諧意味著一種最佳的生存狀態和最佳的發展狀態，和諧是人類的一種理想追求。[31]」而這份對於和諧的追求也鮮明地表現在各門藝術中，藝術作品中的表現不該是死板的結合，或是將各部分硬湊一起，互無關聯，反而應該是有機的、自然的融合[32]。於是，在諸多的美學論述中，和諧之美是不可缺少的部分。

就這樣，和諧的觀念構成了人與自然關係的內容。而這些觀念的影響落實在藝術上時，便如同《中華傳統美學體系探源》一書中所談到的：

> 《周易》美學思想對中國的書法、繪畫、詩歌、戲曲、建築等藝術的發展產生了深遠的影響，如剛與柔、陰與陽、動與靜、虛與實，絢爛與平淡，有色與無色，形似與神似，有境與無境等藝術的表現手法，都與《周易》的美學思想有著密切的聯繫。[33]

---

30 見曹利華：《中華傳統美學體系探源》（北京市：首都師範大學出版社，1994年版），頁9。

31 見張法：《中西美學與文化精神》（北京市：北京大學出版社，1994年版），頁60。

32 參陳佳君：《虛實章法析論》（臺北市：文津出版社，2002年11月初版一刷），頁328-329。

33 見曹利華：《中華傳統美學體系探源》，頁31。

上述相反事物的存在，以及彼此相輔相成的表現手法，最終的方向都是和諧的追求。對這種道理，吳功正在其《中國文學美學》裡，以美學的觀點，從「陰陽」這一範疇切入闡釋說：

> 由一個最簡括的範疇方式：陰陽，繁孵衍化出眾多的美學範疇：言與意、情與景、文與質、濃與淡、奇與正、虛與實、真與假、巧與拙等等，顯示出中國美學的一個顯著特徵：擴散型；又顯示出中國美學的另一個顯著特徵：本源不變性。這兩個特徵的組合，便顯示出中國美學在機制上的特性。如劉勰的《文心雕龍》就以此作為理論的結構框架。關於審美的主客體關係，劉勰認為，心（主體）「隨物以宛轉」，物（客體）「與心而徘徊」。關於情與物的關係：「情以物興，故義必明雅；物以情觀，故詞必巧麗」。其他關於文質、情文、通變等範疇和問題，也都是兩兩對舉，都有著陰陽二元的基本因子的構成模式。[34]

在此，他提出了兩個重要觀點：一是指出心（義旨）與物（材料）、文與質、情與文、通與變等等範疇，都與「陰陽二元」有關。二為「陰陽二元」的特徵，既是「擴散」（徹下）的，也是「本源不變」（徹上）的。也正由於「陰陽二元」，是諸多範疇構成的基本因子，有著擴散（徹下）、本源不變（徹上）的特徵，所以既能繁衍為「多」（秩序、變化），也能歸本於「一（0）」（統一、和諧）。由此可知，「陽剛 ⟷ 陰柔」的對待、互動與「包孕邏輯」之重要，因而也凸顯

34 見吳功正：《中國文學美學》下卷（南京市：江蘇教育出版社，2001年9月一版一刷），頁785-786。

了「二」（陽剛、陰柔或調和、對比）在「多」（秩序、變化）、「一（0）」（統一、和諧）之間不可或缺的地位；而「陰陽二元」之對待、互動與「包孕邏輯」，就在其中產生了應有之作用。

總結上述，可知無論「篇」或「章」，「章法」這種「包孕邏輯」之類型，不僅普遍存在於由不同章法所形成的各層結構，也同樣會出現於由相同章法所形成的某些結構，以造成篇章之間層層相涵的雙螺旋互動效果。而又由於其「陰陽」之流向有「移位」與「轉位」的不同，會影響「篇章（章法）風格」之剛柔強度，而使人獲得不同之美感。因此探討它的哲學義涵及其相關問題，多多少少可藉以增進我們對這種「包孕邏輯」，甚至整個辭章的瞭解。雖然限於篇幅，本文僅僅鎖定「凡目」與「圖底」兩種相同章法所形成之「包孕邏輯」結構，而又只舉蘇辛詞中四闋例作加以說明而已，但是大致上，依然可達到所謂「以個別表現一般，以單純表現豐富，以有限表現無限」[35]之效果。

而「陰陽二元」中「陰→陽」、「陽→陰」與「陰→陽→陰」、「陽→陰→陽」之流動，無論「移位」或「轉位」，甚至推演至「0一二多」雙螺旋層次邏輯結構或系統，乃建立於「方法論原則」之上[36]，為「普遍性的存在」[37]，是能徹上、徹下，「一以貫之」的。如

---

35 葉朗：《中國美學史大綱》（臺北市：滄浪出版社，1986年9月版），頁26。

36 王希杰：「二十世紀裡，中國人文科學總的趨勢是販賣洋學問，運用洋教條來套中國的事情。我不滿這種做法，也就更喜歡陳滿銘教授的治學道路了。在方法論原則上，他和弟子們繼承了《周易》的二元互補和轉化的傳統。」見〈陳滿銘教授和章法學〉，畢節：《畢節學院學報》總76期（2008年2月），頁5。又見陳滿銘：〈論章法結構之方法論系統──歸本於《周易》與《老子》作考察〉，臺灣師大《國文學報》46期（2009年12月），頁61-94。

37 王希杰：「陳教授的專長是詩詞學，非常具體。章法學則要抽象多了。這部著作（即《「多、二、一（0）」螺旋結構論──以哲學、文學、美學為研究範圍》），就更抽象了。……我以為本書很值得一讀，因為這個螺旋結構是普遍性的存在，值得重

此跨領域地將哲學、辭章與美學「一以貫之」，以見這種「章法包孕式邏輯結構」之普遍性；這對辭章學或唐宋詞章法學之研究以及「讀」（鑑賞）、「寫」（創作）本身或其教學而言，相信都會有其參考價值。

視。」見王希杰：《王希杰博客・書海採珠》（2008年1月），頁1。

第四章
多層解析

辭章是離不開「思維」的，而「思維」又始終以「意象」為內容，所以「意象」是可以通貫「思維」之各個層面，而形成「意象（思維）系統」的。而此「意象（思維）系統」，又直接與各層「能力」的開展息息相關。它們無論在「求同」或「求異」任何層面，都必須嘗試作跨領域之探討，才能「推陳出新」，以呈現優異之成果。有鑒於此，特在「意象（思維）系統」之統合下，依次就「時空定位」、「語文能力」、「意象連結」、「剛柔消長」與「0一二多」雙螺旋系統等不同層面，舉一些唐宋詞，並聚焦於白居易的〈長相思〉詞為例為例，進行探討，以見文學作品在辭章上作多層面解析之重要性。

第一節　時空定位

時空雖有物理（客觀）與心理（主觀）之分，但在創作時卻往往將它們交融在一起來呈現，使得文藝作品能兼顧主觀與客觀，以客觀世界為基礎，加以「再現」與「表現」[1]。《文藝學專題研究》指出：

> 文藝中的客觀性是對客觀物質世界的反映，文藝的主觀性就是作家主觀的思想、情感、審美意識等等在反映客觀世界時打上

1　吳中杰：「再現論認為文藝是客觀現實的再現，表現論認為文藝是作家心靈的表現。」見《文藝學導論》（南京市：江蘇文藝出版社，1993年3月一版三刷），頁15。

> 的印記。[2]

所謂「在反映客觀世界時打上的印記」，說的就是「再現」與「表現」。

既然文藝作品要以客觀世界為基礎，以求「再現」與「表現」，那就必須注意到「時空定位」的問題。而「定位」有的說成「定格」，如趙山林說：

> 時間定格指的是詩人在時間流程中，選取最能表現人的情緒或動作所包孕的「來因和去因」的一剎那，從一剎那的靜止狀態中表現人物的思想活動。[3]

他雖是偏於時間來說，卻含容空間在內。而王希杰則稱為「視點」，他為仇小屏《古典詩歌時空設計美學》一書寫序說：

> 小屏博士的這一博士學位論文，其中有一個非常重要的觀念，就是——視點。這個視點，其實是一直貫穿在小屏的一切研究活動之中的。而且小屏區別了多種多樣的視點：靜態視點和動態視點及動靜結合的視點，自然視點和人文視點，現實視點〔實視點〕和幻想視點〔虛視點〕，視點不變和視點轉換，單一視點和多視點……。在我所閱讀的學術專著中，如此重視視點，如此把視點全方位多角度地運用於某一領域之中的，這還是第一次。所以我說：成功地把視點運用於章法研究，是小屏的一大貢獻。這個視點也是我同小屏之間的學術共同點。……

2 華中工學院文藝學專題研究編寫組編印：《文藝學專題研究》（武昌市：華中工學院出版社，1986年一版一刷），頁205。

3 趙山林：《詩詞曲藝術論》（杭州市：浙江教育出版社，1998年6月一版一刷），頁155。

> 所謂視點，指的是：觀察事物的立足點、參考點。它往往是顯著的、具有某種特徵標誌的、相對穩定的事物。人們只能站在某一特定的地點來觀察和認識事物，和表達事物。[4]

他雖是偏於空間來說，卻含容時間在內。

以上兩人所說，簡單一點看，說的就是作者在創作一篇作品時的關照全篇、成為焦點的一個時間與地點，亦即主人翁在時空流程中的「立足點」。譬如李白的〈憶秦娥〉詞：

> 簫聲咽，秦娥夢斷秦樓月。秦樓月。年年柳色，灞陵傷別。
>
> 樂遊原上清秋節，咸陽古道音塵絕。音塵絕。西風殘照，漢家陵闕。

單就此詞之「時空定位」來看，它出現的空間定點，主要有「秦樓」、「灞陵」、「樂遊原」與「咸陽」，而時間定點，主要有「月」（晚上）、「殘照」（黃昏）與「清秋」。其中「秦樓」為「秦娥」（主人翁）「夜有所夢」之所在、「灞陵」為追憶之地、「樂遊原」與「咸陽」為秦娥「日有所思」的地方，顯然以聚焦於「秦樓」，最為合理。而「月」（晚上）、「殘照」（黃昏）與「清秋」，則顯然以聚焦於「清秋」之「月」（晚上），比較說得通。

還有，在此特別要注意的是「樂遊原」，它位於今陝西省西安市南郊，本是秦時的宜春苑，漢宣帝時改為樂遊苑。唐時由於太平公主在此添造一些亭閣，遂成長安士女遊賞勝地，尤其是每逢正月晦日、

4　王希杰序，見仇小屏：《古典詩詞時空設計美學·王序》（臺北市：文津出版社，2002年11月初版一刷），頁07。

三月三日及九月九日，更是人車聚集，熱鬧非凡。這裡既說是「清秋節」，而又以「咸陽古道」之「音塵絕」作反襯，指的當是九九重陽節。這個節日，對此闋詞的主人翁而言，是別有意義的，因為在從前此日，她和所思念的人，在車水馬龍的襯映下，不知遊賞過這個地方多少回，而如今卻留下自己獨自領受「咸陽古道音塵絕」的無邊寂寞，這樣撫今追昔，當然會徘徊流連而進一步地感傷不已。尤其是到了黃昏時，又面對了「西風殘照，漢家陵闕」的寥落景象，那就更「不堪看」，而增強了「秦娥夢斷秦樓月」的痛苦了。

這闋詞之「時空定位」如此，就可以進行進一步的解析了。作者首先以起三句，寫一長安女子於重陽夜晚夢醒後對月相思的情景，藉簫聲之「咽」與樓邊之「月」，將別恨作初步之襯托。接著以「年年柳色」兩句，將時間由現在拉回過去，敘明幾年來面對灞陵柳色的感傷，以逼出一篇之主旨「傷別」，以貫穿全詞。繼而以換頭三句，採追敘之方式，寫此女於白天隻身登上樂遊原的情形，用咸陽古道此刻之「音塵絕」與過去重陽節之車水馬龍作成強烈的對比，以增強「傷別」的意思。然後以結二句，寫斜陽下「五陵無樹起秋風」（杜牧〈登樂遊原詩〉）的秋殘景象，暗含「悔教夫婿覓封侯」（王昌齡〈閨怨〉）的意思，抱緊「傷別」作收。作者這樣先寫「夜有所夢」，再敘「日有所思」，而將主旨「傷別」置於中間，使得全詞流貫著無限的「傷別」之情。用這種「時空定位」來看待這首詞，是會與一般的解析有所不同的。

再以白居易的〈長相思〉詞來看：

> 汴水流，泗水流，流到瓜州古渡頭。吳山點點愁。　思悠悠，恨悠悠，恨到歸時方始休。月明人倚樓。

從此詞之內容材料看，此詞出現於此詞的空間定點，主要有「汴水」、「泗水」、「瓜州古渡」與「吳山」，而時間定點，只有「月明」（晚上）。其中「瓜州古渡」該為主人翁「倚樓」之所在；「汴水」與「泗水」為主人翁乘船經過之地，屬虛寫；而「吳山」為主人翁眼前所見，屬實寫。這就顯然應聚焦於「瓜州古渡」之「樓」上與「月明」（晚上）來呈現。如此，這位主人翁該是來自汴京，正準備往南走的。因此以「空」而言，他此刻應客居於瓜州古渡的一座樓上；以「時」而言，應是從黃昏到晚上，而聚焦於「晚上」；詞的結句說：「月明人椅樓」，不是藉此將此詞作「時空定位」了嗎？這樣來解析此詞，似乎比僅僅視為「閨怨」之作[5]會好一些！

這樣尋得此詞之「時空定位」，解析就有了重心：在上片，寫的是主人翁置身於瓜州古渡所見到的景物：首以「汴水流」三句，寫向北所虛見的「水」景，藉汴、泗二水之不斷奔流，襯托出一份悠悠別恨；再以「吳山點點愁」一句，寫向南所實見之「山」景，藉吳山之「點點」又襯托出另一份悠悠別恨來，使得情寓景中，全力為下半的抒情預鋪路子。到了下片，則即景抒情，一開頭就將一篇之主旨「悠悠」之恨拈出，再以「恨到歸時方始休」作進一層的渲染。然後以結句，寫主人翁在樓上對月相思的樣子，將「恨」字作更具體之描繪，所謂「以景結情」，有著無盡的韻味。

可見「時空定位」對作品之正確解析，是十分重要的；唐宋詞亦不例外。

---

5 黃屏說：「這是白居易寫閨怨的一首名作，前人認為這是他的作品中最『純粹的詞體』，因為它充分表現了詞最初含而不露、婉轉多情的特色。」見陳邦炎主編：《詞林觀止・上》（上海市：上海古籍出版社，1994年4月一版一刷），頁24。

第二節　語文能力

一般而言，語文能力可概分為三個層級來加以認識：即「一般能力」（含思維力、觀察力、記憶力、聯想力、想像力）、「特殊能力」（含立意、運用詞彙、取材、措辭、構詞與組句、運材與佈局、確立風格等能力）、「綜合能力」（含創造力）等[6]。

以「一般能力」而言，是以「思維力」為其重心，而形成系統的。其中的「觀察力」是為「思維力」而服務，「記憶力」乃用以記憶「觀察」以「思維」之所得，「聯想力」是「思維力」的初步表現，而「想像力」則是「思維力」的更進一步呈顯，以主導「形象」、「邏輯」與「綜合」三種思維。其中作比較偏於主觀聯想、想像的，屬「形象思維」；作比較偏於客觀聯想、想像的，屬「邏輯思維」；而兩者形成「二元」，是兩相對待的。至於合「形象」、「邏輯」兩種思維為一的，則為「綜合思維」，用於進一步表現「綜合力」，以發揮「創造力」。

以「特殊能力」而言，是結合「形象思維」、「邏輯思維」與「綜合思維」而形成的。這三種思維，各有所主。如果是將一篇辭章所要表達之「情」或「理」，訴諸各種偏於主觀之聯想、想像，和所選取之「景（物）」或「事」接合在一起，或者是專就個別之「情」、「理」、「景」（物）、「事」等材料本身設計其表現技巧的，皆屬「形象思維」（運用典型的藝術形象來顯示各種事物的特質）；這涉及了「取材」與「措詞」等問題，而主要以此為研究對象的，就是意象學、詞彙學與修辭學等。如果是專就「景（物）」或「事」等各種材料，對應於自然規律，結合「情」與「理」，訴諸偏於客觀之聯想、

6　仇小屏：《限制式寫作之理論與應用》（臺北市：萬卷樓圖書公司，2005年10月初版），頁12-4。

想像，按秩序、變化、聯貫與統一之原則，前後加以安排、佈置，以成條理的，皆屬「邏輯思維」(用抽象概念來顯示各種事物的組織)；這涉及了「布局」與「構詞」等問題，而主要以此為研究對象的，就字句言，即文（語）法學；就篇章言，就是章法學。至於合「形象思維」與「邏輯思維」而為一，探討其整個體性的，則為「綜合思維」，這涉及了「立意」、「確立體性」等問題，而主要以此為研究對象的，為主題學、風格學等。

以「綜合能力」而言，是統合「一般能力」、「特殊能力」所形成的。這種能力，如就「思維系統」而言，即「創造力」，也就是產生新的思想和新的發明的能力。因為一個人的創造力通常是透過進行創造活動、發明新產品產品而表現出來，因此根據產品來判定是否具有創造力是合理的。所以，就寫作活動而言，構思新的人物形象、尋找不同的表達方式，「由意而象」地創造完整之新作品，就是一種創造力的整體展現；這呈現的是創作活動的過程。而換就閱讀活動來說，透過作品中之各種材料、各種表現手法，「由象而意」地凸顯主旨、風格，以欣賞作者之創造力的，則是一種再創造之完整過程[7]。

茲結合「辭章」與「意象（思維）系統」[8]，並兼顧「讀」與「寫」，以圖表呈現如次：

7 陳滿銘：〈論讀、寫互動〉，《泉州師範學院學報》23卷3期（2005年5月），頁108-116。

8 陳滿銘：〈層次邏輯與意象（思維）系統──以「多、二、一（0）」螺旋結構作對綜合考察〉，臺灣師大《中國學術年刊》30期（2008年3月），頁255-276。

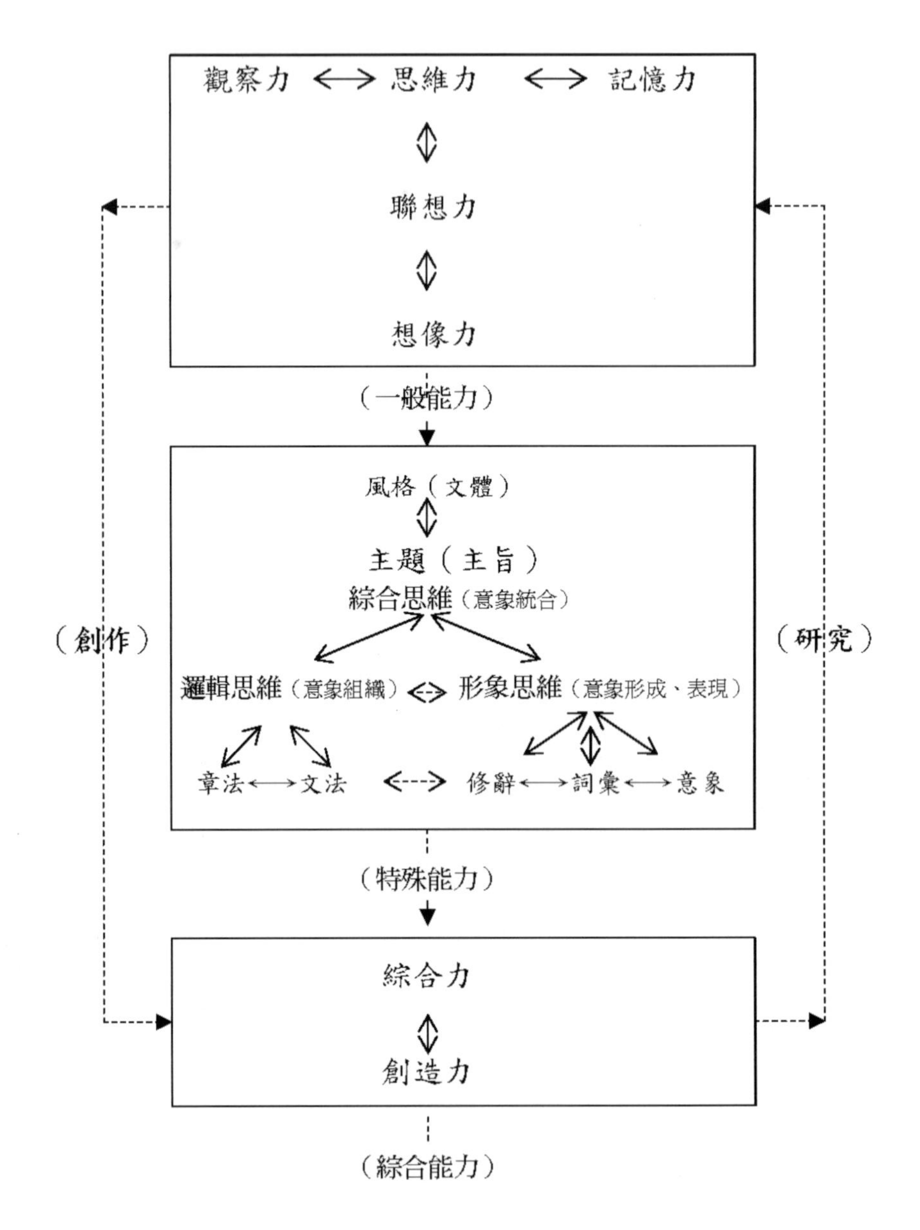

這種內含於螺旋性思維系統的語文能力，是可用「研究：讀」與「創作：寫」來印證的。由於「創作（寫）」之過程，乃由「意」而「象」，靠的是先天（先驗）自然而然的能力，這多半是不自覺的；

而「研究（讀）」之過程，則由「象」而「意」，主要靠的是後天研究所推得的結果，用科學的方法分析作品內涵，自覺地將先天「自然而然」的能力予以確定。因此「創作（寫）」是先天語文能力的順向發揮、「研究（讀）」是後天辭章研究的逆向（歸根）努力，兩者可說不能分割，是有「互動、循環、往復而提升」的雙螺旋關係的。如此，辭章（意象）內涵與「創作（寫）」、「研究（讀）」互動不可分割的關係就十分清楚了。

茲舉白居易的〈長相思〉詞為例，加以說明：這闋詞敘遊子之別恨，是採「先染後點」[9] 的結構來寫的。

就「染」的部分而言，乃用「先象（景）後意（情）」的意象結構所寫成。首先以「象（景）」的部分來說，它先用開篇三句，寫所見「水」景（象一），初步用二水之長流襯托出一份悠悠之恨；這是透過作者恨之悠悠（主體）聯想到水之悠悠（客體）。其中「汴水流」兩句，都是由「先主後謂」之結構所形成的敘事句，疊敘在一起，以增強纏綿效果。而經由聯想以水之流來襯托或譬喻恨之多，是歷來辭章家所慣用的手法，如李白〈太原早秋〉詩云：「思歸若汾水，無日不悠悠。」又如賈至〈巴陵夜別王八員外〉詩云：「世情已逐浮雲散，離恨空隨江水長。」此外，作者又以「流到瓜州古渡頭」

9 新發現章法之一。「點染」本用於繪畫，指基本技巧。而移用以專稱辭章作法的，則始於清劉熙載。但由於他的所謂的「點染」，指的，乃是「情」〔點〕與「景」〔染〕，和「虛實」此一章法大家族中的「情景」法，恰巧相重疊，所以就特地借用此「點染」一詞，來稱呼類似畫法的一種章法：其中「點」，指時、空的一個落足點，僅僅用作敘事、寫景、抒情或說理的引子、橋樑或收尾；而「染」，則指真正用來敘事、寫景、抒情或說理的主體。也就是說，「點」只是一個切入或固定點，而「染」則是各種內容本身。這種章法相當常見，也可以形成「先點後染」、「先染後點」、「點、染、點」、「染、點、染」等結構，而產生秩序、變化、聯貫〔呼應〕之作用。見陳滿銘：〈論幾種特殊的章法〉，臺灣師大《國文學報》31期（2002年6月），頁181-187。

來承接「泗水流」，採頂真法來增強它的情味力量。這種修辭法也常見於各類作品，如《詩・大雅・既醉》說：「威儀孔時，君子有孝子。孝子不匱，永錫爾類。」又如佚名的〈飲馬長城窟行〉說：「長跪讀素書，書中竟何如？」這樣用頂真法來修辭，自然把上下句聯成一氣，起了統調、連綿的作用。況且這個調子，上下片的頭兩句，又均為疊韻之形式，就以上片起三句而言，便一連用了三個「流」字，使所寫的水流更顯得綿延不盡，造成了纏綿的特殊效果。作者如此寫所見「水」景後，再擴大聯想，用「吳山點點愁」一句寫所見「山」景（象二）。在這兒，作者以「先主後謂」的表態句來呈現。其中「點點」兩字，一方面用來形容小而多的吳山（江南一帶的山），一方面也用來襯托「愁」之多；這也是由聯想所造成的效果。南宋的辛棄疾有題作「登建康賞心亭」的〈水龍吟〉詞說：「楚天千里清秋，水隨天去秋無際。遙岑遠目，獻愁供恨，玉簪（尖形之山）羅髻（圓形之山）。」很顯然地，就是由此化出。而且用山來襯托愁，也不是從白居易才開始的，如王昌齡〈從軍行〉詩云：「琵琶起舞換新聲，總是關山離別情。」這樣，在聯想力的作用下，水既以其「悠悠」帶出愁，山又以其「點點」擬作愁之多，所謂「山牽別恨和腸斷，水帶離聲入夢流」（羅隱〈綿谷迴寄蔡氏昆仲〉詩），情韻便格外深長。

其次以「意（情）」的部分來說，它藉「思悠悠」三句，即景抒情，來寫見山水之景後所湧生的悠悠長恨；這是帶動聯想的根源力量。在此，作者特意在「思悠悠」兩句裡，以「悠悠」形成疊字與疊韻，回應上片所寫汴水、泗水之長流與吳山之「點點」，將意象與聯想產生互動，造成統一，以加強纏綿之效果；並且又冠以「思」（指的是情緒，亦即「恨」）和「恨」，直接收拾上片見山水之景（象）所生之「愁」（意），表達了自己長期未歸之恨。而「恨到歸時方始休」一句，則不僅和上二句產生了等於是「頂真」的作用，以增強纏綿感，又經由想像將時間由現在（實）推向未來（虛），把「恨」更推深一層。這種意象與想像互動的寫法也見於杜甫〈月夜〉詩：「何時倚虛幌，雙照淚痕乾。」這兩句寫異日月下重逢之喜（虛），以反襯出眼前相思之苦（實）來，所表達的不正是「恨到歸時方始休」的意思嗎？所以白居易如此將時間推向未來，如同杜詩一樣，是會增強許多情味力量的。

就「點」的不分而言，（後）的部分來說，僅「月明人倚樓」一句，寫的是「象（景－事）」。這一句，就文法來說，由「月明」之表態句與「人倚樓」之敘事句，同以「先主後謂」的結構組成，只不過後者之「謂語」，乃含述語加處所賓語，有所不同而已。而「月明人倚樓」，雖是一句，卻足以牢籠全詞，使人想見主人翁這個「人」在「月明」之下「倚樓」，面對山和水而有所「思」、有所「恨」的情景，大大地起了「以景（事）結情」的最佳作用；這就使得全詞的各個意象，在聯想與想像的催動下，統合而為一了。

大家都知道「以景（象）結情（意）」，關涉到聯想與想像之互動發揮 [10]，是辭章收結的好方法之一，譬如周邦彥的〈瑞龍吟〉（章臺路）詞在第三疊末用「探春盡是，傷離意緒」，將「探春」經過作個總結，並點明主旨之後，又寫道：「官柳低金縷，歸騎晚、纖纖池塘飛雨，斷腸院落，一簾風絮。」這顯然是藉「歸騎」上所見暮春黃昏的寥落景象（象）來襯托出「傷離意緒」（意）。這樣「以景（象）結情（意）」，當然令人倍感悲悽。所以白居易以「月明人倚樓」來收結，是能增添作品之情韻的。何況他在這裡又特地用「月明」之「象」來襯托別恨之「意」，更加強了效果。因為「月」自古以來就

---

10 陳滿銘：〈論意象與聯想力、想像力之互動——以「多、二、一（0）」螺旋結構切入作考察〉，《浙江師範大學學報・社會科學版》31卷2期（2006年4月），頁47-54。

被用以襯托「相思」（別情），如李白〈聞王昌齡左遷龍標遙有此寄〉詩云：「我寄愁心與明月，隨風直到夜郎西。」又如孟郊〈古怨別〉詩云：「別後唯有思，天涯共明月。」這類例子，不勝枚舉。

作者就這樣以「先染『象（景）、意（情）』後點『象（景－事）』」的結構，將「水」、「山」、「月」、「人」等「象」排列組合，也就是透過主人翁在月下倚樓所見、所為之「象」，把他所感之「意」（恨），經由聯想與想像的作用融成一體來寫，使意味顯得特別深長，令人咀嚼不盡。有人以為它寫的是閨婦相思之情，也說得通，但一樣無損於它的美。附意象（含章法）結構表如下：

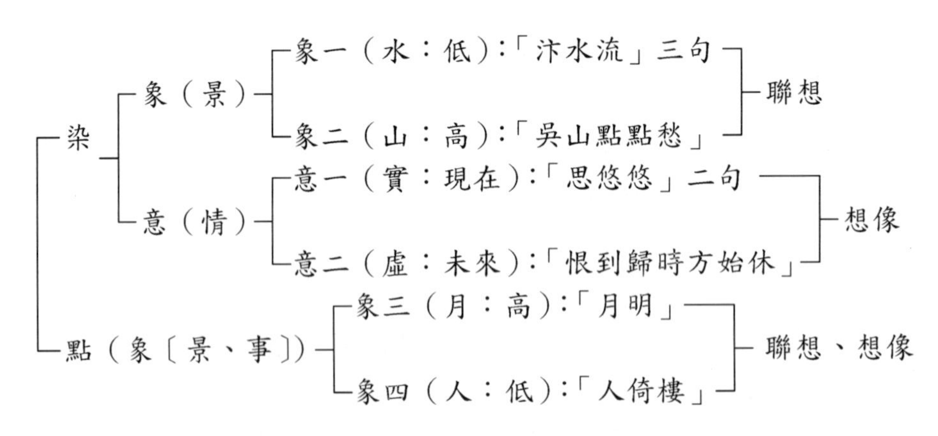

據此，這一首詞就各層能力而言，可總結為如下數點：

首先從「一般能力」的層面來看，個別的意象（狹義）之選取，如「水流」、「山點點」、「月明」等意象，是要靠「觀察力」與「記憶力」的；而整體意象（廣義）之形成、表現與組織，是要靠「聯想力」與「想像力」的。至於牽動「觀察力」、「記憶力」、「聯想力」與「想像力」的，就是「思維力」。

其次從「特殊能力」的層面來看，可分三方面加以說明：先就「形象思維」而言，在「意象」（狹義）上，主要用「水流」、「山點點」、「月明」、「人倚樓」等，先後形成個別意象，而以「悠悠」之「恨」來統合它們，產生「異質同構」之莫大效果。在「詞彙」上，它將所生「情」(意)、所見「景(事)」(象)，形成各個詞彙，如「水」(流)、「瓜州」、「渡頭」(古)、「山」(點點)、「思」(悠悠)、「恨」(悠悠)、「月」(明)、「人」(倚)、「樓」等，為進一步之「修辭」奠定基礎。在「修辭」上，它主要用「頂真」法來表現「水」之個別意象，用「類疊」法、「擬人」法等來表現「山」之個別意象，使「水」與「山」都含情，而連綿不盡，以增強作品的感染力。次就「邏輯思維」而言，在「文法」上，所謂「水流」、「山點點」、「月明」、「人倚樓」等，無論屬敘事句或屬表態句，用的全是主謂結構，將個別概念組合成不同之意象，以呈現字句之邏輯結構。在「章法」上，它主要用了「點染」、「景情」、「高低」、「虛實」等章法，把各個個別意象先後排列在一起，以形成篇章之邏輯結構。末就「統合思維」而言，它綜合以上「意象」(個別)、「詞彙」、「修辭」、「文法」與「章法」等精心的設計安排，充分地將「恨悠悠」之一篇主旨與「音調諧婉，流美如珠」[11] 這種偏於「陰柔」之風格凸顯出來，使人領會到它的美，而感動不已。

然後從「綜合能力」的層面來看，它統合了「一般能力」與「特殊能力」，由「詞」而「句」而「章」而「篇」，將作者之「創造力」作了充分之發揮。

由此看來，辭章離不開「意象」之形成(意象〔狹義〕)、表現(詞彙、修辭)與其組織(文〔語〕法、章法)；而藉「形象思維」(陰柔)與「邏輯思維」(陽剛)加以統合，並由此而凸顯出一篇主

---

11 趙仁圭、李建英、杜媛萍：「整首詞借流水寄情，含情綿邈。疊字、疊韻的頻繁使用，使詞句音調諧婉，流美如珠。」見《唐五代詞三百首譯析》(長春市：吉林文史出版社，1997年1月一版一刷)，頁148。

旨與風格來。這種結構，就同一作品而言，作者由「意」而「象」地在從事順向創作的同時，也會一再由「象」而「意」地如讀者作逆向之檢查；同樣地，讀者由「象」而「意」地作逆向研究（批評）的同時，也會一再由「意」而「象」地如作者在作順向之揣摩。這樣順逆互動、循環而提升，形成螺旋結構，而最後臻於至善，自然使得偏於先天之「語文能力」（創作：寫）與偏於後天之「辭章研究」（研究：讀）合為一軌了。

第三節　意象連結

辭章之四大要素為「情」、「理」、「景（物）」、「事」，其中「情」與「理」為「意」、「景（物）」與「事」為「象」[12]。其關係以圖表呈現如下：

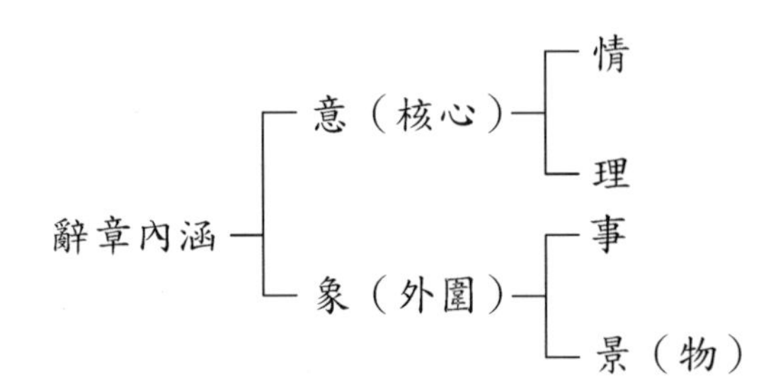

而「意」（情、理）與「象」（事、景〔物〕）之所以能連結而產生互動，自來雖有「比興」、「移情」、「投射」之理論加以解釋，卻不夠圓滿；於是有「格式塔」心理學派「異質同構」或「同形說」之出現。此「格式塔」一派學者認為：審美體驗就是對象的表現性及其力的結

12 見陳滿銘：〈談篇章的縱向結構〉，臺灣師大《中國學術年刊》22期（2001年5月），頁259-300。

構（外在世界：象），與人的神經系統中相同的力的結構（內在世界：意）的同型契合。由於事物表現性的基礎在於力的結構，「所以一塊突兀的峭石、一株搖曳的垂柳、一抹燦爛的夕陽餘暉、一片飄零的落葉……都可以和人體具有同樣的表現性，在藝術家的眼裡也都具有和人體同樣的表現價值，有時甚至比人體還更有用。」[13] 基於此，魯道夫・安海姆（Rudolf Arnheim）提出了「藝術品的力的結構與人類情感的結構是同構」之論點，以為推動我們自己情感活動起來的力，與那些作用於整個宇宙的普遍性的力，實際上是同一種力。他說：

> 我們自己心中生起的諸力，只不過是在遍宇宙之內同樣活動的諸力之個人的例子罷了。[14]

也就是說：現實世界存在之本質乃一種力，它統合著客觀存在之「物理力」與主觀世界的「心理力」，在審美過程中，這種力使人類知覺扮演中介的角色，將作品中之「物理力」與人類情感的「心理力」因「同構」而結合為一。

對此，李澤厚在〈審美與形式感〉一文中說：

> 不僅是物質材料（聲、色、形等等）與視聽感官的聯繫，而更重要的是它們與人的運動感官的聯繫。……格式塔心理學家則把這種現象歸結為外在世界的力（物理）與內在世界的力（心理）在形式結構上的「同形同構」，或者說是「異質同構」，就

---

13 蔣孔陽、朱立元主編：《西洋美學通史》第六卷（上海市：上海文藝出版社，1999年11月一版一刷），頁714。

14 安海姆著，李長俊譯：《藝術與視知覺心理學》（臺北市：雄師圖書公司，1982年9月再版），頁444。

> 是說質料雖異而形式結構相同，它們在大腦中所激起的電脈衝相同，所以才主客協調，物我同一，外在對象與內在情感合拍一致，從而在相映對的對稱、均衡、節奏、韻律、秩序、和諧……中，產生美感愉快。[15]

而歐陽周、顧建華、宋凡聖等在《美學新編》中也指出：

> 完形心理學美學依據「場」的概念去解釋「力」的樣式在審美知覺中的形成，並從中引申出了著名的「同形論」或稱為「異質同構」的理論。……在安海姆看來，自然物雖有不同的形狀，但都是「物理力作用之後留下的痕跡」。……總之，世界上的一切事物，其基本結構最後都可歸結為「力的圖式」。正是在這種「異質同構」的作用下，人們才在外部事物和藝術作品中，直接感受到某種「活力」、「生命」、「運動」和「動態平衡」等性質。……所以，事物的形體結構和運動本身就包含著情感的表現，具有審美的意義。[16]

他們這把「意」與「象」之所以形成、趨於統一，而產生美感的原因、過程與結果，都簡要地交代清楚了。這樣以「構」來連結「意」與「象」，顯然比起比興說、移情說或投射說來，要圓滿得多。

譬如以「梅花」的意象來說，由於它與霜雪相伴、苦寒為友，具凌霜傲雪、堅貞不屈之風骨，因此以其「自然特質」而言，便經由

15 李澤厚：〈審美與形式感〉，《李澤厚哲學美學文選》（臺北市：谷風出版社，1987年5月初版），頁503-504。

16 歐陽周、顧建華、宋凡聖等：《美學新編》（杭州市：浙江大學出版社，2001年5月一版九刷），頁25。

「同構」作媒介，而有玉潔冰清、淡泊閑雅、幽獨孤傲、堅毅頑強的意象；又由於南朝宋人陸凱作〈贈范曄〉詩云：「折梅逢驛使，寄與隴頭人；江南無所有，聊贈一枝春」，將友情與梅花產生「同構」連結在一起，從此「梅花」有了「文化積澱」，而與離別之情（友情、鄉情、親情、男女之情）結了不解之緣。茲從中抽出幾種意象，概述如下：

以「堅貞」為例，它主要藉由梅花堅忍、貞潔之「自然特質」而形成「同構」的。如陸游題作「詠梅」之〈卜算子〉詞云：

> 驛外斷橋邊，寂寞開無主。已是黃昏獨自愁，更著風和雨。
> 　無意苦爭春，一任群芳妒。零落成泥碾作塵，只有香如故。

這又何嘗不象徵著作者的人格呢？

以「清雅」為例，它主要由其「清高閑雅」之「自然特質」而形成「同構」的。如李清照詠「梅」之〈漁家傲〉詞云：

> 雪裡已知春信至，寒梅點綴瓊枝膩。香臉半開嬌旖旎，當庭際、玉人浴出妝洗。

這樣以「梅」比作「清雅」之美人，將作者「清高閑雅」之意趣傾注其中。

以「隱逸」為例，它主要由其「幽獨孤傲」、「遺世獨立」之「自然特質」而形成「同構」的。如鄭域詠「梅」之〈昭君怨〉詞云：

> 冷落竹籬茅舍，富貴玉堂瓊樹。兩地不同栽，一般開。

簡單幾句就道出了梅花「清靜自守、傲視富貴」的性格。

以「離思」為例，它主要由陸凱「折梅贈范曄」以表「離情」之典故，形成「文化積澱」而產生「同構」的[17]。如歐陽脩〈踏莎行〉詞云：

> 候館梅殘，溪橋柳細。草薰風暖搖征轡。離愁漸遠漸無窮，迢迢不斷如春水。

依序以「梅」、「柳」、「草」、「水」來寫「離愁」，「離愁」自然綿連不斷。

經由上述，已可看出「意象連結」中「一象多意」之梗概。而以白居易這首〈長相思〉之意象形成而言，則是「一意多象」之實例呈現[18]。

它主要用「水流」、「山點點」、「月明」、「人樓」等，先後形成個別意象，而以「悠悠」之「恨」來統合它們，也就是以「悠悠」（不斷）為「構」，來連結「水」之「流流」（不斷）與「山」之「點點」（不斷）產生，「異質同構」之莫大效果。這種「構」用簡圖表示如下：

---

17 參見王慧：〈零落成泥碾作塵，只有香如故——宋代詩詞中的梅花意象解讀〉，《開封教育學院學報》26卷2期（2006年6月），頁12-14。

18 陳滿銘：〈意、象互動論——以「一意多象」與「一象多意」為考察範圍〉，中山大學《文與哲》學報11期（2007年12月），頁435-480。

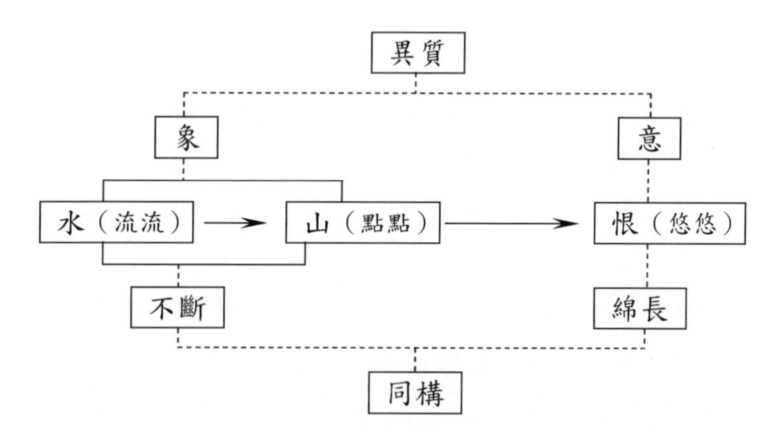

如此，「意」（悠悠離恨）與「象」（綿延不斷之山、水）便直接在篇內統合為一了。可見一篇作品之意象所以能統合，一以貫之，主要就是靠這種「異質同構」之作用。

第四節　剛柔消長

宇宙萬物是建立在「陰陽二元」雙螺旋互動之基礎上的，以風格而言，就是如此。它由「陰陽二元」互動所形成之母性風格，是「剛」與「柔」，清代姚鼐的〈復魯絜非書〉，就提出了這個觀點，而周振甫在《文學風格例話》中對它作了如下闡釋：

> 姚鼐把各種不同風格的稱謂，作了高度的概括，概括為陽剛、陰柔兩大類。像雄渾、勁健、豪放、壯麗等都歸入陽剛類，含蓄、委曲、淡雅、高遠、飄逸等都可歸入陰柔類。……陽剛陰柔可以混雜，在混雜中，陰陽之氣可以有的多有的少，有的消有的長，這就造成風格的各種變化。[19]

19 周振甫：《文學風格例話》（上海市：上海教育出版社，1989年7月一版一刷），頁13。

可見風格之多樣，是由「剛」（陽）與「柔」（陰）的「消長」而形成的，因此多樣的風格，可以概括為陽剛、陰柔兩大類，以其「剛」（陽）、「柔」（陰）之「消長」形成不同的風格。

而「章法類型」與「章法結構」，也一樣建立在「陰陽二元」，亦即「剛」與「柔」互動的基礎之上，當然與「剛柔」風格就有直接之關係。而由「章法類型」與「章法結構」來解釋「剛柔」風格之形成，也自然最為利便。因此要談章法風格之形成，就必須從「章法類型」與「章法結構」之陰陽、剛柔來探討。

先就「章法類型」之陰陽、剛柔來看，無論它是調和性或對比性的，都以「一陰一陽」互動而形成，所以每一「章法類型」本身即自成陰陽、剛柔。大抵而論，屬於本、先、靜、低、內、小、近……的，為「陰」為「柔」，屬於末、後、動、高、外、大、遠……的，為「陽」為「剛」[20]。這樣以「陰陽」或「剛柔」來看章（篇）法，則所有以「陰陽二元」互動為基礎而形成的章（篇）法，都可辨別它們的陰陽或剛柔。

以此為基礎，再配合「章法類型」本身之調和性（陰柔）或對比性（陽剛），就可約略推得它們的陰陽或剛柔來。大致說來，在四十多種「章法類型」中，除了貴與賤、親與疏、正與反、抑與揚、立與破、眾與寡、詳與略、張與弛……等，比較容易形成「對比」外，其他的，如遠與近、大與小、高與低、淺與深、賓與主、虛與實、平與側、凡與目、縱與收、因與果……等，都極易形成「調和」的關係。

---

20 陳望衡：「《周易》中的剛柔也不只是具有性的意義，它也用來象徵或概括天地、日月、晝夜、君臣、父子這些相對立的事物。而且，剛柔也與許多成組相對立的事物性質相連屬，如動靜、進退、貴賤、高低……剛為動、為進、為貴、為高；柔為靜、為退、為賤、為低。」見《中國古典美學史》（長沙市：湖南教育出版社，1998年8月一版一刷），頁184。

再從「章法結構」之陰陽、剛柔來看，這就涉及了章法單元與結構單元的「移位」與「轉位」的問題[21]。先就章法單元來說，所謂的「移位」，是指章法二元本身所形成的順向或逆向運動，如「正→反」（順）、「反→正」（逆）或「凡→目」（順）、「目→凡」（逆）等便是；而所謂的「轉位」，是指章法二元本身所形成的往復（合順、逆為一）運動，如「破→立→破」、「主→賓→主」、「實→虛→實」、「果→因→果」等便是。後就結構單元來說，所謂的「移位」，是指「章法結構」所形成的順向或逆向運動，如「先立後破→先本後末」、「先點後染→先近後遠」、「先昔後今→先抑後揚」等便是；所謂的「轉位」，是指「章法結構」所形成的往復（合順、逆為一）運動，如「正→反」與「反→正」、「大→小」與「小→大」、「平→側」與「側→平」等便是。而這種「移位」與「轉位」，雖然二者同是指「力」（勢）的變化，但是在程度上是有所不同的，亦即變化強度較弱者為順向之「移位」，較強者為逆向之「移位」，而變化強度最激烈者為「轉位」之「拗」，也因為這樣，「移位」（順與逆）與「轉位」（拗）所形成的「章法風格」與所帶出的美感，也是有差別的。而推動這些運動的，是「陽剛、陰柔」二元之互動力量，如就全篇之「0一二多」來看，則都是由其「核心結構」[22]發揮徹下徹上之作用，逐層予以統合的。

這樣看來，章法結構之陽剛或陰柔的強度（「勢」[23]），當受到下

---

21 仇小屏：〈論辭章章法的移位、轉位及其美感〉，《辭章學論文集》上冊（福州市：海潮攝影藝術出版社，2002年12月一版一刷），頁117-122。

22 一般指「篇結構」，見陳滿銘：〈論章法「多、二、一（0）」的核心結構〉，臺灣師大《師大學報．人文與社會類》48卷2期（2003年12月），頁71- 94。

23 涂光社：「他們（按：指藝術家）或隱或顯地把宇宙萬物，尤其是把一切藝術表現對象都理解為不斷運動變化的存在，乃至是與自己心靈相通的有生命有個性的活物。他們總是企求體察和反映出物態中存在的這種靈動之『勢』。」見《因動成勢》（南昌市：百花洲文藝出版社，2001年10月一版一刷），頁256。

列幾個因素的影響：

（一）章法本身的陰柔、陽剛屬性，如「近」為陰柔、「遠」為陽剛，「正」為陰柔、「反」為陽為剛，「凡」為陰柔、「目」為陽剛。

（二）章法結構的調和、對比屬性，如淺與深、賓與主、凡與目等形成調和，而正與反、抑與揚、立與破等則形成對比。

（三）章法結構之變化，如「移位」之「順」、「逆」與「轉位」之「拗」。其中「順」屬原型，「逆」與「拗」屬變型。

（四）章法結構之層級，如上層、次層、三層……底層等。

（五）章法「多、二、一（0）」的核心結構。

以上幾個因素，對於陰陽、剛柔之「勢」（力量）之「消長」影響極大，而這所謂的「勢」，可用涂光社在《因動成勢》中的說法來說明：

> 「勢」有「順」有「逆」。「順」指其運動方式和取向與審美主體的心理傾向或思維習慣協調一致，能使欣賞者有意氣宏深盛壯、淋漓暢快的感受；「逆」則是其運動方式和取向與審美主體的心理傾向或思維習慣相牴觸、相違背，於是波瀾陡起，衝突、騷動和搏擊成為心態的主導方面。[24]

準此以觀，「順勢」較渾成暢快，「逆勢」較激盪騷動；「拗勢」則自

24 見《因動成勢》，頁265。

然地，比起順、逆來，更為渾成暢快、激盪騷動。而這些「勢」的本身，雖然也有其陰陽（以弱、小者為陰、強、大者為陽），卻不能藉以確定章法結構之「陰」、「陽」，是完全要看結構內之運動而定的，如結構是向「陰」而動，則加強的是陰柔之「勢」；如「結構」是向「陽」而動，則加強的是陽剛之「勢」了。

如果這種推測正確，則可根據以上所述幾種因素所形成的「勢」之大小強弱，約略地推算出一篇辭章剛柔成分之比例來。大抵而言，據上述因素加以推定：

（一）每一結構所形成之陰陽流動，以起始者取「勢」之數為「1」（倍）、終末者取「勢」之數為「2」（倍）。

（二）將「調和」者取「勢」數為「1」（倍）、「對比」者取「勢」之數為「2」（倍）。

（三）將「順」之「移位」取「勢」之數為「1」（倍）、「逆」之「移位」取「勢」之數為「2」（倍）、「轉位」之「拗」取「勢」之數為「3」（倍）；而「拗」向「陽」者取「勢」之數為「1」（倍）、「拗」向「陰」者取「勢」之數為「2」（倍）。[25]

（四）將處「底層」者取「勢」之數為「1」（倍）、「上一層」者取「勢」之數為「2」（倍）、「上兩層」者取「勢」之數為「3」（倍）……以此類推。

（五）以核心結構一層所形成「勢」之數為最高，過此則「勢」之數（倍）逐層遞降。

---

25 「拗」向「陰」或「陽」部分，乃參酌仇小屏與謝奇懿之意見加以增訂。

雖然這些「勢」之數（倍），由於一面是出自推測，一面又為了便於計算，因此其精確度是不足的，卻也已約略可藉以推測出一篇辭章剛柔成分之比例來[26]。以下就根據以上五點敘述，且將陰陽之「勢」數基準予以表格化[27]，如（表一）：

表一　陰陽「勢」數基準表

項目（章法）＼陰陽勢數	陰	陽
（1）起始	1	
（1）終末		2
（2）調和	1	
（2）對比		2
（3）順移位	1	
（3）逆移位		2
（4）陽拗×轉位「勢」		2×3＝6
（4）陰拗×轉位「勢」	1×3＝3	
（5）總和	9	9
百分比	50%	50%

由上表可知陰陽「勢」數基準為百分之五十（50%）。也可進一步根據以上數據會製成圖，以觀察陰陽勢數比例變化，如下圖（圖一）所示：

26 以上見陳滿銘：〈章法風格論——以「多、二、一（0）」結構作考察〉，《成大中文學報》12期（2005年7月），頁147-164。

27 以下表格，由臺灣師大華語文教學研究所碩士蕭蕙茹所繪製。

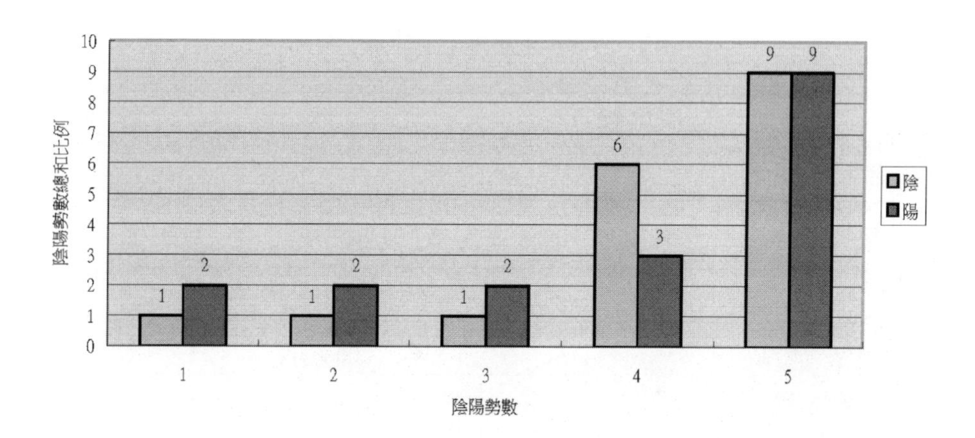

圖一　陰陽勢數基準圖

而且大概而言，可由這種剛柔成分比例之高低，分為如下三等：

（一）首先為純剛或純柔：其「勢」之數為「66.66%→ 71.43%」。
（二）其次為偏剛或偏柔：其「勢」之數為「54.78%→ 66.65%」。
（三）又其次為剛柔互濟：其「勢」之數為「45.23%→ 54.77%」。

其中「71.43%」是由轉位結構的陰陽之比例「5/7」推得，這可說是陰陽之比例之上限；而「66.66%」是由移位結構的陰陽之比例「2/3」推得，這可說是陰陽之比例之中限；至於「45.23%」與「54.77%」是以「50」為準，用上限與中限之差數「4.77」上下增損推得。茲分別表示如下：

（一）從轉位結構的陰陽比例，來看陰陽比例之上限，如下表（表二）所示：

表二　轉位結構之陰陽比例

項目（章法）＼陰陽勢數	陰	陽
順移位	1	
逆移位		2
陽拗×轉位「勢」	2×3＝6	
陰拗×轉位「勢」		1×3＝3
總和	7	5

由上表得知，陰陽比例之上限為5/7，約71.43%。

（二）從移位結構的陰陽比例，來看陰陽比例之中限，如下表（圖三）所示：

表三　移位結構之陰陽比例

項目（章法）＼陰陽勢數	陰	陽
順移位×陰拗「勢」	1×3	
逆移位×陽拗「勢」		2×1
總和	3	2

由上表得知，陰陽比例之中限為2/3，約66.66%。

由表二、表三推出陰陽之上限和中限之差為71.43－66.66＝4.77，又從表一看出陰陽勢數基準為50，由此可推估陰陽之比例上限、中限、與下限，此亦為辭章剛柔的成分。如果取整數並稍作調整，則可以是：

（一）純剛、純柔者，其「勢」之數為「66%→72%」。
（二）偏剛、偏柔者，其「勢」之數為「56%→65%」。
（三）剛、柔互濟者，其「勢」之數為「45%→55%」。[28]

據此可用下圖（圖二）來呈現：

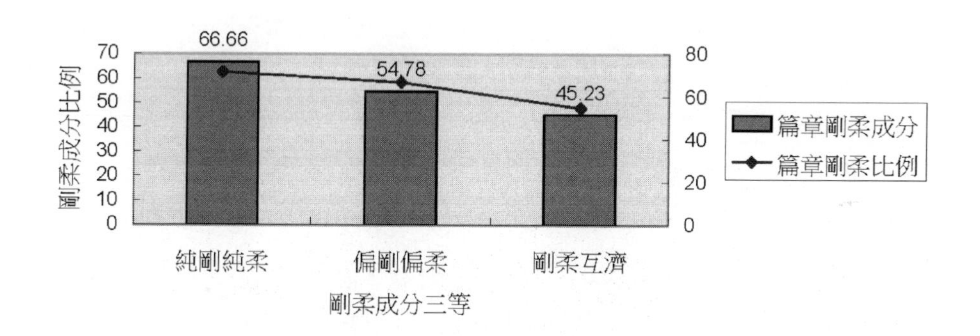

圖二　篇章剛柔比例圖

如此初步為姚鼐「夫陰陽剛柔，其本二端，造萬物者糅而氣有多寡、進絀則品次億方，以至於不可窮，萬物生焉」的說法，作較具體的印證[29]。

即以白居易這首〈長相思〉詞而言，其風格中的剛柔成分，可分層量化如下表：

---

28 陳滿銘：〈章法風格中剛柔成分的量化〉，《國文天地》19卷6期（2003年11月），頁86-93。

29 陳滿銘：〈章法風格論——以「多、二、一（0）」結構作考察〉，《成大中文學報》12期（2005年7月），頁147-164。

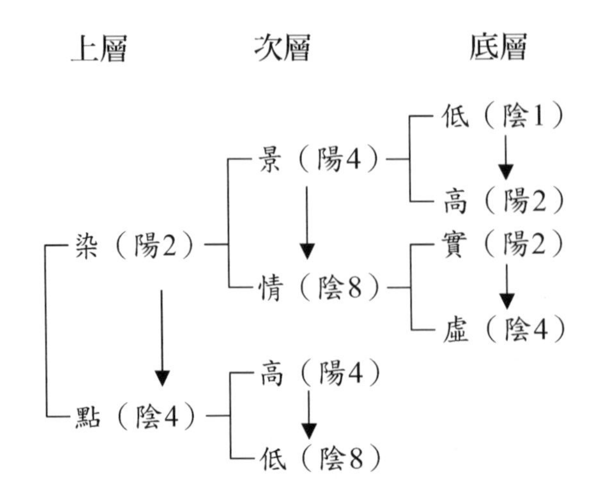

由圖二可知，此詞含三層結構：底層以「先低後高（順）」、「先實後虛」（逆）形成移位結構，其「勢」之數為「陰5陽4」；次層以「先景後情（逆）」、「先高後低（逆）」形成移位結構，其「勢」之數為「陰16陽8」；上層以「先染後點（逆）」形成移位結構，其「勢」之數為「陰4陽2」；這樣累積成篇，其「勢」之數的總和為「陰25陽14」，如換算成百分比（四捨五入），則為「陰64陽36」，乃接近「純陰」的作品。這樣，顯然已初步能為此詞充分地將「恨悠悠」之一篇主旨與「音調諧婉，流美如珠」這種接近「純陰」之風格凸顯出來，使人領會到它的美，在「自由心證」或「直覺」之外，提供「有理可說」之一些空間。

第五節　螺旋系統

以「0一二多」雙螺旋結構系統而言，它最根源的，莫過於「本末」問題。就以中國哲學中的「理」與「氣」、「有」與「無」、「道」與「器」、「體」與「用」、「動」與「靜」、「一」與「兩」、「知」與

「行」、「性」與「情」、「天」與「人」……等「陰陽二元」之範疇[30]而言，即有本有末。它們無論是「由本而末」或「由末而本」，均可形成「順」或「逆」的單向本末結構。而一般學者也都習慣以此單向來看待它們，卻往往忽略了它們所形成之「互動、循環、往復而提升」的雙螺旋結構。而此「陰陽二元」之互動，甚至「0一二多」雙螺旋結構系統，乃建立在方法論之基礎之上[31]，為普遍性之存在[32]，其適用面是極廣的。

而所謂「螺旋」，本用於教育課程之理論上，早在十七世紀，即由捷克教育家夸美紐斯所提出，據《教育大辭典》之解釋，所謂「螺旋式課程（spiral curriculum）」乃「圓周式教材排列的發展」、「逐步擴大和加深」[33]，這和《簡明國際教育百科全書》所作「循環、往復、螺旋式提高」之解釋[34]，是一致的。據此，「螺旋」就是「互

30 葛榮晉：《中國哲學範疇導論》（臺北市：萬卷樓圖書公司，1993年4月初版一刷），頁1-650。

31 王希杰：「二十世紀裡，中國人文科學總的趨勢是販賣洋學問，運用洋教條來套中國的事情。我不滿這種做法，也就更喜歡陳滿銘教授的治學道路了。在方法論原則上，他和弟子們繼承了《周易》的二元互補和轉化的傳統。」見〈陳滿銘教授和章法學〉，《畢節學院學報》總76期（2008年2月），頁5。又孟建安：「陳滿銘先生具有非常鮮明的方法論意識，在章法學研究的過程中堅定不移地引入並堅持了科學的方法論原則，……所建構的漢語辭章章法學體系是完備的、成熟的、科學的，達到了前所未有的高度，因而也便具有極強的生命力。」見〈陳滿銘與漢語辭章章法學研究〉，《陳滿銘與辭章章法學》（臺北市：文津出版社，2007年12月初版一刷），頁115-133。

32 王希杰：「陳教授的專長是詩詞學，非常具體。章法學則要抽象多了。這部著作（即《「多、二、一（0）」螺旋結構論——以哲學、文學、美學為研究範圍》），就更抽象了。……我以為本書很值得一讀，因為這個螺旋結構是普遍性的存在，值得重視。」見王希杰：《王希杰博客．書海採珠》（2008年1月），頁1。

33 顧明遠主編：《教育大辭典》（上海市：上海教育出版社，1990年6月一版一刷），頁276。

34 許建鉞編譯：《簡明國際教育百科全書》（北京市：新華書局北京發行所，1991年6月一版一刷），頁611。

動、循環而提升」的意思。它的作用，可用下列簡圖來表示：

二元→互動→循環→提升

這是著眼於「陰陽二元」，即「二」來說的，若以此「二」為基礎，徹上於「一（0）」、徹下於「多」，則成為「多」、「二」、「一（0）」之系統。如此，「螺旋結構」之體系著眼於一個層面，可用下圖來表示：

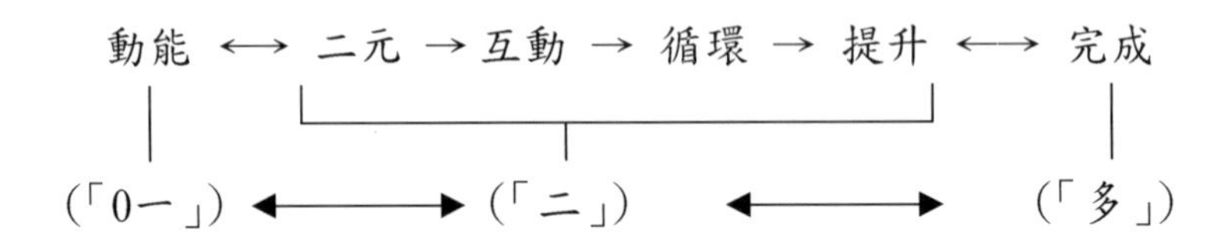

又如果再依其順、逆向，將「多」、「二」、「一（0）」加以拆解，則可呈現如下列兩式：

一、順向：「（0）一」 ⟶ 「二」⟶「多」
二、逆向：「多」 ⟶ 「二」⟶「一0」

而這兩式是可以不斷地彼此循環而銜接而提升，而形成層層雙螺旋結構，以體現宇宙人生生生不息之生命動力。

很值得注意的是：相對於人文，近年科技界亦發現生命之「基因」和「DNA」等都呈現雙螺旋結構，約翰．格里賓著、方玉珍等譯《雙螺旋探密——量子物理學與生命》以為：

> 生命分子是雙螺旋這一發現為分子生物學揭開了新的一頁，而不是標誌著它的結束。但在我們以雙螺旋發現為基礎去進一步

> 理解世界之前，如果能有實驗證明雙螺旋複製的本質，那麼關於雙螺旋的故事就會更加完美了。[35]

對這種「雙螺旋結構」，歐陽周、顧建華、宋凡聖等編著《美學新編》也說：

> 從微觀看，由於近代物理學與生物學、化學、數學、醫學等的相互交叉和滲透，對分子、原子和各種基本粒子的研究更加深入，並取得一系列的成果。……特別要指出的是，DNA分子的雙螺旋結構模式，體現了自然美的規律：兩條互補的細長的核苷酸鏈，彼此以一定的空間距離，在同一軸上互相盤旋起來，很像一個扭曲起來的梯子。由於每條核苷酸鏈的內側是扁平的盤狀鹼基，當兩個相連的互補鹼基A連著P（應是T），G連著C時，宛若一級一級的梯子橫檔，排列整齊而美觀，十分奇妙。[36]

這樣，對應於「0一二多」螺旋結構來看，所謂「宛若一級一級的梯子橫檔」，該是「二」產生作用的整個歷程與結果，亦即「多」；所謂「當兩個相連的互補鹼基A連著P（應是T），G連著C」，該是「二」；而DNA本身的質性與動力，則該為「一（0）」。至於所謂「兩條互補的細長的核苷酸鏈，彼此以一定的空間距離，在同一軸上互相盤旋起來」，該是一順一逆、一陰一陽的螺旋結構。如果這種解釋合理，那麼，從極「微觀」（小到最小）到極「宏觀」（大到最大），都可由一

---

35 約翰・格里賓著，方玉珍等譯：《雙螺旋探密——量子物理學與生命》（上海市：上海科技教育出版社，2001年7月），頁225。

36 歐陽周、顧建華、宋凡聖等：《美學新編》，頁303。

順一逆的「0一二多」雙螺旋結構加以層層組織，以體現自然「真、善、美」之規律[37]。

可見人文與科技雖然各自「求異」，而有不同之內容，但所謂「萬變不離其宗」，在「求同」上，不無「殊途同歸」的可能。如果是這樣，則「多」、「二」、「一（0）」螺旋結構之「原始性」與「普遍性」，就值得大家共同重視了。如果這種「多」、「二」、「一（0）」螺旋結構，落在辭章上來看，則其中「意象」（個別）、「詞彙」、「修辭」、「文（語）法」、「章法」是「多」，「形象思維」與「邏輯思維」為「二」，「主題」（含整體「意象」）、「文體」、「風格」為「一（0）」。又落到章法上來說，則所有核心結構以外的其他結構，都屬於「多」；而核心結構所形成之「二元對待」，自成陰與陽而「相反相成」，以徹下徹上，形成結構之「調和性」（陰）與「對比性」（陽）的，是屬於「二」；至於辭章之「主旨」或由「統一」所形成之風格、韻味、氣象、境界等，則屬於「一（0）」。

這樣來看待白居易之〈長相思〉詞，它的「0一二多」結構系統表可呈現如下：

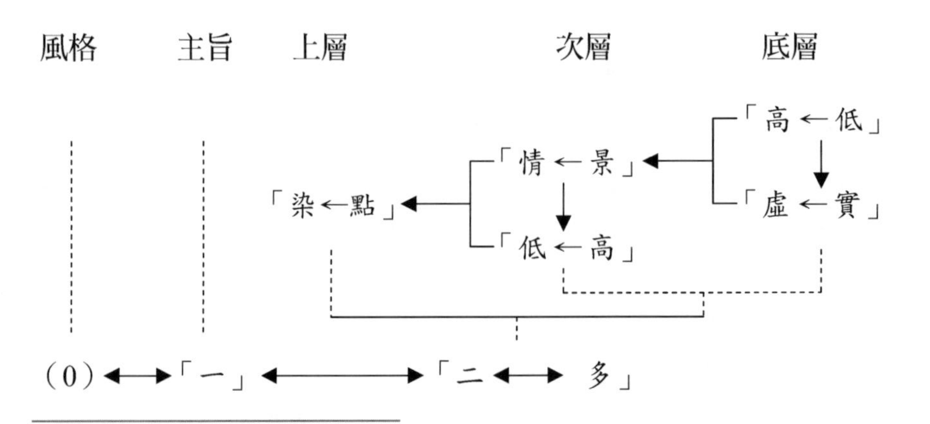

37 陳滿銘：〈論「真、善、美」的螺旋結構──以章法「多、二、一（0）」結構作對應考察〉，臺灣師大《中國學術年刊》27期・春季號（2005年3月），頁151-188。

如此以「0一二多」雙螺旋結構」系統呈現，由「點染」、「虛實」各一疊與「高低」二疊所形成之移位性結構，可視為「多」，以呈現客體之「美」；由「情景」自為陰陽徹下徹上所形成之調和性結構，可視為關鍵性之「二」，藉以統括輔助性結構，形成一篇規律，以呈現「善」；而由此呈現一篇主旨與風格，則可視為「一（0）」，以呈現「真」（含主體之美感）[38]。這樣對作品之整體掌握與瞭解而言，是大有幫助的。

綜上所述，可知辭章在「意象（思維）系統」之統合下，可就「語文能力」、「意象連結」、「剛柔消長」與「0一二多」雙螺旋層次邏輯結構系統等不同層面加以解析。其結果，可由「研究：讀」而「創作：寫」，又由「創作：寫」而「研究：讀」地進行雙螺旋式之探討。如著眼於「創作：寫」一面，乃由「意」而「象」，靠的是先天（先驗）自然而然的能力，這多半是不自覺的；而著眼於「研究：讀」一面，則由「象」而「意」，靠的是後天研究所推得的結果，用科學的方法分析作品，自覺地將先天（先驗）自然而然的能力予以確定。因此「創作：寫」是先天能力的順向發揮、「研究：讀」是後天研究的逆向（歸根）努力，兩者可說互動而不能分割，而「創造力」（隱意象 ⟷ 顯意象）在「思維力」之推動下，就將「意象（思維）系統」由「潛」而「顯」地表現出來了。

這樣歸本於「語文能力」，再旁涉「時空定位」、「意象連結」、「剛柔消長」與「0一多」雙螺旋層次邏輯結構系統等層面來解析辭章，包括唐宋詞或其他作品，最能凸顯多層面辭章解析之重要性，這樣在訴諸「自然機制」的「自由心證」與「累積經驗」之外，架設一

38 陳滿銘：〈論真、善、美與「多、二、一（0）」螺旋結構——以辭章章法為例作對應考察〉，中山大學《文與哲》學報13期（2008年6月），頁663-698。

條「有理可說」之橋樑，以互相參照[39]，相信是有迫切之需要的；而且也唯有如此，才能不斷獲致「推陳出新」之成果。

39 陳滿銘：〈篇章風格論——以直觀表現與模式探索作對應考察〉，臺灣師大《中國學術年刊》32期・春季號（2010年3月），頁129-166。

第五章
辭章評賞

人類的各種「思維」對象，離不開「意象」，主要藉「形象」、「邏輯」與「綜合」三種「思維」以統合「觀察」、「記憶」、「聯想」、「想像」等思維力，產生「創造力」，而形成「0一二多」的「思維（意象）雙螺旋系統」[1]。這種系統落於「辭章」內涵，便以「綜合思維」（「0一」）組合一篇「風格」與「主題（主旨）」，呈現「篇意象」；以「邏輯思維」與「形象思維」（「二」）組合「章法」、「文（語）法」（邏輯）與「修辭」、「詞彙」，呈現「章」、「句」、「字」等「意象」（「多」），而形成「0一二多」的「辭章創作←→評賞雙螺旋系統」[2]。本章即以此為依據，聚焦於「辭章評賞」，特舉蘇辛詞各一首為例，分別搜集有關古今人評賞的多種資料加以組合，將此一系統呈現出來，儘量為「直觀表現（客觀存在）」←→「模式探索（科學研究）」的雙螺旋互動[3]提出實證，以供語文教師或學者針對唐宋詞作「辭章」評賞或做其他研究時的參考。

---

1 陳滿銘：〈論章法結構與意象系統——以「多、二、一（0）」螺旋結構切入作考察〉，《浙江師範大學學報・社會科學版》30卷4期（2005年8月），頁40-48。又，陳滿銘：〈層次邏輯與意象（思維）系統——以「多、二、一（0）」螺旋結構作綜合考察〉，臺灣師大《中國學術年刊》30期・春季號（2008年3月），頁255-276。

2 陳滿銘：〈辭章「多、二、一（0）」螺旋結構論〉，中山大學《文與哲》學報10期（2007年6月），頁483-514。

3 陳滿銘：〈論辭章之無法與有法——以客觀存在與科學研究作對應考察〉，彰化師大《國文學誌》23期（2011年12月），頁29-63。

第一節　思維系統在辭章評賞中的地位

一般說來，人的「思維」有三種：「形象」、「邏輯」與「綜合」，都以「意象」為其內容。其中作比較偏於主觀聯想、想像的，屬「形象思維」[4]；作比較偏於客觀聯想、想像的，屬「邏輯思維」[5]；而兩者形成「二元」，是兩相互動而存在的[6]。至於合「形象」、「邏輯」兩種思維為一的，則為「綜合思維」，用於進一步表現「綜合力」，以發揮「創造力」來轉化「意象」。其中的「觀察力」是為「思維力」而服務，「記憶力」乃用以記憶「觀察」以「思維」之所得，「聯想力」是「思維力」的初步表現，而「想像力」則是「思維力」的更進一步呈顯，以主導「形象」、「邏輯」[7]與「綜合」三種思維，形成系

4　胡有清：「所謂形象思維，指的是以客觀事物的形象信息為基礎，經過分解、轉化、組合等演化過程，創造出新的形象。這是一種始終不捨棄事物的具體型態及形象，並以其為基本形式的思維方式。」見《文藝學論綱》（南京市：南京大學出版社，2002年版），頁160。

5　邏輯思維又稱抽象思維。胡有清：「抽象思維側重於對客觀事物本質屬性的理解和認識。思維主體儘管也有自己的個性特徵，但一般總要納入一定的模式範疇，總能用明晰的語言加以說明。」見《文藝學論綱》，頁171。

6　盧明森：「形象思維是與抽象思維相比較而存在的。抽象思維的基本特點是概念性、抽象性與邏輯性，因此，可以稱之為概念思維、抽象思維、邏輯思維；與之相對應，形象思維的基本特點是意象性、具體性與非邏輯性，因此可以稱之為意象思維、具體思維、非邏輯思維。」見黃順基、蘇越、黃展驥主編：《邏輯與知識創新》第二十章（北京市：中國人民大學出版社，2002年4月一版一刷），頁429。又，胡有清：「在藝術活動中，當人們用形象思維來把握和展示豐富的社會生活時，總會受到抽象思維的制約和影響。也就是說，抽象思維在一定程度上規範和導引形象思維。」見《文藝學論綱》，頁172。

7　邏輯思維與形象思維為人類最基本的兩種思維方式。盧明森：「形象思維是與抽象思維相比較而存在的。抽象思維的基本特點是概念性、抽象性與邏輯性，因此，可以稱之為概念思維、抽象思維、邏輯思維；與之相對應，形象思維的基本特點是意象性、具體性與非邏輯性，因此可以稱之為意象思維、具體思維、非邏輯思維。」見

統。這種系統由「0一二多」雙螺旋（順、逆）切入，則可用下圖加以表示：

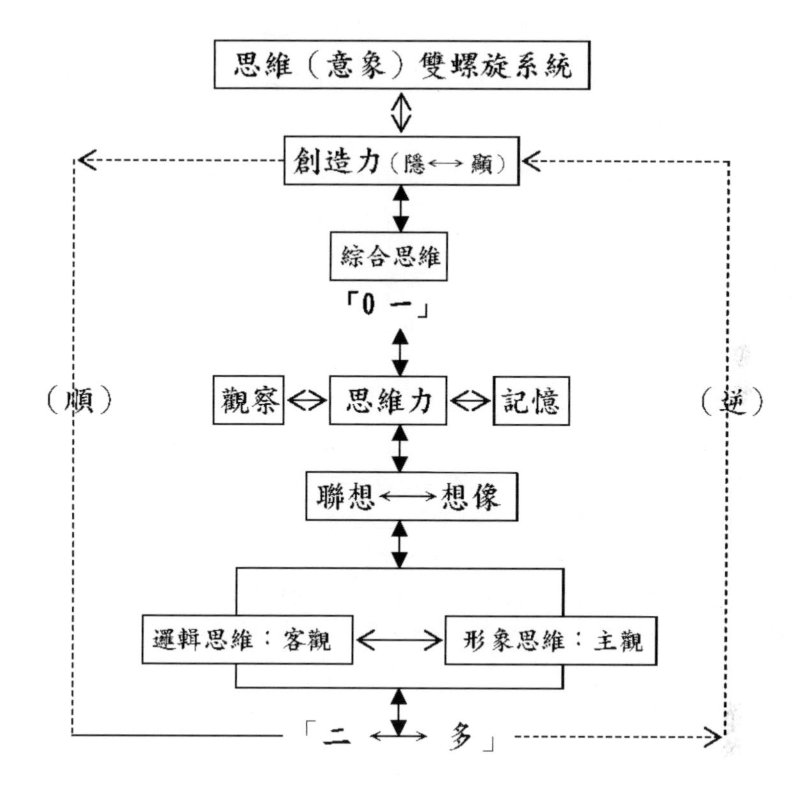

由此可見，在這種由「潛」而「顯」地呈現「意象系統」整個歷程裡，是完全離不開「思維力」（含觀察、記憶、聯想、想像、創造）之運作的。其中特別要指出的是：「觀察力」是運用視、聽、嗅、味、觸五種外部以及內部的知覺的能力，藉以獲取外在世界和機

黃順基、蘇越、黃展驥主編：《邏輯與知識創新》第二十章，頁429。又胡有清：「在藝術活動中，當人們用形象思維來把握和展示豐富的社會生活時，總會受到抽象思維的制約和影響。也就是說，抽象思維在一定程度上規範和導引形象思維。」見《文藝學論綱》，頁172。

體內部的訊息，包括「閱歷」與「閱讀」之所得，作為創作素材，以準確生動地表達為前提 [8]。

若由此統合或對應於《詩經》六義中「賦、比、興」的三義、最基本而主要的修辭格「摹寫、引用、譬喻、比擬、象徵、夸飾」等與章法的四大規律「秩序（移位）、轉位（變化）、聯貫（對比與調和）、統一（包孕）」來看，則可簡示如下圖 [9]：

---

8 彭聃齡主編：《普通心理學》（北京市：北京師範大學出版社，2001年1月二版十五刷），頁392。又，周元主編：《小學語文教育學》（上海市：華東師範大學出版社，1992年10月一版一刷），頁26。

9 在此為省篇幅，只提出簡表供作初步參考。近年來，有多人探討「比」、「興」與「聯想」或「想像」思維的關係，如楊滿仁〈比興辨略〉：「趙沛霖在中比較詳細地歸納了建國後學界關於比興研究的新成果。……歸納為四個方面：比興是詩歌形象思維的方式；比興揭示了詩歌創作過程中的物我關係；在運用比興構思詩歌的過程中，結合形象的聯想，特別是類比聯想佔有極為重要的地位；運用比興塑造出的詩歌藝術形象具體鮮明，情思委婉含蓄，具有感人的藝術魅力。將研究者提出的興的作用也概況為四個方面：調節韻律，喚起感情；烘托渲染，突出中心；比附象徵，暗示主旨；情景交融，創造意境。」見《興的源起——歷史積澱與詩歌藝術》（北京市：中國社會科學出版社，1987年版），頁232-249；又如李健：「立象的過程是比興思維的過程，無論是選擇物象還是心理創造都離不開比興思維。在比興思維的調和下, 意象才能真正地發揮審美作用。」見〈比興思維與意象的生成〉，《韶關學院學報》24卷7期（2003年7月），頁3-14；再如蔡宗陽：〈《詩經》比興與興的辨析〉:「比，含有比喻、比擬之意。一般偏重於比喻。興，含有無比有賦（即不兼比，僅有賦）、有比有賦（即半比半賦）之意，皆是修辭學的象徵。……比喻側重於字句修辭，象徵側重於篇章修辭；比喻比較明確，象徵比較曖昧。」見《中國語文》113卷2期（2013年8月），頁22-32。而「修辭格（方法）」與「章法規律」的對應關係，則見陳滿銘：〈試論方法論原則之層次系統——以修辭與章法為考察範圍〉，中山大學《文與哲》學報20期（2012年6月），頁367-407；又陳滿銘：〈修辭「轉化」論〉，彰化師大《國文學誌》27期（2013年12月），頁1-38。

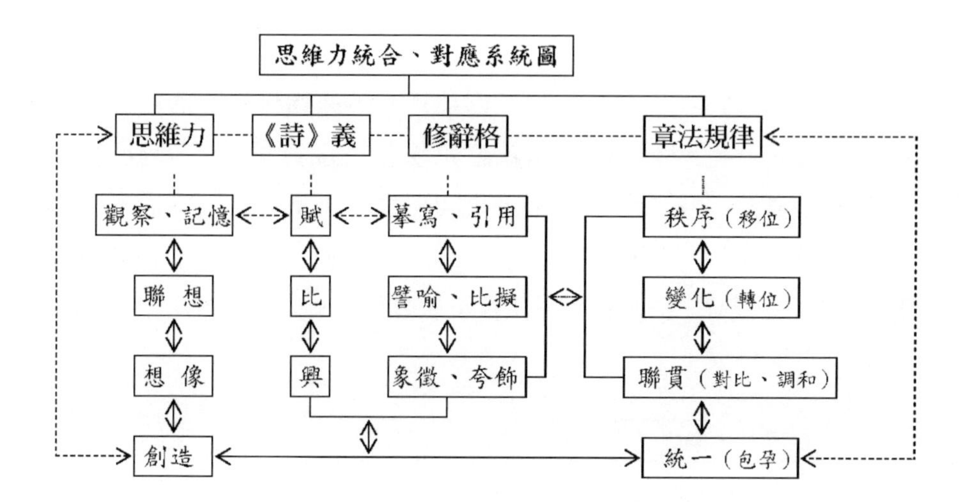

可見「思維（意象）系統」是可統合各種學科領域之「創造能力」的，就以「辭章」而言，它是靠「語文能力」結合「形象思維」、「邏輯思維」與「綜合思維」的運作而形成，以表現「篇」、「章」、「句」、「字」各種大小「意象」[10] 的，即以辭章的主要內涵來看：其中「主旨」是呈現「主題」內容的核心之「意」（情、理），而「風格」是以「主」旨統合各「意象」之形成、表現與組織所產生之一種整體性的「審美風貌」[11]。這樣由「0一二多」雙螺旋系統切入來看：以「0一」（綜合思維：風格與主旨）呈現「篇意象」，以「二」（形象思維、邏輯思維）統合「多」（詞彙、修辭、文法、章法）呈現「（篇）章 [12]、句、字」等「意象」，是屬於順向（下徹）過程，為

10 《文心雕龍·章句》分「篇」、「章」、「句」（語）、「字」（詞）來統合辭章內涵，見劉勰著，黃叔琳注，李詳補注：《增訂文心雕龍校注》卷七（北京市：中華書局，2000年8月一版一刷），頁444-450。陳滿銘：〈論辭章意象與「多、二、一（0）」螺旋結構〉，《當代修辭學》2012年1期（2012年2月），頁76-80。

11 顧祖釗：「風格的成因並不是作品中的個別因素，而是從作品中的內容與形式的有機整體的統一性中所顯示的一種總體的審美風貌。」見《文學原理新釋》（北京市：人民文學出版社，2001年5月一版二刷），頁184。

12 「章法」是含「篇法」在內的。見鄭頤壽：〈含篇法的「辭章章法學」的發展——評

「創作」；而由「多」（詞彙、修辭、文法、章法）呈現「（篇）章、句、字」等「意象」支撐「二」（形象思維、邏輯思維）而由「一0」（綜合思維：主旨與風格）作統合以呈現「篇意象」，乃屬於逆向（上徹）過程，為「評賞」。兩者可說順逆、上下疊合，亦即「直觀表現（客觀存在）」（順）與「模式探索（科學研究）」（逆）作雙螺旋疊合，形成「辭章（創作←→評賞）雙螺旋系統」。它可用下圖加以表示：

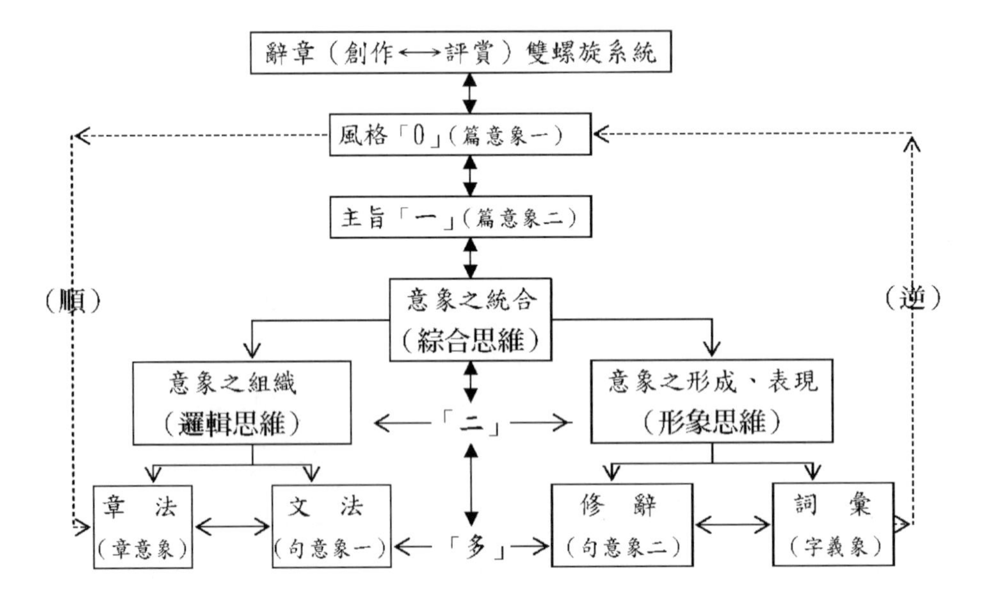

可見這種系統反映了辭章創作與評賞兩者產生「逆←→順」互動、對應的關係，而「思維（意象）雙螺旋系統」在「辭章評賞」中的地位，也可由此充分凸顯出來。

介陳滿銘《章法學論粹》及其相關論著〉，《國文天地》19卷4期（2003年9月），頁106-112。

第二節　蘇詞辭章評賞實例

在此，舉蘇軾〈水調歌頭・丙辰中秋，歡飲達旦，大醉，作此篇，兼懷子由〉為例，先由個人以「篇章結構」（含風格、主題）為主軸，並間引古今人評注（不附注出處）進行解析作為引導，然後以「思維（意象）系統」，全以所搜集古今人之幾種評賞（附注出處）加以組合，略作輔助說明，由此以見一斑。

其原文是：

> 明月幾時有，把酒問青天。不知天上宮闕，今夕是何年。我欲乘風歸去。惟恐瓊樓玉宇，高處不勝寒。起舞弄清影，何似在人間。　　轉朱閣，低綺戶，照無眠。不應有恨，何事長向別時圓。人有悲歡離合，月有陰晴圓缺，此事古難全。但願人長久，千里共嬋娟。

這首中秋詞，作於宋神宗熙寧九年（1076），時作者在密州任知州，是用「虛（情）、實（景、事）、虛（情）」（轉位）的上層「篇結構」包孕「先因後果」（移位）、「先事後景」（移位）與「目、凡、目」（轉位）的底層「章結構」寫成的。

開篇起至「高處」句止，為頭一個「虛」（情：物外）的部分，採「先因後果」（底層）的「章結構」加以呈現：它首先以「明月」四句，透過「問天」，針對著中秋之「明月」，超脫人世，伸向無垠的時空，發出深長的宇宙情緒；這是「因」。李白〈把酒問月〉詩云：

> 青天有月來幾時，我今停杯一問之。

蘇詞顯然是脫化於此。鄭文焯《手批東坡樂府》說本詞：「發端由太白仙心脫化，頓成奇逸之筆。」所謂「仙心」，說得平淺一點，即物外之思，也就是宇宙情緒。作者便藉此「奇逸之筆」，以引發底下欲歸月殿的奇想。

其次以「我欲」三句，承篇首四句，將自己比作謫仙，寫極欲歸去月殿（仙界），而又怕它高寒的心理，以寄寓此刻出世（隱）、入世（仕）的矛盾思想；這是「果」。據唐孟棨《本事詩．高逸》載：「李太白初自蜀至京師，舍於逆旅。賀監知章聞其名，首訪之。既奇其姿，復請所為文。出〈蜀道難〉以示之。讀未竟，稱歎者數四，號為『謫仙』。」所謂「謫仙」，是由仙界謫居世間之人，而月殿，正是天上仙界之一，因此作者就由此想入，將自己比作被稱為「謫仙」的李白，而有「乘風歸去」之想，以表達自己想歸隱山林的念頭。由於此時烏臺詩案正在形成，而其弟轍也在稍後從濟南到此，勸他「以不早退為戒，以退而相從之樂為慰」（見作者作於熙寧十年之〈水調歌頭〉題序），可知此時作者會有隱退之思，是極自然之事。然而作者進一層想，卻以為月殿（仙界）之上既高且寒，使人不堪承受，以反映他「隱」與「仕」之間抉擇上的困惑心態。據《酉陽雜俎．天壺》載：「翟天師曾於江岸，與弟子數十翫月。或曰：『此中竟何有？』翟笑曰：『隨吾指觀。』弟子中兩人見月規半天，瓊樓金闕滿焉。數息間，不復見。」這是相傳月上有「瓊樓玉宇」的由來。作者這麼寫，以借代歸隱的理想所在，是有所依據的。不過，有人以為此「瓊樓玉宇」，指的乃朝廷，而表達的是作者的忠愛之思。對於這點，葉嘉瑩在《靈谿詞說》中卻以為：

> 其飄逸高曠之致，誠不可及。然而其中卻實在也隱然表現了他自己內心深處的一種入世與出世之間的矛盾的悲慨，而這種悲

> 慨，卻又寫得如「春花散空，不著跡象」。相傳神宗讀此詞，至「瓊樓玉宇」數句，曾以為「蘇軾終是愛君」。讀詞者固無妨有此一想，然若指實其為有不忘朝廷的忠愛之意，則反似不免有沾滯之嫌矣。[13]

見解極精到。

而「起舞」句起至「照無眠」句止，為「實」（景、事）的部分。這個部分，用「先事後景」（底層）的「章結構」加以呈現：首先以「起舞」二句，轉「情」（因）為「事」（果），將上面寫「情」（物外）的部分作一收結，用「起舞弄清影」的實際動作，表達了自己入世（仕）等於出世（隱）的最後決心，以為在人世間，只要自求多福，就和天上仙界沒什麼兩樣。這種「隱於仕」的想法，影響蘇軾一生，使他在仕途上堅忍奮進，不到最後一秒，絕不輕言後退。作者另有〈超然臺記〉一文，也差不多作於此時，其中有一段說：

> 南望馬耳常山，出沒隱見，若近若遠，庶幾有隱君子乎？而其東則盧山，秦人盧敖之所從遁也。西望穆陵，隱然如城郭，師尚父、齊桓公之遺烈猶有存者。北俯濰水，慨然太息，思淮陰之功，而弔其不終。

這段文字，先以「南望」、「而其東」，述及「隱君子」，並用了盧敖隱遁的典故，表達了隱退的想法；再以「西望」用了姜太公與齊桓公輔佐天子，以建立不朽功業的史實，表達了輔佐天子，一靖天下的強烈意願；然後以「北俯」牽出淮陰侯建立了了不朽功業，卻不得善終的

13 見繆鉞、葉嘉瑩合著：《靈谿詞說》（臺北市：正中書局，1993年8月臺初版），頁212。

故事，表達了對未來仕途的憂慮。而這種憂慮卻沒有使作者因而卻步，因為從這一段運材的順序上可看出：「仕」的意識最後還是掩蓋了「隱」的念頭。他有這個念頭正是「隱於仕」意識的一種體現。而這種意識，與其說來自於《莊子》，不如說淵源於陶淵明。淵明有〈飲酒〉詩二十首，其五之前四句云：

結廬在人境，而無車馬喧。問君何能爾？心遠地自偏。

此種「心遠地自偏」之意趣，可說是蘇軾「隱於仕」思想的源頭，這就無怪乎他會認定「只淵明，是前生」（見作於黃州之〈江城子〉）了。接著以「轉朱閣」三句，主要用以寫「景」，由上半夜過到了半夜，以下啟後面另一個「情」（物內）的部分。它由「轉」、「低」、「照」，就「明月」，寫其推移與落點；而由「朱閣」、「綺戶」、「無眠」，就「人」（作者），寫他的居處與狀態；如此實寫「月」與「人」，產生了以「實」（景）襯「虛」（情）的作用；尤其是「無眠」二字，更蘊含「恨」意，以貫穿全詞。唐圭璋在其《唐宋詞簡釋》中說：

換頭，實寫月光照人無眠。以下愈轉愈深，自成妙諦。[14]

而徐翰逢、陳長明在《唐宋詞評賞辭典》中認為：

「照無眠」者，當兼月照不睡之人與月照愁人使不能入睡這兩層意思。作者〈永遇樂〉（長憶別時）云：「別來三度，孤光又滿，冷落共誰同醉？捲珠簾，淒然顧影，共伊到明無寐」，即兼具這兩層意思，可以參讀。

14 唐圭璋：《唐宋詞簡釋》（臺北市：木鐸出版社，1982年3月初版），頁89。

可見「月照無眠」所引生之愁恨，是極其強烈的。

至於自「不應」句起至篇末，則為後一個「虛」（情：物內）的部分，採「目（分應）、凡（總提）、目（分應）」（底層）的「章結構」加以呈現：其中「不應」兩句，屬前一個「目（分應）」（月），寫「月圓人不圓，頗有惱月之意」（唐圭璋《唐宋詞簡釋》），卻妙在不直接說自己有「恨」，反而指月有「恨」。如此移「恨」於月，使詞意變得更曲折。徐翰逢、陳長明在《唐宋詞鑑賞辭典》中說：

> 「不應有恨，何事長向別時圓」兩句，承「照無眠」而下，筆致淋漓頓挫，表面上是惱月照人，增人「月圓人不圓」的悵恨，骨子裡是本抱懷人心事，藉見月而表達。石曼卿詩「月如無恨月長圓」，說的是月缺示有恨，無恨應長圓：詞人糅入人事，謂月圓時，月固無恨矣，而人不圓，見圓月轉有恨。又進一步說：月「長向別時圓」，亦「應有恨」。「不應」與「何事」兩者牴銷，即見此正面之命意。這裡把人此時的思想感情移之於月，對石曼卿詩語是發展，對上文月照無眠又是轉深一層。[15]

體會得相當深刻。而「人有」三句，為「凡」（總提）的部分。作者在此，將「人」與「月」合寫，寫「人月無常，從古皆然，又有替月分解之意」（唐圭璋《唐宋詞簡釋》），對此，臧思鈺在《宋詞三百首》中闡釋云：

---

15 以上兩則引文，見唐圭璋、繆鉞、葉嘉瑩等：《唐宋詞鑑賞辭典》（上海市：上海辭書出版社，1989年），頁613-614。

> 將一己與親人的離合上升到古今人類悲歡的高度，以達觀的超然態度，開解自己心中之鬱結，喚起人類普遍情感的共識。寫到月的陰晴圓缺，滲透濃厚的哲學意味，將自然與社會高度契合來思考。[16]

以這種「思考」為橋梁，便很自然地過渡到屬於後一個「目（分應）」（人）的結拍二句。在此二句，作者化用了謝莊〈月賦〉「美人邁兮音塵絕，隔千里兮共明月」的句子，更進一層地祝願自己和弟轍在「千里共嬋娟」之下，「各自善保千金之軀，藉月盟心，長毋相忘」（唐圭璋《唐宋詞簡釋》），把自己對「子由」的思念，不但表達得極其深長，而且也由此推擴到人的身上，化為普遍情緒。

作者就這樣，句句不離「月」，而將「虛」（情）與「實」（景、事）、「物內」與「物外」相縈在一起（篇章結構），以「隱於仕」之意識和對子由之別情為基礎，予以推擴，擴及於宇宙人生之理（主旨），使作品產生了莫大的感染力量形成「審美風貌」（風格），成為千古絕唱。

附篇章結構系統表供參考：

16 臧恩鈺：《宋詞三百首》（北京市：北京古籍出版社，2000年4月一版一刷），頁79。

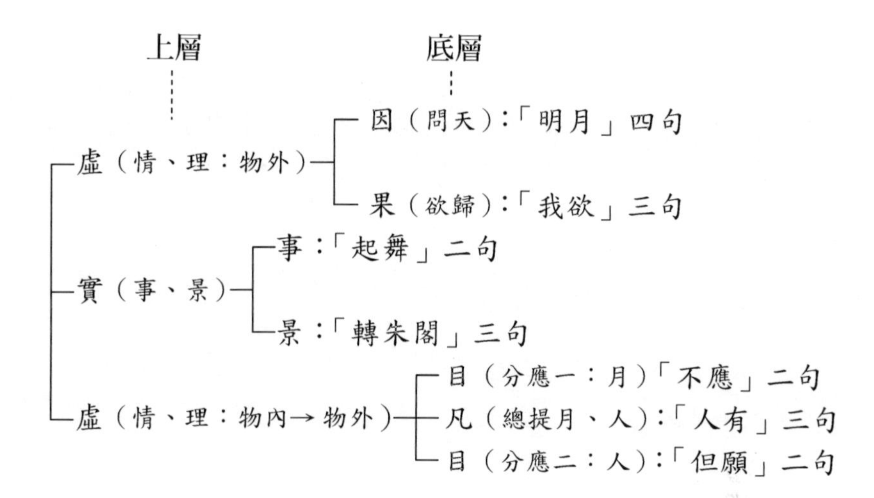

若由「0一二多」的「辭章創作 ⟷ 評賞雙螺旋系統」切入作呈現，則如下圖：

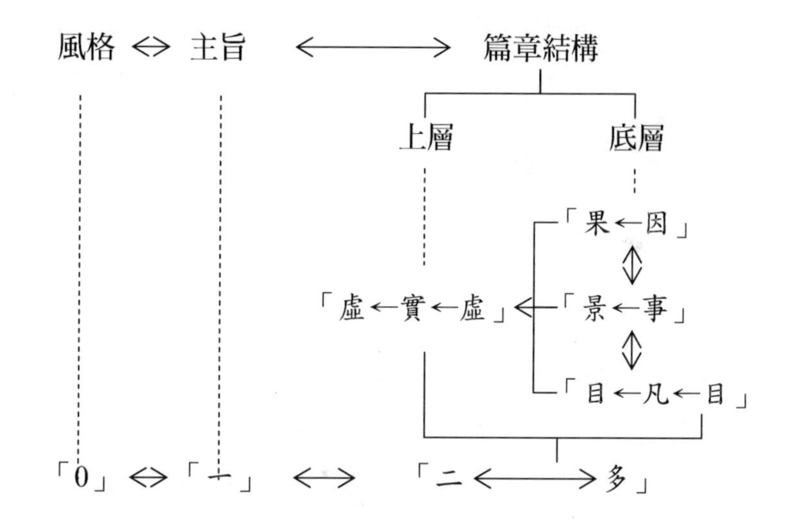

綜上可知，「思維（意象）」與「辭章評賞（創作）」是能由「0一二多」雙螺旋系統加以融合成一體的。底下就以此作輔助性引導，用所搜集到的幾種古今人評賞或注解加以統合，歸納成如下重點：

1 創造思維系統

在此，聚焦於以「聯想⟷想像」而激發出來的「創造」思維之上，進行觀察。對此，徐翰逢評賞：

> 本篇屬於蘇詞代表作之一。它構思奇拔，畦徑獨闢，極富浪漫主義色彩。[17]

又，徐中玉「題解」：

> 全詞熔現實、神話與想像，寫景、抒情與議論於一爐，創造出優美明朗的意境。宋胡仔《苕溪漁隱叢話》說：「中秋詞，自東坡〈水調歌頭〉一出餘詞皆廢。」[18]

又，顧易生「講析」：

> 這首詞……突出現實與理想的矛盾，又飛馳想像，上天下地，使矛盾在心理上得到一定統一。[19]

又，沈祖棻賞析：

> 這首詞……由於它高曠的胸襟、豐富的想像和奇妙的藝術構

---

17 唐圭璋主編：《唐宋詞鑑賞集成》（香港：中華書局香港分局，1987年7月初版），頁381。

18 徐中玉：《蘇東坡文集導讀》（成都市：巴蜀書社，1990年6月一版一刷），頁230。

19 陳邦炎主編：《詞林觀止》上（上海市：上海古籍出版社，1994年4月一版一刷），頁274。

思，卻使得它展示的形象更為廣闊、深刻。[20]

又，朱靖華「講解」：

> 從總體上說，此詞……抒寫詞人心理矛盾和自我解脫的過程中，以飄逸灑脫的文筆、曲折委婉的構思、探詢追求的心態、生生不息的樂觀精神、高尚的情操，巧妙地編織成一個和諧而完美的藝術整體。

「輯評」：

> 此詞……在探索宇宙奧秘的基礎上獲得了人生的超越。……于培杰、孫言誠《蘇東坡詞選》：這首詞把人間與天上、理想與現實、鬱悶與自慰、意境與哲理有機地融為一體。想像豐富大膽、縱橫馳騁，境界開闊深遠、視通萬里，感情深沉誠摯、跌宕起伏，語言平易樸實、揮灑自如，是一篇傑出的浪漫主義作品。（花山文藝出版社，1984年出版）……唐圭璋、潘君昭《論蘇軾詞》：通過想像設問，展現中秋月宮夐絕塵寰的奇景，再從景物的自然更迭引到人事的流轉變遷，以自然境界清澄遼闊反映出作者思想境界的開朗廓達。……（《唐宋詞學論集》，齊魯書社，1985年出版）。[21]

由此來看此詞，所謂「構思奇拔，畦徑獨闢」、「想像，寫景……

---

20 沈祖棻：《宋詞賞析》（北京市：北京出版社，2003年3月一版一刷），頁91。

21 葉嘉瑩主編，朱靖華、饒學剛、王文龍、饒曉明等編著：《蘇軾詞新釋輯評》（北京市：中國書店，2007年1月一版一刷），頁368-375。

創造」、「飛馳想像」、「想像豐富大膽」、「豐富的想像和奇妙的藝術構思」、「曲折委婉的構思」、「想像設問，展現中秋月宮夐絕塵寰的奇景」，很能掌握作者奇拔的「構思」與敏銳的「想像」（以觀察、記憶而聯想為基礎）思維能力，藉以創造出富於佳妙新意象的藝術作品。由此看來，此詞之創造思維，無論是局部或整體之呈現，都是非常敏銳而靈活的。

2 辭章賞析系統

在此，可分如下三層加以觀察：

（1）**形象思維**：此含意象之形成與表現，主要關涉「詞彙」與「修辭」。對此，徐翰逢評賞：

> 此詞通篇詠月，卻處處關合人事。上片借明月自喻孤高，下片用圓月襯托別情。[22]

又，徐翰逢、陳長明評賞：

> 「但願」二字，感人肺腑。南宋趙彥衛《雲麓漫鈔》謂曾見蘇軾真跡，「但願」作「但得」，並云「以此知前輩文章為後人妄改者多矣」。但味詞意，用「願」字，情思實較「得」自危深厚，真跡作「得」者安知非屬初稿而後字改為「願」？說「後人妄改」，是只知其一而不知其二。[23]

22 唐圭璋主編：《唐宋詞鑑賞集成》，頁379-381。

23 唐圭璋、繆鉞、葉嘉瑩等：《唐宋詞鑑賞辭典》，頁613-614。

又，徐中玉「注釋」：

> 「人有」三句，從自然與人事的盈虛變化，說明任何事都不能十全十美，盡如人意。這是用形象的詩的語言道出了一種普遍的人生哲理。清王闓運《湘綺樓詞選》評：「『人有』三句，大開大闔之筆，他人所不能。」[24]

又，顧易生「注釋」：

> 「明月」兩句，李白〈把酒問月〉：「青天有月來幾時，我今停杯一問之。」鄭文焯《首批東坡樂府》說本詞：「發端由太白仙心脫化，頓成奇逸之筆」。……「不知」兩句，唐人傳奇《周秦紀行》中有詩：「香風引到大羅天，月地雲階拜洞仙。共道人間惆悵事，不知今夕是何年。」當對本詞用語有所影響。……「不應」兩句，司馬光《溫公詩話》載：唐李賀有詩句「天若有情天亦老」，宋石延年對曰：「月如無恨月長圓」，本詞反用其意。[25]

又，朱靖華「注釋」：

> 「明月幾時有」二句，化用李白〈把酒問月〉詩句：「青天有月來幾時，我今停杯一問之。」「把酒」：舉起酒杯。或謂化用屈原之意。其〈天問〉云：「天何所者？十二焉分？日月安屬？列星安陳？」……「宮闕」：指月宮。闕。宮殿大門兩旁

---

24 徐中玉：《蘇東坡文集導讀》，頁231。
25 陳邦炎主編：《詞林觀止》上，頁274。

的小門。用以代指宮殿。……「乘風歸去」：駕風回到天上去。乘風：語出《列子．黃帝》篇：「乘風而歸……不知風乘我耶？我乘風乎？」歸去：古人認為有才能之士皆是天上星宿下凡，上天如歸家。蘇軾把回到天上稱作「歸去」，隱含有自己是謫仙人的意思在內；同時，也隱喻他原本居京為官，卻被排擠在外，盼望回到京都去。……「嬋娟」：美女稱謂。古代傳說月宮裡住著美女嫦娥。此以嬋娟代指月亮。[26]

「講解」：

這篇〈水調歌頭〉……盛譽久載，不只在於它創造了明月、青天、宮闕、玉宇、朱閣、綺戶這些淨潔而華美的意象，而且更由於詞作流溢著一股「剪不斷，理還亂」的焦慮、煩悶和無可奈何的情緒。……詞人開篇，……一個「問」字，又在巨大與渺小的反差中蘊含了希望和豪放的情懷，寄寓著辭人超越自我、與天地造物同一的理想。……這裡，蘇軾的問天，不是在追溯月亮的起源，更不是驚嘆造化的神奇，而是一種自我覺醒的表現。……蘇軾用明月、青天、宮闕、瓊樓、玉宇為覺醒設置出一個無邊而澄澈的空間，……這幾句，雖寥寥幾筆，卻淋漓盡致地表現了詞人內心的苦悶與徬徨。一方面，他用「歸」字寫出了自己對明月的深深依戀，希望在浩瀚的青天「浩浩乎如馮虛御風，而不知其所止；飄飄乎如遺世獨立，羽化登仙。」另一方面，又用「恐」和「不勝寒」，吐露自己的猶豫

26 葉嘉瑩主編，朱靖華、饒學剛、王文龍、饒曉明等編著：《蘇軾詞新釋輯評》，頁367-368。

> 和徘徊。最後，用「何似在人間」一跳跳出矛盾，使覺醒而超越的心靈又重返人間。[27]

由此來看此詞，以「詞彙」（形、音、義）而言，如所謂「一個『問』字，又在巨大與渺小的反差中蘊含了希望和豪放的情懷」、「用『歸』字寫出了自己對明月的深深依戀」、「用「『恐』和『不勝寒』，吐露自己的猶豫和徘徊」、「用『何似在人間』一跳，跳出矛盾」、「創造了明月、青天、宮闕、瓊樓、玉宇、朱閣、綺戶這些淨潔而華美的意象」、「『但願』二字，感人肺腑」……等；以「修辭」而言，如所謂「自喻」、「隱喻」、「襯托」、「化用」、「脫化」、「語出」、「反用其意」、「驚嘆」、「代指」……等，在詞彙與修辭表現上，皆極其優越；尤其是「引用」（用典），更具特色。

（2）**邏輯思維：**此指意象之邏輯組織，主要涉及語句層面的「文（語）法」與篇章層面的「章法」。對此，徐翰逢評賞：

> 從布局方面來說，上面凌空而起，入處似虛；下片波瀾層疊，返虛轉實；最後虛實交錯，紆徐作結。[28]

又，徐中玉「注釋」：

> 按「天上宮闕」，承「明月」；「今夕是何年」承「幾時有」，針線細密。[29]

---

27 葉嘉瑩主編，朱靖華、饒學剛、王文龍、饒曉明等編著：《蘇軾詞新釋輯評》，頁368-370。

28 唐圭璋主編：《唐宋詞鑑賞集成》，頁379-381。

29 徐中玉：《蘇東坡文集導讀》，頁230。

又，顧易生「注釋」：

> 這首詞多角度、多層次地融寫景、抒情、議論於一爐而通篇空靈蘊藉。詞中突出現實與理想的矛盾，又飛馳想像，上天下地，使矛盾在心理上得到一定統一。[30]

又，夏承燾評賞：

> 「朱閣」、「綺戶」，與上片「瓊樓玉宇」對照。既寫月光，也寫月下的人。這樣就自然過渡到個人思弟之情的另一個主題上去。「不應有恨」是用反詰的語氣、埋怨的口吻向月亮發問。[31]

又，朱靖華「講解」：

> 蘇軾是一位充滿矛盾、苦悶又竭力掙扎、希冀精神解脫的大詞人。這篇〈水調歌頭〉……全詞借中秋這首詞寫了從覺醒、苦悶到回歸的情感三部曲，既是蘇軾一生歷程的縮影，也是整個後期封建社會知識份子心靈發展軌跡的概括，同時還是民族文化心理結構的小巧玲瓏的樣本。正由於此，它才具有經久不衰的藝術魅力。[32]

---

30 陳邦炎主編：《詞林觀止》上，頁274。

31 賀新輝主編：《全宋詞鑑賞辭典》（北京市：中國婦女出版社，1998年12月一版二刷），頁302。

32 葉嘉瑩主編，朱靖華、饒學剛、王文龍、饒曉明等編著：《蘇軾詞新釋輯評》，頁368-370。

由此來看此詞，以「文（語）法」而言，如「反詰的語氣」……就是。以「章法」而言，如「反虛轉實……虛實交錯」、「針線細密」、「多角度、多層次……統一」、「對照……過渡」、「從覺醒、苦悶到回歸的情感三部曲……文化心理結構」……等就是。可見在對此詞之注釋、講解或評賞，涉及「文（語）法」的顯然很少；而涉及「章法」的，雖注意到章法的統一規律、前後文的角度、呼應、過度、層次與「虛實」的轉化性「篇結構」，但對形成「章結構」的章法類型與完整的層次系統，都忽略了；這樣，是不足以呈現此詞邏輯思維富於變化之特色的。

（3）**綜合思維：**此含意象之綜合，主要關涉「主旨」（核心的主題內容）與「風格」（審美風貌），以統一全篇。對此，徐翰逢評賞：

> 此詞係最後抒懷之作，同時表達了對兄弟蘇轍（子由）的思念。……抒發作者外放期間的寥落情懷，其中雜用道家思想，觀照世界亦復自為排遣。……「大醉」遣懷是主，「兼懷子由」是輔。對於一貫秉持「尊主澤民」節操的作者來說，比起朝廷憂邊患的國勢來說，畢竟屬於次要的倫理負荷。……在格調上則是「一洗綺羅香澤之態，擺脫綢繆宛轉之度；使人登高望遠，舉首高歌」（胡寅《酒邊詞序》），是歷來公認的中秋詞中的絕唱。[33]

徐中玉「題解」：

> 上片……反映的是出世與入世的思想矛盾。下片……反映的事

---

33 唐圭璋主編：《唐宋詞鑑賞集成》，頁381。

情與理的矛盾。最後以樂觀曠達、熱愛人世的良好祝願作結。……創造出優美明朗的意境。[34]

又，傅庚生「脈注與綺交」：

前闋首句用一「月」字，後闋將煞尾時用一「月」字，而全篇固無一處離卻「月」字也。「天上宮闕」、「瓊樓玉宇」、「乘風歸去」意悉在於月宮也。「弄清影」，月影也。「轉朱閣，低綺戶，照無眠」，月之運行照臨也。「長向別時圓」，中秋月圓也。是以「月」為綰轂，而敷辭為輻輳也。胡元任云：「中秋詞自東坡〈水調歌頭〉一出，餘詞皆廢。」蓋亦欣其扶疏茂密而葉落歸根也。[35]

又，朱靖華「講解」：

全詞借中秋之夜的月下歡飲和對弟弟子由的思念，展示出靈魂的苦悶與徬徨，清晰而鮮明地呈現出詞人心靈覺醒而超越中又回歸的軌跡和歷程。……它的奇逸高曠、空靈蘊藉的藝術風格，在詞史上佔有里程碑般的地位和作用。

由此來看此詞，指明其「主題」（主旨）的，如所謂「此詞係最後抒懷之作，同時表達了對兄弟蘇轍（子由）的思念。……『大醉』遣懷是主，『兼懷子由』是輔」、「上片……反映的是出世與入世的思

34 徐中玉：《蘇東坡文集導讀》，頁230。
35 傅庚生：《中國文學欣賞舉隅》（北京市：北京出版社，2003年1月一版一刷），頁75-76。

想矛盾。下片……反映的事情與理的矛盾。最後以樂觀曠達、熱愛人世的良好祝願作結」、「其扶疏茂密而葉落歸根」、「借中秋之夜的月下歡飲和對弟弟子由的思念」……等；而評賞其「風格」（審美風貌）的，則如「在格調上則是『一洗綺羅香澤之態，擺脫綢繆宛轉之度；使人登高望遠，舉首高歌』（胡寅《酒邊詞序》）」、「樂觀曠達」、「奇逸高曠、空靈蘊藉」……等；這些都能把握蘇軾此詞「綜合思維」的特點，極具參考價值。分開來說是如此，如著眼於「主題（主旨）⟷ 風格（審美風貌）」兩者之互動來看，就其「風格」中「陰（柔）⟷ 陽（剛）」之流動分合成分加以量化，則結果為「陰48%、陽52%」，乃「偏剛」的「剛柔互濟」之作[36]，上述評注中所謂「『大醉』遣懷是主」、「樂觀」、「登高望遠，舉首高歌」，是偏於「陽剛」的；所謂「『兼懷子由』是輔」、「曠達」、「奇逸高曠、空靈蘊藉」，是偏於「陰柔」的[37]。如此藉「剛（陽）柔（陰）互動」作輔

---

36 詞之剛柔成分，如加以量化，則此詞結構之底層為「陰8、陽12」，上層為「陰10、陽4」，總結為「陰18、陽20」；換成百分比是「陰48%、陽52%」，乃「偏剛」的「剛柔互濟」之作，乃一臻於「和諧」的藝術珍品。陳望衡：「中國美學向來視『剛柔相濟』的和諧為最高理想。」見《中國古典美學史》（長沙市：湖南教育出版社，1998年8月一版一刷），頁186-187。而此「和諧」也可視為「對比」（剛）與「調和」（柔）的「統一」，夏放：「『多樣的統一』包括兩種基本類型：一種是多種非對立因素相互聯繫的統一，形成一種不太顯著的變化，謂之『調和式統一』；一種是各種對立因素之間的相反相成，造成和諧，形成『對立式統一』。」見《美學——苦惱的追求》（福州市：海峽文藝出版社，1988年），頁108。又，有關剛柔成分量化之理論及公式，最早見於陳滿銘：〈章法風格中剛柔成分之量化〉，《國文天地》19卷6期（2003年11月），頁86-93；最近見於陳滿銘：〈試論篇章風格中剛柔成分之量化——以稼軒「豪壯沉鬱」詞為例作探討〉，彰化師大《國文學誌》25期（2012年12月），頁61-102。

37 清姚鼐〈復魯絜非書〉以「剛」與「柔」的特性來概括風格。對此，周振甫作了如下闡釋：「在這裡，姚鼐把各種不同風格的稱謂作了高度的概括，概括為陽剛、陰柔兩大類。像雄渾、勁健、豪放、壯麗等都歸入陽剛類，含蓄、委曲、淡雅、高遠、飄逸等都可歸入陰柔類。」見《文學風格例話》（上海市：上海教育出版社，1989年7月一版一刷），頁13。

助觀察，似乎能看得更為清晰。

第三節　辛詞辭章評賞實例

在此，舉辛棄疾〈賀新郎・別茂嘉十二弟。鵜鴂、鷓鴣、杜鵑實兩種，見《離騷補注》〉為例，一樣照上舉蘇詞辭章評賞方式處理。其原文為：

> 綠樹聽鵜鴂。更那堪、鷓鴣聲住，杜鵑聲切。啼到春歸無尋處，苦恨芳菲都歇。算未抵、人間離別。馬上琵琶關塞黑，更長門、翠輦辭金闕。看燕燕，送歸妾。　將軍百戰身名裂。向河梁、回頭萬里，故人長絕。易水蕭蕭西風冷，滿座衣冠似雪。正壯士、悲歌未徹。啼鳥還知如許恨，料不啼、清淚長啼血。誰共我，醉明月？

此詞為贈別之作，是採「先主後賓」（上層）的移位性「篇結構」統合「次、三、底」三層的移位性與轉位性「章結構」寫成的。

以「主（抒家國之恨）」（上層）而言，用「先目（分應）後凡（總提）」（次層）的「章結構」，極寫啼鳥苦恨與人間別恨。就其中的「目（分應）」（次層）來看，乃由篇首起至「滿座衣冠似雪」句止，包孕轉位性的「目、凡、目」（三層）與移位性的「由先而後」、「並列（一、二、三、四）」（底層）的「章結構」來呈現：先就頭一個「目」（三層）來說，作者按「先、中、後」（底層）順序，舉三種鳥來寫，其中鵜鴂，即鶗，一名伯勞，因為善鳴，時入離人之耳，所以自來詩詞中多用以表示別離之情，如賈島〈送路〉詩說：

別我就蓬蒿，日斜飛伯勞。

又如蘇軾〈和子由寒食〉詩云：

忽聞啼鴂驚羈旅。

可見作者寫鶗鴂，是與「別茂嘉十二弟」有關的。而鷓鴣，古人諧其鳴聲為「行不得也哥哥」，更與離情相涉，如李涉〈鷓鴣詞〉說：

惟有鷓鴣啼，獨傷行客心。

此類例子，俯拾皆是。至於杜鵑，又名子規，相傳為望帝之冤魂所化成，據《蜀王本紀》載：望帝以鱉靈為相，卻與其妻相通，於是自感慚愧，禪位於鱉靈而去。對這種說法，袁珂在其《古神話選釋》中作了如下之說明：

唐代詩人詠杜鵑，多疑其有冤。李商隱的名句「望帝春心託杜鵑」，已透露出這一點意思。至於如杜牧詩：「杜宇竟何冤，年年叫蜀門」；顧況詩：「杜宇冤亡積有時，年年啼血動人悲」；羅隱詩：「一種有冤猶可報，不如銜石疊滄溟」；吳融詩：「年年春恨化冤魂，血染枝紅壓疊繁」……等，則已明言其有冤而無可申，故為恨也深。那麼所謂杜宇和鱉靈妻私通的說法，其中當包括一場嚴重的政治鬥爭，或者竟是他的政敵們造作出來，故意貶低他，以使繼承他的鱉靈的開明氏王朝得到肯定的罷。《說郛合刊》卷六十輯闕名《寰宇記》說：「望帝自逃之後，欲復位不得，死化為鵑」這才是杜宇真正的冤恨。「逃」，

> 當然是出於被逼；「欲復位不得」，是政治鬥爭徹底失敗。既失敗了，還被蒙上莫須有的誣辭，此其所以為「冤」，為值得令人同情。[38]

這樣說來，作者在此寫「杜鵑聲切」，除藉其「不如歸」的鳴聲以增添送別之恨外，和南宋主和派打擊主戰派、自己被誣陷落職，甚至釀成慶元偽學黨禍之事，不無牽連，不然作者「別茂嘉十二弟」竟如此冤憤，就無法理解了。

再就中間的「凡（總提）」（三層）來說，為「啼到春歸」三句，一面承上收結「啼鳥苦恨」，一片起下帶出「人間別恨」，形成後一個「目」（三層）：用「並列」（底層）的「章結構」，列舉了四件人間離別之恨事，來表達難言之痛，從而推深送別之情。其一為漢王昭君別帝闕出塞，含「馬上」兩句，其中「更長門」句，雖用陳皇后事，但「仍承上句意，謂王昭君自冷宮出而辭別漢闕」（鄧廣銘《稼軒詞編年箋注》），不必看成另一恨事；其二為衛莊姜送妾歸陳國，含「看燕燕」兩句；其三是漢李陵送蘇武回中原，含「將軍百戰」三句；其四為戰國末荊軻別燕太子丹入秦刺秦王，含「易水蕭蕭」兩句。以上四件送別之恨事，前二者的主角為女子，後二者的主角為男子。這樣分開列舉，所謂「悲歌未徹」，一定和當日時事有所關聯。如進一步加以推敲，前二者該與當時和番聯敵的政策相涉，用以表示痛心之意；而後二者，則與滯留或喪生於淪陷地區的愛國志士相關，用以抒發關切與哀悼之情，不是這樣，怎麼會恨到「不啼清淚長啼血」呢？這麼說，第一、三、四等件恨事，都不會有多大問題，必須作一番說明的是第二件恨事。大家都知道，衛莊公大入莊姜無子，以陳女戴嬀所生

38 袁珂：《古神話選釋》（臺北市：長安出版社，1982年8月再版），頁489。

子完為己子，莊公死後，完繼立為桓公，卻被其弟州吁所殺，於是莊姜送陳女戴媯歸陳，並由石碏居間謀計，終於執州吁於濮（陳地）而殺了他。這件事，據《詩．邶風．燕燕．詩序》說：

> 莊姜無子，陳女戴媯生子，名完，莊姜以為己子。莊公薨，完立而州吁殺之，戴媯於是大歸，莊姜遠送之於野，作詩見己志。

又《史記．衛世家》說：

> 州吁新立，好兵，弒桓公，衛人皆不愛。石碏乃因桓公母家於陳，佯為善州吁。至鄭郊，石碏與陳侯共謀，使右宰醜進食，因殺州吁於濮。

可見這件事，從某個角度來看，跟當日聯敵的作法是有著一些關係的。由此說來，作者用這四件事來寫，除了用以襯托「別茂嘉十二弟」之情外，是別有一番「言外之意」的。

而就其中的「凡（總提）」（次層）來看，為了將上兩個目（分應）的部分作一總括，作者在列舉人間恨事之後，又特地安排了「正壯士悲歌未徹」兩句，合人與鳥來寫。它的上句，用以上收人間的別恨；而下句，則用以上收啼鳥的苦恨；而由此表示這種苦恨與別恨的悲劇依然繼續上演，並沒有結束，以抒發作者滿腔悲憤。

以「賓（別茂嘉弟）」（上層）而言，它僅含結尾的「誰共我」二句。作者在「賓」的部分裡寫鳥寫古人，寫了那麼多，到這裡才正式切入題目，點出惜別之意作結。所謂「有恨無人省」，作者之恨，在「茂嘉十二弟」離開後，便要變得更綿綿不盡了。

作者如此採散文布局的手法，極力驅策啼鳥古恨的物材與人間別恨的事材，大聲鏜鞳地暗扣時事來寫，使作品在別恨之外，寄寓了身世之感與家國之痛，讀來令人也為之恨恨不止。鄧小軍指出此詞的主要結構：

> 乃是古典字面，今典實指。即借用古典，以指靖康之恥、岳飛之死之當代史。從而亦寄託了稼軒自己遭受南宋政權排斥之悲憤，及對南宋政權對金妥協投降政策之判斷。[39]

看法極正確。此詞之所以受世人重視，應該與此有關。陳廷焯說：

> 稼軒詞自以〈賀新郎〉一篇為冠；沈鬱蒼涼，跳躍動盪，古今無此筆力。[40]

這絕不是溢美之詞。

附篇章結構系統表供參考：

---

39 鄧小軍：〈辛棄疾〈賀新郎‧別茂嘉弟〉詞的古典與今典〉，《中國文化》1996年2期，頁91-100。

40 陳廷焯：《白雨齋詞話》，《詞話叢編》4（臺北市：新文豐出版公司，1988年2月臺一版），頁3791。

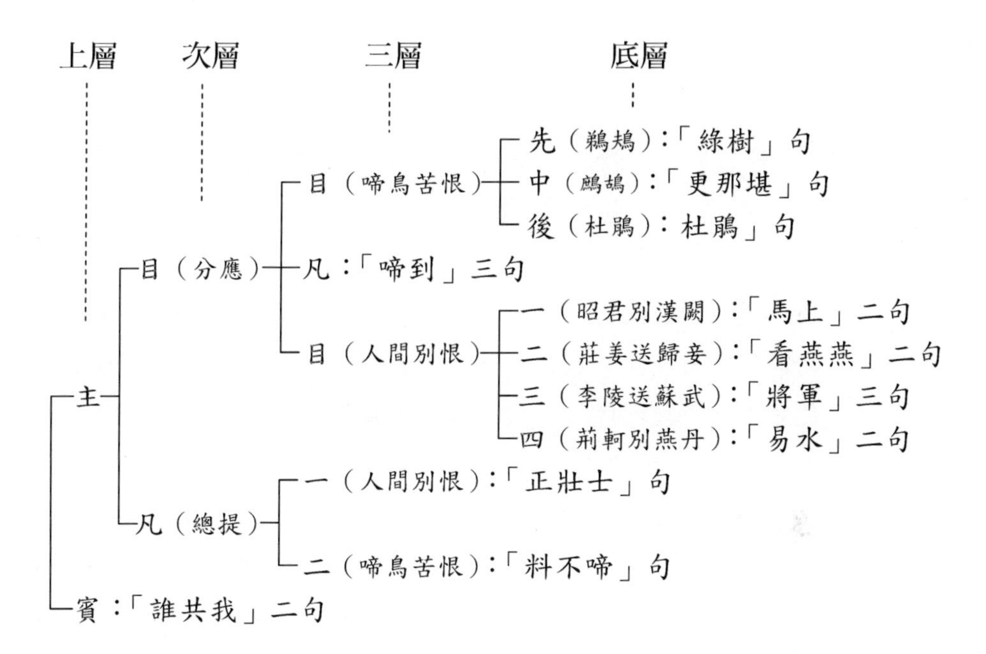

若由「0一二多」的「辭章創作 ⟷ 評賞雙螺旋系統」切入作呈現，則如下圖：

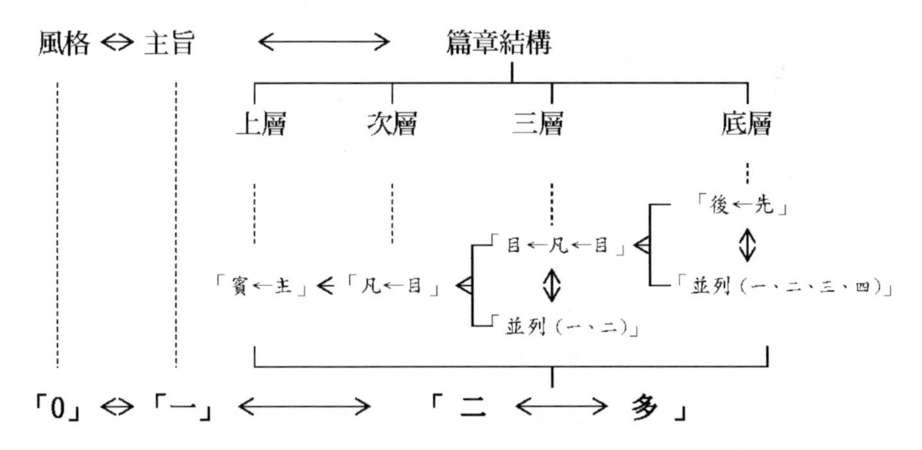

綜結此詞，如融合「思維（意象）系統」與「辭章評賞系統」切入，用所搜集到的古今人幾種評注加以統合來看，則可歸納成如下重點：

一　思維（意象）系統

在此，聚焦於以「聯想 ⟷ 想像」而激發出來的「創造」思維之上，進行觀察。對此，張碧波評賞：

> 詞中的鳥類意象與作者的身分、處境、心緒具有著暗示性的內在聯繫；而在互立並存的時空關係下，這連續性的鳥鳴形成一種氣氛、一種環境、一種喚起某種特定的感受但又不須說明的境界。……在這首詞中，說「鵜鴂」，說「鷓鴣」，說「杜鵑」，這些鳥都與時代，與一個南來的北人有內在的聯繫，……引起他的無限聯想。……詞以鳥之鳴的意象連續疊印構成重力……從自然意象轉入社會意象……用五事，……人們熟知的離別典故，……具有著當時現實政治的某些折光。……形成獨特的藝術力量。……三鳥與五事以及五事之間沒有內在的聯繫，在藝術構思上，……疊印中形成濃重的悲劇力量。[41]

又，劉揚忠「講析」：

> 從「馬上」句到上片末，舉王昭君、衛莊姜……兩個典故，使人聯想到北宋覆滅，徽欽二帝及三宮六院被擄出塞的現實。……下片進而列舉李陵別蘇武、荊軻別太子丹……兩個典故之決絕情調和慷慨內容，則使人聯想到南宋義士訣別親友而赴抗金戰場的英雄行為。作者似是借古代英雄寄寓自己悲壯的愛國情懷。[42]

---

41 唐圭璋主編：《唐宋詞鑑賞集成》，頁910-911。

42 陳邦炎主編：《詞林觀止》上，頁534。

又，陳祥耀評賞：

> 詞的開頭幾句，……是「賦而興也」。說它是「賦」，因為它寫送別茂嘉，……聽到三種鳥聲，是寫實：……說它是「興」，因為它借聞鳥聲以興起良時喪失、美人（在作者來說是「英雄」）遲暮之感，……以興下文「苦恨」句。……「誰共我，醉明月？」……歸結到送別茂嘉的事，點破題目，結束全詞，把上面大片凌空馳騁的想像和描寫，一下子收攏到題中來，騰挪擒縱，何等筆力！……辛棄疾南歸後無法回到北方的家鄉，仕途蹭蹬，坐負英雄身手，與所寫啼鳥之悲及「別恨」都有關涉。……直接、間接，有動於中。[43]

由此來看此詞，所謂「內在聯繫……無限聯想……意象連續疊印……藝術構思」、「聯想到北宋覆滅……聯想到南宋義士訣別親友」、「賦而興也……凌空馳騁的想像和描寫……直接、間接，有動於中」，都涉及「聯想 ⟷ 想像」而激發出來的「創造」思維，作者就由此創造出意象嶄新、別開生面的藝術作品。

二　辭章賞析系統

在此，可分如下三層加以觀察：

1. **形象思維：**此含意象之形成與表現，主要關涉「詞彙」（形、音、義）與「修辭」。對此，林俊榮「注釋」：

---

43 唐圭璋、繆鉞、葉嘉瑩等：《唐宋詞鑑賞辭典》，頁1563-1564。

> 「馬上琵琶關塞黑」：……此句暗用昭君出塞寫離情。石崇〈王昭君辭序〉：「昔公主嫁烏孫，令琵琶馬上作樂，以慰其道路之思。其宋明君（指王昭君）亦必爾也。」……「長門」，漢宮名。漢武帝陳皇后失寵，被貶長門宮。這兒借指王昭君，因為她也是一個失寵的宮女。……「看燕燕」二句：……這裡借〈燕燕〉詩寫離情。……「向河梁」二句，……用李陵別蘇武的故事寫離情。[44]

又，張碧波評賞：

> 詞以景物之淒清與人間離別相映襯，將離情深化一步。……以……連用五事，前用三婦人：昭君、陳皇后、莊姜故事；下片接用三男人：蘇、李與荊軻故事。……用……排列組合，構成詞的外在結構。……（「啼鳥」二句）說「還」，說「料」，化客觀為主觀，寫鳥知恨，正說人知恨。[45]

又，劉揚忠「注釋」：

> 「芳菲」：代指各種香花。……「將軍」三句：將軍，指漢代李陵。……世傳李陵〈與蘇武詩〉：「攜手上河梁，游子暮何之。」辛詞化用其句。

「講析」：

---

44 林俊榮：《稼軒詞新探與選譯》（北京市：書目文獻出版社，1986年版），頁300-301。

45 唐圭璋主編：《唐宋詞鑑賞集成》，頁381。

> 理解全詞內容的關鍵，是那些古代英雄、美人離別之恨的典故。……作者精心選取這些故事聯綴入詞，寫得恨意滿紙，怨氣盈幅。[46]

又，陳祥耀評賞：

> 這首詞的感人力量，除感情、氣氛的強烈外，還得力於音節。它押入聲的曷、黠、屑、葉等韻，在「切響」、「促節」中有很強的摩擦力量，聲如裂帛。[47]

又，朱德才、薛祥生、鄧紅梅「講解」：

> 寫人間離別的……典故，在詞面上，雖然與作者的恨別十二弟關聯不大，但是其中所包含的壯志難酬的悲憤，和一去不復返的悲壯，在情調上卻與作者的這場眼前別恨很近似，所以，他是因為滿腔勃鬱之情無可傾發，因而借典於歷史人物的別情來自寫。……「不啼清淚長啼血」，……是借鳥情代寫人情。一個「料」字，下得嚴謹、合理。[48]

由此來看此詞，以「詞彙」（形、音、義）而言，如所謂「（「啼鳥」二句）說『還』，說『料』，化客觀為主觀，寫鳥知恨，正說人知恨」、「得力於音節。它押入聲……在『切響』、『促節』中有很強的摩

46 陳邦炎主編：《詞林觀止》上，頁534。

47 唐圭璋、繆鉞、葉嘉瑩等：《唐宋詞鑑賞辭典》，頁1565。

48 葉嘉瑩主編，朱德才、薛祥生、鄧紅梅等編著：《辛棄疾詞新釋輯評》（北京市：中國書店，2006年），頁1399-1401。

擦力量」、「一個『料』字，下得嚴謹、合理」……等；以「修辭」而言，如所謂「此句暗用昭君出塞寫離情」、「這兒借指王昭君」、「借〈燕燕〉詩寫離情……用李陵別蘇武的故事寫離情」、「景物之淒清與人間離別相映襯」、「『芳菲』：代指各種香花」、「連用五事」、「借典於歷史人物的別情來自寫」……等，在詞彙與修辭表現上，都十分靈活；尤其在「引用」（用典）上，和上引東坡〈水調歌頭〉一樣具有特色，甚至有過之而無不及。

2. **邏輯思維：**此指意象之邏輯組織，主要涉及語句層面的「文（語）法」與篇章層面的「章法」。對此，張碧波評賞：

> 開端以三種鳥的連續悲鳴構成環境與環境氣氛，接下以五種離別場面的排比鋪陳，……把詞的悲劇氣氛渲染到最高度。從縱向看，三鳥加五事，累如貫珠，層層翻進，步步加深；從橫向看，三鳥、五事，齊頭迎面撲來，大有泰山壓頂之勢。……最後詞人以「啼鳥還知」遙應開篇，以鳥起，以鳥結，首尾迴旋。……末以問句作收，頓挫跌宕，餘意不盡。……表現了詞人的最大的孤獨，最高度的悲憤。[49]

又，喻朝剛「說明」：

> 開頭五句以啼鳥悲鳴、春歸花落起興，烘托環境……氣氛。中間貫串上下兩片，歷敘……悲劇故事，傾訴了人間生離死別的無限痛苦。結尾四句用杜鵑啼血照應開頭，點明題意，……結

49 唐圭璋主編：《唐宋詞鑑賞集成》，頁911。

構嚴謹，章法縝密。[50]

又，劉坎龍「評賞」：

這首詞在藝術上用了辭賦的鋪排手法，結構上也打破了上下分片的慣例，描寫內容當斷不斷，顯出作者的創新意識。[51]

又，陳祥耀評賞：

這首詞的內容和作法都比較特別：……形式方面，打破上下片分層的常規，事例連貫上下片，不再分片處分層。……「算未抵、人間離別」一句，獨立地位作為上下文轉接的關鍵。它把「離別」和啼鳥的悲鳴作一比較，以抑揚的手法束上開下，……為下文滾滾流出的「別恨」打開閘門。……「啼鳥……」這兩句……也起承轉開合的重要作用，呼應「啼鳥」，綰合「別恨」，把兩者同時透進一層寫。「誰共我，醉明月？」……歸結到送別茂嘉的事，點破題目，結束全詞，把上面大片凌空馳騁的想像和描寫，一下子收攏到題中來，騰挪擒縱，何等筆力！[52]

又，朱德才、薛祥生、鄧紅梅「講解」：

---

50 喻朝剛：《辛棄疾及其作品》（長春市：時代文藝出版社，1989年3月一版一刷），頁250。

51 劉坎龍：《辛棄疾詞全集詳注》（烏魯木齊市：新疆人民出版社，2000年11月一版一刷），頁365。

52 唐圭璋、繆鉞、葉嘉瑩等：《唐宋詞鑑賞辭典》，頁1563-1564。

> 詞的起處，……把鳥情與人情渾合為一，……把詞情的抒發推至高點。以下用一轉語「算未抵」，……折入人間離別的話題。……以下用「壯士悲歌」一筆雙綰，把自己這個失志的壯士與前代那些失敗的壯士疊映在一起。這在筆法上是合。以下用「如許恨」合攏上文，用「啼鳥」喚醒沉醉於典故裡的人，這與上片中的「算未抵」同樣筆力千鈞。同時「啼鳥」一詞，不僅承上啟下，且又遙應開篇，顯示出作者行文針腳的細密。[53]

由此來看此詞，以「文（語）法」而言，如「轉語」、「末以問句作收」……就是。以「章法」而言，如「累如貫珠，層層翻進……遙應開篇……首尾迴旋」、「結構嚴謹，章法縝密」、「鋪排手法」、「抑揚的手法束上開下……起承轉開合的重要作用，呼應『啼鳥』，綰合『別恨』，把兩者同時透進一層寫」、「承上啟下……遙應開篇，顯示出作者行文針腳的細密」……等就是。可見在對此詞之說明、講解或評賞，涉及「文（語）法」的依然很少；而涉及「章法」的，雖注意到章法前後文的角度、呼應、過度、層次，但對形成「篇章結構」的章法類型與完整的層次系統，都照樣忽略了；因此必須設法改進，以呈現此詞邏輯思維富於變化之特色。

3. **綜合思維**：此含意象之綜合，主要關涉「主旨」（核心的主題內容）與「風格」（審美風貌），以統一全篇。對此，唐圭璋「簡釋」：

> 此首……如文通〈別賦〉，妙在大氣包舉，沉鬱悲涼。起五句，一氣奔赴，如長江大河。……「馬上」三句，即用昭君、

53 葉嘉瑩主編，朱德才、薛祥生、鄧紅梅等編著：《辛棄疾詞新釋輯評》，頁1399-1401。

> 陳皇后、莊姜三婦人離別故事。下片，更舉蘇、李、荊軻離別故事，運化靈動，聲情激越。……末句，揭出己之獨愁，是送別正意。止庵為此首「前片北都舊恨，後片南渡新恨」。觀其前片所舉之例即悽慘，而後片所舉之例又極慷慨，則知止庵之說精到。[54]

又，張碧波評賞：

> 此詞……稼軒對其族弟茂嘉貶官桂林感慨很深，更對自己長期遭貶懷這強烈的悲憤，借茂嘉事以寫自己身世之感與家國之悲。[55]

又，喻朝剛「說明」：

> 稼軒族弟辛茂嘉因事被貶外放，作者在瓢泉住所寫此詞為他送別，……抒發深沉的惜別之情。詞中用典較多，……表達了作者對黑暗社會的憤慨和不平。陳廷焯《白雨齋詞話》說：「稼軒詞自以〈賀新郎〉一篇為冠；沉鬱蒼涼，跳躍動蕩，古今無此筆力。」陳氏「為冠」之說未必恰當，但此詞在思想和藝術表現方面確有特點，讀者自可尋味。[56]

又，劉坎龍「評賞」：

---

54 唐圭璋：《唐宋詞簡釋》，頁171-172。
55 唐圭璋主編：《唐宋詞評賞集成》，頁909。
56 喻朝剛：《辛棄疾及其作品》，頁250。

> 這是一首送別詞，……但……內容比較獨特，沒有過多的寫兄弟別情，而是匯集了古代許多離別的悲慘故事，來表達自己憂國傷時的悲憤情懷。……風格沉鬱蒼涼而又慷慨悲壯，是辛詞中的傑作。[57]

又，陳祥耀評賞：

> 這首詞的內容和作法都比較特別：內容方面幾乎完全拋開對茂嘉的送行，而專門羅列古代的「別恨」事例，……感古傷今，感物傷己，抒積年的悲憤，身世雙關，聲情並至。陳廷焯《白雨齋詞話》卷一評：「沉鬱蒼涼，跳躍動蕩，古今無此筆力」，是不錯的。[58]

又，朱德才、薛祥生、鄧紅梅「講解」：

> 這首詞送別族弟遠調桂林，……不正面抒情，而是一口氣疊用四個涵義豐富的典故。借以抒發悲痛難明的感情。……筆力排宕，詞氣沉痛而又激蕩，顯示著作者那無比強烈的家國之情，洵非一般疊用典故的遊戲者所能夢見。……最後……歸結到眼前離別上來，……把眼前感情和別後感情一筆兜入，增加了別情的深沉效果。[59]

由此來看此詞，指明其「主旨」（核心的主題內容）的，如所謂

---

57 劉坎龍：《辛棄疾詞全集詳注》，頁365。

58 唐圭璋、繆鉞、葉嘉瑩等：《唐宋詞鑑賞辭典》，頁1563-1565。

59 葉嘉瑩主編，朱德才、薛祥生、鄧紅梅等編著：《辛棄疾詞新釋輯評》，頁1399-1401。

「前片北都舊恨，後片南渡新恨」、「借茂嘉事以寫自己身世之感與家國之悲」、「抒發深沉的惜別之情……表達了作者對黑暗社會的憤慨和不平」、「匯集了古代許多離別的悲慘故事，來表達自己憂國傷時的悲憤情懷」、「送別族弟遠調桂林，……不正面抒情，……用四個涵義豐富的典故。借以抒發悲痛難明的感情」……等；而評賞其「風格」（審美風貌）的，則如「沉鬱悲涼……聲情激越」、「沉鬱蒼涼，跳躍動蕩，古今無此筆力」、「沉鬱蒼涼而又慷慨悲壯」、「筆力排宕，詞氣沉痛而又激蕩」……等；這些都能把握辛棄疾此詞「綜合思維」的特點，參考價值極高。分開來說是如此，如著眼於「主題（主旨）←→風格（審美風貌）」兩者之互動來看，就其「風格」中「陰（柔）←→陽（剛）」之流動分合成分加以量化，則結果為「陰41%、陽59%」，乃強烈「偏剛」之「筆力排宕」作[60]，上述評注中所謂「沉鬱悲涼」、「沒有過多的寫兄弟別情」、「別情的深沉」……等，是比較偏於「陰柔」的；所謂「慷慨悲壯」、「憂國傷時的悲憤情」、「筆力排宕……強烈的家國之情」……等，是比較偏於「陽剛」的。如此藉「剛（陽）柔（陰）互動」作輔助觀察，相信能看得比較清楚一些。

綜上所述，可知從不同層面與角度切入，收集多種古今人評注，所呈現之重點雖不一，也未必完全吻合，卻可分類加以重組，以對應於「思維（意象）系統」、「辭章評賞系統」，並由此統合《詩經》六義中「賦、比、興」的三義、修辭格與章法四大律，以作幾乎是全面式的辭章評賞。而這種用收集、重組、對應、統合來觀察的結果，既

---

60 詞之剛柔成分，如加以量化，則其底層為「陰2、陽4」，三層為「陰10、陽24」，次層為「陰12、陽6」，上層為「陰8、陽16」，總結為「陰32、陽46」；換成百分比是「陰41%、陽59%」，乃標準的「偏剛」之作。有關剛柔成分量化之理論及公式，最早見於陳滿銘：〈章法風格中剛柔成分之量化〉，頁86-91；最近見於陳滿銘：〈試論篇章風格中剛柔成分之量化——以稼軒「豪壯沉鬱」詞為例作探討〉，頁61-102。

可顯示出：後天之科學性之「模式」研究（含經驗智慧）可以反映先天直觀式之「思維」表現（含語文能力）；也凸顯了跨領域及其專業研究的重要。因此，要作全面式的辭章評賞，在目前階段，必須要有相關的專家學者致力於此，作分合之研究，使領域與領域之間、天人對應而互動的雙螺旋關係[61]，能更趨清晰，以供一般辭章或全宋詞的評賞者作參考。

61 宇宙人生，萬事萬物，無不以「陰陽二元」的互動為基礎，再由「移位」形成「秩序」，「轉位」形成「變化」，「包孕」形成「聯貫」，然後由「對比、調和」形成「統一」，使其層層「生滅轉化」的「層次邏輯」呈現出「以大包小」之龐大雙螺旋體系。即以哲學「（0）一←→二←→多」與科學「DNA」之運作而言，也是如此。見陳滿銘：〈論螺旋邏輯學的創立——以哲學螺旋與科學螺旋為鍵軸探討其體系之建構〉，《國文天地．學術論壇》31卷1期（2015年6月），頁116-136。

第六章
篇章思維

人類的思維雖有多種，但一般而言，最核心的只有：「形象」、「邏輯」與「綜合」三種，以運轉「意象」，發揮創造力。其中「形象」與「邏輯」兩種思維是起點、過程，而「綜合思維」才是目的。如落到「篇章結構」來說，「形象思維」涉及篇章的內容材料，屬於「縱向」；「邏輯思維」涉及篇章的章法組織，屬於「橫向」；而由此縱、橫兩向作雙螺旋互動，推動「綜合思維」，以凸顯一篇「主旨」與「風格」。由於這些問題，與思維（意象）系統與「0一二多」雙螺旋層次邏輯結構[1]密切相關。因此，本章先由此切入作探討，再分「形象（邏輯）」與「邏輯（形象）」兩類，依序酌舉唐宋詞數例予以說明，然後略作綜合探討，以見「形象」、「邏輯」兩思維之互動與「篇章結構」不可分割的緊密關係；而唐宋詞在「篇章思維」上之特出表現也由此凸顯出來。

第一節　形象、邏輯思維與思維（意象）系統

一般說來，「思維（意象）系統」，直接與人類「基本能力」的開展息息相關。通常，這種「基本能力」可概分為三個層級來加以認識：即「一般能力」（思維力：觀察、記憶、聯想、想像等）、「特殊

1　陳滿銘：〈意象「多、二、一（0）」螺旋結構論──以哲學、文學、美學作對應考察〉，《濟南大學學報・社會科學版》17卷3期（2007年5月），頁47-53。

能力」(含各學科，以辭章學科而言，含確立風格、決定主題或主旨、選取材料、運用詞彙、修飾語辭、構詞組句、運材佈局等)、「綜合能力」(含創造力)等[2]。這種能力雖分為三層，但其重心始終落在轉化「意象」(舊→新)的「思維力」上，經由「形象」、「邏輯」與「綜合」等三種思維力之作用下，結合「聯想」與「想像」的主客觀開展，進而融貫各種、各層「能力」，以展現「創造力」[3]。

如此以「思維力」為其重心，而形成層次系統。其中的「觀察」是為「思維力」而服務，「記憶」乃用以記憶「觀察」以「思維」之所得，「聯想」是「思維力」的初步表現，而「想像」則是「思維力」的更進一步呈顯，以主導「形象」、「邏輯」與「綜合」三種思維。其中作比較偏於主觀聯想、想像的，屬「形象思維」[4]；作比較偏於客觀聯想、想像的，屬「邏輯思維」[5]；而兩者形成「二元」，是兩相對待而存在的[6]。至於合「形象」、「邏輯」兩種思維為一的，則

2 彭聃齡主編：《普通心理學》(北京市：北京師範大學出版社，2003年1月初版十五刷)，頁76-392。又，仇小屏：《限制式寫作之理論與應用》(臺北市：萬卷樓圖書公司，2005年10月初版)，頁12-46。

3 陳滿銘：〈論意象與聯想力、想像力之互動──以「多、二、一(0)」螺旋結構切入作考察〉,《浙江師範大學學報‧社會科學版》31卷2期(2006年4月)，頁47-54。

4 胡有清：「所謂形象思維，指的是以客觀事物的形象信息為基礎，經過分解、轉化、組合等演化過程，創造出新的形象。這是一種始終不捨棄事物的具體型態及形象，並以其為基本形式的思維方式。」見《文藝學論綱》(南京市：南京大學出版社，2002年版)，頁160。

5 邏輯思維又稱抽象思維。胡有清：「抽象思維側重於對客觀事物本質屬性的理解和認識。思維主體儘管也有自己的個性特徵，但一般總要納入一定的模式範疇，總能用明晰的語言加以說明。」見《文藝學論綱》，頁171。

6 盧明森：「形象思維是與抽象思維相比較而存在的。抽象思維的基本特點是概念性、抽象性與邏輯性，因此，可以稱之為概念思維、抽象思維、邏輯思維；與之相對應，形象思維的基本特點是意象性、具體性與非邏輯性，因此可以稱之為意象思維、具體思維、非邏輯思維。」見黃順基、蘇越、黃展驥主編：《邏輯與知識創新》第二十章(北京市：中國人民大學出版社，2002年4月一版一刷)，頁429。又

為「綜合思維」，用於進一步表現「綜合力」，以發揮「創造力」來轉化「意象」。因此，它們本末、先後或因果的雙螺旋互動關係，而形成一個系統，可用下圖來表示：

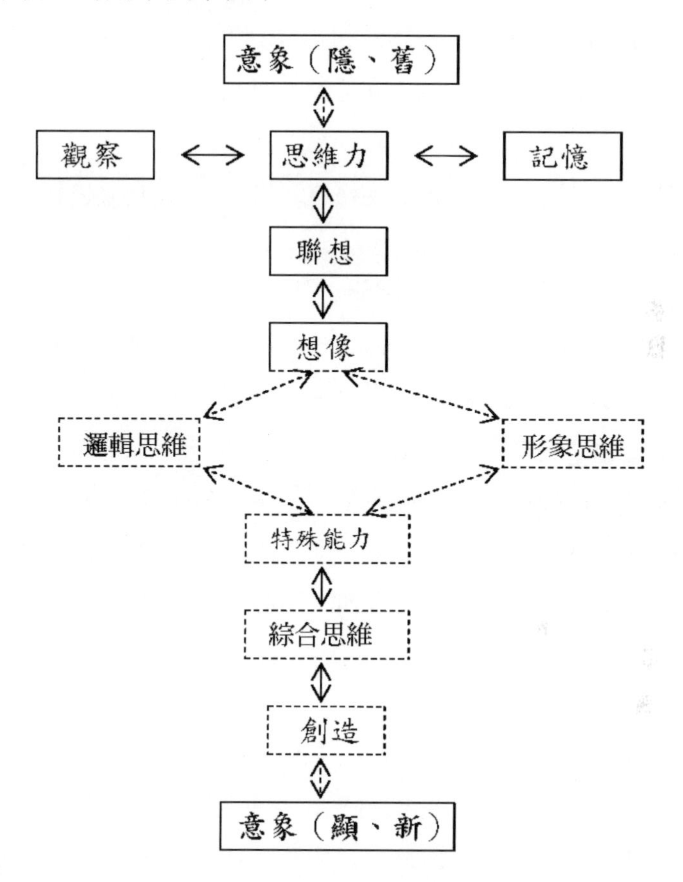

這樣，可以看出「形象思維」與「邏輯思維」在整個「思維（意象）」系統中的重要性。亦即「思維力」乃先由「形象思維」、「邏輯思維」之雙螺旋互動，以融成「綜合思維」，而衍生各種「特殊能

胡有清：「在藝術活動中，當人們用形象思維來把握和展示豐富的社會生活時，總會受到抽象思維的制約和影響。也就是說，抽象思維在一定程度上規範和導引形象思維。」見《文藝學論綱》，頁172。

力」；然後綜合由各種「特殊能力」之雙螺旋互動，而產生「創造力」，以轉化「意象」（隱→顯、舊→新），形成創造性之「思維（意象）系統」，以凸顯了順向的創造過程。這是人所以能作「直觀表現」之先天憑藉；而這種憑藉，是必須經由後天之「模式探討」[7]，亦即「科學研究」作逆向的認知追溯，才能明白地加以確定的。

第二節　「0一二多」雙螺旋層次邏輯結構之形成

「0一二多」雙螺旋層次邏輯結構，是歸根於「陰←→陽」互動而形成的。而「陰←→陽」互動乃一切變化之根源，就拿八卦與由八卦重疊而成的六十四卦來說，即全由「陰陽」二爻所構成，以象徵並概括宇宙人生的各種變化，〈說卦〉說的「觀變於陰陽而立卦」，就是這個意思。《易傳》以為就在這種「陰陽」的相對、相交、相和之互動作用下，變而通之，通而久之，於是創造了天地萬物（含人類），達於「統一」的境地[8]。而這種「統一」，可說是「剛（陽）柔（陰）」之「相濟」、「統一」，如以天地（乾坤）、晝夜、高低、男女、尊卑、進退、貴賤、動靜而言，天（乾）、晝、高、男、尊、進、貴、動等為「剛（陽）」，地（坤）、夜、低、女、卑、退、賤、靜等為「柔（陰）」，它們是相對、相應而互動為一的。《易傳》這種「剛柔」相對、相濟而互動為一之思想，可推源到「和」的觀念，而

7　陳滿銘：〈篇章風格論——以直觀表現與模式探索作對應考察〉，臺灣師大《中國學術年刊》32期．春季號（2010年3月），頁129-166。

8　陳望衡：「《周易》中的陰陽理論強調的不是相反事物的對立，而是相反事物的相交、相和。《周易》認為，陰陽相交是生命之源，新生命的產生不在於陰陽的對立，而在陰陽的交感、統一。因此陰陽的相合不是量的增加，而是新質的產生，是創造。因此，陰陽相交、相合的規律就是創造的規律。」見《中國古典美學史》（長沙市：湖南教育出版社，1998年8月一版一刷），頁182。

它始於春秋時之史伯，他從四支（肢）、五味、六律、七體（竅）、八索（體）、九紀（臟）到十數、百體、千品、萬方、億事、兆物、經入、姟極，提出「和」的觀點[9]，「作為對事物的多樣性、多元性衝突融合的體認」[10]，而後到了晏子，則作進一步之論述，認為「和」是指兩種相對事物之融而為一，即所謂「清濁、小大、短長、疾徐、哀樂、剛柔、遲速、高下、出入、周疏，以相濟也」[11]。如此由「多樣的和（統一）」（史伯）進展到「兩樣（對待）的和（統一）」（晏子），再進一層從對待多數的「兩樣」中提煉出源頭的「剛（陽）柔（陰）」，而成為「剛（陽）柔（陰）的統一」（《易傳》），形成了「『多』（多樣事物、多樣對待）→『二』（剛柔、陰陽）→『一』（統一）」的順序，進程逐漸是由「委」（有象）而追溯到「源」（無象），很合於歷史發展的軌跡。而這種結構，如對應於「三易」（《易緯・乾鑿度》）而言，則「多」說的是「變易」、「二」說的是「簡易」，而「一」說的是「不易」。因此「三易」不但可概括《周易》之內容與特色，也可藉以呈現「一二多」（含順、逆雙向）的雙螺旋結構或系統。

這種「多→二→一」的逆向順序，若倒過來，由「源」而「委」地來說，就成為順向之「一→二→多」[12]了。在《老子》、

9 《國語・鄭語》，見易中天注譯：《新譯國語讀本》（臺北市：三民書局，1995年11月初版），頁707-708。

10 張立文：《中國哲學邏輯結構論》（北京市：中國社會科學出版社，2002年1月一版一刷），頁22。

11 《左傳・昭公二十年》，楊伯俊《春秋左傳注》（臺北市：源流文化公司，1982年），頁1419-1420。

12 就由「無」而「有」而「無」的整個循環過程而言，可以形成「（0）一、二、三（多）」（正）與「三（多）、二、一（0）」（反）的雙螺旋關係。此種關係，涉及哲學、文學、美學……等，見陳滿銘：〈意象「多、二、一（0）」螺旋結構論——以哲學、文學、美學作對應考察〉，頁47-53。

《易傳》中就可找到這種說法，如：

> 道生一，一生二，二生三，三生萬物。萬物負陰抱陽，沖氣以為和。（《老子・第四十二章》）
> 易有太極，是生兩儀，兩儀生四象，四象生八卦。（《周易・繫辭上》）

這樣，結合《周易》和《老子》來看，它們所主張的「道」，如僅著眼於其「同」，則它們主要透過「相反相成」、「返本復初」而循環不已的作用，不但將「一→多」的順向歷程與「多→一」的逆向歷程前後銜接起來，更使它們層層推展，循環、提升不已，而形成了雙螺旋層次邏輯結構，以呈現宇宙創生、含容萬物之原始動態規律。

就在這「由一而多」（順）、「多而一」（逆）的過程中，是有「二」介於中間，以產生承「一」啟「多」的作用的。而這個「二」，從「道生一，一生二，二生三，三生萬物」等句來看，該就是「一生二，二生三」的「二」。雖然對這個「二」，歷代學者有不同的說法，大致說來，以為「二」是指「陰陽二（兩）氣」[13]。而這種「陰陽二氣」的說法，其實也照樣可包含「天地」在內，因為「天」為「乾」為「陽」，而「地」則為「坤」為「陰」；所不同的，「天地」說的是偏於時空之形式，用於持載萬物[14]；而「陰陽」指的則是偏於「二氣之良能」（朱熹《中庸章句》），用於創生萬物。這樣看來，老子的「一」該等同於《易傳》之「太極」、「二」該等同於《易傳》之「兩儀」（陰陽），因此所呈現的，和《周易》（含《易傳》）一

13 以上諸家之說與引證，見黃釗：《帛書老子校注析》（臺北市：臺灣學生書局，1991年10月初版），頁231。

14 徐復觀：《中國人性論史》（臺北市：臺灣商務印書館，1978年10月四版），頁335。

樣，是「一→二→多」與「多→二→一」之原始結構。不過，值得一提的是：(一) 即使這「一」、「二」、「多」之內容，和《周易》(含《易傳》) 有所不同，也無損於這種結構的存在。(二)「道生一」的「道」，既是「創生宇宙萬物的一種基本動力」，而它「本身又體現了無 (无)」[15]，那麼正如王弼所注「欲言無 (无) 耶，而物由以成；欲言有耶，而不見其形」[16]，老子的「道」可以說是「无」，卻不等於實際之「無」(實零)[17]，而是「恍惚」的「无」(虛零)，以指在「一」之前的「虛理」[18]。這種「虛理」，如勉強以「數」來表示，則可以是「0」。這樣，順、逆向的結構，就可調整為「0一→二→多」(順) 與「多→二→一0」(逆)，以補《周易》(含《易傳》) 之不足，這就使得宇宙萬物創生、含容的順、逆向歷程，更趨於完整而周延了[19]。

也就是由於「0一二多」雙螺旋層次邏輯結構在宇宙萬物創生、含容上可以統合順、逆向之歷程，便成為方法論原則或系統[20]，廣泛

---

15 林啟彥：「『道』既是宇宙及自然的規律法則，『道』又是構成宇宙萬物的終極元素，『道』本身又體現了『無』。」見《中國學術思想史》(臺北市：書林出版社，1999年9月一版四刷)，頁34。

16 王弼：《老子王弼注》(臺北市：河洛圖書出版社，1974年10月臺影印初版)，頁16。

17 馮友蘭：「謂道即是无。不過此『无』乃對於具體事物之『有』而言的，非即是零。道乃天地萬物所以生之總原理，豈可謂為等於零之『无』。」見《馮友蘭選集》上卷 (北京市：北京大學出版社，2000年7月一版一刷)，頁84。

18 唐君毅：「所謂萬物之共同之理，可為實理，亦可為一虛理。然今此所謂第一義之共同之理之道，應指虛理，非指實理。所謂虛理之虛，乃表狀此理之自身，無單獨之存在性，雖為事物之所依循、所表現，或所是所然，而並不可視同於一存在的實體。」見《中國哲學原論·導論篇》(香港：新亞研究所，1966年3月出版)，頁350-351。

19 陳滿銘：〈論「多、二、一 (0)」的螺旋結構——以《周易》與《老子》為考察重心〉，臺灣師大《師大學報·人文與社會類》48卷1期 (2003年7月)，頁1-21。

20 落於章法結構而言即如此。見陳滿銘：〈論章法結構之方法論系統——歸本於《周易》與《老子》作考察〉，臺灣師大《國文學報》46期 (2009年12月)，頁61-94。

用於哲學、文學、美學……上[21]。

第三節　意象（思維）系統與「0一二多」之互動

「形象思維」與「邏輯思維」之互動，如同上述，是離不開「意象」的。而「意象」之轉化又涉及「聯想」、「想像」，因為「意象」就是「聯想」、「想像」之對象。所以在「思維（意象）」系統中，「聯想」與「想像」能起重大的作用，以轉化「意象」，成為人之所以是萬物之靈的關鍵所在。

對這種「意象」，在我國最早見於《易經》[22]，而文學中也隨後就注意到，以為它是「馭文之首術、謀篇之大端」（見《文心雕龍．神思》）。說得簡單一點，它「是作者的意識與外界的物象相交會，經過觀察、審思與美的釀造，成為有意境的景象。」[23] 這裡所說的「物象」，所謂「物猶事也」（見朱熹《大學章句》），是包含有「事」的，因為「物（景）」只是偏就「空間」（靜）而言，而「事」則是偏就「時間」（動）來說。而盧明森則從文藝領域加以擴充說：

> 它（意象）理解為對於一類事物的相似特徵、典型特徵或共同特徵的抽象與概括，同時也包括通過想像所創造出來的新的形象。人類正是通過頭腦中的意象系統來形象、具體地反映豐富多彩的客觀世界與人類生活的，既適用於文學藝術領域、心理

---

21 陳滿銘：《多二一（0）螺旋結構論——以哲學、文學、美學為研究範圍》（臺北市：文津出版社，2007年1月一版一刷），頁1-298。

22 先用於哲學，再用於文學或藝術，見陳滿銘：〈辭章意象論〉，臺灣師大《師大學報．人文與社會類》50卷1期（2005年4月），頁17-39。

23 黃永武：《中國詩學．設計篇》（臺北市：巨流圖書公司，1999年6月初版十三刷），頁3。

學領域，又適用於科學技術領域。[24]

可見「意象」乃一切思維（含形象、邏輯、綜合）的基本單元，因為從源頭來看，「意象」乃合「意」與「象」而成，而「意」與「象」，即「心」與「物」，原有著「二而一」、「一而二」的關係。所以就文藝領域來說，自然就能貫穿了一篇辭章的整個內涵，而成為多種意象的組合體。它不僅指狹義的個別意象而已，而是包括有廣義之整體意象的。廣義者指全篇，屬於整體，可以析分為「意」與「象」；狹義者指個別，屬於局部，往往合「意」與「象」為一來稱呼。而整體是局部的總括、局部是整體的條分，所以兩者關係密切。不過，必須一提的是，狹義之「意象」，亦即個別之「意象」，雖往往合「意」與「象」為一來稱呼，卻大都用其偏義，譬如草木或桃花的意象，用的是偏於「意象」之「意」，因為草木或桃花都偏於「象」；如「桃花」的意象之一為愛情，而愛情是「意」；而團圓或流浪的意象，則用的是偏於「意象」之「象」，因為團圓或流浪，都偏於「意」；如「流浪」的意象之一為浮雲，而浮雲是「象」。因此前者往往是一「象」多「意」，後者則為一「意」多「象」。而它們無論是偏於「意」或偏於「象」，通常都通稱為「意象」[25]。由於「『形象思維』與『邏輯思維』是人類思維的基本型態」[26]，因此底下就著眼於整體（含個別）的「意象」（意與象），試著用它來統合「形象思維」與「邏輯思維」，並貫穿辭章的各主要內涵，以見「意象」在辭章上之地位。

先從「意象」之形成與表現來看，是與「形象思維」有關的，而

24 黃順基、蘇越、黃展驥主編：《邏輯與知識創新》第二十章，頁430。

25 陳滿銘：〈意、象互動論——以「一意多象」與「一象多意」為考察範圍〉，中山大學《文與哲》學報11期（2007年12月），頁435-480。

26 黃順基、蘇越、黃展驥主編：《邏輯與知識創新》第二十章，頁425。

「形象思維」所涉及的，是「意」（情、理）與「象」（事、景〔物〕）之結合及其表現。其中探討「意」（情、理）與「象」（事、景〔物〕）之結合者，為「意象學」（狹義），探討「意」（情、理）與「象」（事、景〔物〕）本身之表現者，為「修辭學」。再從「意象」之組合與排列來看，是與「邏輯思維」有關的，而「邏輯思維」所涉及的，則是意象（意與意、象與象、意與象、意象與意象）之排列組合，其中屬篇章者為「章法學」，主要探討「意象」之安排，而屬語句者為「文法學」，主要由概念之組合而探討「意象」。至於綜合思維所涉及的，乃是核心之「意」（情、理），即一篇之中心意旨：「主旨」與審美風貌：「風格」。

由此看來，「形象思維」、「邏輯思維」與「綜合思維」三者，涵蓋了辭章的各主要內涵，而都離不開「意象」。如對應於「多→二→一（0）」的逆向邏輯結構來說，則所謂的「多」，指由「意象」（個別）、「詞彙」、「修辭」、「文（語）法」、與「章法」等所綜合起來表現之藝術形式；「二」指「形象思維」（陰柔）與「邏輯思維」（陽剛），藉以產生徹下徹上之中介作用；而「一（0）」則指由此而凸顯出來的「主旨」與「風格」等，這就是「修辭立其誠」《易・乾》之「誠」，乃辭章之核心所在。這樣以「0一二多」（含順、逆雙向）來看待辭章內涵，就能透過「二」（「形象思維」與「邏輯思維」）的居間作用，使「多」（「意象」（個別）、「詞彙」、「修辭」、「文（語）法」與「章法」等）統一於「一0」（「主旨」與「風格」等）了[27]。

如此，若進一步地就「意象」與「聯想、想像」的關係而言，當然是先有「意象」，然後才有「聯想、想像」的，盧明森說：「意象是聯想與想像的前提與基礎，沒有意象就不可能進行聯想與想像。」[28]

---

27 陳滿銘：〈意象「多、二、一（0）」螺旋結構論——以哲學、文學、美學作對應考察〉。

28 黃順基、蘇越、黃展驥主編：《邏輯與知識創新》第二十章，頁431。

說得一點也沒錯。而且由於聯想「是從對一個事物的認識引起、想到關於其他事物的認識的思維活動，是一種廣泛存在的思維活動，既存在於『形象思維』活動中，也存在於『抽象（邏輯）思維』動中，還存在於『抽象（邏輯）思維』與『形象思維』活動之間……不是憑空產生的，而是有客觀根據，又有主觀根據的。」而想像則「是在認識世界、改造世界過程中，根據實際需要與有關規律，對頭腦中儲存的各種信息進行改造、重組，形成新的意象的思維活動，其中，雖常有『抽象（邏輯）思維』活動參與，但主要是『形象思維』活動。……理想是想像的高級型態，因為它不僅有根有據、合情合理、很有可能變成事實，而且有大量『抽象（邏輯）思維』活動參加，在實際思維活動具有重大的實用價值。」[29] 所以聯想與想像都有主、客觀成分，可和「形象思維」、「邏輯（抽象）思維」，甚至「綜合思維」產生互動；如果換從形象、邏輯與綜合思維的角度切入，則可以這麼說：「形象思維」的最基本特徵，在於思維活動始終藉著偏於主觀性的聯想與想像，伴隨著具體生動的形象而進行；而「邏輯思維」的最基本特徵，乃在於人們在認識事物時，藉著偏於客觀性的聯想與想像，主要在因果律的規範下，用概念、判斷、推理來反映現實的過程；所以前者是運用典型的藝術形象來揭示各事物的特質，後者則是用抽象概念來揭示各事物的組織。至於「綜合思維」，則統合「形象思維」與「邏輯思維」，將藝術形象與抽象概念融成一體，以呈現整體的形神特色[30]。

因此，一切思維，始終以「意象」為內容，拿思維的起點（觀察、記憶）、過程（聯想與想像）來說是如此，就連其終點（創造

---

29 黃順基、蘇越、黃展驥主編：《邏輯與知識創新》第二十章，頁431-433。

30 陳滿銘：〈意象與聯想、想像互動論——以「多、二、一（0）」螺旋結構切入作考察〉。

力）也是如此。這樣，聯想與想像便很自然地能流貫於「形象思維」（偏於主觀）與「邏輯思維」（偏於客觀）或「綜合思維」（合主、客觀）活動之中，使「意象」得以形成、表現、組織，以至於統合，成為「0一二多」的雙螺旋層次邏輯結構，而產生美感。

針對這種「形象思維」與「邏輯思維」之雙螺旋互動，李清洲指出：「腦功能定位學說表明：人類大腦由兩半球構成，大腦對人體的運動和感覺的管理是交叉的，左半球的功能側重於『邏輯思維』，如語言、邏輯、教學、分析、判斷等；右半球側重於『形象思維』，如空間、圖形、音樂、美術等。左、右腦半球猶如兩種不同類型的資訊加工系統，它們各司其職，相輔相成，相互協作，共同完成思維活動。左右兩半球資訊交換的生理結構是胼胝體，它由兩億條神經纖維組成，每秒鐘可以處理兩半球之間往返傳遞的四十億個資訊。」[31]可見「形象思維」與「邏輯思維」在「0一二多」的雙螺旋結構中所以會互動，完全源自於生命，是自然而然的。這樣統合它們的關係可用如下「意象（思維）」（隱→顯）圖加以表示：

31 李清洲：〈形象思維在生物學教學中的功能〉，廈門：《學知報・教學論壇》（2010年5月4日），B08版。

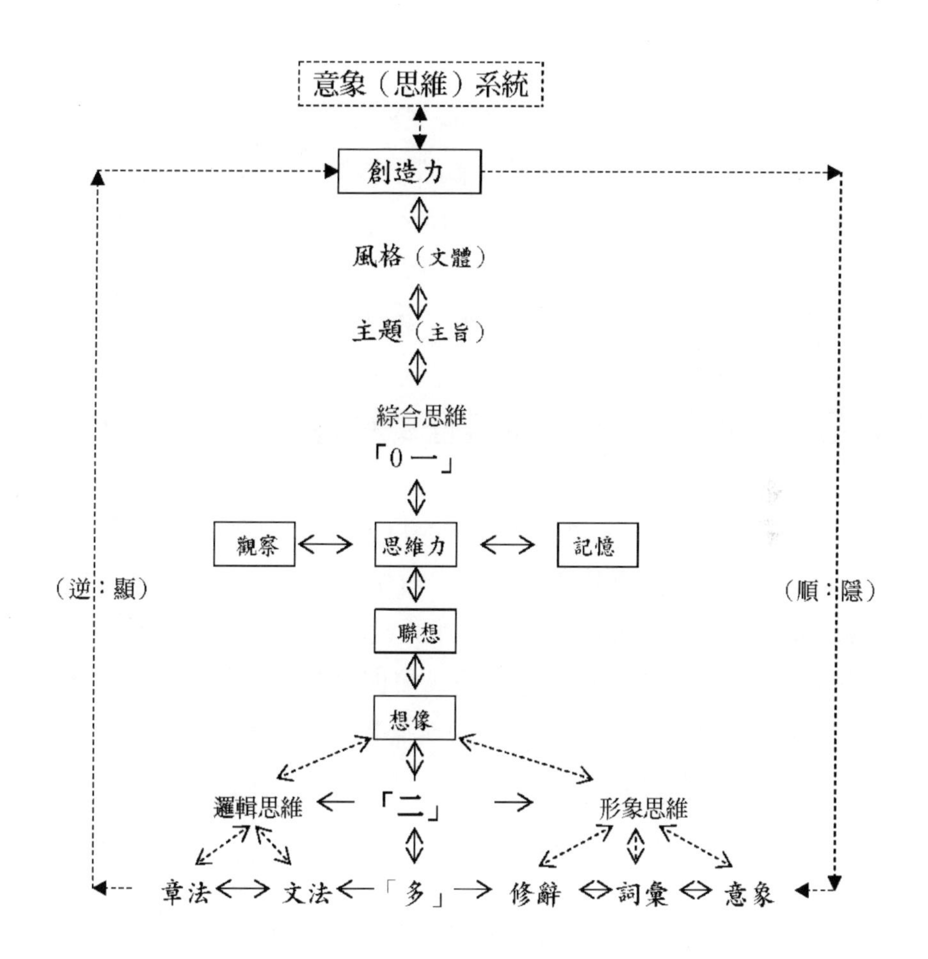

以「思維力」來看，它們初由「觀察」與「記憶」的兩大支柱豐富「意象」，再由「聯想」與「想像」的兩大翅膀拓展「意象」（多），接著由「形象」與「邏輯」的兩大思維（二）運作「意象」，然後由「綜合思維」統合「意象」（一0），以發揮最大的「創造力」。如此周而復始，便形成「0一二多」的雙螺旋結構，以反映「意象（思維）系統」。以辭章內涵來看，其中的「意象」（個別）、「詞彙」、「修辭」、「文（語）法」、「章法」是「多」，「形象思維」與「邏輯思維」為「二」，「主題」（含整體「意象」）、「文體」、「風格」為「一0」。其中「意象」(個別)、「詞彙」與「修辭」關涉「意象」之形成與表現;「文(語)法」與「章法」關涉「意象」之組織;「主題」(含整體「意象」)、「文體」與「風格」關涉「意象」之統合。如此在「形象思維」、「邏輯思維」與「綜合思維」之相互作用下,由「0一」而「二」而「多」,凸顯的是「寫」(創作)的順向過程;而由「多」而「二」而「0一」,凸顯的則是「讀」(鑑賞)的逆向過程。

第四節　形象、邏輯思維在篇章結構上之互動

辭章含「篇」、「章」、「句」、「字」(見《文心雕龍・章句》),都由「形象思維」與「邏輯思維」所「相互協作」而成。就以「篇」與「章」這一層面的結構而言,即是如此。以「篇結構」來說,指的是「篇章結構」的第一層,以包孕第二層與第二層以下的「章結構」,以形成由「形象思維」與「邏輯思維」所「相互協作」的「多←→二」,並由此上徹「綜合思維」的「一(0)」,以凸顯作品之主旨與風格。它們的關係可用如下簡圖來表示:

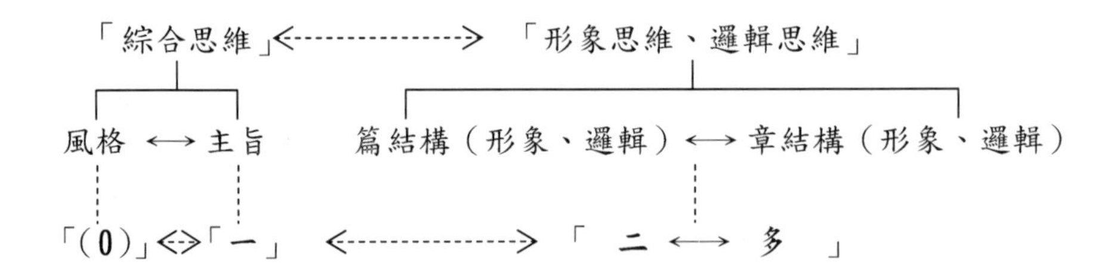

這樣將「形象思維」與「邏輯思維」切入「篇結構」(第一層)和「章結構」(次層及次層以下)來說,「形象思維」所呈現的是內容義旨(情、理)與所用材料(事、景〔物〕)、「邏輯思維」所呈現的

是章法結構[32]，以反映兩者一縱一橫不可分割的關係。因此「篇章結構」必須將「形象思維」與「邏輯思維」一縱一橫的互相交叉、疊合在一起。底下就分「形象（邏輯）」與「邏輯（形象）」兩種類型，依序舉例說明。

一　唐宋詞「形象（邏輯）」類型

在此，舉唐宋詞為例，酌予說明，以見一斑。如蘇軾的〈南鄉子〉詞：

> 東武望餘杭，雲海天涯兩渺茫。何日功成名遂了，還鄉，醉笑陪公三萬場。　　不用訴離觴，痛飲從來別有腸。今夜送歸鐙火冷，河塘，墮淚羊公卻姓楊。

此詞題作「和楊元素，時移守密州」，作於宋神宗熙寧七年（1074），朱祖謀注：「甲寅九月，楊繪再餞別於湖上作」，可知此詞作於杭州西湖，是採「（設想）虛、時與地（實）、設想（虛）」的篇結構寫成的。它首先在上片，透過設想，將空間移至「密州」（東武）、時間推向未來，虛寫別後之相思與重會，為頭一個「虛」。接著以下片「不用」二句，藉眼前（今時今地）之醉酒來寫離腸，把一篇之中心意旨交代清楚，為「實」的部分。末了以結三句，將時間移向未來，虛寫「送歸」時鐙火之冷與主人之淚，以推深送別之情，為後一個「虛」，這種結構相當罕見。據此可畫成如下的「形象（邏輯）」

32 所謂「章法」是含「篇法」在內的。見鄭頤壽：〈含篇法的「辭章章法學」的發展——評介陳滿銘《章法學論粹》及其相關論著〉，《國文天地》19卷4期（2003年9月），頁106-112。

結構系統圖：

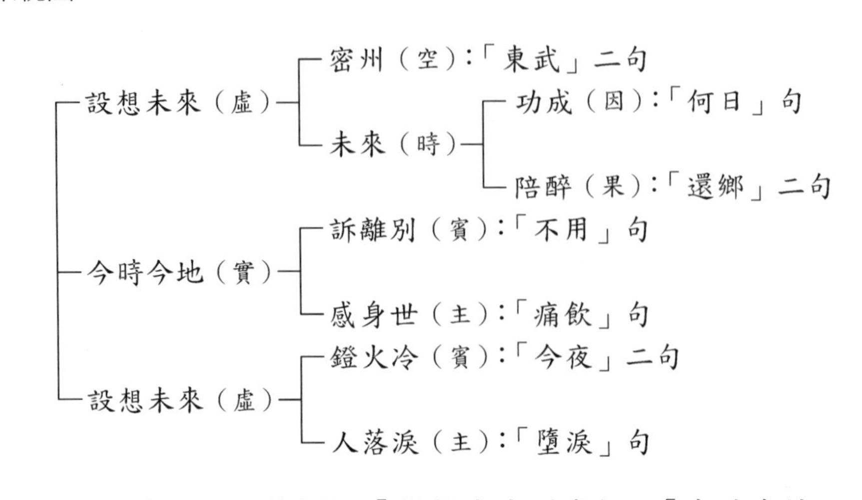

可見此詞，共分三層：首層以「設想未來（虛）」、「今時今地（實）」、「設想未來（虛）」形成篇結構，次層以「密州（空）、未來（時）」、「訴離別（賓）、感身世（主）、鐙火冷（賓）、人落淚（主）」形成章結構（一），底層以「功成（因）、陪醉果」形成章結構（二）。由此逐層縱橫疊合在一起，組合成篇章結構。茲將此篇章結構，配合「0一二多」雙螺旋，以簡圖表示如下：

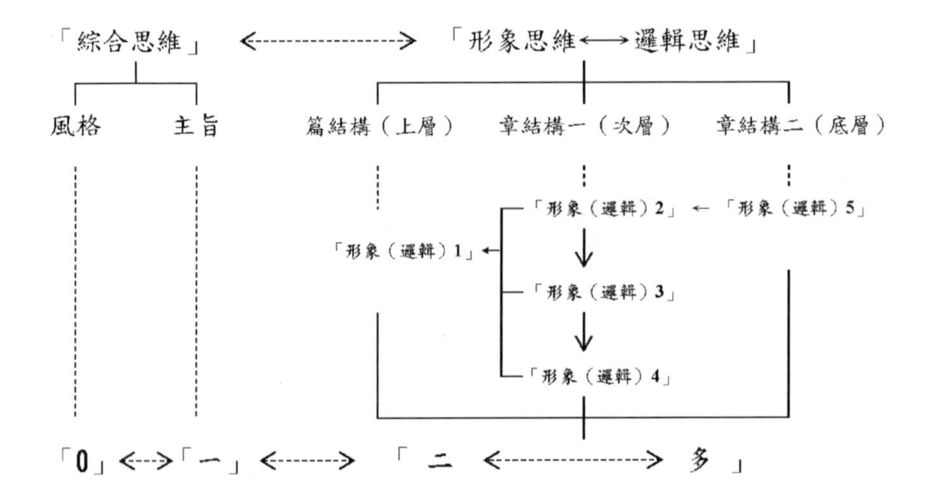

如此對應於「0一二多」來看，則由次、底兩層所形成調和的移位性結構，可視為「多」；由上層自為陰陽徹下徹上所形成調和的轉位性結構，可視為關鍵性之「二」，藉以統括輔助性結構，形成一篇規律；而由此將「訴離腸、感身世」的主旨與「詞境開闊，感情深摯」[33]之風格呈現出來，則可視為「一0」。如此由「形象」、「邏輯」思維在此交叉、疊合在一起，以形成「綜合思維」，充分地打動讀者的心弦。

次如賀鑄的〈石州慢〉詞：

> 薄雨收寒，斜照弄晴，春意空闊。長亭柳色纔黃，倚馬何人先折？煙橫水漫，映帶幾點歸鴻，平沙銷盡龍荒雪。猶記出關來，恰如今時節。　將發。畫樓芳酒，紅淚清歌，便成輕別。回首經年，杳杳音塵都絕。欲知方寸，共有幾許新愁？芭蕉不展丁香結。憔悴一天涯，兩厭厭風月。

此詞旨在寫別情，採「先染後點」的上層結構來敘寫。首先以「薄雨」句起至「平沙」句止，用「目、凡、目」次層結構來具寫自己在關外所見雨後「空闊」之初春景象，藉所見雨霽、柳黃、鴻歸、雪銷等自然景與折柳贈別之人事景，來襯托別情；這是頭一個「染」的部分。其次以「猶記」六句，採「先今後昔」的逆敘方式，交代自己在去年年底與一美人[34] 在關內餞別後，即出關而來，以呼應前、

33 王文龍講解，見葉嘉瑩主編：《蘇軾詞新釋輯評》上（北京市：中國書店，2007年1月一版一刷），頁249。

34 吳曾：「賀方回眷一姝，別久，姝寄詩云：『獨倚危欄淚滿襟，小園春色懶追尋。深恩縱似丁香結，難展芭蕉一片心。』賀因賦此詞，先敘分別景色，後用所寄詩成〈石州引〉云。」見《詞話叢編1．能改齋詞話》（臺北市：新文豐出版公司，1988年2月臺一版），頁139。

後，使自己在此之所見所感，有一明顯的落腳點；這是「點」的部分。然後以「回首」七句，採「先情後景」的次層結構，先拈出「新愁」，而以丁香、芭蕉作譬喻，再結合空間的虛與實，以景結情[35]；這是後一個「染」的部分。

據此可畫成如下的「邏輯（形象）」結構系統圖：

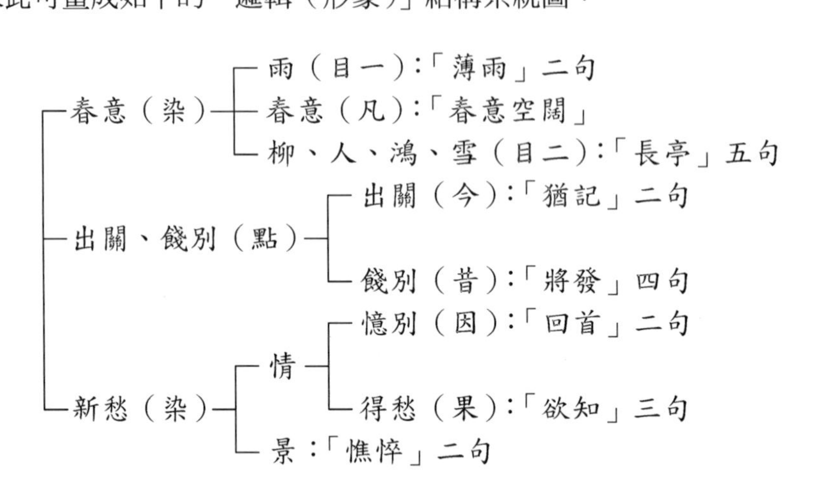

依此看來，此詞「內心的活動，交織在寫景、敘事、抒情之中」[36]，而這種內容是以「染、點、染」的篇結構來統合次、底層的章結構來呈現的。茲將此篇章結構，配合「0一二多」雙螺旋，以簡圖表示如下：

35 唐圭璋：「『憔悴』兩句，以景收，寫出兩地相思，視前更進一層。」見《唐宋詞簡釋》（臺北市：木鐸出版社，1982年3月初版），頁119。

36 湯高才編輯：《唐宋詞鑑賞辭典》（上海市：上海古籍出版社，1999年1月一版十五刷），頁944。

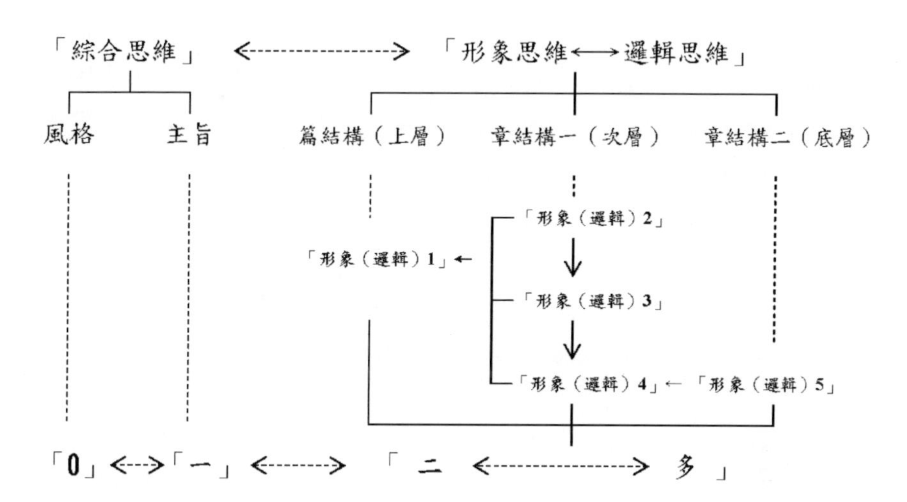

如此對應於「0一二多」來看，則由次、底兩層所形成調和的移位性結構，可視為「多」；由上層自為陰陽徹下、徹上所形成調和的轉位性結構，可視為關鍵性之「二」，藉以統括輔助性結構，形成一篇規律；而由此將「天涯之思」的主旨與「空靈蘊藉」[37]之風格呈現出來，則可視為「一0」。如此由「形象」、「邏輯」思維在此交叉、疊合在一起，以形成「綜合思維」，使人回味無窮。

後如李之儀的〈卜算子〉詞：

> 我在長江頭，君住長江尾。日日思君不見君，共飲長江水。
> 此水幾時休，此恨何時已。只願君心似我心，定不負相思意。

這闋相思詞，是用「先事後情」的上層結構統合次、底兩層結構寫成的。作者在上片，以起二句，寫相隔之遠，這是敘事的部分。以後二句，寫相思之久；換頭以後，則以前兩句，敘恨無已時；由此形

37 湯高才編輯：《唐宋詞鑑賞辭典》，頁944。

成「先因後果」的底層結構；以結兩句，敘兩情不負；這是抒情的部分。就這樣，以「長江」為媒介，以「不見」為根由，純用「虛」的材料，始終未雜以任何寫景的句子來襯托，卻將「思君」的情感表達得極其真切深長，無論從其韻味或用語來看，都像極了古樂府。唐圭璋說它「意新語妙，直類古樂府」[38]，是很有見地的。

據此可畫成如下的「形象（邏輯）」結構系統圖：

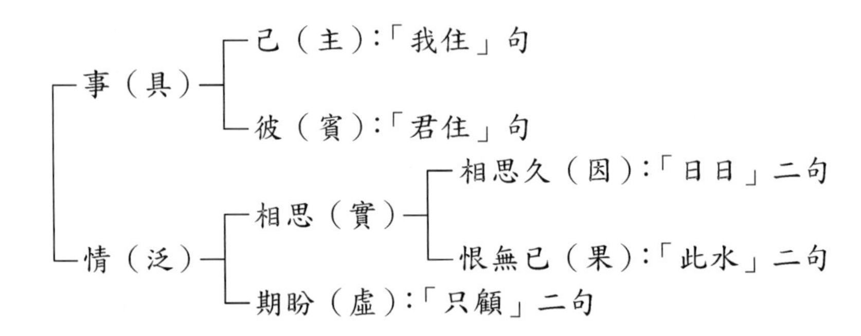

茲將此篇章結構，配合「0一二多」雙螺旋，以簡圖表示如下：

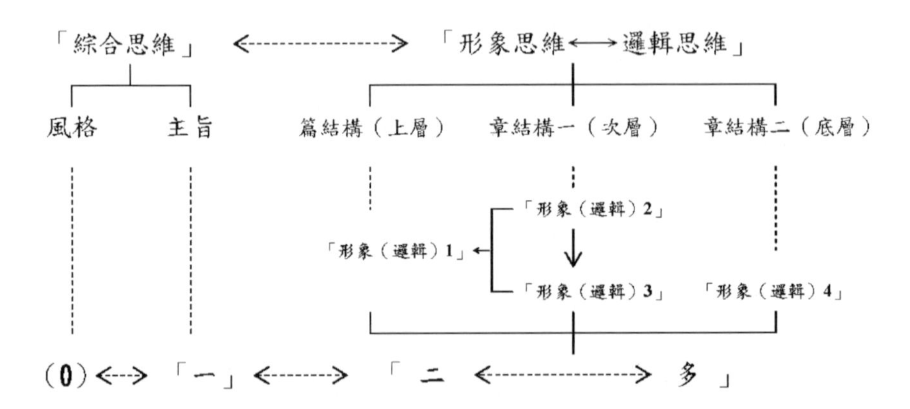

從上表可以看出，這闋詞主要是用泛（情）具（事）、賓主、虛實、因果等章法來組織其內容材料，以形成其篇章結構的。而其中的

38 見唐圭璋：《唐宋詞簡釋》，頁115。

「篇」結構，即以「無休、無已」為構，以連結「具（事）」與「泛（情）」而形成互動。

如此對應於「0一二多」來看，則由次、底兩層所形成調和的移位性結構，可視為「多」；由上層自為陰陽徹下徹上所形成調和的移位性結構，可視為關鍵性之「二」，藉以統括輔助性結構，形成一篇規律；而由此將「悠悠相思」的主旨與「溫婉含蓄」[39]之風格呈現出來，則可視為「一0」。如此由「形象」、「邏輯」思維在此交叉、疊合在一起，以形成「綜合思維」，構成了此詞特有的風神。

二　唐宋詞「邏輯（形象）」類型

在此，也舉古典散文、詩、詞各一例，酌予說明，以見一斑：

如李煜的〈相見歡〉詞：

> 無言獨上西樓，月如鉤。寂寞梧桐深院、鎖清秋。　　剪不斷，理還亂，是離愁。別是一般滋味、在心頭。

這首詞寫秋愁，是用「先具（事、景）後泛（情）」（上層）的「篇結構」統合其他的「章結構」寫成的。就「具」（事、景）的部分來看，是在上片，採「先事（上樓）後景（所見）」的「章結構」（次層），主要用以勾畫出一片秋日愁境。它先寫主人翁默默無語地獨上西樓的事，用「無言」巧妙地反映了主人翁孤寂的心情。然後寫獨上西樓後所見之景，用「先高（仰觀所見）後低（俯視所見）」的「章結構」（底層），以凸顯「清秋」之「寂寞」。高原在《唐宋詞鑑

39 湯高才編輯：《唐宋詞鑑賞辭典》，頁754-756。

賞辭典》中說：「『寂寞』者，實非梧桐深院，人也；『鎖清秋』，被『鎖』者，實非清秋，亦人也。」[40]這就是王國維《人間詞話》所說的「一切景語皆情語」啊！就「泛」（情）的部分來看，是在下片，採「並列」（一離別之苦、二家國之哀）的章結構，主要用以抒發滿懷愁緒。在此，先以「剪不斷」三句，就「一」寫離別之苦：再以「別是一般滋味在心頭」句，就「二」寫身世、家國之哀。唐圭璋在其《唐宋詞簡釋》中說：「此種無言之哀，更勝於痛哭流涕之哀。」[41]這種領略是深得詞心的。據此可畫成如下的「邏輯（形象）」結構系統圖：

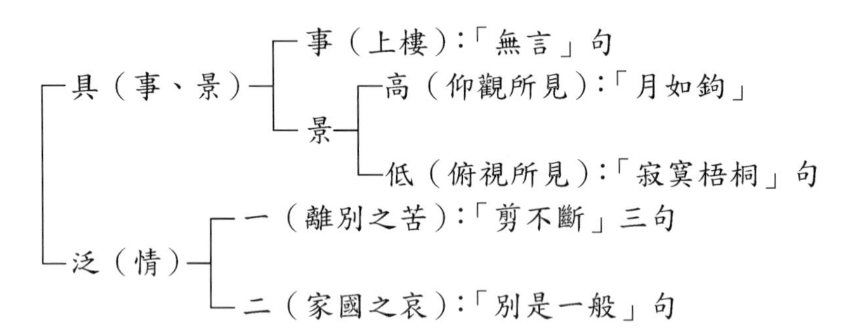

可見作者寫這首詩，主要是用「先具（事、景）後泛（情）」（上層）、先事（上樓）後景（所見）（次層一）與「並列（一：離別之苦、二：家國之哀）」（次層二）、「高（仰觀所見）低（俯視所見）」（底層）等的四個組織來形成其「調和」的移位性篇章結構的。

茲將此篇章結構，配合「0一二多」雙螺旋，以簡圖表示如下：

40 高原評析，湯高才編輯：《唐宋詞鑑賞辭典》，頁127。

41 唐圭璋：《唐宋詞簡釋》，頁39。

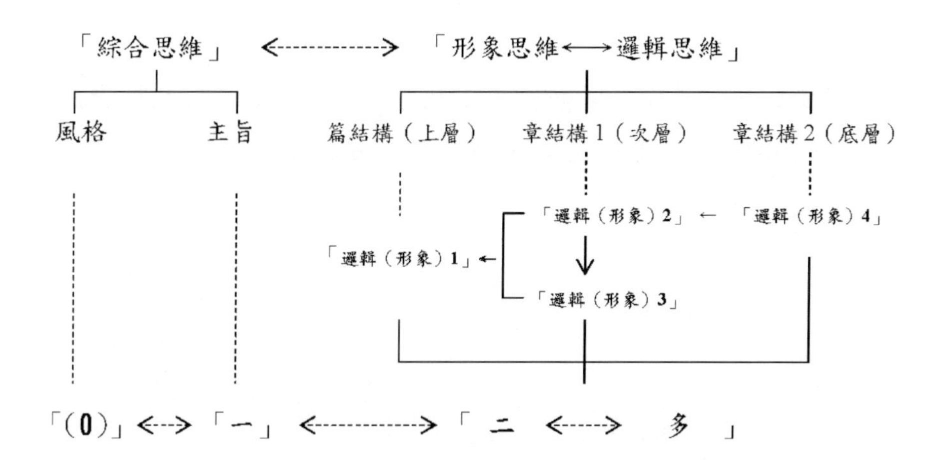

如此對應於「0一二多」來看，則由次、底兩層所形成之移性結構，可視為「多」；由上層自為陰陽徹下徹上所形成之調和性結構，可視為關鍵性之「二」，藉以統括輔助性結構，形成一篇規律；而由此呈現的「身世之感與家國之哀」的主旨與「悽惋至極」[42] 之風格，則可視為「一0」。如此由「形象」、「邏輯」思維在此交叉、疊合在一起，以形成「綜合思維」，產生了極大的感人力量。

再如歐陽脩的〈采桑子〉詞：

> 春深雨過西湖好，百卉爭妍，蝶亂蜂喧，晴日催花暖欲然。
> 蘭橈畫舸悠悠去，疑是神仙。返照波間，水闊風高颺管絃。

這是作者詠西湖十三調中的一首，旨在詠雨過春深的潁州西湖好景，以襯托作者閑適的心情。作者在此，先以起句「春深雨過西湖好」作一總敘，再以「百卉爭妍」三句，藉花卉、蝶蜂、晴日等自然景物，寫西湖堤上的春深好景，然後以「蘭橈畫舸悠悠去」四句，以

42 唐圭璋：《唐宋詞簡釋》，頁39。

畫船、返照、水闊、風高與管絃等糅合自然與人事的景物，寫西湖水上的春深好景。敘次由凡而目，將西湖的春深好景，描寫得異常生動。據此可畫成如下的「邏輯（形象）」結構系統圖：

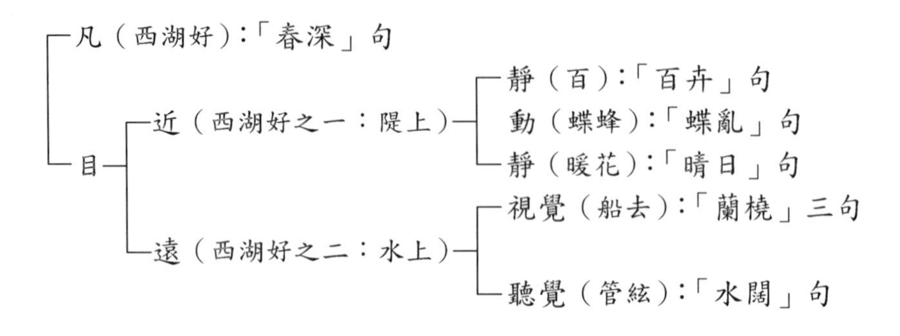

由上表可看出，作者寫潁州西湖「春深」好景，主要用了凡目、遠近、動靜、感覺轉換等章法來形成它的篇章結構，敘次井然。

茲將此篇章結構，配合「0一二多」雙螺旋，以簡圖表示如下

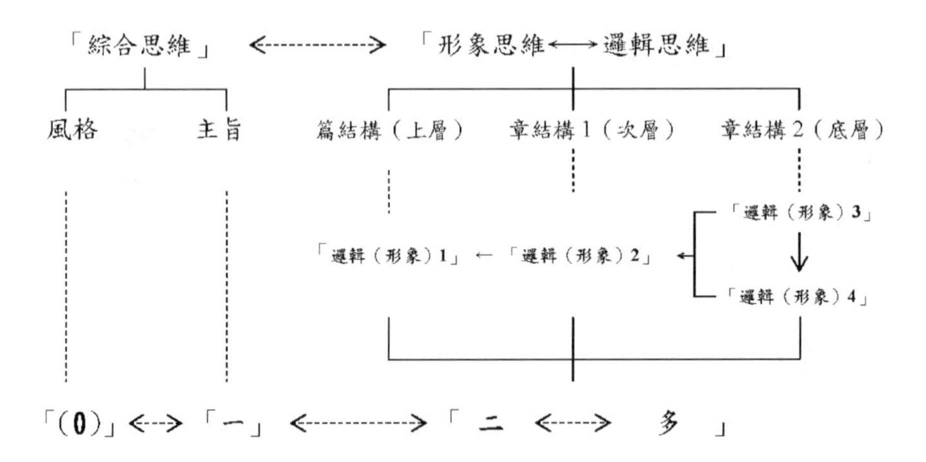

如此對應於「0一二多」來看，則由次、底兩層所形成之移性結構，可視為「多」；由上層自為陰陽徹下徹上所形成之調和性結構，可視為關鍵性之「二」，藉以統括輔助性結構，形成一篇規律；而由此呈

現的「暢遊盡歡」的主旨與「和諧統一」[43] 之風格，則可視為「一（0）」。如此由「形象」、「邏輯」思維在此交叉、疊合在一起，以形成「綜合思維」，產生了「心物相契」[44] 的感人力量。

後如辛棄疾的〈鷓鴣天〉詞：

> 聚散匆匆不偶然，二年歷遍楚山川。但將痛飲酬風月，莫放離歌入管絃。　　縈綠帶，點青錢。東湖春水碧連天。明朝放我東歸去，後夜相思月滿船。

這首詞題作「離豫章，別司馬漢章大監。」作者離開豫章（江西省南昌市）前夕所作，採「先實後虛」的上層結構寫成。「實」的部分，自篇首起至「東湖」句止，先以「聚散」二句敘別，為「因」；再以「但將」二句敘醉，為「果」；以上是敘事的部分。然後以「縈綠帶」句寫東湖四周之水，以「點青錢」句寫湖中之荷，以「東湖」句，將上二句作個總括，寫全東湖之水，以上是寫景的部分。而「虛」的部分，為結二句，則將時間推向「明朝」，寫別後的相思，而身世之感，也一併帶了出來，足見藝術匠心。據此可畫成如下的「邏輯（形象）」結構系統圖：

---

43 邱少華語，見葉嘉瑩主編：《歐陽修詞新釋輯評》（北京市：中國書局，2001年1月一版一刷），頁4。

44 見葉嘉瑩主編：《歐陽修詞新釋輯評》，頁4。

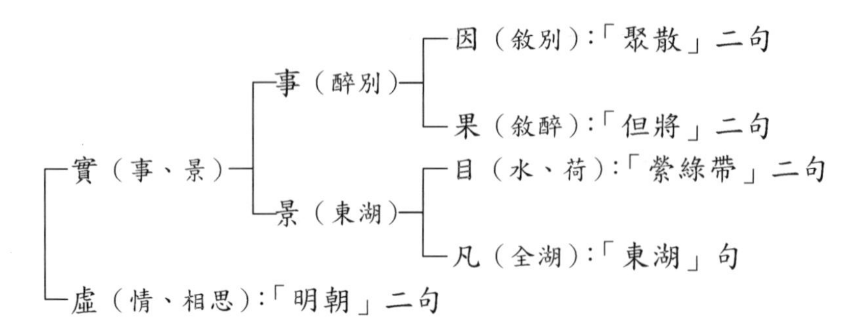

從上表可知，首層的「實」與「事、景」、「虛」與「情」，次層的「事」與「醉別」、「景」與「東湖」，三層的「因」與「敘別」、「果」與「敘醉」、「目」與「水、荷」、「凡」與「全湖」，是縱橫向疊合在一起的。茲將此篇章結構，配合「0一二多」雙螺旋，以簡圖表示如下：

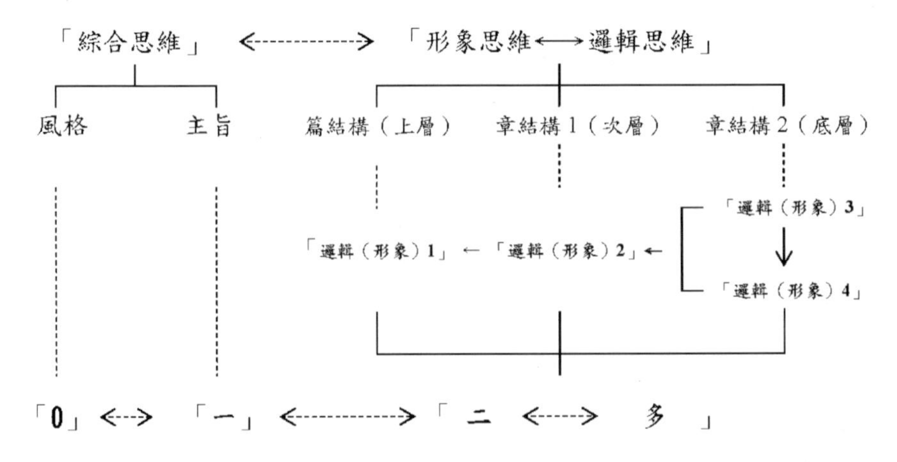

如此對應於「0一二多」來看，則由次、底兩層所形成之移性結構，可視為「多」；由上層自為陰陽徹下徹上所形成之調和性結構，可視為關鍵性之「二」，藉以統括輔助性結構，形成一篇規律；而由此呈現的「身世之感和離別之情置於一處」的主旨與「真實質樸」[45] 之風

45 常國武：《辛稼軒詞集導讀》（成都市：巴蜀書社，1988年9月一版一刷），頁144。

格，則可視為「一0」。如此由「形象」、「邏輯」思維在此交叉、疊合在一起，以形成「綜合思維」，顯現作者之「藝術匠心」[46]。

第五節　形象、邏輯思維與篇章結構之綜合探討

對篇章的形象、邏輯結構，需要加以注意的，主要有其縱與橫、潛與顯與繁與簡等，茲分別略予探討如下：

一　篇章形象、邏輯結構之縱與橫

對於辭章的「縱」與「橫」問題，在我國很早就注意到了，劉勰《文心雕龍．情采》說：

> 情者文之經，辭者理之緯，經正而後緯成，理定而後辭暢，此立文之本源也。[47]

所謂「情者文之經，辭者理之緯」，凸顯了辭章的縱向（經）與橫向（緯）的問題，如就「篇章」而言，其中「縱向」的結構，由「內容」，也就是情、理、景、事等組成；而橫向的結構，則由「形式」，也就是各種章法，如今昔、遠近、大小、本末、賓主、正反、虛實、凡目、因果、抑揚、平側……等組成。因此捨「縱向」而取「橫向」，或捨「橫向」而取「縱向」，是無法分析好文章的篇章結構的。對此，鄭頤壽作了如下說明：

---

46 常國武：《辛稼軒詞集導讀》，頁144。

47 黃叔琳注、李詳補注：《增訂文心雕龍校注》卷七（北京市：中華書局，2000年8月一版一刷），頁415。

> 把「情」、「理」、「景」、「物」、「事」為「縱向」，「章法」為「橫向」，這與劉勰的「情經辭緯」說是一脈相承的，即把「章法」定位在「辭」——「（內容之）形式」上。[48]

這樣「縱向」（內容）與「橫向」（形式）並重，就是「情采並重」，王更生釋云：

> 歸根究柢，固可說是內容與形式的關係問題，但他能就此問題，突破六朝形式主義的文風，落實到情采並重方面來，這不能不說是正本清源之論。[49]

可見「情采並重」，就篇章結構而言，就是「意象（內容）和邏輯（形式）」之並重，這無疑地是「正本清源」之論。

凡此均可看出「篇章形象」與「篇章邏輯」，是縱向、橫向與「內容的內容」、「內容的形式」間的關係，是並重的，是互相包孕的[50]。

二　篇章形象、邏輯結構之潛與顯

篇章的形象、邏輯結構雖然並重，卻有「潛」與「顯」之分。通常「顯」的是「形象結構」、「潛」的是「邏輯結構」。因為篇章的「邏輯結構」，涉及「意象之組織」，探求的是意與象、意與意、象與

---

48 鄭頤壽：〈臺灣辭章學研究述評及其與大陸的異同比較〉，《福建省社會主義學院學報》總43期（2002年4月），頁29。

49 王更生：《文心雕龍選讀》（臺北市：巨流圖書公司，1994年10月一版一刷），頁240。

50 陳滿銘：〈篇章內容、形式包孕關係探論——以「多、二、一（0）」螺旋結構切入作探討〉，臺灣師大《中國學術年刊》32期．秋季號（2010年9月），頁283-319。

象之間深層的邏輯關係；而「形象結構」涉及「內容義旨」，凸顯的是意、象本身的形、質。所以「意象之組織」問題，雖一直有人注意，如盛子潮、朱水湧《詩歌形態美學》（1987）、陳振濂《空間詩學導論》（1989）、李元洛《詩美學》（1990）、陳植鍔《詩歌意象論》（1990）、陳慶輝《中國詩學》（1994）、趙山林《詩詞曲藝術論》（1998）、王長俊等的《詩歌意象學》（2000）等，卻都無法獲得圓滿解決。如陳慶輝在《中國詩學》中即說道：

> 應該說意象的組合方式是多種多樣的，上述所舉只怕是掛一漏萬；而且複合意象的構成，作為一種審美創造，是一個複雜的心理過程，用所謂並列、對比、敘述、述議等結構形式加以說明，似乎是粗糙的、膚淺的，其深層的因素和邏輯還有待我們去挖掘和探索。[51]

意象之組織，確乎是一種複雜的心理過程，其中動用了精密的層次邏輯之思維能力，原本就是不易掌握、捕捉的，而且在古典詩詞中，可以幫助確認意象組織的邏輯關係之連接詞常常被省略，因此更加重了探索、挖掘的困難度。而王長俊主編的《詩歌意象學》也認為：

> 中國古典詩歌的意象雖然可以直接拼接，意象之間似乎沒有關聯，其實在深層上卻互相勾連著，只是那些起連接作用的紐帶隱蔽著，並不顯露出來，這就是前人所謂的「斷峰雲連」、「辭斷意屬」。[52]

---

51 陳慶輝：《中國詩學》（臺北市：文史哲出版社，1994年12月初版），頁74。

52 王長俊主編：《詩歌意象學》（合肥市：安徽文藝出版社，2000年8月一版一刷），頁215。

他所謂的「斷峰雲連」、「辭斷意屬」，指的就是意象組織的問題。由此看來，意象與意象，亦即「內容的內容」間的隱蔽「紐帶」或「深層的因素和邏輯」，一直未被好好地「挖掘」、「探索」而「顯露」出來過，是公認的事實[53]。而這個難題，可由「內容的形式」（篇章邏輯）、「內容的內容」（篇章形象）之「潛 ⟷ 顯」互動予以解決。韋世林在《邏輯與知識創新》第四章就指出：

> 邏輯法規要求文章的「觀點」和「材料」達到高度的融合。……因為它強調的是文章的觀點和材料之間一定要有內在聯繫。……如若違背「觀點和材料相統一」的邏輯法規，就會犯……「章法」錯誤。[54]

所謂「觀點」就是「意」、「材料」就是「象」。「意」與「象」或個別意象與整體意象要彼此融合、統一，必須靠「邏輯法規」（章法）作「內在聯繫」，換句話說，「內容的內容」（意象、主題）是由「內容的形式」（邏輯、章法）從內在加以聯繫、融合、統一的。可見這一問題，直接涉及「篇章邏輯學」或「雙螺旋層次邏輯學」，亦即「章法學」。王希杰說：

> 章法學不是關於文章內容本身的學問，而是內容材料的關係的學問。文章表現形式是多種多樣的，千變萬化的，但是其內在邏輯結構，卻是很有限的，不過是有限的幾種關係模式。而且

53 過去論「意象組合」，往往著重其形象性而忽略其邏輯性，因此有「籠統」或陷於「局部」之缺憾。參見陳滿銘：〈論意象組合與章法結構〉，臺灣師大《國文學報》43期（2008年6月），頁233-262。

54 黃順基、蘇越、黃展驥主編：《邏輯與知識創新》第四章，頁85。

這種內在的關係是潛在的。[55]

他所謂的「這種內在的關係是潛在的」，不就是指意、象（篇章形象）間的「隱蔽紐帶」或「深層的因素和邏輯」嗎？可見探究「篇章邏輯」是可以挖掘出「篇章形象」亦即「內容義旨」之深層關係的。而用「篇章邏輯」來挖掘「篇章形象」之深層關係，正是「章法（篇章邏輯、雙螺旋層次邏輯）與內容（篇章形象）關係論」的重點所在，黎運漢將此與「章法四大規律論」視為「章法理論大廈的兩根堅實支柱」[56]，就是看出「章法」，也就是「篇章邏輯」或「雙螺旋層次邏輯」的這種重大功用。

三　篇章形象、邏輯結構之繁與簡

在此，可從如下兩個角度加以探討：

首先探討形象與邏輯間的繁與簡：以「潛、顯」而言，既然篇章的形象是「顯」、邏輯為「潛」，那麼遇到章法結構系統太複雜時，則以形象「簡」、邏輯「繁」比較合宜；何況章法類型中有許多是涉及形象的，如今昔、久暫、大小、遠近、內外、高低、左右、時空、情景、敘論、天人、詳略、眾寡、賓主、正反、力破、凡目、因果……等，都與形象內容相關，有兼顧作用。因此為了求簡，是可以儘量存

55 王希杰：〈陳滿銘教授和章法學〉，《畢節學院學報》總96期（2008年2月），頁3。

56 黎運漢：「陳教授的章法四大規律論和章法與內容關係論，揭示了章法學的研究對象，理清了它的範圍，闡明了其分析原則和方法與實用意義，形成了章法理論大廈的兩根堅實支柱，它們有深度、有廣度、有理論開拓性和實踐指導性的品格，為漢語辭章章法學構建起一個較為科學的理論體系奠定了堅實的基礎。」見〈陳滿銘對辭章章法學的貢獻〉，《陳滿銘與辭章章法學》（臺北市：文津出版社，2007年12月初版一刷），頁56。

邏輯而略形象的。

然後探討整個篇章結構的繁與簡：篇章結構的研究，在開始階段，為了「求異」，於處理古文的結構系統時，往往力求仔細，如分析韓愈〈師說〉、李密〈陳情表〉與范仲淹〈岳陽樓記〉，就依序以九層、十層、十一層呈現[57]，這樣就研究來說，雖有其必要，但難免會顯得繁瑣、瑣碎，使讀者難以把握[58]；因此到了推廣階段，尤其推廣到語文教學時，就需要力求簡單明白，通常用三層（邏輯含形象）來呈現結構系統最為合宜。前幾年所主編之《大學國文選》即如此，而獲得良好反應[59]。茲舉姜夔〈暗香〉詞，略作說明，以見一斑：

> 舊時月色。算幾番照我，梅邊吹笛。喚起玉人，不管清寒與攀摘。何遜而今漸老，都忘卻、春風詞筆。但怪得、竹外疏花，香冷入瑤席。　　江國、正寂寂。歎寄與路遙，夜雪初積。翠尊易泣，紅萼無言耿相憶。長記曾攜手處，千樹壓、西湖寒碧。又片片、吹盡也，幾時見得。

---

57 陳滿銘：《文章結構分析——以中學國文課文為例》（臺北市：萬卷樓圖書公司，1099年5月初版），頁163-164、185、201。

58 王希杰：「章法學的成功，是歸納法的成功，這近四十種章法規則是……從大量的文章中歸納出來的，一律具有巨大的解釋力，覆蓋面很強。同時也是演繹法的成功的運用，例如《章法學綜論》中的變化律的十五種結構，很明顯是邏輯演繹出來的，當然也是得到許多文章的驗證的。……值得一提的是，……大量運用模式化手法。這本是很好的方法，但是我恐怕有些讀者會有不耐煩的感覺，可能產生反感，指責說，把生動活潑形象的文章格式化、公式化、簡單化。我想這可能是一些人不喜歡章法學的原因吧？法則太多，可能顯得繁瑣、瑣碎，使人難以把握的。可貴的是，……並不滿足於單純地『歸納法則』，他們力圖建立統率這些比較具體的法則的更高的原則。」見〈陳滿銘教授和章法學〉，頁4-5。

59 陳滿銘主編：《大學國文選》（臺北市：普林斯頓國際公司，2006年1月初版），頁493。又於2011年7月二版修訂，頁473。

這闋詞題作「辛亥之冬，余載雪詣石湖。止既月，授簡索句，且徵新聲，作此兩曲。石湖把玩不已，使二妓肄習之，音節諧婉，乃曰〈暗香〉、〈疏影〉」。乃一首詠紅梅之作，作於光宗紹熙二年（1191），採「先實（今昔）後虛（未來）」的篇結構（上層）寫成。

「實」（今昔）的部分，自開篇起至「吹盡也」止，用「先因後果」的章結構（次層）加以呈現。其中先以起首五句，用「先反（昔盛）後正（今衰）」之章結構（底層），就梅花之盛，寫當年梅邊吹笛、喚人攀摘的雅事；這寫的是「反」（昔盛）。再以「何遜」四句，就梅花之衰，寫如今人老花盡、無笛無詩的境況；接著以「江國」六句，承「何遜」四句，仍就梅花之衰，反用陸凱詩意，寫路遙雪深、無從寄梅的惆悵；以上寫的是「正」（今衰）；以上是寫「因」的部分。然後以「長記」二句，用「先『反』（昔盛）後『正』（今衰）」之結構，先承篇首五句，透過回憶，藉當年攜遊西湖孤山所見梅紅與水碧相映成趣的景致，以抒發無限懷舊之情；再以「又片片、吹盡也」句，回應「何遜」十句，就眼前，寫梅花落盡、舊歡難再的悲哀；以上是寫「果」的部分。

而「虛（未來）」部分，即結尾一句，將時間伸向未來，發出「不知何時才能見得著」的感歎作結。作者就這樣以一實一虛、一盛一衰、一昔一今，作成強烈的對比來寫，將自己滿懷的今昔之感、懷舊之情，表達得極為婉轉回環，有著無盡的韻味。有人以為此詞托喻君國，事與徽、欽二帝北狩有關[60]，因無佐證，不予採納[61]。附結

60 宋翔鳳：「詞家之有姜石帚，猶詩家之有杜少陵，繼往開來，文中關鍵。……《暗香》、《疏影》，恨偏安也。蓋意愈切，則詞愈微，屈、宋之心，誰能見之。」見《樂府餘論》，《詞話叢編》3（臺北市：新文豐出版公司，1988年），頁2503。陳廷焯：「南渡以後，國勢日非。白石目擊心傷，多於詞中寄慨。不獨〈暗香〉、〈疏影〉二章，發二帝之幽憤，傷在位之無人也。特感慨全在虛處，無迹可尋，人自不察耳。」見《白雨齋詞話》卷二，《詞話叢編》4（臺北市：新文豐出版公司，1988年2月臺一版），頁3797。

構系統圖如下：

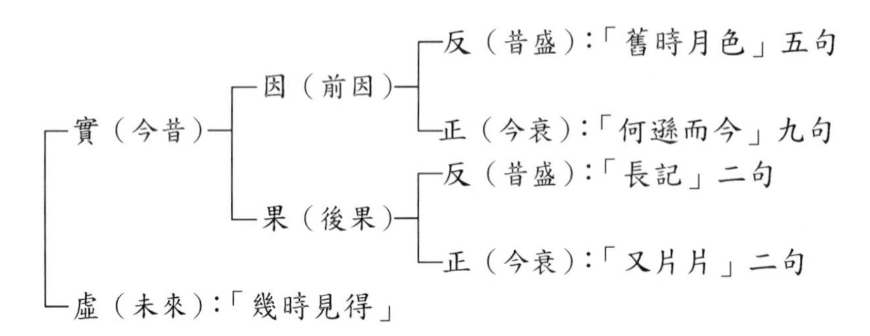

這首詞曾以五層呈其結構系統[62]，雖比較詳盡，但用三層已可將它的篇章結構特色，表現出來了。潘善祺以為：

> 此詞由昔而今，又由今而昔，憶盛歎衰，樂聚哀散。回環往復，如蛟龍盤舞，曲盡情意，確是大家手筆。[63]

以此對照結構系統，顯然完全吻合。

綜上所述，可知「形象」與「邏輯」兩種思維，在「意象系統」中，是催動「聯想」與「想像」作主、客觀運轉，產生雙螺旋互動，以進行各種作品創造的重要力量。單以辭章的「篇章結構」而言，「形象思維」主內容材料（含情、理、景〔物〕、事），「邏輯思維」主邏輯層次（各種章法，如立破、因果、虛實、小大、高低、泛具、

61 常國武：「此詞不過是借梅花的盛衰，抒發作者自己由年輕時的歡愉轉入老大的悲涼，以及自己與故人由當年共同賞梅到而今兩地乖隔、舊遊難再的悵惘而已，與亡國之恨毫無瓜葛。」見《新選宋詞三百首》，頁403。

62 陳滿銘：《章法結構論》（臺北市：萬卷樓圖書公司，2012年2月初版），頁285-288。

63 陳邦炎主編：《詞林觀止．上》（上海市：上海古籍出版社，1994年4月一版一刷），頁590。

淺深等[64]），兩者經由雙螺旋互動，彼此交叉、疊合在一起，以帶動「綜合思維」，形成「0一二多」雙螺旋層次邏輯結構，收到「真（形象）、善（邏輯）、美（綜合）」的最大效果[65]。雖然在此所見到的，主要是「形象」、「邏輯」思維在「篇章結構」在唐宋詞中呈現的幾個例子而已，但所謂「以個別表現一般，以單純表現豐富，以有限表現無限」[66]，是可由此窺知由「形象」與「邏輯」兩種思維以融成「綜合思維」在所有創作上的重要性於一斑。

---

64 章法反映的是自然規律與條理，為「客觀的存在」，見王希杰：〈章法學門外閑談〉，《國文天地》18卷5期（2002年10月），頁92-95。而以上章法類型，見陳滿銘：《章法學綜論》（臺北市：萬卷樓圖書公司，2003年6月初版），頁17-33。

65 陳滿銘：〈論篇章意象之真、善、美〉，《成大中文學報》27期（2009年12月），頁89-118。

66 葉朗：《中國美學史大綱》（臺北市：滄浪出版社，1986年9月初版），頁26。

第七章
篇章意象

任何學術之「研究」，都離不開「科學方法」，而「科學方法」必定涉及「求異」與「求同」互動的「雙螺旋層次邏輯系統」。一般而言，開始時，先在某一層面作「移位」或「轉位」式的「求異」，有了結果之後，再提升到高一層面作「包孕」式的「求同」，且以高一層面之「求同」來檢查低一層面的「求異」；兩者就如此互動，繼續不斷地提升其層面，以逐漸由某一學術領域跨界到其他領域，譬如由「人文學科」跨到「社會學科」、「自然學科」；或由「科學」而「哲學」而「神學」[1]；如此持續提升至最高層面，即形成「以同包異」（順向：徹下）、「以異顯同」（逆向：徹上）的龐大「雙螺旋系統」[2]。如落於「辭章」此一領域而言，除涉及其中的「詞彙」、「修辭」、「文（語）法」、「章法」、「主題」與「風格」等不同「層面」

1　通常人類面對天、地、人所作之研究與觀察，其過程是一面由部分之「神學」而「哲學」而「科學」，主要藉「求異」以累積「已知」；另一面又由部分之「科學」而「哲學」而「神學」，主要藉「求同」以開發「未知」，形成「神學⟷哲學⟷科學」而進步不已的雙螺旋結構。一九五七年諾貝爾物理學獎得主楊振寧說：「科學的極致是哲學，哲學的極致是宗教。」假如用雙螺旋切入來說，則為「科學⟷『極致』⟷哲學⟷『極致』⟷宗教（神學）」，由此可看出三者互動的密切關係。見陳滿銘：〈論螺旋邏輯學的創立——以哲學螺旋與科學螺旋為鍵軸探討其體系之建構〉，《國文天地．學術論壇》31卷1期（2015年6月），頁116-136。又參見陳滿銘：〈哲學螺旋與科學螺旋的對應、貫通——以「多、二、一（0）」與「DNA」雙螺旋結構為重心作探討〉，《南京曉庄學院學報》4期（2015年7月），頁19-22。

2　陳滿銘：〈試論方法論原則之層次系統——以修辭與章法為考察範圍〉，中山大學《文與哲》學報20期（2012年6月），頁367-407。

外，又還牽扯了不同「領域」中的「心理」、「寫作」、「閱讀」與「螺旋邏輯（「0一二多」雙螺旋層次邏輯系統）」……等在內，如此由始至終，就脫離不了不同「領域」與「層面」的「異中求異 ⟷ 同中求同」之雙螺旋互動關係。本章即由此切入，特以「篇章意象組織」為例，先探討「篇章意象組織在意象雙螺旋系統中的地位」，然後依序舉格式塔「異質同構」說、風格中「剛柔成分之量化」、「0一二多」雙螺旋系統等，分別舉唐宋詞為例略作說明，以見不同「領域」與「層面」的「跨界整合」在「意象研究」上之重要性於一斑。

第一節　篇章意象組織與意象雙螺旋系統

一般說來，人的基本「思維」有三種：「形象」、「邏輯」與「綜合」，都以「意象」為其內容。其中作比較偏於主觀聯想、想像的，屬「形象思維」[3]；作比較偏於客觀聯想、想像的，屬「邏輯思維」[4]；而兩者形成「二元」之雙螺旋轉化，是兩相互動而存在的[5]。至於合

3　胡有清：「所謂形象思維，指的是以客觀事物的形象信息為基礎，經過分解、轉化、組合等演化過程，創造出新的形象。這是一種始終不捨棄事物的具體型態及形象，並以其為基本形式的思維方式。」見《文藝學論綱》（南京市：南京大學出版社，2002年版），頁160。

4　邏輯思維又稱抽象思維。胡有清：「抽象思維側重於對客觀事物本質屬性的理解和認識。思維主體儘管也有自己的個性特徵，但一般總要納入一定的模式範疇，總能用明晰的語言加以說明。」見《文藝學論綱》，頁171。

5　盧明森：「形象思維是與抽象思維相比較而存在的。抽象思維的基本特點是概念性、抽象性與邏輯性，因此，可以稱之為概念思維、抽象思維、邏輯思維；與之相對應，形象思維的基本特點是意象性、具體性與非邏輯性，因此可以稱之為意象思維、具體思維、非邏輯思維。」見黃順基、蘇越、黃展驥主編：《邏輯與知識創新》第二十章（北京市：中國人民大學出版社，2002年4月一版一刷），頁429。又，胡有清：「在藝術活動中，當人們用形象思維來把握和展示豐富的社會生活時，總會受到抽象思維的制約和影響。也就是說，抽象思維在一定程度上規範和導引形象思維。」見《文藝學論綱》，頁172。

「形象」、「邏輯」兩種思維為一的，則為「綜合思維」，用於進一步表現「綜合力」，以發揮「創造力」來轉化「舊意象」為「新意象」。

以「意象」思維而言，在我國最早見於《易經》[6]，而文學中也隨後就注意到，以為它是「馭文之首術、謀篇之大端」（見《文心雕龍．神思》）。說得簡單一點，它「是作者的意識與外界的物象相交會，經過觀察、審思與美的釀造，成為有意境的景象。」[7] 這裡所說的「物象」，所謂「物猶事也」（見朱熹《大學章句》），是包含有「事」的，因為「物（景）」只是偏就「空間」（靜）而言，而「事」則是偏就「時間」（動）來說的。而盧明森則從文藝領域加以擴充說：

> 它（意象）理解為對於一類事物的相似特徵、典型特徵或共同特徵的抽象與概括，同時也包括通過想像所創造出來的新的形象。人類正是通過頭腦中的意象系統來形象、具體地反映豐富多彩的客觀世界與人類生活的，既適用於文學藝術領域、心理學領域，又適用於科學技術領域。[8]

可見「意象」乃一切思維（含形象、邏輯、綜合）的基本單元。約略地說，就其源頭與內涵而言，「意象」涉及「心」與「物」，原有著「意（情、理與美〔境、趣〕）⟷ 象（形：視、聽與色）」互動的雙螺旋關係。而就其單一藝術作品而言，則是「個別意象 ⟷ 群意象 ⟷ 整體意象」之組合，是離不開「主意象 ⟷ 賓意象」互動之雙螺

6 先在哲學層面討論，再用於文學或藝術層面，見陳滿銘：《意象學廣論》（臺北市：萬卷樓圖書公司，2006年11月初版），頁22-67。

7 黃永武：《中國詩學．設計篇》（臺北市：巨流圖書公司，1999年6月初版十三刷），頁3。

8 黃順基、蘇越、黃展驥主編：《邏輯與知識創新》第二十章，頁430。

旋作用的[9]。它們的關係，可由如下簡圖來表示：

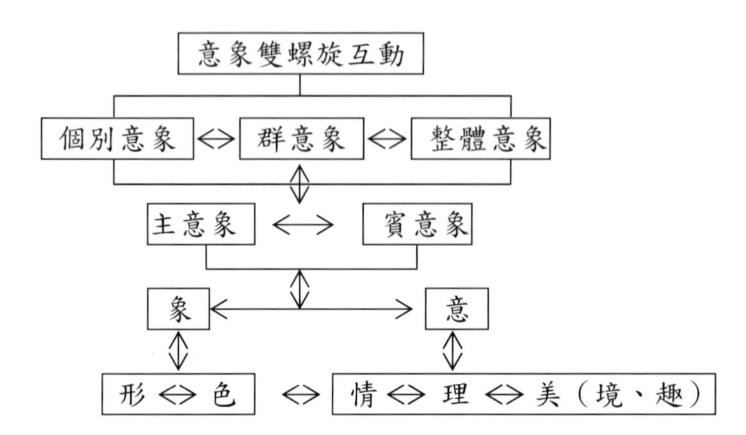

如此，若進一步地就「意象」與「聯想、想像」的關係而言，當然是先有「意象」，然後才有「聯想、想像」的，盧明森說：「意象是聯想與想像的前提與基礎，沒有意象就不可能進行聯想與想像。」說得一點也沒錯。而且由於聯想「是從對一個事物的認識引起、想到關於其他事物的認識的思維活動，是一種廣泛存在的思維活動，既存在於『形象思維』活動中，也存在於『抽象（邏輯）思維』動中，還存在於『抽象（邏輯）思維』與『形象思維』活動之間……不是憑空產生的，而是有客觀根據，又有主觀根據的。」而想像則「是在認識世界、改造世界過程中，根據實際需要與有關規律，對頭腦中儲存的各種信息進行改造、重組，形成新的意象的思維活動，其中，雖常有『抽象（邏輯）思維』活動參與，但主要是『形象思維』活動。……理想是想像的高級型態，因為它不僅有根有據、合情合理、很有可能變成事實，而且有大量『抽象（邏輯）思維』活動參加，在實際思維活動具有重大的實用價值。」[10] 所以聯想與想像都有主、客觀成分，

9 陳滿銘：〈意象「多、二、一（0）」螺旋結構論——以哲學、文學、美學作對應考察〉，《濟南大學學報‧社會科學版》17卷3期（2007年5月），頁47-53。

10 黃順基、蘇越、黃展驥主編：《邏輯與知識創新》第二十章，頁431-433。

可和「形象思維」、「邏輯（抽象）思維」，甚至「綜合思維」產生互動；如果換從形象、邏輯與綜合思維的角度切入，則可以這麼說：「形象思維」的最基本特徵，在於思維活動始終藉著偏於主觀性的聯想與想像，伴隨著具體生動的形象而進行；而「邏輯思維」的最基本特徵，乃在於人們在認識事物時，藉著偏於客觀性的聯想與想像，主要在因果律的規範下，用概念、判斷、推理來反映現實的過程；所以前者是運用典型的藝術形象來揭示各事物的特質，後者則是用抽象概念來揭示各事物的組織。至於「綜合思維」，則統合「形象思維」與「邏輯思維」，將藝術形象與抽象概念融成一體，以呈現整體的形神特色[11]。

因此，一切思維，始終以「意象」為內容，拿思維的起點（觀察、記憶）、過程（聯想與想像）來說是如此，就連其終點（創造力）來看也是如此。這樣，聯想與想像便很自然地能流貫於「形象思維」（偏於主觀）與「邏輯思維」（偏於客觀）或「綜合思維」（合主、客觀）活動之中，使「意象」得以形成、表現、組織，以至於統合，成為雙螺旋層次結構，而產生整體美感。

針對這種「形象思維」與「邏輯思維」之雙螺旋互動，李清洲指出：「腦功能定位學說表明：人類大腦由兩半球構成，大腦對人體的運動和感覺的管理是交叉的，左半球的功能側重於『邏輯思維』，如語言、邏輯、教學、分析、判斷等；右半球側重於『形象思維』，如空間、圖形、音樂、美術等。左、右腦半球猶如兩種不同類型的資訊加工系統，它們各司其職，相輔相成，相互協作，共同完成思維活動。左右兩半球資訊交換的生理結構是胼胝體，它由兩億條神經纖維

11 陳滿銘：〈論意象與聯想、想像之互動——以「多、二、一（0）」螺旋結構切入作考察〉，《浙江師範大學學報．社會科學版》31卷2期（2006年4月），頁47-54。

組成，每秒鐘可以處理兩半球之間往返傳遞的四十億個資訊。」[12] 可見「形象思維」與「邏輯思維」在雙螺旋結構中所以會產生互動，完全源自於生命，是自然而然的。這樣統合為「綜合思維」，便形成「思維系統」或「意象系統」[13]，以呈現其「雙螺旋層次系統」。它可用下圖加以表示：

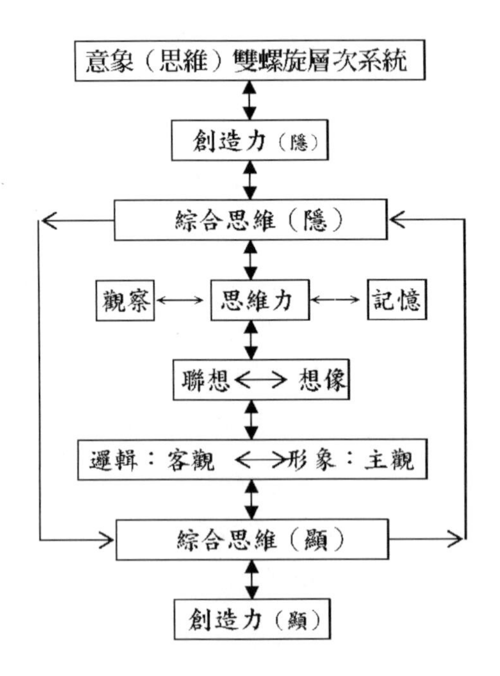

由此可見，在這種由「隱」而「顯」地呈現「意象（思維）雙螺旋系統」之整個歷程裡，是完全離不開「思維力」（含觀察、記憶、聯想、想像、創造）之運作的。而如將其三大思維落於「辭章」中的「篇章」來看，則其關係可用如下簡圖來表示：

---

12 李清洲：〈形象思維在生物學教學中的功能〉，廈門《學知報．教學論壇》（2010年5月4日），B08版。

13 陳滿銘：〈論章法結構與意象系統——以「多、二、一（0）」螺旋結構切入作考察〉，《江南大學學報．人文社會科學版》4卷4期（2005年8月），頁70-77。

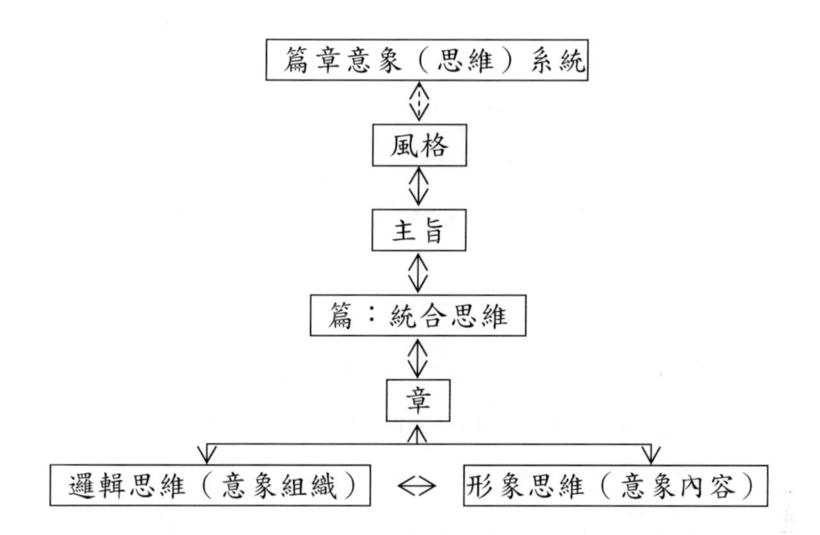

其中的「篇章意象」，涉及縱、橫兩向。縱向偏於「形象思維」，所呈現的是「形象內容」（含義旨：情、理與所用材料：事、景〔物〕）；橫向偏於「邏輯思維」，所呈現的是「邏輯組織」[14]，以反映兩者一縱一橫不可分割的關係[15]。因此「篇章意象」是必須將「形象思維」與「邏輯思維」一縱一橫的互相交叉、疊合在一起，並上徹於「綜合思維」，以凸顯一篇辭章之「主旨」（核心的情、理）與「風格」（整體的審美風貌[16]）的。由此可見「篇章意象組織」所呈現的是偏於作客

14 所謂「章法」是含「篇法」在內的。見鄭頤壽：〈含篇法的「辭章章法學」的發展——評介陳滿銘《章法學論粹》及其相關論著〉，《國文天地》19卷4期（2003年9月），頁106-112。

15 陳滿銘：〈談縱橫向疊合的篇章結構〉，《國文天地》16卷7期（2000年12月），頁100-106。又，鄭頤壽：「陳教授把『情』、『理』、『景』、『物』、『事』為『縱向』，『章法』為『橫向』，這與劉勰的『情經辭緯』說是一脈相承的，即把『章法』定位在『辭』——『（內容之）形式』上。」見〈臺灣辭章學研究述評及其與大陸的異同比較〉，《福建省社會主義學院學報》總43期（2002年4月），頁29。

16 顧祖釗：「風格的成因並不是作品中的個別因素，而是從作品中的內容與形式的有機整體的統一性中所顯示的一種總體的審美風貌。」見《文學原理新釋》（北京市：人民文學出版社，2001年5月一版二刷），頁184。

觀「聯想 ⟷ 想像」的「邏輯思維」，在「思維（意象）雙螺旋系統」中所佔的地位是十分重要的。

第二節 篇章意象組織與格式塔「異質同構」之統合

「辭章」之四大要素為「情」、「理」、「景（物、人）」、「事」，其中「情」與「理」為「意」、「景（物、人）」與「事」為「象」[17]。從格式塔[18]「異質同構」說來看，是可藉以探討這種「意」與「象」互動之雙螺旋關係的。格式塔這一派學者認為：審美體驗就是對象的表現性及其力的結構（外在世界：象），與人的神經系統中相同的力的結構（內在世界：意）的同型契合。由於事物表現性的基礎在於力的結構，所以蔣孔陽、朱立元主編《西洋美學通史》第六卷就指出：

> 所以一塊突兀的峭石、一株搖曳的垂柳、一抹燦爛的夕陽餘暉、一片飄零的落葉……都可以和人體具有同樣的表現性，在藝術家的眼裡也都具有和人體同樣的表現價值，有時甚至比人體還更有用。[19]

基於此，魯道夫．安海姆（Rudolf Arnheim）提出了「藝術品的力的結構與人類情感的結構是同構」之論點，以為推動我們自己情感

17 陳滿銘：〈談縱橫向疊合的篇章結構〉，頁100-106。

18 格式塔是德文「gestalt」一詞的英譯，含義乃是指任何一種被分離的整體。見蔣孔陽、朱立元主編：《西方美學通史》第六卷（上海市：上海文藝出版社，1999年10月一版一刷），頁700。

19 見蔣孔陽、朱立元主編：《西方美學通史》第六卷，頁714。

活動起來的力，與那些作用於整個宇宙的普遍性的力，實際上是同一種力。他說：

> 我們自己心中生起的諸力，只不過是在遍宇宙之內同樣活動的諸力之個人的例子罷了。[20]

也就是說：現實世界存在之本質乃一種力，它統合著客觀存在之「物理力」與主觀世界的「心理力」，在審美過程中，這種力使人類知覺扮演中介的角色，將作品中之「物理力」與人類情感的「心理力」，因「同構」產生雙螺旋作用，而結合為一[21]。

對此，李澤厚在〈審美與形式感〉一文中說：

> 不僅是物質材料（聲、色、形等等）與視聽感官的聯繫，而更重要的是它們與人的運動感官的聯繫。……格式塔心理學家則把這種現象歸結為外在世界的力（物理）與內在世界的力（心理）在形式結構上的「同形同構」，或者說是「異質同構」，就是說質料雖異而形式結構相同，它們在大腦中所激起的電脈衝相同，所以才主客協調，物我同一，外在對象與內在情感合拍一致，從而在相映對的對稱、均衡、節奏、韻律、秩序、和諧……中，產生美感愉快。[22]

20 安海姆著，李長俊譯：《藝術與視知覺心理學》（臺北市：雄師圖書公司，1982年9月再版），頁444。

21 陳滿銘：〈格式塔理論的螺旋意涵〉，《國文天地》29卷2期（2013年7月），頁71-78。

22 李澤厚：《李澤厚哲學美學文選》（臺北市：谷風出版社，1987年5月初版），頁503-504。

而歐陽周、顧建華、宋凡聖等在《美學新編》中也指出：

> 完形心理學美學依據「場」的概念去解釋「力」的樣式在審美知覺中的形成，並從中引申出了著名的「同形論」或稱為「異質同構」的理論。……在安海姆看來，自然物雖有不同的形狀，但都是「物理力作用之後留下的痕跡」。……總之，世界上的一切事物，其基本結構最後都可歸結為「力的圖式」。正是在這種「異質同構」的作用下，人們才在外部事物和藝術作品中，直接感受到某種「活力」、「生命」、「運動」和「動態平衡」等性質。……所以，事物的形體結構和運動本身就包含著情感的表現，具有審美的意義。[23]

他們把這「意」與「象」之所以形成、趨於統一，而產生美感的原因、過程與結果，都簡要地交代清楚了。這樣以「構」來連結「意」與「象」，顯然比起比興說、移情說或投射說來，要圓滿得多。茲將「意」與「象」互動成「構」的雙螺旋關係，用簡圖表示如下：

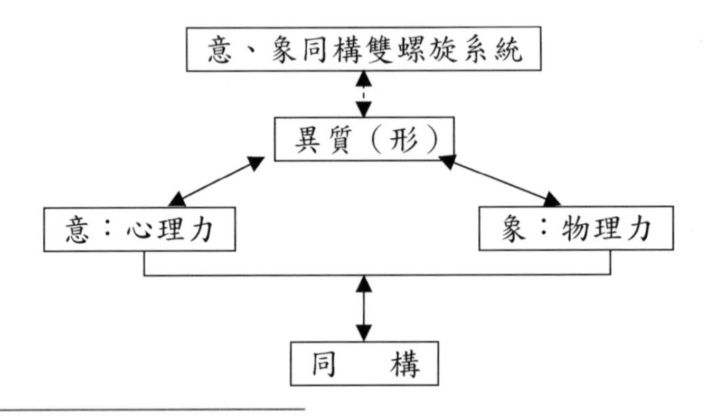

23 歐陽周、顧建華、宋凡聖等：《美學新編》（杭州市：浙江大學出版社，1993年3月一版九刷），頁253。安海姆之「同形論」或「同形說」，參見《西方美學通史》第六卷，頁715-717。

以下就落於辭章，將唐宋詞中「意」與「象」互動成「構」的雙螺旋系統，舉例略作說明，以見一斑：

首如溫庭筠〈菩薩蠻〉：

> 小山重疊金明滅，鬢雲欲度香腮雪。懶起畫蛾眉，弄妝梳洗遲。　　照花前後鏡，花面交相映。新貼繡羅襦，雙雙金鷓鴣。

此為抒寫閨怨之作，採「先底後圖」[24]的「篇結構」統合其他「章結構」而寫成。作者在起句，即寫旭日明滅、繡屏掩映的景象，為抒寫怨情安排了一個適當的環境，並從中提明了地點與時間，以引出下面寫人的句子；這是「底」的部分。而自次句至末，則按時間的先後，主要採「先事後景」的「章結構」，寫屏內「美人」的各種情態與動作，首先是睡醒，其次是懶起，再其次是梳洗、弄妝，接著是簪花，最後是試衣；而在「試衣」時，特著眼於「鷓鴣」之上，帶出其「行不得也哥哥」的鳴聲，以「景」襯「情」；這是「圖」的部分。作者就這樣聚焦於「美人」此一主角，藉著她這些尋常的動作或情態，從篇外逼出這位「美人」無限的幽怨來。唐圭璋評說：「此首寫閨怨，章法極密，層次極清。」[25] 是一點也不錯的。附結構系統表如下：

---

24 新發現章法之一。一般說來，作者在辭章中所用之時、空（包括「色」）材料，有一些是充當「背景」用的，也有某些是用來作為「焦點」的。就像繪畫一樣，用作「背景」的，往往對「焦點」能起烘托的作用，即所謂的「底」；而用作「焦點」的，則對「背景」而言，都會產生聚焦的功能，即所謂的「圖」。這種條理用於辭章章法上，也可造成秩序、變化、聯貫的效果，而形成「先圖後底」、「先底後圖」、「圖、底、圖」、「底、圖、底」等結構。見陳滿銘：〈論幾種特殊的章法〉，頁191-196。

25 見唐圭璋：《唐宋詞簡釋》（臺北市：木鐸出版社，1982年3月初版），頁3。

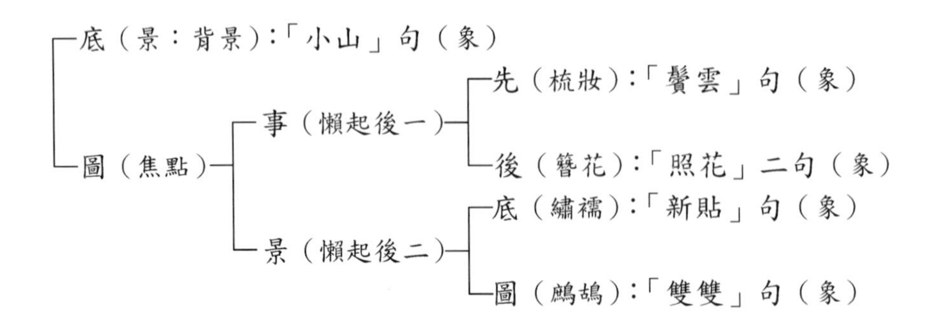

可見此詞主要用「閨怨」為橋樑，來連結各種「景（物）象」（孤單）與「事象」（懶、遲），形成「單軌」之「構」[26]，使「事」與「景」（異形同構：懶與遲、孤單）、「事」與「事」（同形同構：懶、遲）、「景」與「景」（同形同構：孤單）[27]連結在一起，藉邏輯層次形成三層移位結構，將各「個別意象」串聯成「整體意象」，以抒發「怨情」（主旨），真是「無一言及情而人物的心情自然呈現」，凸顯出「綺麗婉約」之風格[28]。由於此詞之主旨在篇外，因此與篇內之「事」與「景（物）」就一內一外地起了「異質同構」之作用，使「意」與「象」產生互動，而趨於統一。這種「構」用簡圖表示如下：

26 見陳滿銘：〈論意、象連結成「軌」之類型——試參酌格式塔「同形」說作引申探討〉，臺灣師大《國文學報》44期（2008年12月），頁125-154。

27 見陳滿銘：〈意、象形質同構類型論〉，臺灣師大《師大學報．語言與文學類》54卷1期（2009年3月），頁1-25。

28 許建平講析，見陳邦炎主編：《詞林觀止》上（上海市：上海古籍出版社，1994年4月一版一刷），頁30-31。

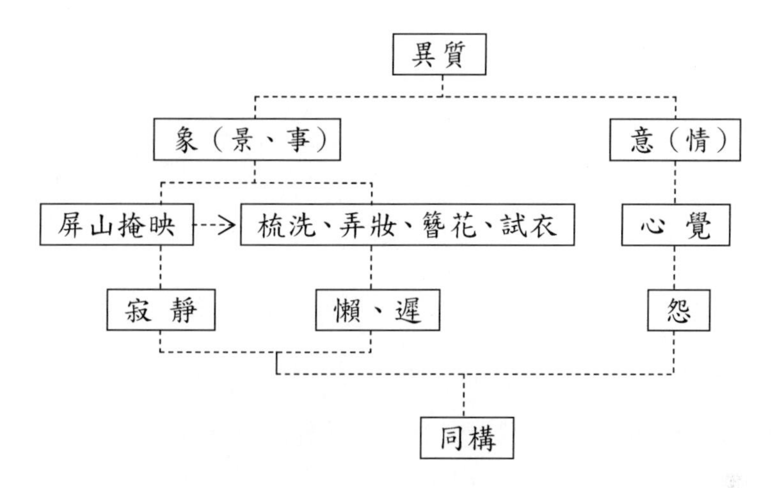

作者在此，先寫環境（閨房）之「寂靜」，再寫美人起床前後情態之「懶」與「遲」，而由此從篇外將「閨怨」之一篇主旨烘托出來，使「意」與「象」產生了「同構」的作用。

次如歐陽脩〈采桑子〉：

> 春深雨過西湖好，百卉爭妍，蝶亂蜂喧，晴日催花暖欲然。
>
> 蘭橈畫舸悠悠去，疑是神仙。返照波間，水闊風高颺管絃。

這是作者詠西湖十三調中的一首，旨在詠雨過春深的穎州西湖好景，以寫作者閑適的心情。作者在此，先以起句「春深雨過西湖好」作一總敘，再以「百卉爭妍」三句，藉花卉、蝶蜂、晴日等自然景物，寫西湖堤上的春深好景，然後以「蘭橈畫舸悠悠去」四句，以畫船、返照、水闊、風高與管絃等糅合自然與人事的景物，寫西湖水上的春深好景。敘次由凡而目，將西湖的春深好景，描寫得異常生動。其結構系統表為：

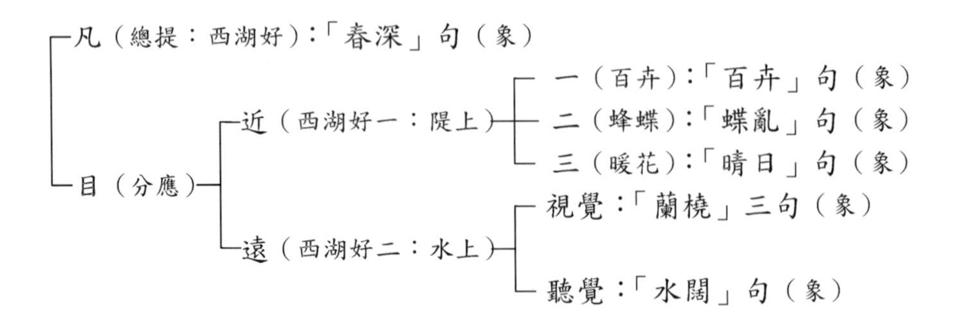

由上表可看出，作者寫潁州西湖「春深」好景，主要用了凡目、遠近、知覺轉換[29] 與並列等邏輯層次來組織其內容材料，以形成它的篇章結構，敘次井然。而其中的「目」結構，即以「凡」之「春好」為構，以連結一近一遠之「景」（物）而形成連結，從篇外表達作者閑適的心情。這種「構」用簡圖表示如下：

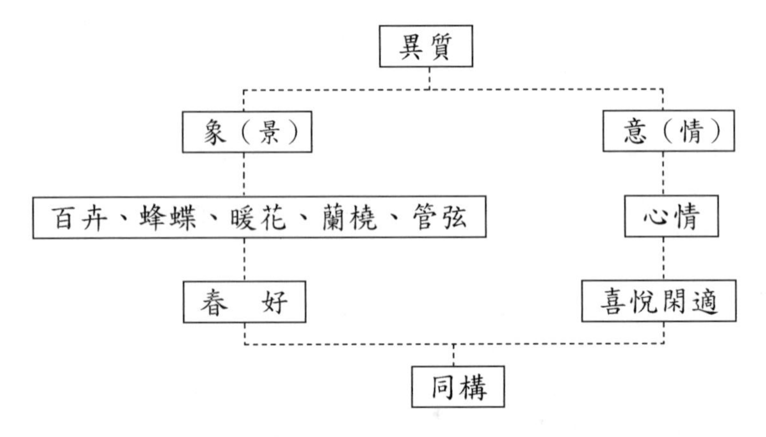

這樣，經由「構」之作用，篇外之「意」與篇內之「象」產生「異質同構」之雙螺旋作用而連結在一起了。

再如秦觀〈鵲橋仙〉：

29 參見仇小屏：《篇章結構類型論》（臺北市：萬卷樓圖書公司，2005年7月再版），頁149-157。

> 纖雲弄巧，飛星傳恨，銀漢迢迢暗度。金風玉露一相逢，便勝卻人間無數。　柔情似水，佳期如夢，忍顧鵲橋歸路。兩情若是久長時，又豈在朝朝暮暮。

這首詞藉牛郎織女相會的故事，來歌頌歷久不渝的愛情，是用「先具（實）後泛（虛）」的「篇結構」統合其他「章結構」寫成的。

「具（實）」的部分，自篇首至「金風」句止。其中「纖雲」句，暗用織女巧手善織雲錦的典實，描繪出空中彩雲變幻的景象，為下面的敘事安排一個良好環境。「飛星」三句，直寫牛郎織女在七夕，懷著別恨，暗中渡河相會的本事。而「泛（虛）」的部分，則自「便勝卻」句起至篇末。其中「便勝卻」句，即事（景）說理，歌頌牛郎織女的真情摯意。「柔情」三句，由「因」而「果」，寫牛郎織女由於兩情綢繆、相聚甜美，所以依依不捨，不忍踏上歸路，從正面抒情，有著無盡的酸辛。「兩情」二句，忽又轉情為論，從酸辛中超拔而出，給真情者以莫大的安慰。

從表面上看來，此詞似寫牛郎織女，而實際上卻未離自己。其結構系統表為：

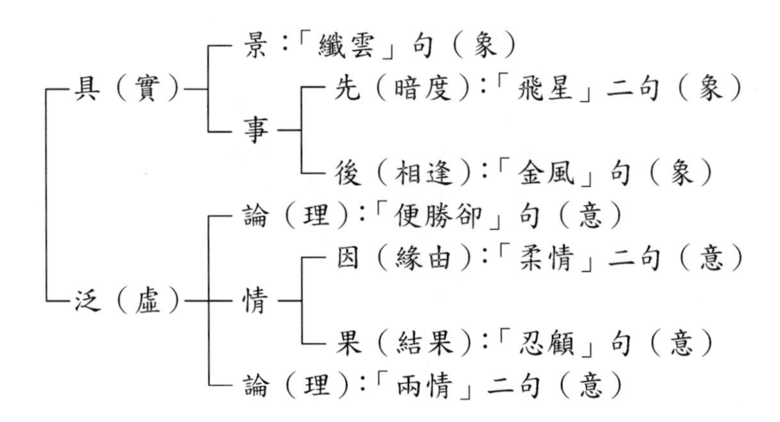

顯然地，這首詞主要是用虛實、景事、論情、先後、因果等邏輯層次來組織其內容材料，以形成其篇章結構的。而其中「論、情、論」的「虛」結構，乃以「久長」為「構」，連結「情」與「理」而形成互動，並由此回應上面的「實」結構，以「久長」之真情寬慰「短暫」之離合，使「意」與「象」互相融合，趨於統一。這種「構」用簡圖表示如下：

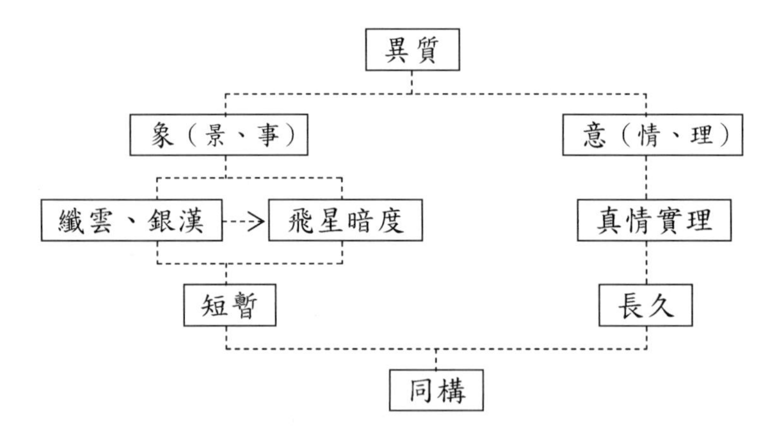

在此，雖然「長久」（正）與「短暫」（反）形成對比，卻彼此包孕，產生「同構」的作用，臻於統一、和諧。

末如李清照〈聲聲慢〉：

> 尋尋覓覓，冷冷清清，悽悽慘慘戚戚。乍暖還寒時候，最難將息。三杯兩盞淡酒，怎敵他、晚來風急。雁過也，最傷心，卻是舊時相識。　　滿地黃花堆積。憔悴損、如今有誰堪摘。守著窗兒，獨自怎生得黑。梧桐更兼細雨，到黃昏、點點滴滴。這次第，怎一箇愁字了得。

這闋詞旨在寫「愁」。它就「篇」此一層而言，是用「先象

（因）後意（果）」（上層）的「篇結構」統合「次、三、四、底」等層之「章結構」寫成的。

「象（因）」（上層）的部分，自篇首至「到黃昏」句止，主要採「凡（總提）、目（分應）、凡（總提）」（次層）的「章結構」來寫：頭一個「目」，指「尋尋」三句，共疊十四個字，採「先因後果」（三層）的「章結構」，寫在秋涼時，因尋覓舊跡，卻物是而人非，故倍感淒涼，無法自已，含有極強之層次邏輯，為下句之「最難將息」預築橋樑；而「凡」，乃指「乍暖」二句，既承上也探下地作一總括，不言哀愁而哀愁自見；至於後一個「目」，則自「三杯」句起至「到黃昏」句止，採「先『先』後『後』」（三層）包孕兩疊「先人（人事）後天（自然）」（四層）的「章結構」[30]，先以「三杯」句，寫試酒的人事景（人），並以「怎敵他」起至「如今」句止，採「並列」（底層）的「章結構」，寫風急、雁過、花落等自然景（天）；後以「守著」二句，寫守窗的人事景（人），並以「梧桐」二句，寫雨打梧桐的自然景（天）；針對「最難將息」四字作具體之描寫，為結二句蓄力。

「意（果）」（上層）的部分，為結二句，用「這次第」總結上面「因」的部分，逼出一個「愁」字，點醒主旨，以融貫全篇，使全詞含著無盡的哀愁[31]。

---

30 所謂「天」，指的是「自然」；所謂「人」，指的是「人事」。通常在寫景或說理的時候，作者往往會涉及「天」與「人」。如就寫景來說，「天」就是自然之景，「人」就是人事之景；若就說理而言，則「天」就屬於天道，「人」就屬於人道。而它也同樣可以形成「先天後人」、「先人後天」、「天、人、天」、「人、天、人」等結構。見陳滿銘：〈論幾種特殊的章法〉，臺灣師大《國文學報》31期（2002年6月），頁187-191。

31 馮海榮：「這首〈聲聲慢〉詞純用賦體寫成，滿紙嗚咽，愁情重疊。詞的起調用了十四個疊字連貫而下，如珠走玉盤，琴發哀聲。國破夫亡，金兵南侵浙東，女詞人

附其結構系統表如下：

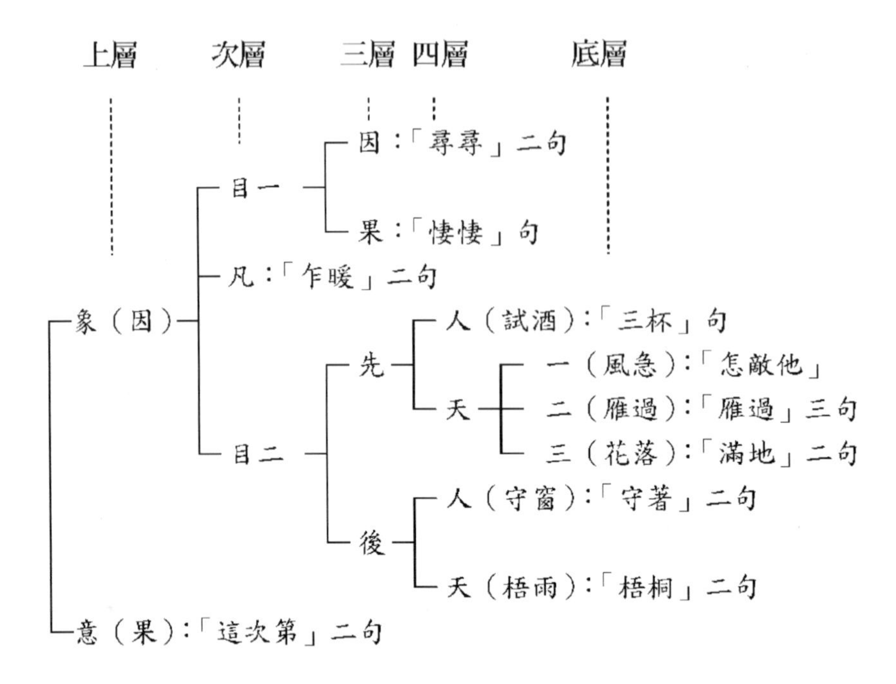

由上表可看出，作者寫這首詞，主要是用因果（兩疊）、凡目、先後與天人（兩疊）等篇章意象組織方法，呈現不同意象，產生「異質同構」而形成其篇章。其質、構的雙螺旋關係，可用下圖來表示：

子然一身，飄泊東南。離鄉背井之苦，少依無靠之悲，一時湧集於心，令人難以釋懷。她渴望尋覓已失去的美好生活，以取得精神上的安慰，而四周一片冷冷清清，使其心境更陷入淒慘悲戚的深淵中。這裡有動作，有感覺，有心境，聲情急促，一氣貫注。」見陳邦炎主編：《詞林觀止》上，頁438-439。

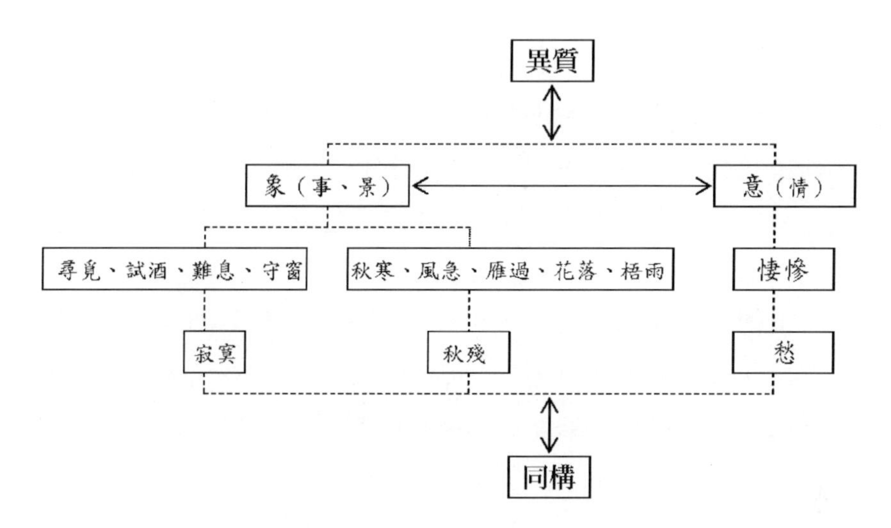

這樣，植基於篇章意象組織，便使其「意」（情、美）與「象」（人、事、物），產生「異質同構」之雙螺旋作用，而連結在一起了。

第三節　篇章意象組織與剛柔成分之量化

宇宙萬物是建立在「陰陽二元互動」之基礎上的，風格即如此。它由「陰陽二元互動」所形成之母性風格，為「剛」與「柔」，清代姚鼐的〈復魯絜非書〉，就提出了這個觀點，而周振甫在《文學風格例話》中對它作了如下闡釋：

> 姚鼐把各種不同風格的稱謂，作了高度的概括，概括為陽剛、陰柔兩大類。像雄渾、勁健、豪放、壯麗等都歸入陽剛類，含蓄、委曲、淡雅、高遠、飄逸等都可歸入陰柔類。……陽剛陰柔可以混雜，在混雜中，陰陽之氣可以有的多有的少，有的消有的長，這就造成風格的各種變化。[32]

32 周振甫：《文學風格例話》（上海市：上海教育出版社，1989年7月一版一刷），頁13。

可見風格之多樣，是由「剛」(陽）與「柔」(陰）的「消長」而造成的。就以篇章各層之意象組織而言，即以此「陰陽二元」之互動為基礎，經其「調和」性或「對比」性之「移位」(順、逆)、「轉位」(拗）與「包孕」所形成；如此透過它們所產生之或強或弱之「勢」，使得層層篇章意象組織之「陰柔」或「陽剛」起了「多寡進絀」(多少、消長）的變化。而這種變化，可試著依據幾種相關因素，如陰陽二元、對比、調和、移位、轉位、包孕、結構層級、核心結構……等[33]所形成之「勢」的大小強弱，約略對一篇辭章剛柔「多寡進絀」之比例加以推定。大抵而言，據各相關因素作如下之推定：

1. 以陰陽二元而言，判定各二元結構類型之陰陽，以起始者取「勢」之數為「1」(倍)、終末者取「勢」之數為「2」(倍)。
2. 以調和、對比而言，將「調和」者取「勢」數為「1」(倍)、「對比」者取「勢」之數為「2」(倍)。
3. 以「移位」、「轉位」而言，將「順」之「移位」取「勢」之數為「1」(倍)、「逆」之「移位」取「勢」之數為「2」(倍)、「轉位」之「拗」取「勢」之數為「3」(倍)。
4. 以「包孕」所形成之「層級」而言，將處「底層」者取「勢」之數為「1」(倍)、「上一層」者取「勢」之數為「2」(倍)、「上二層」者取「勢」之數為「3」(倍)……以此類推。
5. 以「核心（篇）結構」一層所形成「勢」而言，其數為最高，過此則「勢」之數（倍）逐層遞降。

33 陳滿銘：《章法結構論》(臺北市：萬卷樓圖書公司，2012年2月初版），頁1-322。

雖然這些「勢」之數（倍），由於一面是出自推測，一面又為了便於計算，因此其精確度顯然是不足的，卻也已約略可藉以推測出一篇辭章剛柔成分之比例來。而且可由這種剛柔成分比例之高低，大概分為三等：（甲）首先為至剛或至柔：其「勢」之數為「66.66→71.43」；（乙）其次為偏剛或偏柔：其「勢」之數為「54.78→66.65」；（丙）又其次為剛柔互濟：其「勢」之數為「45.23→54.77」。其中「71.43」是由轉位結構的陰陽之比例「5/7」推得，這可說是陰陽之比例之上限；而「66.66」是由移位結構的陰陽之比例「2/3」推得，這可說是陰陽之比例之中限；至於「45.23」與「54.77」是以「50」為準，用上限與中限之差數「4.77」上下增損推得。如果取整數並稍作調整，則可以是：

1. 至剛、至柔者，其「勢」之數為「66→ 72」。
2. 偏剛、偏柔者，其「勢」之數為「56→ 65」。
3. 剛、柔互濟者，其「勢」之數為「45→ 55」。

如此作新嘗試[34]，雖仍嫌粗糙，但已可初步為姚鼐「夫陰陽剛柔，

34 林大礎、鄭娟榕：「從我國傳統辭章理論，直至當代的辭章學、風格學、文學、美學等，對『風格』的品鑑，歷來都是靠人們主觀上的感知、體悟來作出評判。這雖然會有一定的共通準則，但是也難免因人而異，以致出現見仁見智甚至相互牴牾的觀點；而對於學識尚淺的『青青子衿』，這更是一大難題。陳教授歷經幾十年的教學與科研的實踐，對此有更深的感觸。他經過幾十年的多方探索與苦思冥想，終於從其他學科理論中受到啟迪而觸類旁通，於是大膽地試用定量分析法來研究章法風格。陳教授已經初步成功地運用『量化』的方法來分析辭章風格，這本身就是一種歷史性的突破。這一嘗試性的創舉，不僅確證了『章法風格』的客觀性、可行性、實用性和科學性，也解決了辭章實踐中的一些難題。」見〈開闢漢語辭章學的新領域——陳滿銘教授創建辭章章法學評介〉。又，指出：「嘗試對辭章作品進行定量分析，並用定性分析的結果來驗證其定量分析的結果的正確性。這是陳先生的又一大

其本二端，造萬物者糅而氣有多寡、進絀，則，於不可窮，萬物生焉」的說法，作了較具體的印證[35]。

茲舉例略作說明，以見一斑：如辛棄疾〈水龍吟〉：

> 楚天千里清秋，水隨天去秋無際。遙岑遠目，獻愁供恨，玉簪螺髻。落日樓頭，斷鴻聲裡，江南遊子。把吳鉤看了，欄干拍遍，無人會，登臨意。　休說鱸魚堪鱠，儘西風，季鷹歸未？求田問舍，怕應羞見，劉郎才氣。可惜流年，憂愁風雨，樹猶如此！倩何人、喚取紅巾翠袖，搵英雄淚？

此詞當作於宋孝宗淳熙元年（1174），題作「登建康賞心亭」，旨在寫「請纓無路」的愁緒，採「先象（因：景、事〔人〕）後意（果）」（上層）的移位性「篇結構」統合次、三、四、底等層之移位性「章結構」寫成。

以「象（因：景、事〔人〕）」（上層）而言，用「先底（景）後圖（人：作者）」（次層）加以呈現：它首先以「楚天」六句，用「先視後聽」（三層）的「章結構」，寫登亭所見所聞，依序是天、水、山、落日與鴻聲，而將愁恨寓於其中。並由此帶出「江南遊子」至「樹猶如此」十四句，用「先點後染」（三層）包孕「先果後因」（四層）與「並列（一、二、三）」（底層）的「章結構」加以呈現：先以落日與斷鴻為媒介，把流落江南的自己（遊子）帶出來，以交代題

瞻而空前的突破，對辭章章法學的發展，必將具有十分重要而特殊的意義。」見〈當代漢語辭章學的三個時期及其主要標誌〉，均收入《陳滿銘與辭章章法學》（臺北市：文津出版社，2007年12月一版一刷），頁164-165、388。

35 陳滿銘：〈章法風格論——以「多、二、一（0）」結構作考察〉，《成大中文學報》12期（2005年7月），頁147-164。

目，這是「圖」中「點」（三層）；再進而寫自己久看吳鉤、遍拍闌干的無奈，以呼應結尾「請纓無路」的痛苦，這是「圖」中「染」（三層）、「染」中「果」（四層）；然後以「休說」九句，藉張翰、許汜與桓溫的故事，依次寫自己有家歸不得，求田不成與時不我予的困窘，從旁將請纓無路的痛苦推深一層，這是「圖」中「染」（三層）、「染」中「因」（四層）、「因」中「並列（一、二、三）」（底層）。

最後以「倩何人」三句，由實轉虛，表達請纓的強烈願望，以收拾全詞，這是「意（果）」（上層）的部分。透過這種結構，作者便將自己胸中的積鬱傾洩而出了。

對此，梁啟超說：

> 詞中「落日樓頭，斷鴻聲裡，江南遊子。把吳鉤看了，欄干拍遍，無人會，登臨意」及「倩何人、喚取紅巾翠袖，搵英雄淚」等語，確是滿腹經綸在羈旅落拓或下僚沉滯中勃鬱一吐情狀。[36]

解析得很深入。

附其結構系統表如下：

---

36 梁啟超：《辛稼軒先生年譜》，收入鄧廣銘：《增訂本稼軒詞編年箋注》附錄（臺北市：華正書局，1978年12月版），頁8。

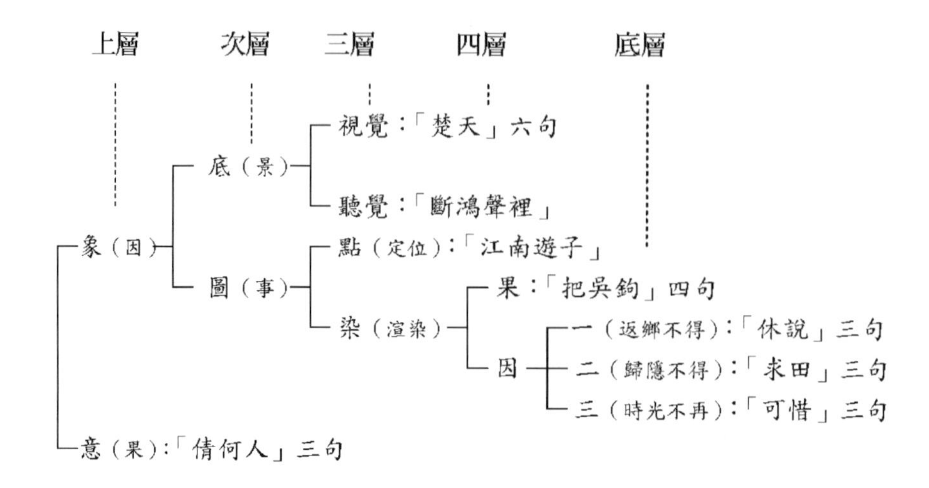

若以其陰陽之流向與剛柔成分之量化來呈現，則如下表：

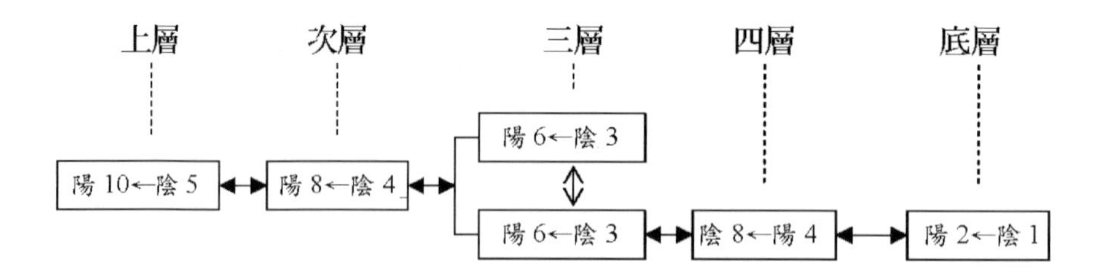

此詞含五層結構：其底層有一疊「並列」（順）的移位性「章結構」，其「勢」之數為「陰1、陽2」；四層有一疊「先果後因」（逆）的移位性「章結構」，其「勢」之數為「陰8、陽4」；三層有一疊「先視後聽」（順）與一疊「先點後染」（順）等移位性「章結構」，其「勢」之數為「陰6、陽12」；次層有一疊「先底後圖」（順）的移位性「章結構」，其「勢」之數為「陰4、陽8」；上層以一疊「先因後果」（順）的移位性「篇結構」，其「勢」之數為「陰5、陽10」。總結起來看，此詞所形成之「勢」，以陰陽之流向而言，流向「陰」的有一個結構、流向「陽」的有五個結構，可看出其「陽剛」之「勢」較「多」較「進」，而「陰柔」之「勢」較「寡」較「黜」；以陰陽之量

化而言，其數為「陰25、陽36」，如換算成百分比（四捨五入），則為「陰41、陽59」。

對此詞之風格特點，朱德才、薛祥生、鄧紅梅等《辛棄疾詞新釋輯評》評云：

> 這首詞的主要特點，一是在風格上，於豪放中兼融沉鬱。一是在手法上，採用含蓄曲折的抒情方法。其表現之一是在抒情時移情入景並借用典故，增加詞情的曲折含蓄性；表現之二是詞作寫情層層推進，而寫到情極處時，卻只以「樹猶如此」半句咽住，讓讀者去細細體會，因而顯得含蓄雋永。……它就成了稼軒早期詞中最負盛名的一首，也是「稼軒風」的一篇代表作品。[37]

所謂「豪放中兼融沉鬱」，是指「剛中帶柔」，如參照「陰41、陽59」之量化結果來看，屬「偏剛」之作。由此也可見此詞在篇章風格上之特色。

又如姜夔〈暗香〉：

> 舊時月色。算幾番照我，梅邊吹笛。喚起玉人，不管清寒與攀摘。何遜而今漸老，都忘卻、春風詞筆。但怪得、竹外疏花，香冷入瑤席。　　江國、正寂寂。歎寄與路遙，夜雪初積。翠尊易泣，紅萼無言耿相憶。長記曾攜手處，千樹壓、西湖寒碧。又片片、吹盡也，幾時見得。

---

37 葉嘉瑩主編，朱德才、薛祥生、鄧紅梅等編著：《辛棄疾詞新釋輯評》上（北京市：中國書店，2006年1月一版一刷），頁78。

這闋詞題作「辛亥之冬，余載雪詣石湖。止既月，授簡索句，且徵新聲，作此兩曲。石湖把玩不已，使二妓肄習之，音節諧婉，乃曰〈暗香〉、〈疏影〉」。乃一首詠紅梅之作，作於光宗紹熙二年（1191），採「先實後虛」的「篇結構」統合其他的「章結構」寫成。

「實」的部分，自開篇起至「吹盡也」止。其中先以起首五句，用「先反（昔盛）後正（今衰）」之「章結構」，就梅花之盛，寫當年梅邊吹笛、喚人攀摘的雅事；這寫的是「反」（昔盛）。再以「何遜」四句，採「先全後偏」之「章結構」，就梅花之衰，寫如今人老花盡、無笛無詩的境況；接著以「江國」六句，承「何遜」四句，仍就梅花之衰，反用陸凱詩意，寫路遙雪深、無從寄梅的惆悵；以上寫的是「正」（今衰）。然後以「長記」二句，用「先『反』（昔盛）後『正』（今衰）」之「章結構」，先承篇首五句，透過回憶，藉當年攜遊西湖孤山所見梅紅與水碧相映成趣的景致，以抒發無限懷舊之情；再以「又片片、吹盡也」句，就眼前，寫梅花落盡、舊歡難再的悲哀，回應「何遜」十句來寫。而「虛」部分即結尾一句，將時間伸向未來，發出「不知何時才能見得著」的感歎作結。作者就這樣以一實一虛、一盛一衰、一昔一今，作成強烈的對比來寫，將自己滿懷的今昔之感、懷舊之情，表達得極為婉轉回環，有著無盡的韻味。有人以為此詞托喻君國，事與徽、欽二帝北狩有關[38]，因無佐證，不予採納[39]。潘善祺以為此詞：

---

38 宋翔鳳：「詞家之有姜石帚，猶詩家之有杜少陵，繼往開來，文中關鍵。……《暗香》、《疏影》，恨偏安也。蓋意愈切，則詞愈微，屈、宋之心，誰能見之。」見《樂府餘論》，《詞話叢編》3（臺北市：新文豐出版公司，1988年2月臺一版），頁2503。陳廷焯：「南渡以後，國勢日非。白石目擊心傷，多於詞中寄慨。不獨〈暗香〉、〈疏影〉二章，發二帝之幽憤，傷在位之無人也。特感慨全在虛處，無迹可尋，人自不察耳。」見《白雨齋詞話》卷二，《詞話叢編》4，頁3797。

39 常國武：「此詞不過是借梅花的盛衰，抒發作者自己由年輕時的歡愉轉入老大的悲

雖為憶友，然贈梅、觀梅、落梅，始終貫穿全詞，環繞本題。

並說：

此詞由昔而今，又由今而昔，憶盛歎衰，樂聚哀散。回環往復，如蛟龍盤舞，曲盡情意，確是大家手筆。[40]

幾句話就指出了本詞的特色與成就。附其結構系統表如下：

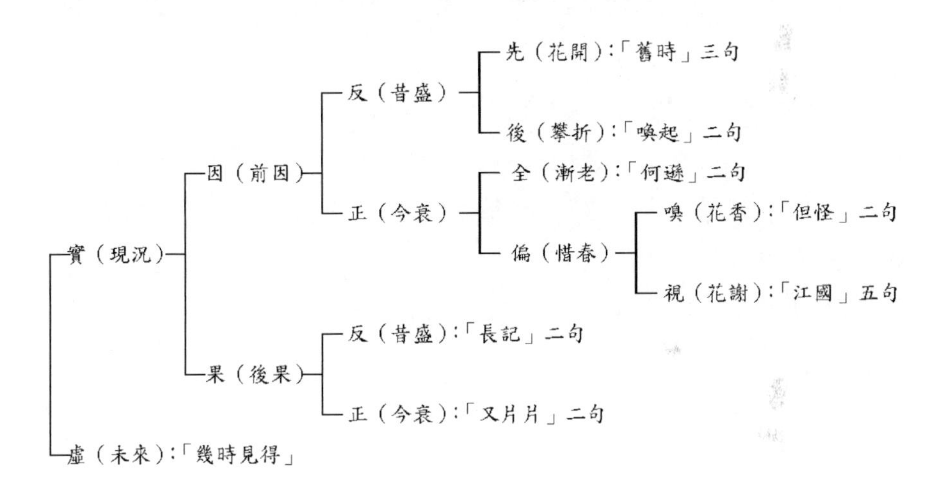

如單以陰陽結構來呈現，則如下表：

涼，以及自己與故人由當年共同賞梅到而今兩地乖隔、舊遊難再的悵惘而已，與亡國之恨毫無瓜葛。」見《新選宋詞三百首》（北京市：人民文學出版社，2000年1月一版一刷），頁403。

40 陳邦炎主編：《詞林觀止・上》，頁590。

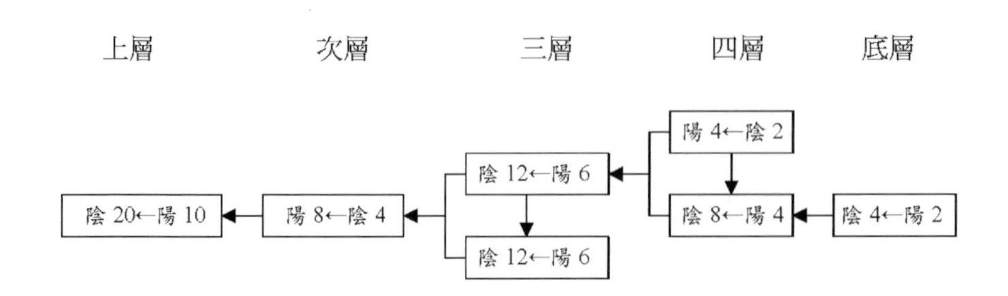

此詞含五層結構：它最上一層之「先實後虛」（逆、移位）為其核心結構，其「勢」之數為「陰20、陽10」；次層為「先因後果」（順）的「移位」結構，其「勢」之數為「陰4、陽8」；三層有「先反後正」（逆、對比）兩疊的「移位」結構，其「勢」之數為「陰24、陽12」；四層有「先先後後」（順）、「先全後偏」（逆）等「移位」結構，其「勢」之數為「陰10、陽8」；底層為「先嗅覺後視覺」（逆）的「移位」結構，其「勢」之數為「陰4、陽2」；將此五層加在一起，其「勢」之數總共為「陰62、陽40」；如換算成百分比（四捨五入），則為「陰61、陽39」。可見這闋詞所形成的是「柔中寓剛」之偏柔風格，與純陰相當接近。

如此，藉詠梅來寫今昔之感、懷舊之情，呈現了「柔中帶剛」的風格。對此，周振甫說：

> 借梅花來懷念伊人，表達了無限深情。句句不離梅花，但又在表達對伊人深切懷念的深情，所以是清空之作，這種感情清雅而富有詩意，所以又是騷雅的。[41]

這種「清空」、「騷雅」之說，源於張炎之《詞源》[42]，「清空」，主要

41 周振甫：《文學風格例話》，頁76。

42 張炎：「詞要清空，不要質實。清空則古雅峭拔，質實則凝澀晦昧。……白石詞如

是指風格；而「騷雅」，主要是說「另有寄託」，而劉揚忠指出：

> 白石詞同詞史上柔婉豔麗與雄放豪壯兩大類型皆有不同，他一洗華靡而摒除粗豪，別創一種清疏飄逸、幽潔瘦勁之體，用以抒發自己作為濁世之清客、出塵之高士的幽懷雅韻與身世家國之感。[43]

他所說的「清疏飄逸、幽潔瘦勁」，當等同於「清空」，是指介於婉約與豪放之間的一種風格。姜白石的這種風格，與其說是屬「剛柔互濟」，不如說是「柔中寓剛」的。如以這首〈暗香〉剛柔成分之量化結果來看，這種「柔中寓剛」（「陰60、陽40」）的偏柔風格，就表現得相當明顯。

第四節　篇章意象組織與「0一二多」雙螺旋系統

大體說來，以宇宙萬物創生、轉化的動態歷程而言，是初由「陰陽二元」開始互動，再經「移位」或「轉位」（含「包孕」）[44] 的轉化過程，然後由此徹下、徹上，產生「相反相成」的作用，將宇宙萬物創生、轉化的動態規律加以整合，終於形成「0一二多」（含順、逆雙向）之「雙螺旋層次系統」的。

〈疏影〉、〈暗香〉、〈揚州慢〉……等曲，不惟清空，又且騷雅，讀之使人神觀飛越。」見《詞源》卷下，《詞話叢編》1，頁259。

43 劉揚忠：《唐宋詞流派史》（福州市：福建人民出版社，1999年3月一版一刷），頁489。

44 陳滿銘：〈章法的「移位」、「轉位」結構論〉，臺灣師大《師大學報．人文與社會類》49卷2期（2004年10月），頁1-22。又，陳滿銘：〈章法包孕式結構論——以「多、二、一（0）」螺旋結構切入作考察〉，《江南大學學報．人文社會科學版》5卷4期（2006年8月），頁85-90。

而以古代聖賢之探討而言，則他們是先由「有象」（現象界）以探知「無象」（本體界），逐漸形成「多←→二←→一（0）」的逆向（上徹）雙螺旋結構；再由「無象」（本體界）以解釋「有象」（現象界），逐漸形成「（0）一←→二←→多」的順向（下徹）雙螺旋結構的。就這樣一順一逆、一上一下，往復探求、驗證，久而久之，使「（0）一←→二←→多」（順向：下徹）與「多←→二←→一（0）」（逆向：上徹）產生「互動、循環、往復而提升」的作用，而形成「一二多」（含順、逆雙向[45]）的「雙螺旋層次邏輯系統」。這可從《周易》、《老子》的相關論述中獲得證明。

《周易·繫辭上》云：

> 是故易有太極，是生兩儀，兩儀生四象，四象生八卦。

據此，其順向歷程顯然就可用「一←→二←→多」的雙螺旋層次邏輯結構來呈現，其中「一」指「太極」，「二」指「兩儀（陰陽）」，「多」指「四象生八卦（萬物）」（含人事）。如果對應於〈序卦傳〉由天而人、由人而天，亦即「既濟」而「未濟」之的循環來看，則此「一→二→多」，就可以緊密地和逆向歷程之「多←→二←→一」接軌，形成其「0一二多」（含順、逆雙向）的雙螺旋結構。

這種雙螺旋結構，在《老子》一書中，不但可以找到，而且更趨完整，如：

> 道生一，一生二，二生三，三生萬物。萬物負陰而抱陽，沖氣以為和。（第四十二章）

---

45 為簡便起見，在下文裡不再作「含順逆雙向」之輔助說明。

在此，老子的「一」該等同於《易傳》之「太極」、「二」該等同於《易傳》之「兩儀」(陰陽)，因此所呈現的，和《周易》一樣，是「一 ⟷ 二 ⟷ 多」(順向) 與「多 ⟷ 二 ⟷ 一」(逆向) 之原始雙螺旋結構。不過，值得一提的是：老子的「道」可以說是「无」，卻不等於實際之「無」(實零)，而是「恍惚」的「无」(虛零)，以指在「一」之前的「虛理」[46]。這種「虛理」，如勉強以「數」來表示，則可以是「(0)」。這樣，順、逆向的雙螺旋結構，就可調整為「(0) 一 ⟷ 二 ⟷ 多」(順向) 與「多 ⟷ 二 ⟷ 一 (0)」(逆向)，以補《周易》(含《易傳》) 之不足，這就使得宇宙萬物創生、轉化的順、逆向動態歷程，更趨於完整而周延，形成「0一二多」(含順、逆雙向) 之雙螺旋系統了[47]。

由於這種研究之涵蓋面極大，雖然個人在多年以前，用科學方法尋得「模式」與「方法論」，以「0一二多」雙螺旋結構為軸心，從章法、意象、篇章結構與辭章多角度切入，曾出版十幾種專著，又在兩岸學報或一般期刊發表過兩百多篇論文，並指導過相關博、碩士論文幾十篇[48]，且以「『多二一 (0)』螺旋結構——以哲學、文學、美學維研究範圍」為題撰寫過專著問世[49]。總結起來說，這種「雙螺旋」，由「層次結構」而「系統」，是可用下圖加以呈現的：

---

46 唐君毅：《中國哲學原論・導論篇》(香港：人生出版社，1966年3月初版)，頁350-351。

47 陳滿銘：〈論「多、二、一 (0)」的螺旋結構——以《周易》與《老子》為考察重心〉，臺灣師大《師大學報・人文與社會類》48卷1期 (2003年7月)，頁1-20。又，陳滿銘：〈論螺旋邏輯學的創立——以哲學螺旋與科學螺旋為鍵軸探討其體系之建構〉。

48 陳滿銘：〈章法學三觀體系的建構過程〉，《章法論叢・第七輯》(臺北市：萬卷樓圖書公司，2013年11月初版)，頁1-24。

49 陳滿銘：《多二一 (0) 螺旋結構論——以哲學、文學、美學為研究範圍》(臺北市：文津出版社，2007年1月一版一刷)，頁298。

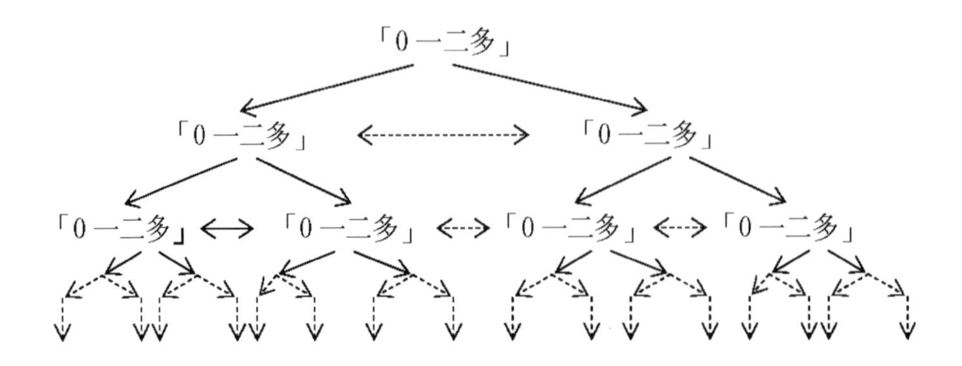

而此「層次邏輯」每一層的的內容或意象雖可以萬變、億變，但其雙螺旋結構卻不變，始終以「陰陽二元」之互動為「二」，「秩序（移位）、變化（轉位），聯貫（對比、調和）」為「多」，「統一」（包孕）為「一（0）」。其關係如下圖：

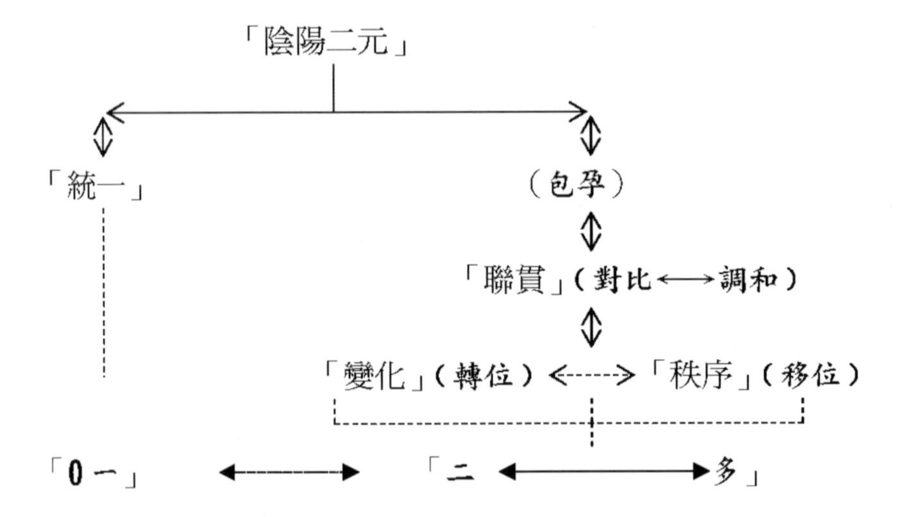

如這種系統落在「辭章」上來看，「辭章」是靠「語文能力」結合「形象思維」、「邏輯思維」與「綜合思維」來運作各種「意象」而形成的。這三種思維，落到「辭章」中各有所主，如是將一篇「辭

章」所要表達之「情」或「理」之「意」，訴諸各種偏於主觀之「聯想」、「想像」，和所選取之「景（物）」或「事」之「象」接合在一起，或者是專就個別之「情」、「理」、「景」（物）、「事」等各「意象」的形象本身設計其表現技巧的，皆屬「形象思維」（運用典型的藝術形象來顯示各種事物的特質）；這涉及了「取材」與「措詞（詞彙）」等「篇」、「章」、「句」、「字」[50] 等「意象形成與表現」的問題。而如果是專就「景（物）」或「事」等各種「象」，對應於自然的轉化規律，結合「情」與「理」之「意」，訴諸偏於客觀之「聯想」、「想像」，按秩序、變化、聯貫與統一之原則，前後加以安排、佈置，以成條理的，皆屬「邏輯思維」（用抽象概念來顯示各種事物的組織架構）；這涉及了「布局」（章法）與「構詞」（文〔語〕法）等「意象組織」的問題。至於合「形象思維」與「邏輯思維」而為一，探討其「主題」與「體性」[51] 的，則為「綜合思維」，這涉及了「立意」（篇旨）、「確立體性」（風格）等「意象統合」的問題。對這種「辭章」內涵，以雙螺旋切入，則其意象雙螺旋系統，可用下圖明白地加以呈現：

50 劉勰著，黃叔琳注、李詳補注：《增訂文心雕龍校注》卷七（北京市：中華書局，2000年8月一版一刷），頁444-450。

51 陳望道：「語文的體式很多，……表現上的分類，就是《文心雕龍》所謂的『體性』的分類，如分為簡約、繁豐、剛健、柔婉、平淡、絢爛、謹嚴、疏放之類。」見《修辭學發凡》（香港：大光出版社，1961年2月版），頁250。

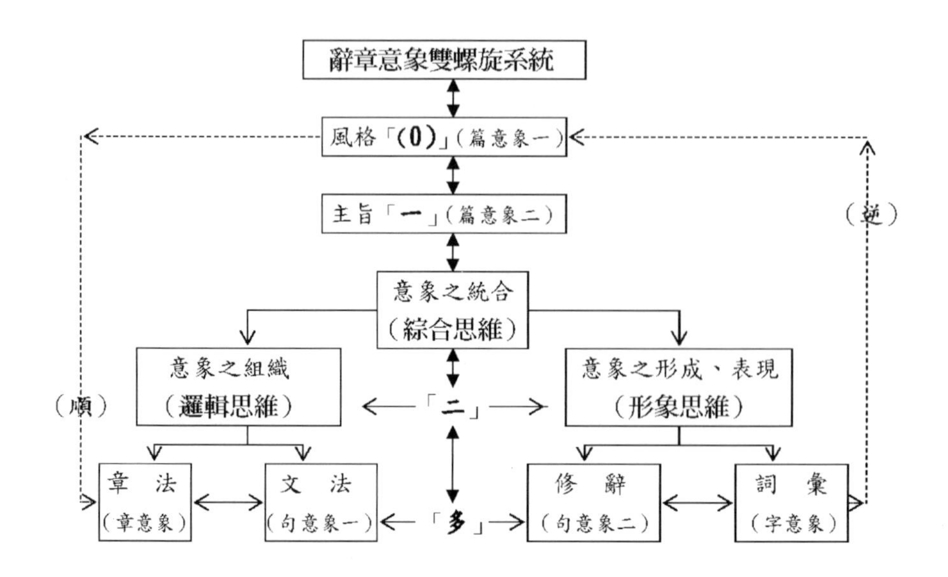

因此,「辭章」是離不開「意象」的,而「創作 ⟷ 閱讀」可說順逆、上下疊合,亦即「直觀表現(客觀存在)」(順)與「模式探索(科學研究)」(逆)的雙螺旋疊合[52],形成「辭章意象(創作 ⟷ 閱讀)雙螺旋層次邏輯系統」。

其中「意象」(「章」、「句」、「字」等)、「詞彙」(「字」意象)、「修辭」(「句」意象二)、「文(語)法」(「句」意象一)、「章法」(「章」意象)是「多」,「形象思維」與「邏輯思維」為「二」,「主題」(「篇」意象二)、「風格」(「篇」意象一)為「一(0)」。又落到通常所謂的「章法」(含移位或轉位、對比 ⟷ 調和與包孕),也就是「篇章意象組織」上來說,則所有「篇結構」與「章結構」,都屬於「二 ⟷ 多」;而由「調和性」(陰)與「對比性」(陽)徹下、徹上,結合「包孕」形成整體結構趨於「統一」,以呈現辭章之「主

52 陳滿銘:〈論辭章之無法與有法——以客觀存在與科學研究作對應考察〉,《國文學誌》23期(2011年12月),頁29-63。

旨」或「風格」（含韻味、氣象、境界等），則屬於「一0」。其中「一」指主旨，為作者所要表達的核心情、理；「0」指風格，為整體之「審美風貌」[53]。它們的關係可呈現如下圖：

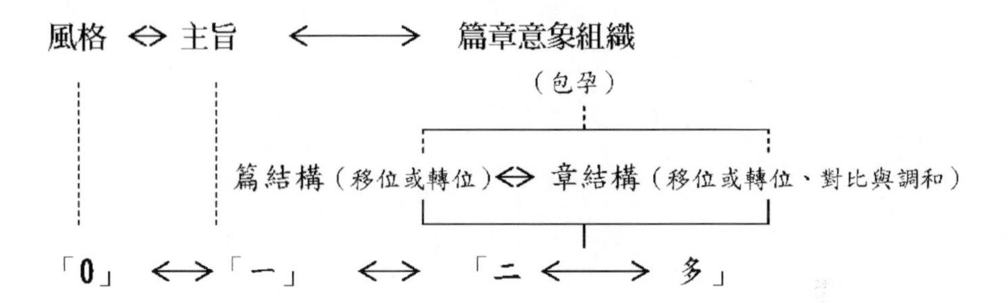

而這種結構系統，很普遍地可從不同文體之作品中獲得檢驗。

茲舉例略作解析，以見一斑。如蘇軾〈醉落魄〉詞：

> 蒼顏華髮，故山歸計何時決。舊交新貴音書絕。惟有佳人，猶作殷勤別。　　離亭欲去歌聲咽，蕭蕭細雨涼吹頰。淚珠不用羅巾裛。彈在羅衫，圖得見時說。

這首詞題作「蘇州閶門留別」，當是熙寧七年（1074），由杭州赴密州時，途經蘇州而作，用「虛（時）、實（空）、虛（時）」（上層）的轉位性「篇結構」統合「次、三、底」等移位性或轉位性「章結構」寫成。

它一開篇即置重於虛時間，以「蒼顏」二句，把時間推向未來，發出不知何時才能歸鄉的感嘆，為下敘的別情蓄力。接著置重於實空間，採「主、賓、主」（次層）的轉位性「章結構」來呈現：先以「舊交」四句，包孕「先反後正」（三層）、「先因後果」（底層）的移

53 顧祖釗：《文學原理新釋》，頁184。

位性「章結構」，以敘寫美人唱離歌殷勤送別的場景，以襯出別情，這是「主」；再以「蕭蕭」句，寫不斷吹頰的蕭蕭細雨，以景襯情，此為「賓」；末以「淚珠」句，寫美人淚滴羅衫的情狀，以加重別情，這又是「主」。然後又置重於虛時間，以結句應起，將時間推向未來，用「淚」作橋樑，設想未來見面時的情景，一面藉以安慰「美人」，一面藉以推深別情，圓滿收篇。

附其結構系統表如下：

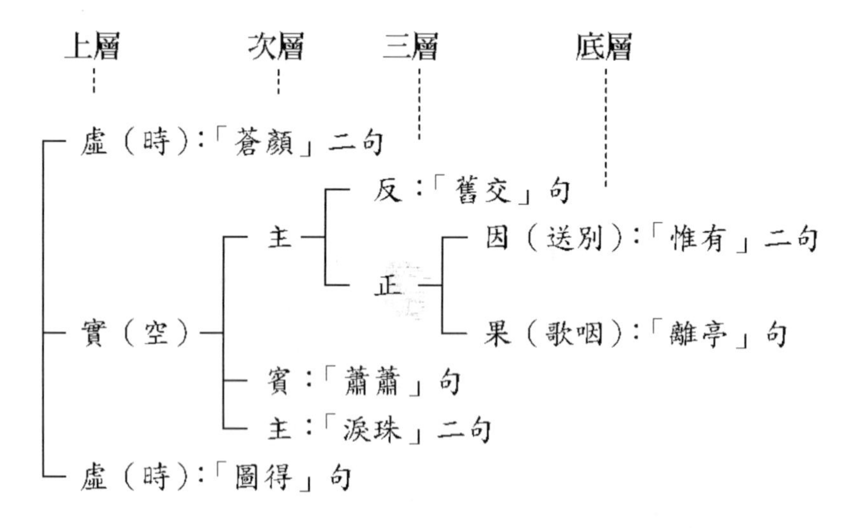

作者此詞，經過「邏輯思維」的安排佈置，將篇章意象組織形成四層結構，先在底層以一疊「先因後果」（移位）的調和性結構，造成第四層節奏（韻律），以支撐一疊「先反後正」（移位）之對比性結構，造成第三層節奏（韻律）。再由此「正反」結構來支撐一疊「主、賓、主」（轉位）的變化結構，造成第二層節奏（韻律）。然後又由此「賓主」結構來支撐一疊「虛、實、虛」的轉位性核心結構，既造成最上層節奏（韻律），以統合為整體之韻律。其分層簡圖如下：

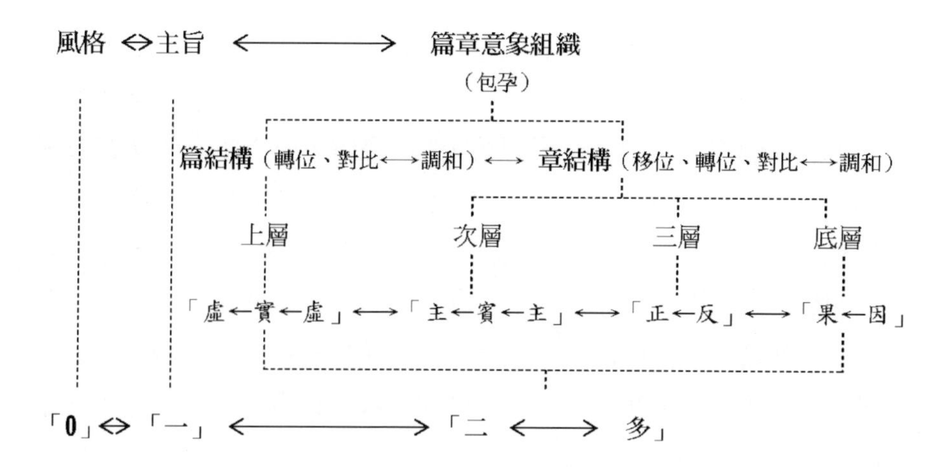

如此對應於「0一二多」來看，則以「虛實」為其「篇結構」，下徹以統攝各層「章結構」之節奏為「二⟷多」、上徹於「0一」，一面從篇外逼出主旨（別情），一面則由於這上層之「虛、實、虛」之結構，與次層之「主、賓、主」，將「順」與「逆」雙向合用，產生兩層「轉位」作用，而頭一個「主」更作成「正反」對比型態，使得節奏、韻律更趨於起伏有致，這對作品風格之所以「柔中寓剛」、情意之所以深沉來說，是有極大影響的。湯易水、周義敢說：

> 蘇軾任杭州通判之後詞作漸多，到了離杭州赴密州前後，更大量創作詞篇的，自此一發而不可收。他注意學習前人的經驗。沿用晚唐五代以來婉約詞的某些寫作技巧來寫歌妓，但不寫淺斟低唱，不涉艷冶風情，而是以幽怨纏綿的手法，表達身世之感和政治懷抱。[54]

---

54 唐圭璋、繆鉞、葉嘉瑩等：《唐宋詞鑑賞辭典》（上海市：上海辭書出版社，1988年1月十五刷），頁721。

所謂「以幽怨纏綿的手法，表達身世之感和政治懷抱」，道出了本詞之特色。

由上舉例作可看出「篇章意象組織」與「0一二多」雙螺旋系統對應、統合的密切關係。不過，在此，必須作補充說明的是：上舉「移位、轉位、對比與調和、包孕」，強調的是其運動、作用與狀態。如從自然法則這一面來說，那就是「秩序」、「變化」、「聯貫」與「統一」四者，它們所反映的是宇宙人生萬事萬物層層「轉化」的動態規律。如落到「方法論」來說，則此四者，以個別而言，是「方法論原則」；合起來說，是「方法論系統」[55]，因此，不只是「篇章意象組織」，就是從事任何領域之學術研究，都是不能捨此而不由的[56]。即以上述「剛柔成分之量化」與「格式塔理論」，甚至「意象系統」而言，全是如此[57]。

---

55 王希杰：「法則太多，可能顯得繁瑣、瑣碎，使人難以把握的。可貴的是，陳滿銘教授……力圖建立統率這些比較具體的法則的更高的原則。……創建了四大原則：（1）秩序律；（2）變化律；（3）聯貫律；（4）統一律……這符合科學的最簡單性原則，而且也是變化無窮的。這其實就是《周易》的方法論原則，乾坤兩卦，生成六十四卦。所以他的章法學是一個具有生成轉化潛能的體系，或者說是具有生成性。因此是具有生命力的。」見〈陳滿銘教授和章法學〉，《畢節學院學報》2008年1期（2008年2月），頁1-6。又，陳滿銘：〈論章法四大律之方法論原則——以多二一（0）螺旋結構作系統探討〉，臺灣師大《中國學術年刊》33期．春季號（2011年3月），頁87-118。

56 如陳滿銘：〈意象「多、二」、一（0）」螺旋結構論——以哲學、文學、美學作對應考察〉。又如陳滿銘：〈論真、善、美與「多、二、一（0）」螺旋結構——以辭章章法為例作對應考察〉，中山大學《文與哲》學報13期（2008年6月），頁663-698。又如陳滿銘：〈論才、學、識之邏輯層次——以「多、二、一（0）」螺旋結構切入作考察〉，高雄師大《國文學報》15期（2012年1月），頁1-32。

57 涉剛柔成分之量化的，如陳滿銘：〈章法風格論——以「多、二、一（0）」結構作考察〉。涉及格式塔「0一二多」螺旋結構的，如陳滿銘：〈格式塔理論的螺旋意涵〉。涉意象系統的，如陳滿銘：〈層次邏輯與意象（思維）系統——以「多、二、一（0）」螺旋結構作對綜合考察〉，臺灣師大《中國學術年刊》30期．春季號（2008

又如辛棄疾〈鷓鴣天〉詞：

> 聚散匆匆不偶然，二年歷遍楚山川。但將痛飲酬風月，莫放離歌入管絃。　　縈綠帶，點青錢。東湖春水碧連天。明朝放我東歸去，後夜相思月滿船。

這首詞題作「離豫章，別司馬漢章大監」，作於作者離開豫章（江西省南昌市）前夕，採「先實後虛」的「篇結構」統合「次、三、底」三層「章結構」寫成。「實」的部分，自篇首起至「東湖」句止，先以「聚散」二句敘別，為「因」；再以「但將」二句敘醉，為「果」；以上是敘事的部分。然後以「縈綠帶」句寫東湖四周之水，以「點青錢」句寫湖中之荷，以「東湖」句，將上二句作個總括，寫全東湖之水，以上是寫景的部分。而「虛」的部分，為結二句，則將時間推向「明朝」，寫別後的相思，而身世之感，也一併帶了出來。常國武說：「全詞篇幅雖短，但能將身世之感和離別之情置於一處抒寫，並照顧到景物之襯托，也頗見作者的藝術匠心。」[58] 頗有見地。

附其結構系統表如下：

年3月），頁255-276。

58 常國武：《辛稼軒詞集導讀》，頁144。

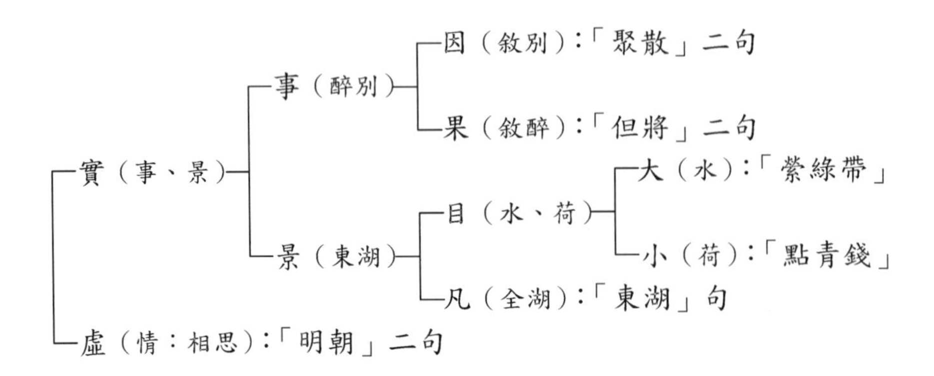

從上表可知，本詞由「實虛」、「事景」、「因果」、「凡目」與「大小」等結構層層組織而成。如對應於「0一二多」結構來看，次層與次層以下的「事景」、「因果」、「凡目」與「大小」等，皆屬輔助結構，為「多」；上層的「先實後虛」為核心結構，是關鍵性之「二」；而一篇之主旨「相思之情、身世之感」與「含蓄蘊藉」[59]的風格，則是「一0」。這種「0一二多」的表現，如配合篇章結構，可將它們的關係呈現如下表：

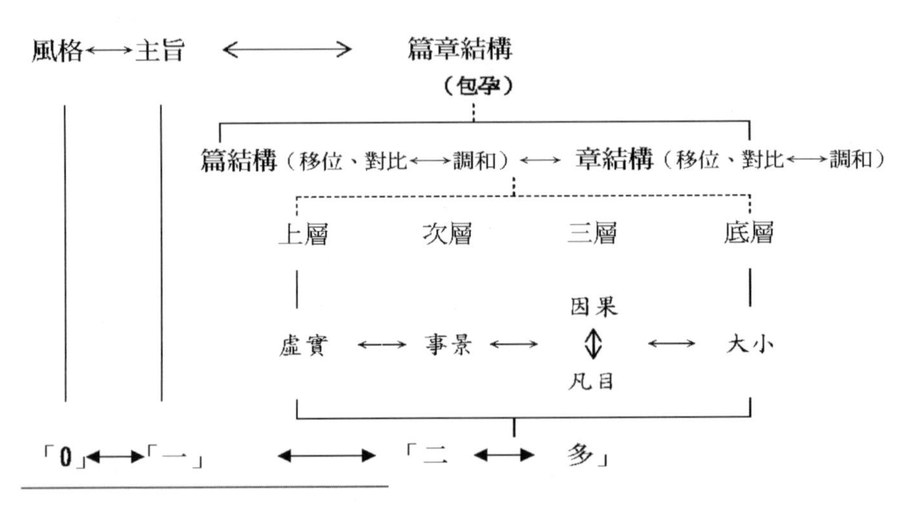

59 朱德才、薛祥生、鄧紅梅：「這首詞，……側重於抒發別情和對頻頻調動的不滿。同時是用小令寫作，風格也特別含蓄蘊藉，體勢既整飭又流美。」見葉嘉瑩主編：《辛棄疾詞新釋輯評》上，頁112。

如此看篇章結構，是可一目瞭然的。

從上文之討論中，可知意象之研究，落於辭章領域，目前在「個別意象（字、句）」之外，又兼顧「整體意象（篇、章）」，並視「意」為「情、理」、「象」為「景（物、人）、事」，使辭章「意象」由狹義拓為廣義，將「意象」當作「合義複詞」來探討，是可以豐富意象之內涵、開拓意象學研究之多樣面向的。在此多樣面向中，「跨界整合」可於「求異」之同時作「求同」的研討，而產生「異 ⟷ 同」雙螺旋的互動作用，因此已使「跨界整合」，越來越受到重視。

雖然本章僅就「篇章意象組織」作觀察，然而嘗試融入於「意象（思維）雙螺旋層次邏輯系統」中加以定位，並依序舉格式塔「異質同構」說、風格中「剛柔成分之量化」、「0一二多」雙螺旋系統，分別舉例說明，進行「跨界整合」的討論，但所謂「以個別表現一般，以單純表現豐富，以有限表現無限」[60]，相信可由「個案」（異）來表現「通例」（同），以見出「跨界整合」之重要性。

而且，如此將「意象」納入「篇章內涵」，借助「跨界整合」，並以唐宋詞來作文本檢驗，在「自覺」、「自由心證」與「經驗」（先天的「直觀表現」）之外，又藉現代之「專業化」與「科學化」來進行意象之研究（後天的「模式探索」）[61]，以拓展「有理可說」的空間，雖然踏出的僅僅是一小步，然而這種努力，希望對獲致「推陳出新」之成果而言，將是會有一些助益的。

---

60 葉朗：《中國美學史大綱》（臺北市：滄浪出版社，1986年），頁26。

61 陳滿銘：〈篇章風格論——以直觀表現與模式探索作對應考察〉，臺灣師大《中國學術年刊》32期．春季號（2010年3月），頁129-166。

第八章
創新潛能

「創新潛能」涉及「才、學、識」，其中「才」與「學」二者，屬於雙螺旋之「二元」，很早就受到重視，《文心雕龍·事類》說：「屬意立文，心與筆謀，『才』為盟主，『學』為輔佐，主佐合德，文采必霸，『才』、『學』褊狹，雖美少功。」[1] 如此以「盟主」與「輔佐」來看待「才」與「學」二者，顯然注意到了其邏輯層次關係。到了後來，又注意到了「識」，合為「才、學、識」三者，譬如袁枚《續詩品注·尚識》就說：「『學』如弓弩，『才』如箭鏃，『識』以領之，方能中鵠。」[2] 他在此特別凸顯了「識」的重要。而這「才、學、識」三者，在整個思維（意象）系統中是何種關係？在哲學與辭章兩個層面之表現為如何？而又有什麼問題須作綜合探討？實在都有必要一探其究竟，藉以凸顯三者之「邏輯層次」與「螺旋關係」。而這種「創新潛能」影響所有科技、藝術與文學之創造，即以唐宋詞之創作與研究而言，也不例外。

第一節　「0一二多」雙螺旋結構之形成

大體說來，對於任何思想體系之形成，關涉得最密切的，莫過於

1　黃叔琳等：《增訂文心雕龍校注》（北京市：中華書局，2000年8月一版一刷），頁473。

2　袁枚：《續詩品注·尚識》（臺北市：河洛圖書出版社，1974年9月臺影印初版），頁155。

「本末」問題。就以中國哲學中的「理」與「氣」、「有」與「無」、「道」與「器」、「體」與「用」、「動」與「靜」、「一」與「兩」、「知」與「行」、「性」與「情」、「天」與「人」……等「陰陽二元」之範疇[3]而言，即有本有末。它們無論是「由本而末」或「由末而本」，均可形成「順」或「逆」的單向本末結構。而一般學者也都習慣以此單向來看待它們，卻往往忽略了它們所形成之「互動、循環而提升」的雙螺旋結構。

而所謂「螺旋」，本用於教育課程之理論上，早在十七世紀，即由捷克教育家夸美紐斯所提出，顧明遠主編《教育大辭典》解釋說：

> 螺旋式課程（spiral curriculum）圓周式教材排列的發展，十七世紀捷克教育家夸美紐斯提出，教材排列採用圓周式，以適應不同年齡階段的兒童學習。但這種提法，不能表達教材逐步擴大和加深的含義，故用螺旋式的排列代替。二十世紀六〇年代，美國心理學家布魯納也主張這樣設計分科教材：按照正在成長中的兒童的思想方法，以不太精確然而較為直觀的材料，儘早向學生介紹各科基本原理，使之在以後各年級有關學科的教材中螺旋式地擴展和加深。[4]

所謂「圓周」、「逐步擴大和加深」，指的正是「循環、往復、螺旋式提高」，許建鉞編譯《簡明國際教育百科全書》即指出：

3　葛榮晉：《中國哲學範疇導論》（臺北市：萬卷樓圖書公司，1993年4月初版一刷），頁1-650。

4　顧明遠主編：《教育大辭典》（上海市：上海教育出版社，1990年6月一版一刷），頁276。

> 螺旋式循環原則（Principle of Spiral Circulation）排列德育內容原則之一，即根據不同年齡階段（或年級），遵循由淺入深，由簡單到複雜，由具體而抽象的順序，用循環、往復螺旋式提高的方法排列德育內容。螺旋式亦稱圓周式」。[5]

可見「螺旋」就是「互動、循環、往復而提升」的意思。這種螺旋作用，可用下列簡圖來表示：

二元 —> 互動 —> 循環 —> 往復 —> 提升

這是著眼於「陰陽二元」，即「二」來說的，若以此「二」為基礎，徹上於「一0」、徹下於「多」，則成為「0一二多」之雙螺旋層次邏輯系統。而這種系統可從《周易》（含《易傳》）與《老子》等古籍中獲知梗概，它們不但由「有象」而「無象」，找出「多→二→一0」之逆向結構；也由「無象」而「有象」，尋得「0一→二→多」之順向結構；並且透過《老子》「反者道之動」（四十章）、「凡物芸芸，各復歸其根」（十六章）與《周易・序卦》「既濟」而「未濟」之說，將順、逆向結構不僅前後連接在一起，更形成循環不息的「0一二多」（含順、逆雙向）雙螺旋層次邏輯結構或系統，以呈現中國宇宙人生觀之精微奧妙[6]。

如此照應「0一二多」整體，則「螺旋結構」之體系可用下圖來表示：

---

5 許建鉞編譯：《簡明國際教育百科全書》（北京市：新華書局北京發行所，1991年6月一版一刷），頁611。

6 陳滿銘：〈論「多、二、一（0）」的螺旋結構——以《周易》與《老子》為考察重心〉，臺灣師大《師大學報・人文與社會類》48卷1期（2003年7月），頁1-20。

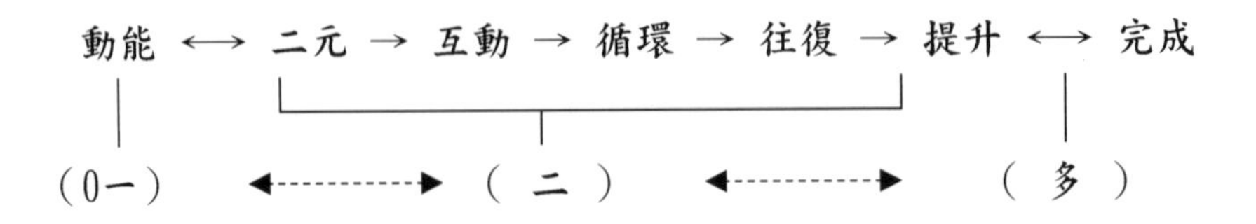

又如果再依其順逆向，將「0一二多」加以拆解，則可呈現如下列兩式：

一、順向：「0一」------▶「二」------▶「多」
二、逆向：「多」------▶「二」------▶「一0」

而這兩式是可以不斷地彼此「互動、循環、往復而提升」，而形成層層雙螺旋結構，以體現宇宙人生「生生不息」之生命力的。

很值得注意的是：相對於人文，近年科技界亦發現生命之「基因」:「DNA」等都呈現雙螺旋結構，約翰・格里賓著、方玉珍等譯《雙螺旋探密——量子物理學與生命》以為：

> 生命分子是雙螺旋這一發現為分子生物學揭開了新的一頁，而不是標誌著它的結束。但在我們以雙螺旋發現為基礎去進一步理解世界之前，如果能有實驗證明雙螺旋複製的本質，那麼關於雙螺旋的故事就會更加完美了。[7]

對這種「雙螺旋結構」，歐陽周、顧建華、宋凡聖等編著之《美學新編》也作解釋說：

7 約翰・格里賓著，方玉珍等譯：《雙螺旋探密——量子物理學與生命》（上海市：上海科技教育出版社，2001年7月），頁225。

> 從微觀看，由於近代物理學與生物學、化學、數學、醫學等的相互交叉和滲透，對分子、原子和各種基本粒子的研究更加深入，並取得一系列的成果。……特別要指出的是，DNA分子的雙螺旋結構模式，體現了自然美的規律：兩條互補的細長的核苷酸鏈，彼此以一定的空間距離，在同一軸上互相盤旋起來，很像一個扭曲起來的梯子。由於每條核苷酸鏈的內側是扁平的盤狀碱基，當兩個相連的互補碱基A連著P（應是T），G連著C時，宛若一級一級的梯子橫檔，排列整齊而美觀，十分奇妙。[8]

這樣，對應於「0一二多」螺旋結構來看，所謂「宛若一級一級的梯子橫檔」，該是「二」產生作用的整個歷程與結果，亦即「多」；所謂「當兩個相連的互補碱基 A 連著 P（應是 T），G 連著 C」，該是「二」；而 DNA 本身的質性與動力，則該為「一（0）」。至於所謂「兩條互補的細長的核苷酸鏈，彼此以一定的空間距離，在同一軸上互相盤旋起來」，該是一順一逆、一陰一陽的螺旋結構。如果這種解釋合理，那麼，從極「微觀」（小到最小）到極「宏觀」（大到最大），都可由一順一逆的「0一二多」雙螺旋結構加以層層組織，以體現自然「真、善、美」[9] 之規律。

可見人文與科技雖然各自「求異」，而有不同之內容，但所謂「萬變不離其宗」，在「求同」上，不無「殊途同歸」的可能。如果是這樣，則「0一二多」雙螺旋結構之「原始性」與「普遍性」，就值得大家共同重視了。

---

8 歐陽周、顧建華、宋凡聖等：《美學新編》（杭州市：浙江大學出版社，2001年5月一版九刷），頁303。

9 陳滿銘：〈論真、善、美與「多、二、一（0）」螺旋結構——以辭章章法為例作對應考察〉，中山大學《文與哲》學報13期（2008年6月），頁663-698。

第二節　從思維層面觀察

追根究柢地說，上述「多」、「二」、「一（0）」螺旋結構或層次邏輯系統，是始終以「意象」為內容的。而它如歸根於人類的「思維」而言，則因為「思維」是人類的一切知行活動的原動力，而「思維」又始終以「意象」為內容，所以「意象」是可以通貫「思維」之各個層面，如觀察、記憶、聯想、想像、創造等，而形成「0一二多」雙螺旋層次邏輯結構或系統的。

首先看思維力，周元主編《小學語文教育學》說道：「思維靠語言來組織。我們進行思考時，必須借助於單詞、短語和句子。因為思維的基本形式——概念，是用語言中的詞來標誌的，判斷過程和推理過程也是憑藉語句來進行的；也正是因為人憑藉語言進行思維，才使思維具有間接性和概括性。」[10] 因為人類具有思維能力，所以不會只侷限於某個時空的直接感官接觸；而且思維力的鍛鍊與語言能力的進展，可說是密切相關，是可以互動、循環、往復而提升的。周元又說道：「語言是思維的直接現實。我們理解語言時，要經歷從語文形式到思想內容，又從思想內容到語文形式的思維；言語表達時則相反，要經過從內容到形式，又從形式到內容的思維過程。在這反覆的過程中，需要進行分析綜合、抽象概括、判斷推理，需要形象思維和邏輯思維的交替進行。」[11] 正因為語言與思維有著密切的關係，所以在語文教學的全過程中，都應有意識地進行思維訓練。思維力強，表現出來就是抽象、概括的能力強，亦即「求異」與「求同」的能力強，彭

---

10 周元主編：《小學語文教育學》（上海市：華東師範大學出版社，1992年10月一版一刷），頁26。

11 周元主編：《小學語文教育學》，頁26。

聃齡主編《普通心理學》甚至認為抽象概括力是一般能力的核心[12]。在語文教學中，可以用「比較」的方式，來鍛鍊出學生「求異」與「求同」的能力，因而促進思維能力。

其次看觀察力，彭聃齡《普通心理學》說：「外部感覺接受外部世界的刺激並反映它們的屬性，這類感覺稱外部感覺。如視覺、聽覺、嗅覺、味覺、皮膚感覺等。……內部感覺接受機體內部的刺激並反映它們的屬性（機體自身的運動與狀態），這種感覺叫內部感覺，如運動覺、平衡覺、內臟感覺等。」[13] 觀察力就是運用視、聽、嗅、味、觸五種外部知覺，以及內部知覺，來獲取外在世界和機體內部訊息的能力。良好的觀察力對於寫作來說是相當重要的，因為正如周元《小學語文教育學》所言：觀察是獲得說寫素材的重要途徑，也是準確生動地表達的前提[14]。

又其次看記憶力，彭聃齡主編《普通心理學》：「記憶（memory）是在頭腦中積累和保存個體經驗的心理過程，運用信息加工的術語講，就是人腦對外界輸入的信息進行編碼、存儲和提取的過程。……記憶是一種積極、能動的活動。人對外界輸入的信息能主動地進行編碼，使其成為人腦可以接受的形式。現代心理學家認為，只有經過編碼的信息才能記住。」[15] 作為一種心理過程，記憶是一個識記、再認和再現的過程，是人們運用知識經驗進行思考、想像、解決問題、創造發明等一切智慧活動的前提。有了記憶，人們才能積累知識、豐富經驗；沒有記憶，一切心理現象的發展都是不可能的，我們的教育或教學也無法進行。

---

12 彭聃齡：《普通心理學》（北京市：北京師範大學出版社，2003年1月二版十五刷），頁392。

13 彭聃齡：《普通心理學》，頁76。

14 周元主編：《小學語文教育學》，頁23。

15 彭聃齡：《普通心理學》，頁201。

再其次看聯想力，童慶炳《中國古代心理詩學與美學》說道：「聯想是人的一種心理機制，主要指人的頭腦中表象的聯繫，即其中一個或一些表象一旦在意識中呈現，就會引起另一些相關的表象。」[16] 譬如我們看到月曆已撕到二月，就會想到冬去春來，由冬去春來又自然會想到萬物復甦，由萬物復甦又想到春景的美麗……等等。這種由一種事物想到另一種事物的能力就是聯想力，邱明正《審美心理學》並將聯想分成接近聯想、相似聯想、對比聯想、關係聯想幾類[17]。

接著看想像力，彭聃齡主編《普通心理學》說道：「想像（imagination）是對頭腦中已有的表象進行加工改造，形成新形象的過程。」[18] 其加工改造的方向有二：重組或變造。因此想像力的豐沛植基於兩個重要因素上：其一為腦中所儲存表象的豐富，其一為重組和變造的能力；也因為想像力是如此運作的，因此想像所得就會具有形象性和新穎性，這就是想像力迷人的地方。舉例來說，哈利波特童書系列中出現的「咆哮信」，就是將「信」和「生氣咆哮」重組起來，於是產生了新的表象——咆哮信；至於童話中常出現的可怕巨人，則往往是將某些特點加以誇大（譬如粗硬的皮膚、洪亮的聲音、巨大的眼睛等），這就是經過想像力變造的結果；不過更多的情況是在想像的過程中兼有重組與變造[19]。

最後看創造力，林崇德主編《高中生心理學》指出：「創造力即產生新思想、新發現和新事物的能力。創造性思考能力是創造力的核

---

16 童慶炳：《中國古代心理詩學與美學》（臺北市：萬卷樓圖書公司，1994年8月初版），頁133。

17 邱明正：《審美心理學》（上海市：復旦大學出版社，1993年4月一版一刷），頁179。

18 彭聃齡：《普通心理學》，頁248。

19 仇小屏：〈新式寫作教學總論〉，收入陳滿銘主編：《新式寫作教學導論》（臺北市：萬卷樓圖書公司，20073月初版），頁51-54。

心，它是一種極其重要的心理質素，是人的本質力量的表現。新思想、新理論、新技術、新產品的創造。……人類的文明史，就是一部人類創造新世界的歷史。」[20] 可見創造力是經由觀察力、記憶力、聯想力、想像力所開展出來的新結晶。人類之所以有「新思想、新理論、新技術、新產品」，就靠這種寶貴的創造力。

這些思維能力，如果從它們的邏輯關係來說，它們初由「觀察力」與「記憶力」的兩大支柱豐富「意象」，再由「聯想力」與「想像力」的兩大翅膀拓展「意象」（多），接著由「形象」與「邏輯」的兩大思維（二）運作「意象」，最後由「綜合思維」統合「意象」（一0），以發揮最大的「創造力」[21]。如此周而復始，便形成「0一二多」的雙螺旋層次邏輯結構，以反映「思維系統」或「意象系統」[22]。它們的關係可呈現如下圖：

20 林崇德：《高中生心理學》（臺北市：五南圖書出版公司，1997年10月初版二刷），頁113。

21 陳滿銘：〈論思維力與語文螺旋結構之形成——以「多、二、一（0）」螺旋結構加以考察〉，《肇慶學院學報》總79期（2006年6月），頁34-38。

22 陳滿銘：〈論章法結構與意象系統——以「多、二、一（0）」螺旋結構切入作考察〉，《江南大學學報・人文社會科學版》4卷4期（2005年8月），頁70-77。

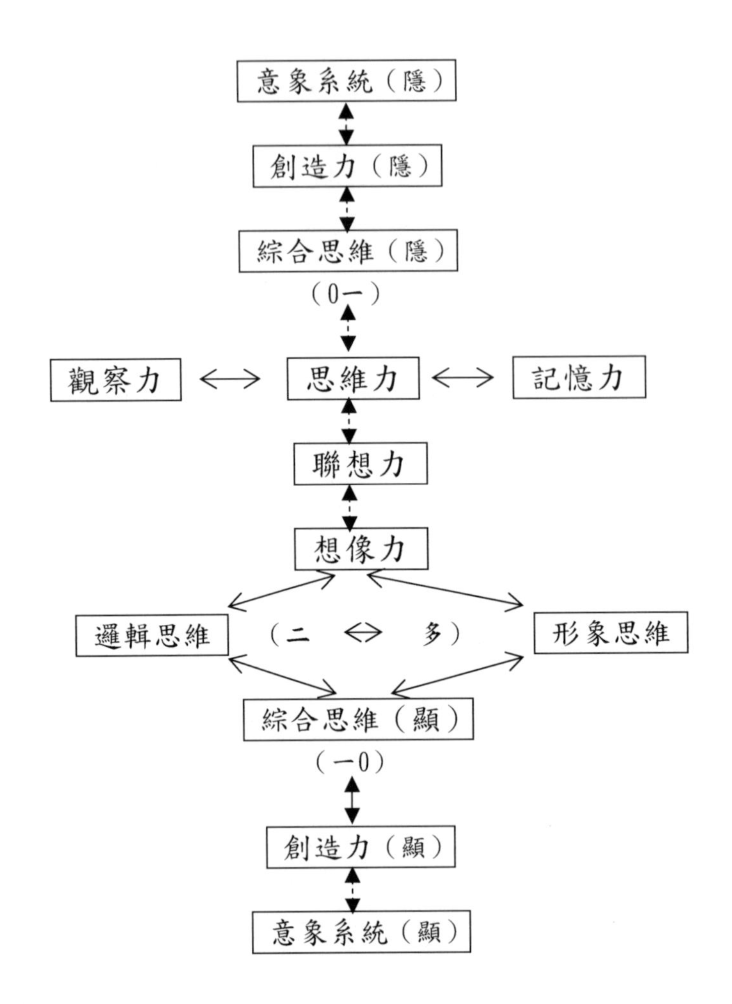

由此可見，在這種形成「意象系統」整個歷程裡，是完全離不開「思維力」（含觀察、記憶、聯想、想像、創造）之運作的。

而這種結構或系統，普遍存在於事事物物，不但可適用於哲學、藝術文學、心理學、美學等領域[23]，也適用於科技領域。因此盧明森說：

23 陳滿銘：《多二一（0）螺旋結構論——以哲學、文學、美學為研究範圍》（臺北市：文津出版社，2007年1月初版一刷），頁1-298。

> 它（意象）理解為對於一類事物的相似特徵、典型特徵或共同特徵的抽象與概括，同時也包括通過想像所創造出來的新的形象。人類正是通過頭腦中的意象系統來形象、具體地反映豐富多彩的客觀世界與人類生活的，既適用於文學藝術領域、心理學領域，又適用於科學技術領域。[24]

所以「意象」是一切思維（含形象、邏輯、綜合）的基本單元。所以如此，那是因為從源頭來看，「意象」是合「意」與「象」而成，而「意」與「象」，乃根源於「心」與「物」，原有著「二而一」、「一而二」的關係，藉以形成「思維系統」或「意象系統」。

其中必須一提的是：如單就「意象」與「聯想、想像」的關係而言，則是先有「意象」，然後才有「聯想、想像」的，盧明森說：「意象是聯想與想像的前提與基礎，沒有意象就不可能進行聯想與想像。」[25] 說得一點也沒錯。而且由於聯想「是從對一個事物的認識引起、想到關於其他事物的認識的思維活動，是一種廣泛存在的思維活動，既存在於形象思維活動中，也存在於抽象（邏輯）思維動中，還存在於抽象（邏輯）思維與形象思維活動之間……不是憑空產生的，而是有客觀根據，又有主觀根據的。」而想像則「是在認識世界、改造世界過程中，根據實際需要與有關規律，對頭腦中儲存的各種信息進行改造、重組，形成新的意象的思維活動，其中，雖常有抽象（邏輯）思維活動參與，但主要是形象思維活動。……理想是想像的高級型態，因為它不僅有根有據、合情合理、很有可能變成事實，而且有大量抽象（邏輯）思維活動參加，在實際思維活動具有重大的實用價

---

24 黃順基、蘇越、黃展驥主編：《邏輯與知識創新》第二十章（北京市：中國人民大學出版社，2002年4月一版一刷），頁430。

25 黃順基、蘇越、黃展驥主編：《邏輯與知識創新》第二十章，頁431。

值。」[26] 所以聯想與想像都有主、客觀成分，很自然地能流貫於形象思維（偏於主觀）與邏輯思維（偏於客觀）或綜合思維（主客觀合一）活動之中，使意象得以形成、表現、組織，以至於統合，成為「0一二多」的雙螺旋層次邏輯結構或系統，而產生美感[27]。

而這種結構或系統，如果對應於「創造」主體的「才」、「學」、「識」三者而言，則顯然其中的「才」，是對應於「思維」主體的資質稟賦，亦即隱性「創造力」來說的，屬於智能（智力）層，為「思維」之潛能，以觸生「意象」;「學」是對應於「觀察」與「記憶」來說的，屬於知識層，為「思維」之基礎，以儲存「意象」;而「識」則是對應於顯性「創造力」來說的，屬於智慧層，為「思維」之無限開展，藉以提升或創新「意象」而由「隱」而「顯」地組成「意象系統」。

它們的關係，對應於「0一二多」，就此層面而言，可用如下簡圖加以表示：

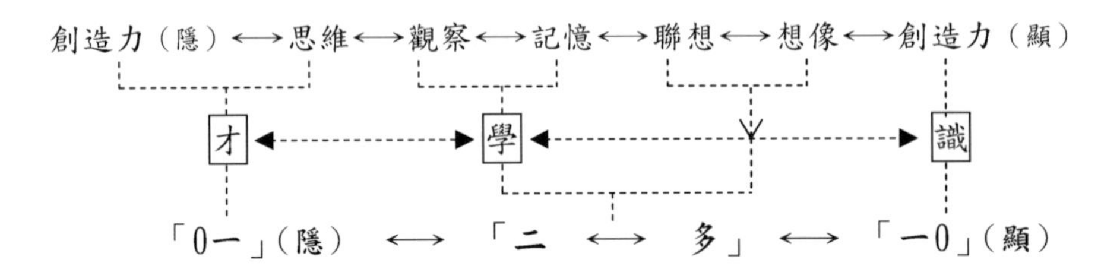

它們聚焦於「主體」，經由其觀察與記憶、形象與邏輯思維之「互動」、「循環」、「往復」而「提升」，而精益求精，形成「雙螺旋」關係。

---

26 黃順基、蘇越、黃展驥主編：《邏輯與知識創新》第二十章，頁431-433。

27 陳滿銘：〈論意象與聯想力、想像力之互動──以「多、二、一（0）」螺旋結構切入作考察〉，《浙江師範大學學報．社會科學版》31卷2期（2006年4月），頁47-54。

第三節　從哲學層面觀察

「才、學、識」之說，可以在《論語》一書所論「知（智）」中，獲得相應之論證：出現在《論語》一書裡的「知」字，有三種涵義：首先為智力，指聞見或推悟的能力，也可稱之為智能；這相對於「才、學、識」來說，指的就是「才」。如〈陽貨〉篇載孔子的話說：

> 唯上知與下愚不移。

何晏注此云：

> 孔（安國）曰：上知不可使為惡，下愚不可使強賢。[28]

而朱子則以為：

> 此承上章（即「子曰：性相近，習相遠也」）而言，人之氣質相近之中，又有美惡一定，而非習之所能移者。[29]

可見這裡所謂的「知」，是指先天的智力、智能來說的。也就是說孔子在此，指出不受後天習染所改易的有兩種人：其一為上智之人，這種人習於善而不移於惡，所以《漢書・古今人表》說：

---

28 鄭玄注，何晏疏：《論語注疏》，《十三經注疏》8（臺北市：藝文印書館，1965年6月三版），頁154。

29 朱熹：《四書集註》（臺北市：學海出版社，1984年9月初版），頁173。

可與為善，不可與為惡，是謂上智。[30]

其二為下愚之人，這種人習於惡而不遷於善，所以《漢書・古今人表》說：

可與為惡，不可與為善，是謂下愚。[31]

這兩種人所以這樣「不移」，完全是受了先天資質影響，〈季氏〉篇載孔子的話說：

生而知之者，上也。學而知之者，次也，困而學之，又其次也。困而不學，民斯為下矣。

這所謂的「上也」、「下矣」，指的就是「上知」、「下愚」，而「次也」、「又其次也」，指的則是「中人」，這種人「可與為善，可與為惡」（《漢書・古今人表》），習性是可以有所轉移的，孔子說：「中人以上，可以語上也。」（〈雍也〉）就是指這一大群人來說的。陳大齊解釋說：

「生而知之者」一章的要旨，在於闡述先天智力的等級，並附帶述及後天教養的有無，以於同一智力等級內再分別其高下。「生而知之者」，是先天智力最高的人，「學而知之者」，是先天智力較次的人。「困而學之」與「困而不學」的困字，註釋

30 《漢書》（臺北市：鼎文書局，1991年七版），頁861。

31 《漢書》，頁861。

> 家或解作窮字，或解作「有所不通」，亦係就先天的智力而言，言其智力有窮或有所不通，亦即言其智力甚低。[32]

解釋得很精要。

其次為知識或求知識，指聞見或推悟的外在過程或收穫，這相對於「才、學、識」來說，指的就是「學」。如〈為政〉篇云：

> 子曰：「由，誨女知之乎？知之為知之，不知為不知，是知也。」

對這章文字，邢昺疏云：

> 此誨辭也，言汝實知之事，則為知之；實不知之事，則為不知，此是真知也。[33]

而朱子亦注云：

> 我教汝以知之之道乎！但所知者則以為知，所不知者則以為不知，如此則雖或不能盡知，而無自欺之弊，亦不害其為知矣。況由此而求之，又有可知之理乎！[34]

據知孔子在本章，教子路不可強不知以為知。《荀子．儒效》篇說：

---

32 陳大齊：《孔子學說》（臺北市：正中書局，1963年仲夏），頁177。

33 鄭玄注，何晏疏：《論語注疏》，《十三經注疏》8，頁18。

34 朱熹：《四書集註》，頁64。

> 知之曰知之，不知曰不知，內不不自以誣，外不自以欺。

又〈非十二子〉篇說：

> 言而當，知也；默而當，亦知也。

與此精神正一貫。

然後為智慧，指增廣並提升聞見或推悟的層面所激起的內在成效，這相對於「才、學、識」來說，指的就是「識」。對此，孔子談得很多，如：

> 子曰：「里仁為美，擇不處仁，焉得知？」（〈里仁〉）
> 子曰：「不仁者，不可以久處約，不可以長處樂。仁者安仁，知者利仁。」（〈里仁〉）
> 樊遲問知。子曰：「務民之義，敬鬼神而遠之，可謂知矣。」（〈雍也〉）
> 子曰：「知者樂水，仁者樂山；知者動，仁者靜；知者樂，仁者壽。」（〈雍也〉）
> 子曰：「君子道者三，我無能焉：仁者不憂；知者不惑；勇者不懼。」子貢曰：「夫子自道也！」（〈憲問〉）
> 子曰：「可與言，而不與之言，失人；不可與言，而與之言，失言。知者不失人，亦不失言。」（〈衛靈公〉）

這些「知」，說的全是智慧。這種智慧，可說是自正確的知識（正知）中提煉出來的，可藉以從根源上辨別是非、真偽，而掌握真正的「義」，也就是「識」。朱子注〈中庸〉「義者，宜也」說：「分別事理，各有所宜」，要做到這一點，就得靠這種智慧。即以上舉「樊遲問知」章來說，孔子直接以「務民之義」視作「知」（智），更可看出這種「知」（智）與「義」的密切關係。陳大齊說：

> 此章所說，可以令人窺知孔子關於知與義所懷的見解。「務民之義」、《集解》引王肅說為註：「務所以化導民之義也」，朱註則云：「民、亦人也……專用力於人道之所宜」。這兩種註釋比較起來，朱註較為切當。「務民之義」、即是致力於人之所應為，簡言之，亦即是行義。行義可稱為知，則義必屬於知的範圍而以知為其內容。且孔子此言是概括的論斷，認為全部的義統統具有知的內容，未容許其有例外。義既以知為必具的內容，可見義出於知而以知為其本源，知與義可謂具有源與流的關係。[35]

可見孔子是極力主張經由「好學」[36]來發揮智力，敏求「正知」[37]，以呈顯智慧的。也唯有如此才能辨明是非、真偽，掌握真正的「義」，也就是「識」，而成就各種德行或德業[38]。它們的關係可用下圖表示：

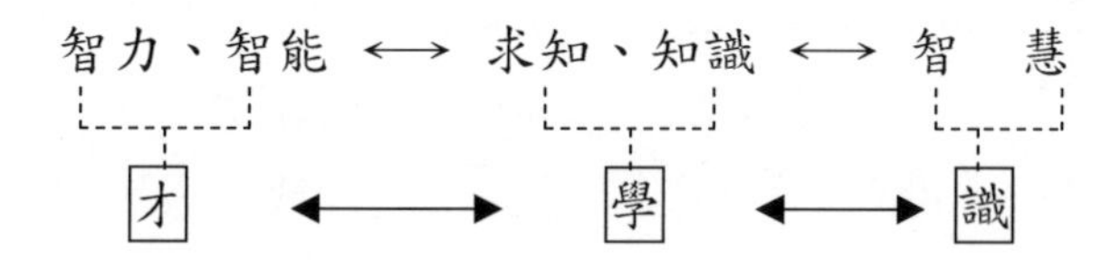

35 陳大齊：《孔子學說》，頁180。

36 《論語・公冶長》：「子曰：『十室之邑，必有忠信如丘者焉；不如丘之好學也。』」

37 陳大齊：《孔子學說》，頁182-198。

38 陳滿銘；〈談《論語》中的義〉，《論孟義理別裁》（臺北市：萬卷樓圖書公司，2003年8月初版），頁39-59。

綜上所述，「才、學、識」之說，是可在《論語》一書所論「知（智）」中，獲得相應之論證的。

第四節　從辭章層面觀察

嚴羽《滄浪詩話》有「夫學詩者以『識』為主」之說[39]，而「識」又要以「才」與「學」為基礎。因此袁枚《續詩品注・尚識》特地說：「『學』如弓弩，『才』如箭鏃，『識』以領之，方能中鵠。」[40]可見「識」對作詩之重要性，而與「才」、「學」更是脫不了關係的。其實，豈止是作詩如此而已，就是創作其他體裁的任何辭章，也都是一樣的。

這樣落到辭章上來說，如同上述，所謂的「思維」、「觀察」、「記憶」、「聯想」、「想像」與「創造」，都離不開「意象」，而以「意象」為內容。假如扣到人類的「能力」來看，則隸屬於「一般能力」的層面，通貫於各類學科，乃形成下一層面「特殊能力」之基礎。而「特殊能力」，則專用於某類學科。就以「辭章」而言，是結合「形象思維」、「邏輯思維」與「綜合思維」而形成的。這三種思維，各有所主。如果是將一篇辭章所要表達之「意」，訴諸各種偏於主觀之聯想、想像，和所選取之「象」連結在一起，或者是專就個別之「意」、「象」等本身設計其表現技巧的，皆屬「形象思維」；這涉及了「取材」、「措詞」等有關「意象」之形成與表現等問題，而主要以此為研究對象的，就是意象學（狹義）、詞彙學與修辭學等。如果是專就各種「象」，對應於自然規律，結合「意」，訴諸偏於客觀之聯

39 嚴羽著，郭紹虞校釋：《滄浪詩話校釋》（臺北市：東昇出版公司，1980年10月初版），頁1。

40 袁枚：《續詩品注・尚識》，頁155。

想、想像，按秩序、變化、聯貫與統一之原則，前後加以安排、佈置，以成條理的，皆屬「邏輯思維」；這涉及了「運材」、「佈局」與「構詞」等有關「意象」之組織等問題，而主要以此為研究對象的，就語句言，即文（語）法學；就篇章言，就是章法學。至於合「形象思維」與「邏輯思維」而為一，探討其整個「意象」體性的，則為「綜合思維」，這涉及了「立意」、「確立體性」等有關「意象」之統合等問題，而主要以此為研究對象的，為主題學、意象學（廣義）、文體學、風格學等。而以此整體或個別為對象加以研究的，則統稱為辭章學或文章學。

而這種「意象（思維）系統」所呈現之「層次邏輯」，以及它表現在辭章上的內涵，對應於「0一二多」的螺旋結構加以觀察，則其中「意象」（個別）、「詞彙」、「修辭」、「文（語）法」、「章法」是「多」，「形象思維」與「邏輯思維」為「二」，「主題」（含整體「意象」）、「文體」、「風格」為「一0」。其中「意象」（個別）、「詞彙」與「修辭」關涉「意象」之形成與表現；「文（語）法」與「章法」關涉「意象」之組織；「主題」（含整體「意象」）、「文體」與「風格」關涉「意象」之統合。如此在「形象思維」、「邏輯思維」與「綜合思維」之相互作用下，由「0一」而「二」而「多」，凸顯的是創作的順向過程；而由「多」而「二」而「一0」，凸顯的則是鑑賞的逆向過程[41]。以下是辭章的思維（意象）結構圖：

---

41 陳滿銘：〈層次邏輯與意象（思維）系統——以「多、二、一（0）」螺旋結構作對綜合考察〉，臺灣師大《中國學術年刊》30期．春季號（2008年3月），頁255-276。又，〈論語文能力與辭章研究——以「多、二、一（0）」螺旋結構作考察〉，臺灣師大《國文學報》36期（2004年12月），頁67-102。

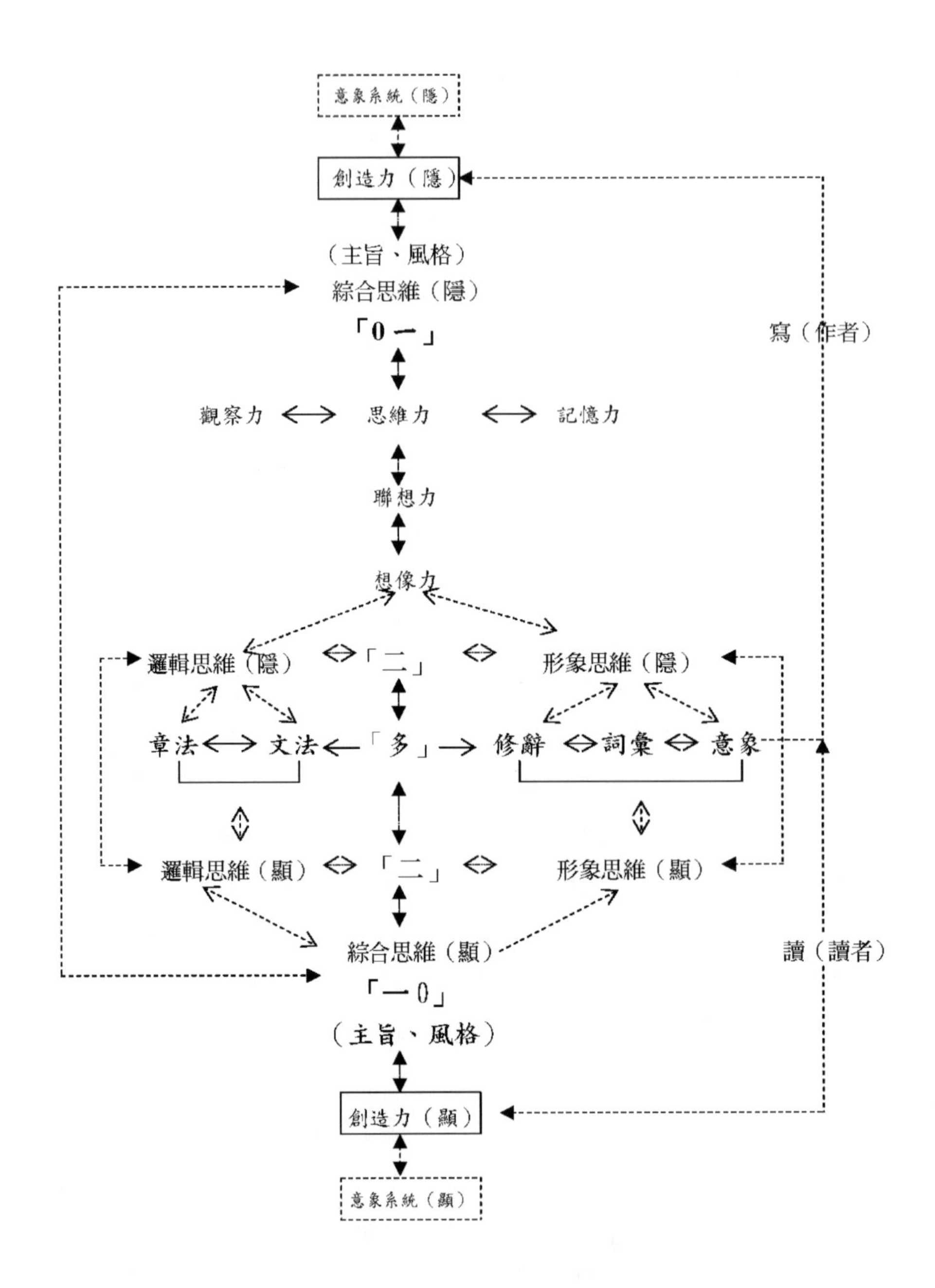

意象系統（隱）
創造力（隱）
（主旨、風格）
綜合思維（隱）
「0 一」
寫（作者）
觀察力
思維力
記憶力
聯想力
想像力
邏輯思維（隱）
「二」
形象思維（隱）
章法
文法
「多」
修辭
詞彙
意象
邏輯思維（顯）
「二」
形象思維（顯）
綜合思維（顯）
讀（讀者）
「一 0」
（主旨、風格）
創造力（顯）
意象系統（顯）

如果對應於「才、學、識」，則可用如下簡圖來表示：

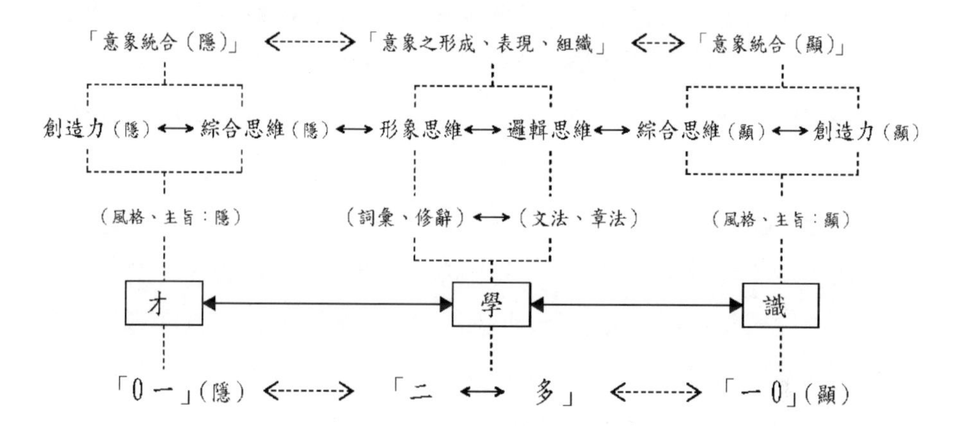

這種以「思維力」將各種能力「一以貫之」而形成的辭章螺旋結構，是可用「鑑賞」（讀）與「創作」（寫）來印證的。由於「創作」（寫）乃由「意」而「象」，靠的是先天（先驗）自然而然的能力，這多半是不自覺的；而「鑑賞」（讀）則由「象」而「意」，靠的是後天研究所推得的結果，用科學的方法分析作品，自覺地將先天（先驗）自然而然的能力予以確定。因此「創作」（寫）是先天能力的順向發揮、「鑑賞」（讀）是後天研究的逆向（歸根）努力，兩者可說互動而不能分割，而「創造力」（隱意象→顯意象）在「思維力」之推動下，就由「隱」而「顯」地表現出來。而這種系統，如再切割成「作者」與「讀者」來看，則其互動與對應之密切關係，更能清楚地看出來。

辭章就這樣先由意象觸動思維力，再經由聯想或想像的推展，在形象、邏輯、綜合等三種思維交錯、融貫之作用下，形成「0一二多」的雙螺旋結構；這可說是作者「才、學、識」之整體表現。茲舉李煜〈相見歡〉詞作說明：

林花謝了春紅，太匆匆。無奈朝來寒雨、晚來風。　胭脂淚，相留醉，幾時重？自是人生長恨、水長東。

此詞旨在借寫傷春傷別，以暗寓亡國之恨，是採「先實（寫景）後虛（抒情）」的「篇結構（上層）」統合其他的「章結構（次、三、底層）」寫成的。

就「實（寫景）」來看，這主要透過「聯想」，著眼於「象」來寫的，含上片三句，用「先果後因」的「章結構（次層）」，寫林花在寒風急雨的不斷摧殘下，很快地卸下它們的紅衣而哀謝。其中「林花」二句是「果」，而「無奈」句為「因」。以「果」而言，用「先主後副」的「章結構（底層）」來寫。本來林花謝紅的景象，已夠令人為之惋惜哀傷，而如今卻謝得「太匆匆」，使得本就已經十分濃摯的哀惜之情更趨強烈。而就「因」而言，則對林花何以匆匆謝紅的原因，作了直接的交代。在主人翁眼裡，這些花已不再是花，而是過去的一段美好時光。但這段時光，卻因北宋將領曹彬以迅雷不及掩耳之勢兵臨城下，而整個結束了，這是萬萬想不到的。

就「虛（抒情）」來看，這主要是經由「聯想」與「想像」，著眼於「意」來寫的，含下片四句，用「先因後果」的「章結構（次層）」加以呈現。它先以「胭脂淚」三句，承上個部分之落紅來敘寫好景不再的哀愁。作者以「胭脂」代指花紅，又加上一個「淚」字，將它擬人化，以產生更大的感染力量。值得注意的是：在此「說花即以說人」[42]，而這「人」該是指「宮娥」而言，於是時間由縣再推回過去，想起當年她們流著「胭脂淚」來送別，使自己也痛苦得「揮淚」相對（見〈破陣子〉）；如今面對著帶雨的落紅，豈不是會想起當

42 唐圭璋：《唐宋詞簡釋》（臺北市：木鐸出版社，1982年3月初版），頁40。

年「辭廟」的一幕，而感傷重逢無日嗎？至於「幾時重」，則時間由過去推向未來，表達了這種沈痛；這兼含「聯想」與「想像」兩種思維在內。寫到這裡，很自然地由這個「因」而帶出它的「果」，以「自是」句來總結這份悠悠長恨，作者在另一首〈子夜歌〉裡說：「人生愁恨何能免，銷魂獨我情何限！」表達的就是這種「天」、「人」互動的痛苦，令人難於負荷；這主要涉及了「聯想」思維。

這首詞即景（象）抒情（意），通過春殘花謝的景象，抒發了人生失意的無限悵恨。而這種悵恨，顯然又已超越了李後主個人，而具有普遍性。其詞情之深在此，其詞境之奇亦在此，而創造力之偉大也由此表現出來。

附其結構系統分析表供參考：

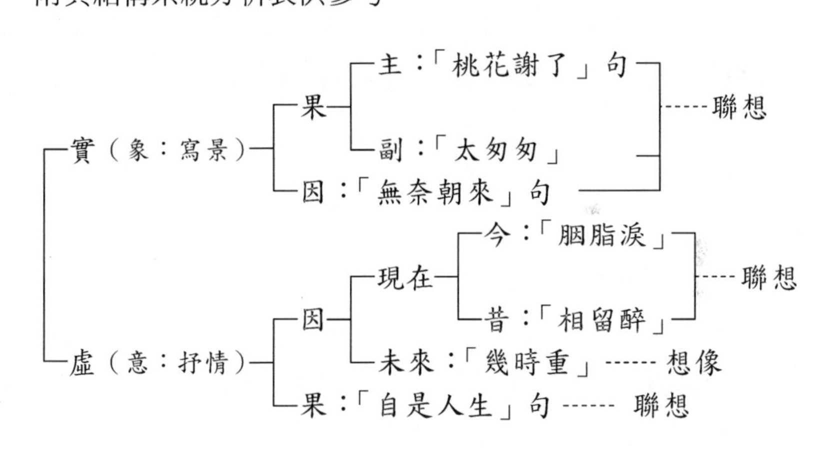

如由此凸顯其風格中的陰（柔）陽（剛）成分，則可分層表示如下：

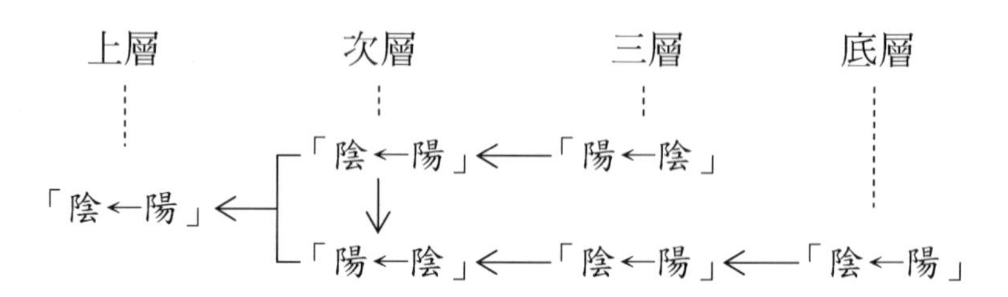

此詞之主旨為「長恨」，置於篇末；而所形成的是屬於「偏柔」（柔中寓剛）的風格，因為各層結構的剛柔之「勢」，流向「陽剛」的只有兩個，而流向「陰柔」得卻有四個，尤其是其核心結構[43]為上層之「先實（景）後虛（情）」，使「勢」顯然強烈地趨於「陰柔」，因此其中的成分是「陰柔」多於「陽剛」的。

綜結此詞，如融合「思維力」與「思維（意象）系統」與「0一二多雙螺旋結構」切入來看，則可歸納成如下重點：

一　一般思維

在此，特別值得注意的是：「聯想」與「想像」兩種思維力之運用，本詞雖未忽略「想像力」，卻以「聯想力」為主。楊敏如釋此詞云：「借傷春為喻，恨風雨摧花。『林花謝了春紅』，對這個文采風流的皇帝來說，正好用來比擬他的天堂的傾落。……『胭脂淚』，濃縮地描繪了經風著雨的『春紅』的一副慘澹的樣子，既有概括，又有形象。……俞平伯《讀詞偶得》：『……蓋「春紅」二字已遠為「胭脂」作根，而匆匆風雨，又處處關合「淚」字。春紅著雨，非胭脂淚歟，

43 核心結構對篇章主旨與風格的影響最大。參見陳滿銘：〈論章法「多、二、一（0）」的核心結構〉，臺灣師大《師大學報・人文與社會類》48卷2期（2003年12月），頁71-94。

心理學者所謂「聯想」也。』」[44]這樣來看待此詞，很能掌握作者敏銳的思維能力。

二　特殊思維

在此，可分如下三層加以觀察：

1. **形象思維：**此含意象之形成與表現，主要關涉「詞彙」與「修辭」。對此，唐圭璋說：「『太匆匆』三字，極傳驚嘆之神，『無奈』句，又轉怨恨之情，說出林花所以速謝之故。朝是雨打，晚是風吹，花何以堪，說花即以說人，語固雙關也。『無奈』二字，且見無力護花、無計回天之意，一片珍惜憐愛之情，躍然紙上。……『自是』句重落。以水之必然長東，喻人之必然長恨，語最深刻。『自是』二字，尤能揭出人生苦悶之義蘊。」[45] 陳弘治也說：「南唐的亡國，後主的『歸為臣虜』，是出乎他意料的，所以有『太匆匆』的驚歎。」[46] 傅正谷、王沛霖則說：「『胭脂淚』，是擬人手法的運用。胭脂，本女人搽臉的紅粉，此則指凋零的『林花』，亦即所謂的『謝了春紅』。胭脂和淚，是說那飄落遍地的紅花，被夾著晚風吹來的寒雨打濕，猶如美人傷心之極而和著胭脂滴下的血淚。『謝了春紅』的『林花』本不會落淚，淚是詞人賦予它的。」[47] 而周汝昌則說：「以『春紅』二字代『花』，即是修飾，即是藝術。……過片三字句三疊句，……老杜的名句『林花著雨胭脂濕』，……後主分明從杜少陵的『林花』而

44 葉嘉瑩主編：《南唐二主詞新釋輯評》（北京市：中國書店，2005年1月一版五刷），頁102-104。

45 唐圭璋：《唐宋詞簡釋》（臺北市：木鐸出版社，1982年3月初版），頁40。

46 陳弘治：《唐宋詞名作析評》（臺北市：文津出版社，1977年10月再版），頁87。

47 唐圭璋主編：《唐宋詞鑑賞集成》（香港：中華書局香港分局，1987年7月初版），頁124。

來，……只運化了三字而換了一個『淚』字來代『濕』，於是便青出於藍，而大勝於藍，便覺全幅因此一字而生色無限。『淚』字已是傳奇，但『醉』字也非趁韻諧音的忘下之字。此醉，非陶醉俗義，蓋悲傷淒惜之甚，心如迷醉也。末句略如上片歇拍長句，也是運用疊字銜聯法：『朝來』、『晚來』，『長恨』、『長東』，前後呼應更增其異曲同工之妙，即加倍具有強烈的感染力量。」[48]可見所用「詞彙」中的「春紅」、「太匆匆」、「無奈」、「淚」、「醉」與「自是」等，既最能傳神；而修辭中的「感嘆」、「雙關」、「譬喻」、「擬人」、「借代」、「類疊」、「映襯」與「引用」等藝術手法，又使作品「生色無限」。

2. **邏輯思維：**此指意象之組織，主要涉及語句層面的「文（語）法」與篇章層面的「章法」。對此，周汝昌說：「上片三句，亦千回百轉之情懷，有匪特一筆三過折也。」[49] 喬櫻、于淑月說：「周振甫先生分析李煜詞時引《文心雕龍‧隱秀篇》的命意，指出李煜亡國後的詞，既是『隱』——情在言外，又是『秀』——狀溢目前。……這首〈烏夜啼〉(即〈相見歡〉) 足以當隱秀之稱。……上片三句，一句一折。……首句敘其事，次句一斷，夾議，三句溯其經過因由。」[50]楊敏如說：「上闋長短三句，自然淋漓，一句一折，一氣貫下。下闋三個短句，承接上闋，又是一句一折，一氣貫下。」[51] 就邏輯結構而言，這裡所謂的「隱秀」，就是「虛（情）實（景）」，屬本詞結構系統中的上層結構，涉及章法；所謂的「上片三句，一句一折」，指的就是次層「先果後因」(複句) 與三層「果」中「先主後副」(主副句

---

48 唐圭璋、繆鉞、葉嘉瑩等：《唐宋詞鑑賞辭典》(上海市：上海辭書出版社，1988年4月一版十五刷)，頁126。

49 唐圭璋、繆鉞、葉嘉瑩等：《唐宋詞鑑賞辭典》。

50 潘慎編：《唐五代詞鑑賞辭典》(北京市：北京燕山出版社，1997年6月一版二刷)，頁38。

51 葉嘉瑩主編：《南唐二主詞新釋輯評》，頁103。

法）的結構，涉及文（語）法與章法；所謂「下闋三個短句，承接上闋，又是一句一折，一氣貫下」，指的就是三層「先現在後未來」與底層「現在」中「先今後昔」，形成「現在→過去→未來」（複句）的結構，也涉及文（語）法與章法。可見此詞之邏輯思維是相當富於變化的。

3. **綜合思維：**此含意象之綜合，主要關涉「主題」（主旨）與「風格」。對此，何均地說：「這首詞別有深意，萬勿滿足於惜花傷別的理解。深一層的意思是以林花之遭風雨催殘而凋謝，象徵自己國家之被滅亡而身為國主之歡樂生活的喪失；以對美人的不得重逢，象徵不得重返故國，從而抒發他不敢明言的感傷、悲苦、怨恨和絕望的心情。」[52] 喬櫻、于淑月說：「李煜此詞以花喻人喻情，狀花直在目前，感慨也爽直明快，正所謂『秀』。但其中就包含著深意，要讀詞者去品味，去咀嚼。詞外之情，深深無盡。此所謂『隱』吧。此詞股人常用『濡染大筆』四字來評價，豈是一般的評語。」[53] 楊敏如說：「《相見歡》兩首，都是李煜入宋後詞作中之名篇，最為淒婉。是李清照在她的《詞論》中特別指出的所謂『亡國之音哀以思』。……上闋結句，宛轉回環，極陰柔之美。……最後，……妙筆天成，凝重有力，富有陽剛之美。俞平伯《讀詞偶得》：『……後主之詞，兼有陽剛陰柔之美。』」[54] 就「主題」（主旨）而言，所謂「隱秀」即「潛顯」[55]，李煜此詞之「主題」（主旨）確實是「顯中有潛」的。就「風格」而言，李煜此詞既「宛轉回環」又「凝重有力」，如此，與其說是

52 蔡厚示主編：《李璟李煜詞賞析集》（成都市：巴蜀書社，1988年9月一版一刷），頁76。

53 潘慎編：《唐五代詞鑑賞辭典》。

54 葉嘉瑩主編：《南唐二主詞新釋輯評》。

55 陳滿銘：〈辭章篇旨辨析——以其潛性與顯性切入作探討〉，《興大中文學報》28期（2010年12月），頁137-162。

「剛柔適中」，不如說是「柔中寓剛」來得貼切。周振甫說李煜「亡國後的詞，在清新秀麗，深沉淒婉，形成他的風格」[56]，很有道理。

三　創造思維

在此，聚焦於「創造力」中「情性之爽直」、「藝術之天巧」與「境界之擴大」三層來看。關於「情性之爽直」與「藝術之天巧」兩層，周汝昌說：「南唐後主的這種詞，都是短幅的小令，況且明白如話，不待講析，自然易曉。他所『依靠』的，不是粉飾裝作，扭揑以為態，雕琢以為工，這些在他都無意為之，所憑的只是一片強烈直爽的情性。其筆亦天然流麗，如不用力，只是隨手抒寫。這些自屬有目共見。但如以為他這『隨手』就是任意『胡來』，文學創作都是以此為『擅場』，那自然也是一個笑話。即如首句，先出『林花』，全不曉畢竟何林何花，繼而說是『謝了春紅』，乃知是春林之紅花，——而此春林紅花事，已經凋謝！可見這所謂『隨手』、『直寫』，正不啻書家之『一波三過折』，全任『天然』，『不加修飾』就能成『文』嗎？誠夢囈之言也。且說已春紅二字代花，既是修飾，既是藝術，天巧人工，總須『兩賦而來』方可。」[57] 關於「境界之擴大」一層，陳邦炎《詞林觀止》說：「王國維指出；『詞至李後主而眼界始大，感慨遂深。』並舉這首詞的結句為例說：『《金荃》（溫庭筠）、《浣花》（韋莊）能有此氣象耶？』（《人間詞話》）……那是因為：作者對事物的關照乃用『詩人之眼』，『通古今而觀之』，不『域於一人一事』（《人間詞話刪稿》），其『所寫者非個人之性質』，而是『人類全體之性質』

56 周振甫：《文學風格例話》（上海市：上海教育出版社，1989年7月一版一刷），頁135。
57 唐圭璋、繆鉞、葉嘉瑩等：《唐宋詞鑑賞辭典》，頁126。

（《紅樓夢評論・餘論》）。這首〈相見歡〉詞的著眼之點就不囿於眼前林花之凋謝，其所表達也超越了傷春、惜花的感慨範圍。作者所見到的、所感到的是一個人間悲劇，而且這並不是屬於個人的，出於偶然的，而是帶有普遍性、必然性的人事無常的悲劇。其詞情之深在此，其詞境之大亦在此。」[58] 由此看來，此詞之創造思維，無論是局部或整體之呈現，都是非常敏銳而強大的。

四　「0一二多」雙螺旋結構

首先就「一般思維」來看，，「思維力」為「0一」，「形象思維」（陰柔）與「邏輯思維」（陽剛）為「二」，由「形象思維」、「邏輯思維」與「綜合思維」所衍生的各種「特殊能力」與綜合各種「特殊能力」所產生的「創造力」為「多」。然後從「特殊能力」來看，辭章離不開「意象」之形成（意象〔狹義〕）、表現（詞彙、修辭）與其組織（文〔語〕法、章法），此即「多」；而藉「形象思維」（陰柔）與「邏輯思維」（陽剛）加以統合，此即「二」；並由此而凸顯出一篇主旨與風格來，此即「一0」，上舉的〈相見歡〉詞就是如此。這就可看出作者運用偏於主觀的聯想與想像觸動形象思維、邏輯思維與綜合思維，所形成「0一二多」雙螺旋結構上之特色。

而這種結構，如著眼於創作（寫），所呈現的是順向的「0一→二→多」，而著眼於「鑑賞」（讀），則所呈現的是逆向的「多→二→一0」。這就同一作品而言，作者由「意」而「象」地在從事順向（「0一→二→多」）創作的同時，也會一再由「象」而「意」地如讀

58 陳邦炎主編：《詞林觀止》上（上海市：上海古籍出版社，1994年4月一版一刷），頁118。

者作逆向（「多→二→一0」）之檢查；同樣地，讀者由「象」而「意」地作逆向（「多→二→一0」）鑑賞（批評）的同時，也會一再由「意」而「象」地如作者在作順向（「0一→二→多」）之揣摩。這樣順逆互動、循環而提升，形成螺旋結構，而最後臻於至善，自然使得「創作」（寫）與「鑑賞」（讀）合為一軌，而「直觀表現」與「模式探索」也能相互對應在一起了。

由此看來，辭章在聯想、想像互動之作用下，確實離不開「意象」之形成、表現與其組織，此即「多」；而藉「形象思維」（陰柔）與「邏輯思維」（陽剛）帶動「綜合思維」（柔中寓剛、剛中寓柔），在聯想、想像互動之作用下加以統合，此即「二」；並由此而凸顯出一篇主旨與風格來，此即「一0」。辭章的這種結構，由意象與聯想、想像之互動而形成，這就如同一棵樹之合其樹幹與枝葉而成整個形體、姿態與韻味一樣，是密不可分的。

以上的種種表現，哪一部分脫離得開「才、學、識」？偏於先天的「直觀表現」（寫）是這樣，偏於後天的「模式探索」（讀）又何嘗不如此。這不就證實了袁枚《續詩品注．尚識》所說「學如弓弩，才如箭鏃，識以領之，方能中鵠」的話了嗎？

第五節　有關才、學、識之綜合探討

有關「才、學、識」之探討，可綜合為如下兩點：

一　關於才與學

關於才與學，涉及天與人的關係，而由於天與人兩者是互動的，因此可著眼於順向之「由天而人」，也可著眼於逆向之「由人而天」；

而此兩者孰先孰後、孰輕孰重呢？自來就受人注意。

先就兩者先後來看，《文心雕龍．事類》說：

> 文章由學，能在天資。才自內發，學以外成，有學飽而才餒，有才富而學貧。[59]

所謂「文章由學，能在天資」、「有學飽而才餒」，是著眼於逆向之「由人而天」來說；所謂「才自內發，學以外成」、「有才富而學貧」，是著眼於順向之「由天而人」來說；一逆一順，全注意到了，卻沒有明定其先後。如果從宇宙創生、含容的這一層面看來，應該是先「天」而後「人」，這樣據順向認定先「才」而後「學」，是十分合理的。不過，兩者往往互動，因此也常見在「先才（天）後學（人）」之外，還有「先學（人）後才（天）」的情況。關於這種順序，就以《周易．序卦》將六十四卦，從其排列次序看，就粗具了這種特點[60]。也就是說，各種物類、事類在「變化」中，循「由天而人」來呈現其歷程的，乃〈序卦傳〉上篇的主要內容；而循「由人而天」來呈現其歷程的，則是〈序卦傳〉下篇的主要內容。〈序卦傳〉這樣由天而人、由人而天，亦即「既濟」而「未濟」之的循環來看，上文所謂的「0一→二→多」，就可以緊密地和逆向歷程之「多→二→一0」接軌，形成其雙螺旋結構[61]。

如此來看待「才」與「學」之先後，應該是會比較圓融的。

後就兩者之輕重來看，由於劉勰原本就說：「有學飽而才餒，有

59 黃叔琳等：《增訂文心雕龍校注》，頁473。

60 徐復觀：《中國人性論史》（臺北市：臺灣商務印書館，1978年10月四版），頁202。

61 陳滿銘：〈論「多、二、一（0）」的螺旋結構──以《周易》與《老子》為考察重心〉。

才富而學貧」，並未在「才」與「學」兩者之間強分輕重，因此一直都沒有產生多大爭議。到了〔宋〕嚴羽《滄浪詩話‧詩辨》卻因所謂的「夫詩有別材，非關書也」[62] 的說法，而引起頗多爭論。對此，郭紹虞先作校注說：

> 「書」字，後人稱引或誤作「學」，非。

然後詮釋說：

> 「別才」……之說，最為後人爭論之點。其實滄浪只謂「詩有別材，非關書也」，自後人易「書」為「學」，異議遂多。黃道周〈書雙荷庵詩後〉謂：「此道關才關識，才識又生於學，而嚴滄浪以為詩有別才非關學也，此真瞽說以欺誑天下後生，歸於白戰打油釘鉸而已。」(《漳浦集》二十三)……毛奇齡〈東陽李紫翔詩集序〉云：「天下惟雅須學而俗不必學，惟典則須學而鄙與弇不必學。……」(《西河合集》序三十四)……此皆針對滄浪「別才」之說而發。……不知滄浪只言「非關書也」，並未說「非關學也」。既使說是指「學」而言，也要知道滄浪此言，重在糾正當時詩弊，正是有為而發。[63]

他認為後人所以對滄浪「別才」之說爭論不已，是由於將其中「非關書也」之「書」誤作「學」之緣故。這點至關緊要，因為「學」歸根於「思維」層面，涉及「觀察」與「記憶」，而要「觀察」與「記

---

62 嚴羽著，郭紹虞校釋：《滄浪詩話校釋》(臺北市：里仁書局，1987年4月版)，頁23。

63 嚴羽著，郭紹虞校釋：《滄浪詩話校釋》，頁29-30。

憶」產生效力，則必須兼顧到「行萬里路」與「讀萬卷書」。其中「行萬里路」乃從「生活現實」上著眼，而「讀萬卷書」則是從「學習古人」上著眼。如有所偏頗，是難免會有缺憾的。所以郭紹虞又進一層地說：

> 滄浪所言，本極周密，並無錯誤。只在不從生活現實上出發，只在專從學古人出發。由於不從生活現實上出發，所以既使理解到詩中不應堆砌典實，賣弄學問，但仍從藝術上著眼，於是發為迷離恍惚之論，也就是只能主張透澈玲瓏不可湊泊的神韻說了。由於專從學古人出發，所以既使觸及到不要賣弄書本知識的問題，但不會理解到民歌的思想價值與藝術價值。這就是滄浪「別才」之說的侷限性。[64]

這樣看來，滄浪「別才」之說，「本無錯誤」，只不過沒有說得很完整，而有其侷限性而已。如果只從積極面來看待劉勰所說「有學飽而才餒，有才富而學貧」之言，則是要人既「有才富」又要「有學飽」，方為理想。對此，戰鳳梅說：

> 其實「才」與「學」兩者本一氣相通，是兩個不同側面互為作用的一個合體。沒有不繫乎知識而性靈獨至的天才，也沒有死讀書而無智巧之心的詩人。我們不能偏執或只強調問題的一個側面。詩者是性靈與學問的凝合。任其「每一個瑣細的事實，都在他的心血裡沉浸滋養，長了神經和脈絡」。性之所到，無所不通。這是悟境中的最高境。然而在學習與力索的過程中，

64 嚴羽著，郭紹虞校釋：《滄浪詩話校釋》，頁32。

> 每個人勞逸的深淺程度不同，所能領略的悟境風光也不同。……滄浪「詩有別才，非關書也」的說法，是針對當時的江西詩人主張作詩「無一字無來歷」的弊端而發的，滄浪不是不主張讀書，而是反對讀書的不正風氣。它還強調「非多讀書，多窮理，則不能極其至」、「夫學詩者以識為主」。識力與學是密不可分的，學可以煉識力，「非識則才學俱誤」。……人要想發揮全部「才」的潛能，必從學海中過，以苦學作舟，難道還有別的捷徑可以選擇嗎？[65]

對「才」與「學」，採這種看法，是十分正確的；也就是說「才」與「學」缺不可，是同等重要的。

二　關於識與德

上文曾探討過：孔子是極力主張經由「好學」來發揮智力，敏求「正知」，以呈顯智慧的。也唯有如此才能辨明是非、真偽，掌握真正的「義」，也就是「識」，而成就各種德行或德業。《論語・里仁》：

> 子曰：「君子喻於義，小人喻於利。」

朱子注此云：「義者，天理之所宜」[66]，的確唯有深喻「天理之所宜」，才能使所作之事合乎「仁」的要求，所以陳大齊說：

65 戰鳳梅：〈詩關乎「才」更關乎「學」〉，《丹東師專學報》22卷1期（2000年2月），頁56-57。

66 朱熹：《四書集註》，頁77。

君子所應喻而不忽的，只是義，故所持以應付一切的，亦必是義。君子所持以成事的，既必是義，而所成的事，又只是仁。合而言之，義所成的，只是仁，不是仁以外的事情。所以義是不能有離於仁的。[67]

其次見於〈季氏〉篇：

（孔子曰：）「『隱居以求其志，行義以達其道。』吾聞其語矣，未見其人也。」

這所謂的「其道」，指的就是「仁道」，試看〈里仁〉篇記孔子之言云：

富與貴，是人之所欲也；不以其道，得之不處也。貧與賤，是人之所惡也；不以其道，得之不去也。君子去仁，惡乎成名？君子無終食之間違仁，造次必於是，顛沛必於是。

這裡所說的「其道」，指的就是「仁」，因此後面才有「去仁」、「違仁」的說法。如此看來，「其道」和「仁」，是先後呼應的；而所謂「去仁」即「去其道」、「違仁」即「違其道」。無怪陳大齊釋「行義以達其道」說：

行義所達的，只是道，不是其他事情。此所云道，當然係指仁道而言。故「行義以達其道」，意即行義以達其仁，又可見義之不能有離於仁了。[68]

---

67 陳大齊：《孔子學說》，頁170。

68 陳大齊：《孔子學說》，頁170。

由此可見「義」與「仁」是有著密切關係的[69]。所以孔子重視「知」（智）以掌握「義」，是十分自然的事；而這種「義」，正是「識」的直接表現啊！。

由此可知：「識」成自「才」與「學」，為連結「仁」與「義」的重要橋樑。清代章學誠在《文史通義・文德》說：

> 夫子嘗言「有得必有言」，又言「修辭立其誠」，孟子嘗論「知言」、「養氣」，本乎「集義」，韓子亦言「仁義之途」，《詩》、《書》之源，皆言德也。今云未見論文德者，以古人所言，皆兼本末、包內外，猶合道德文章而一之；未嘗就文辭之中言其有才、有學、有識，又有文之德也。[70]

可見辭章在「才、學、識」外，又特別需重「德」之說法，是源自於此的[71]。而這個「德」，非僅止於「文之德」而已，是有其普遍性，而為人類發展創新的一種重要質素。汪艷玲說：

> 所謂的「德」，是經過修養或教育而獲得的政治思想和道德品質行為。人的發展創新質素中，「德」是「才、學、識」發展的必要保證。[72]

69 陳滿銘：〈《論語》中的「義」與「仁」〉，《孔孟月刊》41卷11期（2003年7月），頁9-11。

70 章學誠著，倉學良編：《文史通義新編》（上海市：上海古籍出版社，1993年7月一版一刷），頁79。

71 陳滿銘：〈《論語》中的「才、學、識、德」〉，《國文天地》24卷7期（2008年12月），頁32-36。

72 汪艷玲：〈中國古代學習思想與研究性學習〉，《教學研究》26卷3期（2003年9月），頁202。

她顯然就注意到了這種「德」的「普遍性」。如此視「德」為「創造力」之「必要保證」，是相當合理而完密的。

經過上文以反映「普遍性存在」之「0一二多」雙螺旋層次邏輯結構切入，在整個思維（意象）系統之牢籠下，著眼於其哲學與辭章兩層面，分別考察其表現，並略作綜合探討，足以發現其間之關係，顯然是可以形成「才 ⟷ 學 ⟷ 識」之螺旋結構的，其中「才」與「學」、「學」與「識」、「識」與「才」等，都各成互動或包孕之「二元」，在人的不斷努力下，日積月累、精益求精，發展創新不已，以求「至乎其極」。汪艷玲由「才、學、識」加「德」加以強調：「人的全面發展是德、識、才、學等創新素質綜合作用的結果，四種基本素質是相互作用的。四者兼備，人的發展創新潛能才得以發揮。」[73]，用所謂「發展創新」這一特色加以貫串，非常醒豁，也由此可見「才、學、識（德）」在全面「發展創新」上之重要性，這也就是說，除唐宋詞外，無論落到哪一種領域，都是不可等閒視之的！

---

73 汪艷玲：〈中國古代學習思想與研究性學習〉，頁202。

第九章
潛顯互動

「顯」和「潛」此一「陰陽二元」，由於是宇宙人生「一切事物存在的方式，也是一切事物運動、發展的方式」[1]，其適應面自然是極廣的。而此二者之互動，簡單地說，就像「三一語言學」創始人王希杰所說的：是在場的和不在場的，看得見的和看不見的，有形式標誌的和沒有形式標誌的，說得出的和說不出的等一些深層的和表層的虛實關係[2]。由於它們無所不在，因而不但可在哲學上追索其理論依據，也可在辭章上尋出其應用例證，更可在美學上找到相應之詮釋[3]。因此本文即鎖定此「陰陽二元」之「潛性」與「顯性」兩者互動所形成之兩種類型：對比與調和，先探討其哲學意涵，再以唐宋詞之「義旨」與「章法」為範圍，舉例觀察其辭章表現；然後試作其美學之詮釋，以見唐宋詞「潛性」（陰）與「顯性」（陽）在「調和」與「對比」兩種類型中形成雙螺旋互動之微妙關係於一斑。

第一節　潛性與顯性類型之哲學意涵

在哲學上，對「對立的統一」之概念，都非常重視，一向被目為

---

1 見聶焱：《三一語言學導論》（銀川市：寧夏人民教育出版社，2008年3月一版一刷），頁166。

2 見王希杰：〈詩歌章法（句法）的潛和顯〉，《揚州大學學報・人文社會科學版》8卷6期（2004年11月），頁47。

3 見陳滿銘：〈意象「多、二、一（0）」螺旋結構論——以哲學、文學、美學作對應考察〉，《濟南大學學報・社會科學版》17卷3期（2007年5月），頁47-53。

自然中最重要的變化規律。而這所謂的「對立」，指的雖是「對比性」的「陰陽二元對待」，但也涵蓋了「調和性」的「陰陽二元對待」，因為兩者往往是互動的，亦即「對比」中有「調和」、「調和」中有「對比」。就以「潛性」與「顯性」來說，「潛性」為「陰」、「顯性」為「陽」，形成「二元對待」。而此兩者對待之類型，可以趨於「對比」，也可以趨於「調和」；而且往往是會產生雙螺旋互動之作用的。

關於這種「陰陽二元」對待、互動而形成「對比」或「調和」之觀念，在中國的哲學古籍裡，很容易尋出相關的論述，其中以《周易》（含《易傳》）與《老子》二書，最為明顯而完整。

一 以《周易》而言

以《周易》（《易傳》）來看，它以「陰陽」為其一對基本概念，是由此「陰陽二爻」而衍為「四象」，再由「四象」而衍為「八卦」、「六十四卦」的。而「八卦」之取象，是兩相對待的，即乾（天）為「三連」而坤（地）為「六斷」、震（雷）為「仰盂」而艮（山）為「覆碗」、離（火）為「中虛」而坎（水）為「中滿」、兌（澤）為「上缺」而巽（風）為「下斷」，而所謂「三連」與「六斷」、「仰盂」與「覆碗」、「中虛」與「中滿」、「上缺」與「下斷」，正好形成四組兩相對待之關係，以呈現其簡單的「二元對待」之層次邏輯結構。後來將此「八卦」重疊，推演為「六十四卦」，雖更趨複雜，卻依然存著這種「二元」對待、互動的關係，以象徵或反映宇宙人生之轉化，也為人生行為找出準則，來適應宇宙自然之動態規律[4]。

4 徐復觀：「古人大概是以這六十四卦，三百八十四爻的相互衍變，來象徵甚至反映宇宙人生的變化；在這種變化中，找出一種規律，以成立吉凶悔吝的判斷，因而漸漸找出人生行為的規律。」見《中國人性論史》（臺北市：臺灣商務印書館，1978年10月四版），頁202。

以「六十四卦」而言，所形成之「二元」對待、互動之關係是這樣子的：

屯（坎上震下）和解（震上坎下）	蒙（艮上坎下）和蹇（坎上艮下）
需（坎上乾下）和訟（乾上坎下）	師（坤上坎下）和比（坎上坤下）
小畜（巽上乾下）和姤（乾上巽下）	履（乾上兌下）和夬（兌上乾下）
泰（坤上乾下）和否（乾上坤下）	同人（乾上離下）和大有（離上乾下）
謙（坤上艮下）和剝（艮上坤下）	豫（震上坤下）和複（坤上震下）
隨（兌上震下）和歸妹（震上兌下）	蠱（艮上巽下）和漸（巽上艮下）
臨（坤上兌下）和萃（兌上坤下）	觀（巽上坤下）和升（坤上巽下）
噬嗑（離上震下）和豐（震上離下）	賁（艮上離下）和旅（離上艮下）
无妄（乾上震下）和大壯（震上乾下）	大畜（艮上乾下）和遯（乾上艮下）
頤（艮上震下）和小過（震上艮下）	大過（兌上巽下）和中孚（巽上兌下）
咸（兌上艮下）和損（艮上兌下）	恒（震上巽下）和益（巽上震下）
晉（離上坤下）和明夷（坤上離下）	家人（巽上離下）和鼎（離上巽下）
睽（離上兌下）和革（兌上離下）	困（兌上坎下）和節（坎上兌下）
井（坎上巽下）和渙（巽上坎下）	既濟（坎上離下）和未濟（離上坎下）

這些卦都是二二相偶的，如「坎上震下」（屯）與「震上坎下」（解）、「艮上巽下」（蠱）與「巽上艮下」（漸）、「乾上兌下」（履）與「兌上乾下」（夬）、「離上坤下」（晉）與「坤上離下」（明夷）……等，都很明顯地形成了二元對待、互動的關係。此外，〈雜卦〉又云：

> 乾，剛；坤，柔。比，樂；師，憂。臨、觀之意，或與或求。……震，起也；艮，止也。損、益，衰盛之始也。大畜，

> 時也；无妄，災也。萃，聚，而升，不來也。謙，輕；而豫，怡也。……兌，見；而巽，伏也。隨，無故也；蠱，則飭也。剝，爛也；復，反也。晉，晝也，明夷，誅也。井，通；而困，相遇也。咸，速也；恒，久也。渙，離也；節，止也。解，緩也；蹇，難也。睽，外也；家人，內也。否、泰，反其類也。……革，去故也；鼎，取新也。小過，過也；中孚，信也。豐，多故也；親寡，旅也。離，上；而坎，下也。……大過，顛也；頤，養正也。既濟，定也；未濟，男之窮也。姤，遇也，柔遇剛也；……夬，決也；剛決柔也。君子道長，小人道憂也。

這些卦的要義或特性，都兩兩相待而互動，如剛和柔、樂與憂、與和求、起和止、衰和盛、時和災、見和伏、速和久、離和止、外和內、否和泰、去故和取新、多故和親寡、上和下……等等，都可輕易從字面上看出其對待、互動之關係來，這可稱之為「異類相應的聯繫」[5]，而這種「異類相應的聯繫」，說的就是「對比」。

相對於「異類相應的聯繫」，當然也有「同類相從的聯繫」。這種「同類相從的聯繫」，說的就是「調和」，是由史伯、晏嬰「同」的觀念發展出來的。原來的「同」，指「同一物的加多或重複」，到了《周易》、《老子》，則指同類事物的「相從」；這類「相從」，乃著眼於「調和性」，與「相應」的「對比性」，又形成「二元」對待、互動的關係。以《周易》而言，它有六十四卦，每卦在形成「秩序」與「變化」之同時，也使卦卦「聯繫」在一起，成為一個「統一」的整體，

5　戴璉璋：「以上各卦所標示的特性或要義：剛和柔、樂和憂、與和求、起和止、盛和衰等等，都是異類相應的聯繫。」見《易傳之形成及其思想》（臺北市：文津出版社，1988年11月臺灣初版），頁196。

而形成「聯繫」。最明顯的，是使兩相對待、互動者，以「對比」（正反）或「調和」（正正、反反）方式聯結在一起。如見於〈雜卦〉的剛和柔、樂與憂、與和求、起和止。衰和盛、時和災、見和伏、速和久、離和止、外和內、否和泰、去故和取新、多故和親寡、上和下……等等，其中除了起和止、速和久、外和內、上和下等，未必形成「對比」而有「調和」可能性外，其餘的都比較偏向於「對比」，而都產生互動之「聯繫」作用。

由此可知在六十四卦的排序與變化裡，可看出「異類相應」（對比）和「同類相從」（調和）兩種聯繫，也凸顯了由互相「聯繫」而形成「統一」的整體結構。其中「同類相從的聯繫」，在《周易》裡，也是頗值得注意的。譬如它的八卦：

乾（乾上乾下）、坤（坤上坤下）　　坎（坎上坎下）、離（離上離下）
震（震上震下）、艮（艮上艮下）　　巽（巽上巽下）、兌（兌上兌下）

這是以乾與乾、坤與坤、坎與坎、離與離、震與震、艮與艮、巽與巽、兌與兌等的重疊而形成了「同類相從的聯繫」，亦即「調和性」的「二元」對待、互動。除此之外，〈雜卦〉云：

> 屯，見而不失其居；蒙，雜而著。……大壯，則止；遯，則退也。大有，眾也；同人，親也。……小畜，寡也；履，不處也。需，不進也；訟，不親也。……歸妹，女之終也；漸，女歸待男行也。

這是以「止」和「退」、「眾」和「親」、「寡」和「不處」、「不進」和「不親」、「女之終」和「女歸待男行」等的相類而形成「同類相從的聯繫」(調和)。關於這點，戴璉璋在《易傳之形成及其思想》中說：

> 依〈序卦傳〉，屯與蒙都是代表事物始生、幼稚時期的情況，〈雜卦傳〉作者用「見而不失其居」、「雜而著」來描述屯、蒙兩卦的特性，也都是就始生的事物而言。此外引大壯以下各卦的「止」和「退」、「眾」和「親」、就始生的事物而言。此外引大壯以下各卦的「止」和「退」、「眾」和「親」、「寡」和「不處」、「不進」和「不親」、「女之終」和「女歸待男行」，都是同類相從的聯繫。[6]

他把這種調和性的二元對待、互動之「聯繫」，說明得極其清楚。

二　以《老子》而言

這兩種二元「聯繫」，無論「對比」或「調和」，在《老子》中也處處可見。先拿「異類相應的聯繫」(對比）而言，兩相對待者，如：

> 天下皆知美之為美，斯惡已；皆知善之為善，斯不善已。故有無相生，難易相成，長短相較，高下相傾，音聲相和，前後相隨。(第二章)
> 曲則全，枉則直，窪則盈，敝則新，少則得、多則惑，是以聖人抱一，為天下式。(第二十二章)
> 知其雄，守其雌，為天下谿；為天下谿；常德不離，復歸於嬰兒。知其白，守其黑，為天下式；為天下式，常德不忒，復歸

6　戴璉璋：《易傳之形成及其思想》，頁195。

> 於無極。知其榮，守其辱，為天下穀；為天下穀，常德乃足，復歸於樸。（第二十八章）
>
> 將欲歙之，必固張之；將欲弱之，必固強之；將欲廢之，必固興之；將欲奪之，必固與之；是謂微明。（第三十六章）
>
> 故貴以賤為本，高以下為基，是以侯王自謂孤寡不穀，此非以賤為本耶？（第三十九章）
>
> 明道若昧，進道若退，夷道若纇。（第四十一章）
>
> 大直若曲，大巧若拙，大辯若訥。躁勝寒，靜勝熱，清靜為天下正。（第四十五章）
>
> 禍兮福之所倚，福兮禍知所伏。（第五十八章）
>
> 正言若反。（第七十八章）

如上所引，「美」（喜）與「惡」（怒）、「善」（是）與「不善」（非）[7]、「有」與「無」、「難」與「易」、「長」與「短」、「高」（上）與「下」、「前」與「後」、「曲」（偏）與「全」、「枉」（曲）與「直」、「漥」與「盈」、「敝」與「新」、「少」與「多」、「重」與「輕」、「靜」與「躁」、「雄」與「雌」、「白」與「黑」、「左」與「右」、「歙」與「張」、「弱」（柔）與「強」（剛）、「廢」與「興」、「奪」與「與」、「貴」與「賤」、「明」與「昧」、「進」與「退」、「夷」（平）與「纇」（不平）、「巧」與「拙」、「辯」與「訥」、「寒」與「熱」、「禍」與「福」、「正」與「反」……等，都兩相對待，藉由「運動」而「互相轉化」，而形成「異類相應的聯繫」（對比）。

7　王弼注二章：「美者，人心之所進樂也；惡者，人心之所惡疾也。美、惡，猶喜、怒也；善、不善，猶是、非也。喜、怒同根，是、非同門；故不得而偏舉也。此六者，皆陳自然不可偏舉之名數。」見《老子王弼注》（臺北市：河洛圖書出版社，1974年10月臺景印初版），頁3。

次由「同類相從的聯繫」（調和）來看，如：

> 道可道，非常道；名可名，非常名。（第一章）
>
> 是以聖人處無為之事，行不言之教；萬物作焉而不辭，生焉而不有；為而不恃，功成而弗居。夫唯弗居，是以不去。（第二章）
>
> 不上賢，使民不爭；不貴難得之貨，使民不為盜；不見可欲，始民心不亂。（第三章）
>
> 居善地，心善淵，與善仁，言善信，正善治，事善能，動善時；夫唯不爭，故無尤。（第八章）
>
> 金玉滿堂，莫之能守；富貴而驕，自遺其咎。（第九章）
>
> 五色，令人目盲；五音，令人耳聾；五味，令人口爽；馳騁畋獵，令人心發狂；難得之貨，令人行妨。是以聖人為腹不為目，故去比取此。（第十二章）

以上都是呈現「同類相從的聯繫」的例子，如一章的「常道」與「常名」，二章的「無為之事」與「不言之教」、「作焉」與「生焉」、「不辭」與「不有」與「不恃」與「弗居」，三章的「不上賢」與「不貴難得之貨」與「不見可欲」、「不爭」與「不為盜」與「心不亂」……等，皆以「同類相從」而聯繫在一起。此類例子，在《老子》一書裡，是不勝枚舉的。

一般而論，所謂「對比」，是對應於「陽」與「剛」來說的；而所謂「調和」，是對應於「陰」與「柔」而言的[8]。如說得徹底一

8　見歐陽周、顧建華、宋凡聖等：《美學新編》（杭州市：浙江大學出版社，2001年5月一版九刷），頁81。又參見仇小屏：《古典詩詞時空設計美學》（臺北市：文津出版社，2002年11月初版一刷），頁332。

點，即一切「對比」與「調和」，都是由於陰（柔）陽（剛）相對、相交、相和，亦即造成雙螺旋互動的結果。即以「潛性」與「顯性」此一「陰陽二元」而言，也一樣有這種「對比」（異類相應）與「調和」（同類相從）之「聯繫」，這可落到辭章（義旨、章法）上來進行觀察、驗證。本來，辭章如從整體性來看，則其內容與形式是不能割開的，就是「義旨」與「章法」也不例外。但為了說明方便，特地分開來進行探討，希望從「求異」（微觀）的互動過程中凸顯出「求同」（宏觀）之最終歸趨。

第二節　唐宋詞潛性與顯性之對比類型

辭章的任何內容，其「潛性」與「顯性」都可以兩相對待、互動，而形成「潛、顯對比」之關聯；這種關聯雖不多見，卻不乏其篇。茲舉例加以探討，以見一斑。

首如蘇軾的〈臨江仙〉詞：

> 夜飲東坡醒復醉，歸來彷彿三更。家童鼻息已雷鳴。敲門都不應，倚杖聽江聲。　　長恨此身非我有，何時忘卻營營。夜闌風靜縠紋平。小舟從此逝，江海寄餘生。

這首〈臨江仙〉詞，題作「夜歸臨皋」，也作於元豐五年，是採「具（事）泛（情）、具（景、事）」的「篇結構」統合其他的「章結構」寫成的。它在上片，先以「夜飲」二句，敘自己夜半從雪堂醉歸之事，主要以「醉」、「歸」；再以「家童」三句，交代自己所以「倚杖聽江聲」的因果，主要以「鼻息」、「敲門」、「聽江聲」來呈現；以上是頭一個「具」（事）的部分。而在下片，則寫「倚杖聽江聲」時所見所感，先以「長恨」兩句，採「先果後因」的「章結構」寫所感，表達急欲解脫束縛之感喟與退隱江湖之意願；這是「泛」（情）的部分。接著以「夜闌」句寫所見，主要以「風靜縠紋平」之景象作呈現；然後以「小舟」二句虛寫面對「夜闌風靜縠紋平」時之所思，主要以「小舟逝江海」之事來呈現。如此即事（景）抒情，將作者超曠之襟懷表現得十分清楚。附其結構系統表如下：

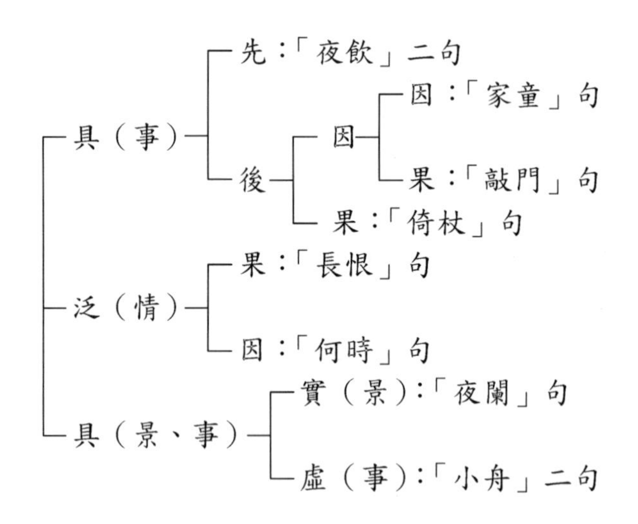

就這樣，作者寫出了他謫居中的真性情，體現了它的鮮明個性。而對詞中所表現之義旨，朱靖華指出：「上片寫醉歸……心境一片開闊。……下片則集中抒發感慨，……透露出他對污垢塵世和功名利祿的極端厭惡情緒。……突現了他內心的尖銳思想矛盾。又在夜靜波平的轉折中，獲得了歸隱頓悟的愉悅。」[9] 可見以全篇意旨而言，「厭惡情緒」是「潛」、「歸隱頓悟的愉悅」為「顯」，形成「對比性」的「潛⟷顯」互動，收到「逆挽頓挫」的效果。

9　見葉嘉瑩主編：《蘇軾詞新釋輯評》（北京市：中國書店，2006年1月一版一刷），頁815-817。

次如岳飛的〈滿江紅〉詞：

> 怒髮衝冠，憑闌處、瀟瀟雨歇。抬望眼、仰天長嘯，壯懷激烈。三十功名塵與土，八千里路雲和月。莫等閒、白了少年頭，空悲切。　靖康恥，猶未雪。臣子恨，何時滅。駕長車、踏破賀蘭山缺。壯志饑餐胡虜肉，笑談渴飲匈奴血。待從頭、收拾舊山河，朝天闕。

這首詞由於主旨「臣子恨，何時滅」出現在篇腹，大可以用「凡目」的角度切入，看成是採「目、凡、目」的「篇結構」統合其他「章結構」所寫成的作品。附其結構系統表如下：

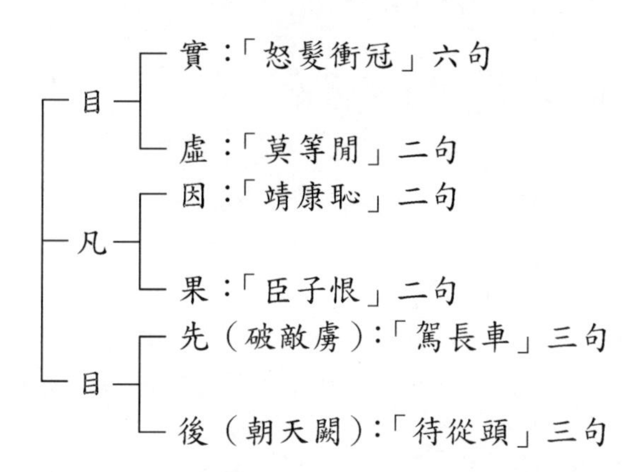

如此切入，當然很容易掌握主旨，但假設與事實卻無法分清，因為透過假設、伸向未來的部分，除了「莫等閒」二句外，尚有「駕長車」五句；而此七句卻被「凡」的部分割裂了，以致無法看出它們之間的密切關係。

如果要看清這種關係，則必須從「虛實」（時間）的角度切入，用「先實後虛」的「篇結構」統合其他的「章結構」來呈現。其開端四句，藉憑闌所見「瀟瀟雨歇」的外在景致與當時「怒髮衝冠」、「仰天長嘯」的本身形態，以具寫壯懷之激烈。「三十」兩句，由果而因，就過去，分敘「壯懷激烈」的頭一個原因在於征戰南北，勳業未成。「莫等閒」兩句，承上兩句，就未來，分敘「壯懷激烈」的另一個原因在於時日已無多，深悲自己會「等閒白了少年頭」。換頭四句，承上片的「壯懷激烈」，總括了上兩個分敘的部分，寫國恥未雪的憾恨，拈明一篇主旨，大力地將一片壯懷，噴薄傾吐。「駕長車」三句，則由實而轉虛，透過設想，虛寫驅車滅敵、湔雪國恥的情景，真可謂「氣欲凌雲，聲可裂石」。結尾兩句，依然以虛寫的手法，進一層寫雪恥後朝見天子的理想結局，以反襯主旨作收。詠來真可令人起頑振懦。顯然這是一篇呈現剛健之美的佳作[10]。附其結構系統表如下：

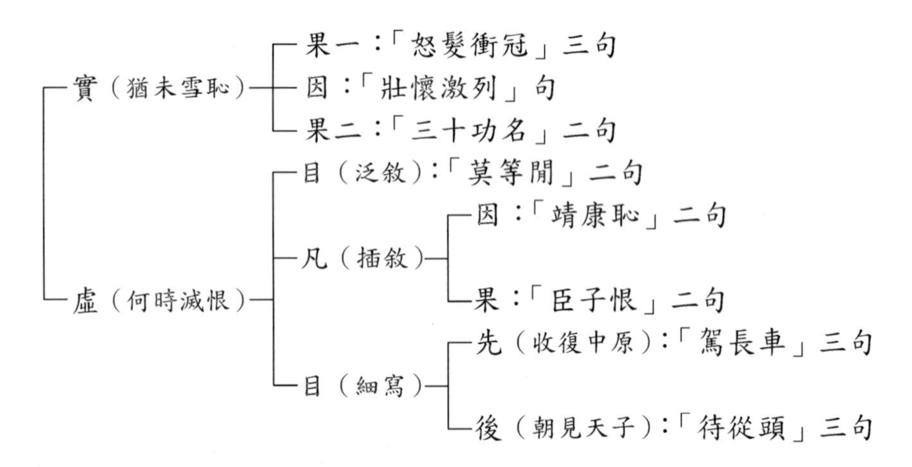

這樣以虛實形成「對比」，藉插敘的方式凸顯其主旨，是比較能呈現此詞之特色的。

　　可見「章法結構」之呈現，可因分析時切入角度之轉換，影響到

10 陳滿銘：《詞林散步——唐宋詞結構分析》（臺北市：萬卷樓圖書公司，2000年1月初版），頁269-270。

「篇章義旨」的重心所在，形成「對比性」之「潛 ⟷ 顯」關聯。而兩者之互動，也由此可見其一斑。

末如辛棄疾的〈賀新郎〉詞：

> 綠樹聽鵜鴃，更那堪、鷓鴣聲住，杜鵑聲切！啼到春歸無尋處，苦恨芳菲都歇。算未抵人間離別：馬上琵琶關塞黑，更長門翠輦辭金闕。看燕燕，送歸妾。　　將軍百戰身名裂，向河梁回頭萬里，故人長絕。易水蕭蕭西風冷，滿座衣冠似雪。正壯士、悲歌未徹。啼鳥還知如許恨，料不啼清淚長啼血。誰共我，醉明月。

這闋詞是用「先賓後主」（此對題目而言，若就主旨而言，則是「先主後賓」）的「篇結構」統合其他的「章結構」寫成的。其中的「賓」，採「先敲後擊」[11]之「章結構」來呈現。作者先以「綠樹」句起至「苦恨」句止，從側面切入，用鵜鴃、鷓鴣、杜鵑等春鳥之依序啼春，啼到春歸，以寫「苦恨」；這是頭一個「敲」的部分。再以「算未抵」句起至「正壯士」句止，由「鳥」過渡到「人」，採「先平提（正反）、後側（正）收」[12]的「章結構」與技巧，舉古代之二女

11 「敲擊」一詞，一般用作同義的合義複詞，都指「打」的意思。但嚴格說來，「敲」與「擊」兩個字的意義，卻有些微的不同，《說文》說：「敲，橫擿也。」徐鍇〈繫傳〉：「橫擿，從旁橫擊也。」而《廣韻・錫韻》則說：「擊，打也。」可見「擊」是通指一般的「打」，而「敲」則專指從旁而來的「打」。也就是說，以用力之方向而言，前者可指正〔前後〕面，也可指側面，而後者卻僅可指側面。依據此異同，移用於章法，用「敲」專指側寫，用「擊」專指正寫，以區隔這種篇章條理與「正反」、「平側」（平提側注）、賓主等章法的界線，希望在分析辭章時，能因而更擴大其適應的廣度與貼切度。見陳滿銘：〈論幾種特殊的章法〉，臺灣師大《國文學報》31期（2002年6月），頁196-202。

12 見陳滿銘：〈談「平提側收」的篇章結構〉，《章法學新裁》（臺北市：萬卷樓圖書公司，2001年1月初版），頁435-459。

〔昭君、歸妾〕二男〔李陵、荊軻〕為例，用「先反後正」的「章結構」，來寫人間離別的「苦恨」，暗涉慶元黨禍，將朝臣之通敵與志士之犧牲，構成強烈的「對比」，以抒發家國之恨[13]；這是「擊」的部分，也是本詞的主結構所在。末以「啼鳥」二句，又應起回到側面，用虛寫（假設）方式，推深一層寫啼鳥的「苦恨」；這是後一個「敲」的部分。而「主」，則正式用「誰共我」二句，表出惜別「茂嘉十二弟」之意，以收拾全篇。所謂「有恨無人省」（蘇軾〈卜算子〉），作者之恨在其弟離開後，將要變得更綿綿不盡了。附其結構系統表如下：

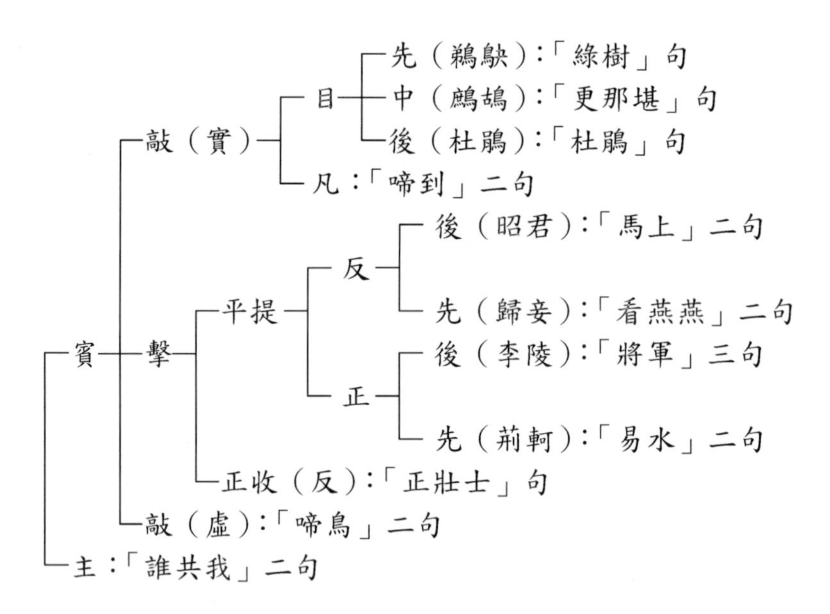

13 鞏本棟：「鄧小軍先生所撰〈辛棄疾〈賀新郎‧別茂嘉弟〉詞的古典與今典〉一文……認為辛棄疾〈賀新郎〉詞的主要結構，『乃是古典字面，今典實指。即借用古典，以指靖康之恥、岳飛之死之當代史。從而亦寄託了稼軒自己遭受南宋政權排斥之悲憤，及對南宋政權對金妥協投降政策之判斷。』」見《辛棄疾評傳》（南京市：南京大學出版社，1998年12月一版一刷），頁400-401。另見陳滿銘：〈唐宋詞拾玉〔四〕——辛棄疾的〈賀新郎〉〉，《國文天地》12卷1期（1996年6月），頁66-69。

如此，既以「賓」和「主」、「敲」和「擊」、「虛」和「實」、「凡」和「目」、「平提」和「側收」、「先」（昔）和「後」（今）等結構，形成「調和」，又以「正」和「反」形成「對比」、「敲」和「擊」形成「變化」；也就是說，在「調和」中含有「對比」，在「順敘」中含有「變化」。而這「變化」的部分，既佔了差不多整個篇幅，其中「對比」又出現在篇幅正中央，形成主結構，且用「擊」加以呈現，這樣在「變化」的牢籠之下，特用「對比」結構來凸顯其核心內容，使得其他「調和」的部分，也全為此而服務，所以這種安排，對此詞風格之趨於「沉鬱蒼涼，跳躍動盪」[14]，是大有作用的。

其中值得注意的是：在第三層的「先平提（正反）、後側（正）收」此一「章結構」，表面上雖就其「顯性」（正），只收正面「悲歌」（李陵與荊軻）的部分，但所謂「未徹」（至今猶未結束），卻兼顧其「潛性」（反），將反面之內容（昭君與歸妾）也包含其中，使得其章法結構形成對比性之「潛 ⟷ 顯」之聯繫而產生互動，造成蘊義於無窮之效果。

此外，值得探討的是：此詞題作「別茂嘉十二弟。鵜鴂、杜鵑實兩種，見《離騷補注》」，可知為贈別之作。它先由啼鳥之苦恨寫到人間的別恨，然後合人、鳥雙寫，帶出贈別之意作收。就在寫人間別恨的部分裡，作者臚列了古代有關送別的恨事，來表達難言之痛，從而推深眼前的送別之情。其中頭一件恨事為漢王昭君別帝闕出塞，不過在此必須一提的是：「更長門」句，雖用漢陳皇后事，但「仍承上句意，謂王昭君自冷宮出而辭別漢闕」（鄧廣銘《稼軒詞編年箋注》），這是很合理的看法；第二件恨事為衛莊姜送妾歸陳國；第三件恨事為

14 見陳廷焯：《白雨齋詞話》卷一，《詞話叢編》4（臺北市：新文豐出版公司，1988年2月臺一版），頁3791。

漢李陵送蘇武回中原；第四件恨事為戰國末荊軻別燕太子丹入秦刺秦王。以上四件送別之恨事，前二者的主角為女子，後二者的主角為男子。這樣分開列舉，所謂「悲歌未徹」，一定和當日時事有所關聯。如進一步加以推敲，前二者當與當時和番聯敵的政策相涉，用以表示諷喻之意；而後二者，則與滯留或喪生於淪陷區的愛國志士相關，用以抒發關切與哀悼之情。不然，送「茂嘉十二弟」，怎麼會恨到「不啼清淚長啼血」呢？這麼說，第一、三、四等件恨事，都不成問題，必須作一番說明的是第二件恨事。大家都知道，衛莊公夫人莊姜無子，以陳女戴媯所生子完為己子，莊公死後，完繼立為君，卻被公子州吁所殺，於是莊姜送陳女戴媯歸陳，並由石碏居間謀計，終於執州吁於濮而殺了他。這件事，從某個角度來看，跟當時聯敵的政策是不是有關聯呢？答案是相當肯定的。由此說來，作者用這四件事材來寫，除了用以襯托送別茂嘉十二弟之情（顯）外，是別有一番「言外之意」（潛）的。靠事材來替作者說話，呈現其義旨之「潛⟷顯」之「對比性」，這是一個很好的例子。

第三節　唐宋詞潛性與顯性之調和類型

辭章的任何內容，其「潛性」與「顯性」都可以兩相對待、互動，而形成「潛⟷顯調和」的關聯，這是十分常見的類型。

首如李白的〈憶秦娥〉詞：

> 簫聲咽，秦娥夢斷秦樓月。秦樓月。年年柳色，灞陵傷別。
>
> 樂遊原上清秋節，咸陽古道音塵絕。音塵絕。西風殘照，漢家陵闕。

這闋寫別恨之作，是用「由「今」(夜有所夢）而「昔」(日有所思)」的「篇結構」統合其他「章結構」寫成的。

就「今」的部分來說，共含上片五句，採「先事後情」的「章結構」寫成，寫的是「夜有所夢」的「事」與「情」。其中「簫聲咽」三句，用以寫主人翁秦娥（長安女子）於重陽節，夜晚夢醒後對月相思的情景。它的首句「簫聲咽」，作者用了一個情語「咽」以形容簫聲，採的是主觀的寫景法，直接地由這個「咽」字傳達了秦娥的哀傷。本來，對一個獨守空閨的人而言，在平時就已夠她哀傷的了，更何況是正值重陽團圓之日呢？所以她在白天上了長安城東南的樂遊原，孤單地呆了一天之後，到了夜裡，即因「日有所思」而作了夢，它的次句「秦娥夢斷秦樓月」便交代了這件事。可想而知：在夢中，她又與從前一樣，和所思念的人會面了，但所謂「好夢由來最易醒」，醒來以後，夢境的一切卻恰與現實成了強烈的「對比」，加上抬頭又見樓邊之月，自然會使秦娥更哀傷不已，這就難怪簫聲會「咽」了。而這「夢」和「月」，在寫離情的作品裡是經常出現的，有的用「月」來傳遞想思，有的用「夢」或「月」之圓來反襯別離、用「月」之缺來正襯孤單。李白這樣以「夢」與「月」來襯托，使所寫的離情當然更趨於強烈。其實，「簫聲咽」三句並沒有直接說到別離，這是有待「年年柳色」兩句來交代的。這兩句，先以「年年」二字將時間一路追回到送別之際，使時間得以拉長，來容納更多的離情；次用「柳色」之變換來連接這段漫長的歲月，藉以帶出無限舊恨，來增強新愁；然後以「灞陵」點明離別地點為長安。既然灞橋在長安，自然可用來回應「秦娥」、「秦樓」之「秦」；末以「傷別」拈出一篇之主旨，來統一全詞，使全詞充滿「傷別」之情。這裡用灞橋折柳贈別的典故來寫，既切「事」，又切「地」，和一般陳腔濫調，是有所不同的。

就「昔」的部分來說，共含下片五句，採「先點（時空定位）後染（內容描述）」的「章結構」寫成，寫的是「日有所思」的情形。它的首句「樂遊原上清秋節」為「點」，點明了登高的地點和時節；而「咸陽古道」四句為「染」，描述了登高所見所聞。樂遊原，在今陝西省西安市南郊，本是秦時的宜春苑，漢宣帝時改為樂遊苑。唐時由於太平公主在此添造一些亭閣，遂成長安士女遊賞勝地，尤其是每逢正月晦日、三月三日及九月九日，更是人車聚集，熱鬧非凡。這裡既說是「清秋節」，而又以「咸陽古道」之「音塵絕」作反襯，指的當是九九重陽節。這個節日，對此闋詞的主人翁而言，是別有意義的，因為在從前此日，她和所思念的人，在車水馬龍的襯映下，不知遊賞過這個地方多少回，而如今卻留下自己獨自領受「咸陽古道音塵絕」的無邊寂寞，這樣撫今追昔。當然會徘徊流連而進一步地感傷不已。尤其是到了黃昏時，又面對了「西風殘照，漢家陵闕」的寥落景象，那就更「不堪看」了。據載，西漢高祖、惠帝、景帝、武帝與昭帝的五座陵園都在附近，韋應物有〈驪山行〉詩云：「秦川入水長繚繞，漢氏五陵空崔嵬。」而後來的杜牧更有〈登樂遊原〉詩說：「長空澹澹孤鳥沒，萬古銷沈向此中。看取漢家何事業？五陵無樹起秋風。」這兩首詩都提到了這五座陵園，而杜牧所謂的「看取漢家何事業，五陵無樹起秋風」，和李白這闋詞的「西風殘照，漢家陵闕」，在意境上可謂十分接近，都充滿肅穆淒涼的氣氛，秦娥處此，自然地會興起「悔教夫婿覓封侯」之感，如此一來，她那「傷別」之情又為之推深一層。所謂「日有所思，夜有所夢」，本來寫秦娥因有所見而有所思，由有所思而有所夢，作者卻將日夜先後的順序倒轉過來，用的是逆敘的手法。由於它表面上雖是寫離情（顯），卻蘊含著家國興亡的深切感慨（潛），所以氣勢顯得雄大，劉熙載說它「聲情悲壯」（《藝概》），而王國維則說「純以氣象勝」（《人間詞話》），說得很有道理。

附其篇章結構系統表如下：

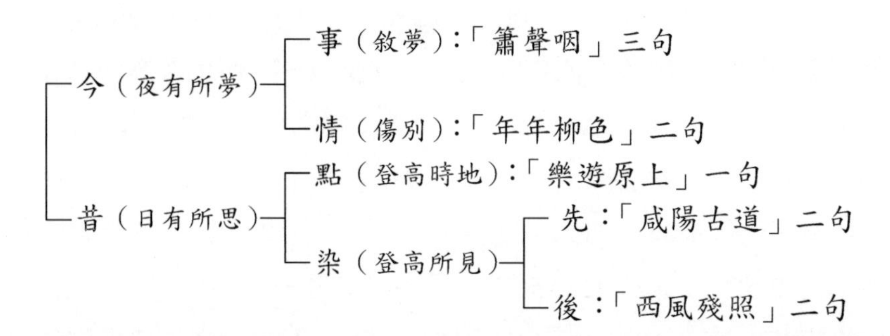

如果此詞確係李白所作，那麼寫於安史之亂時，是最有可能的。施蟄存、王興康在《詞林觀止》（上）認為：「與其說歇拍兩句是作者寄情於景，倒不如說是作者借助詞的意境預言了唐王朝未來衰弱的國運。」[15] 看法相當合理。據此，此詞寫離情是「顯」，預言「唐王朝未來衰弱的國運」為「潛」，形成調和性的「潛⟷顯」互動，使其意味更為深長。

次如李煜的〈相見歡〉詞：

> 無言獨上西樓，月如鉤。寂寞梧桐深院、鎖清秋。　　剪不斷，理還亂，是離愁。別是一般滋味、在心頭。

這首詞寫秋愁，是用「先具（事、景）後泛（情）」的「篇結構」統合其他的「章結構」寫成的。

就「具」（事、景）的部分來看，是在上片，採「先事後景」的「章結構」，主要用以勾畫出一片秋日愁境。它先寫主人翁默默無語

15 陳邦炎主編：《詞林觀止》上（上海市：上海古籍出版社，1994年4月一版一刷），頁4。

地獨上西樓的事，所謂「無言」，巧妙地反映了主人翁孤寂的心情。溫庭筠〈菩薩蠻〉詞云：「無言匀睡臉，枕上屏出掩。時節欲黃昏，無憀獨倚門。」用法與此相同。無獨有偶地，李煜也像溫庭筠在「無言」之外加了一個「獨」字，使這裡孤寂之情更趨強烈，而此種身影，在不圓之月的映襯下，更顯得悽惋了。主人翁上樓後舉頭所見既是如此，已使他愁上加愁，更何況低頭所見又是「寂寞梧桐深院鎖清秋」的景象呢？這裡的「寂寞」二字，與其完全看作是「情語」，不如也視為「景語」來得好，因為此二字形容的正是樹上梧葉稀疏冷落的樣子，人見了這個樣子當然會湧生「寂寞」之感了。至於「銷清秋」，摹寫的則是深院的空地整個被梧桐葉所密密圍住的寂寞之景，所謂「鎖」，是緊緊封閉的意思，在此用作被動，主語為「清秋」。而「清秋」指的是冷落的秋色，即梧桐落葉，這和范仲淹將「碧雲天，黃葉地」看作是冷落的「秋色」（見〈蘇幕遮〉詞），可說異曲而同工。人見了這種冷落的秋色，自然會使寂寞之情推深一層。

就「泛」（情）的部分來看，是在下片，採「先淺後深」的「章結構」，主要用以抒發滿懷愁緒。開頭為「剪不斷」三句，就「淺」寫離別之苦，是說「離愁」就像千絲萬縷一樣是「剪不斷，理還亂」的，這和馮延巳〈蝶戀花〉詞所云：「河畔青蕪堤上柳，為問新愁，何事年年有？」將草和柳的嫩芽譬成「新愁」，用的同樣是借物喻愁的手法。李煜採這種手法來寫，使抽象變為具體，產生了神奇的效果。至於「別是一般滋味、在心頭」句，則就「深」寫身世之感、家國之哀。關於這點，有人以為不然，甚且看作是畫蛇添足之舉，這對他人而言，或許是正確的，但以李煜來說，卻錯了，因為他不這樣寫是無法表達他沈重的身世、家國之悲的。唐圭璋指出：「所謂『別是一般滋味』，是無人嚐過之滋味，惟有自家領略也。後主以南朝天才，而為北地幽囚；其所受之痛苦、所嚐之滋味，自與常人不同。心頭所交集者，不知是悔是恨，欲說則無從說起，且亦無人可說，故但云『別是一般滋味』。究竟滋味若何？後主且不自知，何況他人？此種無言之哀，更勝於痛哭流涕之哀。」[16] 這種領略是深得詞心的。

附結構系統表如下：

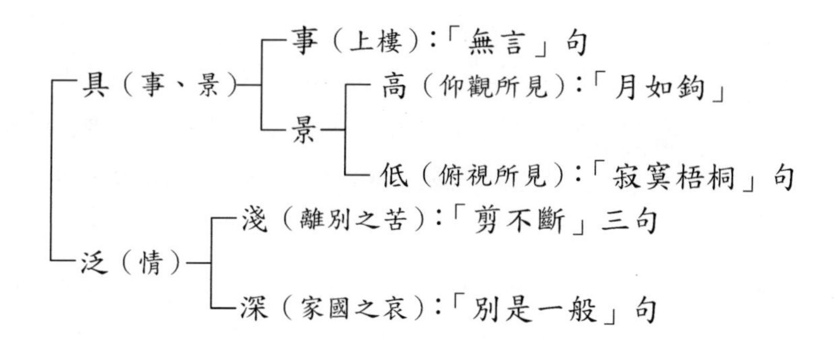

可見此詞採「即景（事）抒情」的手法來呈現，寫「景（事）」的事上片，「抒情」的是下片，而篇旨就出現在下片「抒情」的部分裡。在此用「先淺（顯）後深（潛）」的結構來寫，恰好將篇旨之「潛、顯」表達出來，形成了「調和性」之「潛⟷顯」之關聯，而產生互動。

又如蘇軾的〈河滿子〉詞：

> 見說岷峨悽愴，旋聞江漢澄清。但覺秋來歸夢好，西南自有長城。東府三人最少，西山八國初平。　莫負花溪縱賞，何妨藥市微行。試問當壚人在否，空教是處聞名。唱著子淵新曲，應須分外含情。

此詞題作「湖州作寄益守馮當世」，當作於熙寧九年（1076），時作者在密州，而馮當世（京）在成都[17]。它首先以起二句，主要就虛

16 見唐圭璋：《唐宋詞簡釋》（臺北市：木鐸出版社，1982年3月初版），頁39。

17 石聲淮、唐玲玲：「題說『湖州寄益守馮當世』，詞中內容是馮當世作益守時的事，馮

空間，突出「岷峨」(借指成都)，寫馮當世在四川平定茂州夷人叛亂的功績（見《宋史・馮京傳》)，一如周宣王時召虎之平淮夷，以表示慶賀之意。接著以「但覺秋來」二句，主要就實時間，承上寫自己「秋來」，因有馮當世鎮守家鄉四川，故有好的「歸夢」。然後以「東府」二句及整個下片，又主要就虛空間，鎖定「成都」來寫：它首以「東府」二句，呼應「江漢澄清」，指出馮當世來鎮守四川，成就了有如唐朝韋皋震服「西山八國」的功業，所以宋神宗特召知樞密院事（熙寧九年十月，見《續資治通鑑》卷71），成為「東府三人（王珪、吳充、馮京）最少」[18] 的顯要，以極力讚美馮當世；次以「莫負花溪」四句，勸馮當世不妨在公餘，微服出行，走訪那成都著名的花溪、藥市與文君壚，以察訪民情；末以「唱著子淵」二句，用漢代益州刺使王襄舉王褒，而王褒後來作〈聖主得賢臣頌〉來加以歌頌的故事（見《漢書・王褒傳》)，要他識拔當地人才。這樣以「虛（空）、實（時)、虛（空)」的結構來寫，不但讚美了馮當世的武功（主)，也對他的文治（賓)，作了很高的期許。雖然前後用了很多典故，卻絲毫不損其意味。附其結構系統表如下：

當世作益守在熙寧九年丙辰（1076)。這年蘇軾在密州，題說『湖州』，時和地相矛盾。」見《東坡樂府編年箋注》(臺北市：華正書局，1993年8月初版)，頁91-92。

18 東府，指樞密院，與中書省，並稱二府。三人，指中書門下平章事吳充、王珪二人，加上馮京。時（西寧九年）王珪五十八歲、吳充和馮京五十六歲，大約馮京出生的月份早，所以說「最少」。見《東坡樂府編年箋注》，頁93-94。

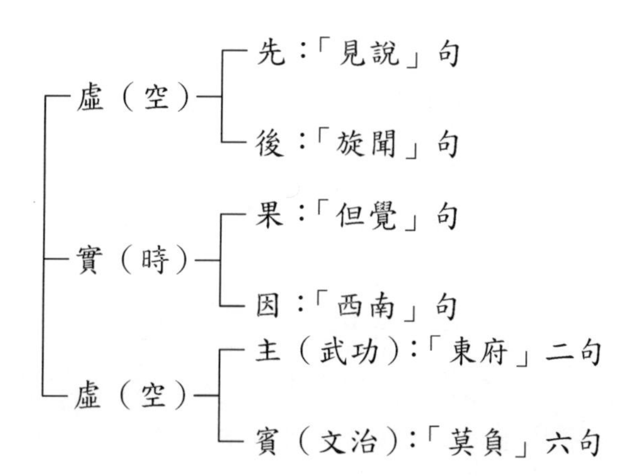

綜觀此詞，主要用了四個典故：依序是「召虎平淮夷」、「韋皋震服西山八國」、「文君當壚」、「王襄舉王褒」，這四個典故，各有它原來的義旨，皆為「顯」；當然也各有其「借古喻今」之義旨，那就是歌頌馮當世「平定茂州夷人叛亂」、「鎮守四川」的功績與「訪察民情」、「識拔當地人才」（虛）等虛（未來）、實（現在）功績，這些都是「潛」。如此，其章節義旨之「潛性」與「顯性」皆屬「同類相從」，於是形成各自「調和」的關聯，而使「潛←→顯」產生互動了。

第四節　「潛←→顯」互動之美學詮釋

茲分「虛實與對待」、「聯貫與統一」兩方面加以探討：

一　虛實與映襯

「潛」（陰）與「顯」（陽）是「一虛一實」的關係，而「虛」（陰）與「實」（陽）又形成「二元對待」。從形式上看，「潛」（陰）與「顯」（陽）之對待、互動，無論是「潛、顯對待」或「顯中有潛」、「潛中有顯」，都可以產生「虛實相生」之美感。曾祖蔭即指出這種「虛實」一種美學特徵說：

> 就藝術反映生活的特點來看，如果說現實景物是「實」，通過景物所體現的思想感情是「虛」，那末，化實為虛就是要化景物為情思，這在我國詩詞中表現得尤為突出。……化虛為實突出地表現為將心境物化。把看不見、摸不著的思想感情、心理變化等，用具體的或直觀的感性形態表現出來，也就是說，要變無形為有形。從這個意義上說，具體的或直觀的物象為實，無形的思想感情、心理變化等為虛。化虛為實就是把無形的思想、情趣、心理等轉化為具體生動的藝術形象。[19]

如此透過「心境物化」（顯）、「物境心化」（潛）之作用，確實可以解釋「潛（虛、陰）」與「顯（實、陽）」互動的藝術特色。也正因為它們能由互動而結合，便成為中國美學一條重要的原則，概括了中國藝術的美學特點。葉太平即認為：

> 藝術形象必須「虛實結合」，才能真實地反映有生命的世界。如果沒有物象之外的虛空，藝術品就失去了生命。[20]

而這種「轉化」或「結合」，如對應於生理、心理來說，則建立在「兩兩相對」之基礎上。對此，宗白華便說：

---

19 見曾祖蔭：《中國古代文藝美學範疇》（臺北市：文津出版社，1987年8月初版），頁167-172。

20 見葉太平：《中國文學的精神世界》（臺北市：正中書局，1994年12月臺初版），頁290。

> 有謂節奏為生理、心理的根本感覺，因人之生理，均兩兩相對，故於對稱形體，最易感人。[21]

這所謂「兩兩相對」，當然也包含「潛」（陰）與「顯」（陽）之對待、互動在內。而「兩兩相對」形成藝術，說得簡單一點，即兩兩「映襯」或「襯托」之意。董小玉說：

> 襯托，原係中國繪畫的一種技法，它是只用墨或淡彩在物象的外廓進行渲染，使其明顯、突出。這種技法運用於文學創作，則是指從側面著意描繪或烘托，用一種事物襯托另一種事物，使所要表現的主體在互相映照下，更加生動、鮮明。襯托之所以成為文學創作中一種重要的表現手法，是由於生活中多種事物都是互為襯托而存在的，作為真實地表現生活的文學，也就不能孤立地進行描寫，而必然要在襯托中加以表現。[22]

既然「生活中多種事物都是互為襯托而存在」，而「襯托」的主、客雙方，所呈現的就是「陰陽二元對待」的現象。這種現象，形成「調和」的，相當於襯托中的「對稱」；而形成「對比」的，則相當於襯托中的「對立」。

以「對稱」而言，陳望道在《美學概論》中論述「美的形式」時，列有「對稱與均衡」一項：

---

21 見林同華主編：《宗白華全集》1（合肥市：安徽教育出版社，1996年9月一版二刷），頁506。

22 見董小玉：《文學創作與審美心理》（成都市：四川教育出版社，1992年12月一版一刷），頁338。

> 對稱（symmetry）是與幾何學上所說的對稱指稱同一的事實。都是將一條線（這一條線實際並不存在，也可假定其如此），為軸作中心，其左右或上下所列方向各異，形象相同的狀態。……所謂均衡（balance）雖與它（按：指對稱的形式）極類似，就比它活潑得多；……均衡是左右的形體不必相同，而左右形體的份量卻是相等的一種形式。[23]

這種「美的形式」運用在辭章時，則不必如幾何學那麼嚴密，只要達到均衡的狀態即可。因此落到「潛」與「顯」之虛實來說，則一樣可凸顯出其對稱（均衡）美。

以「對立」而言，張少康說：

> 任何藝術作品的內部都包含著許多矛盾因素的對立統一。例如我國古代文藝理論中所說的形與神、假與真、一與萬、虛與實、情與理、情與景、意與勢、文與質、通與變等等。每一件藝術品，每一個藝術形象，都是這一組組矛盾關係的統一，是它們的綜合產物。[24]

而邱明正也表示：

> 這種既對立又統一的原則體現了矛盾著的雙方相互對立、相互排斥，又在一定條件下相互轉化，相互統一的矛盾運動法則，

---

23 見陳望道：《美學概論》（臺北市：文鏡文化事業公司，1984年重排出版），頁43-45。

24 見張少康：《中國古代文學創作論》（臺北市：文史哲出版社，1991年6月初版），頁173。

> 是宇宙萬物對立統一的普遍規律、共同法則在審美心理上的反映。[25]

可見「潛」（陰）與「顯」（陽）所形成的是「虛實二元」，它彼此互動而形成「映襯」，無論為「對稱」（調和）或「對立」（對比），均可趨向一種和諧統一的狀態，而獲得「相生相成」之美感效果。

二　聯貫與統一

所謂「聯貫」，本是宇宙人生的一種基本規律，它落到辭章上說，則是指內容（情、理）材料（事、景）先後的銜接或呼應，也稱為「銜接」。無論是哪一種內容（情、理）或材料（事、景），都可以由局部的「調和」與「對比」，形成銜接或呼應，而達到聯貫的效果[26]。即以「潛」與「顯」兩相對待、互動所形成之「調和」與「對比」而言，亦是如此。

而所謂「調和」與「對比」兩者，並非是永遠固定不變的。其中「調和」，在某個層面來看，指的乃是「對比」前的一種「統一」；而「對比」，或稱「對立」，如著眼於進一層面，則形成的又是「調和」或「統一」的狀態；兩者可說是一再互動、循環，而形成「螺旋結構」[27]的。所以邱明正指出：

---

25 見邱明正：《審美心理學》（上海市：復旦大學出版社，1993年4月一版一刷），頁95。

26 見陳滿銘：〈章法四律與邏輯思維〉，臺灣師大《國文學報》34期（2003年12月），頁87-118。

27 兩種對待的事物，往往會產生互動、循環而提升的作用，而形成螺旋結構。參見陳滿銘：〈談儒家思想體系中的螺旋結構〉，臺灣師大《國文學報》29期（2000年6月），頁1-34。

> 對立原則貫穿於整個審美、創造美的心理運動之中，它無處不在，無時不有。但是審美心理運動有矛盾對立的一面，又有矛盾統一的一面。人通過自覺或不自覺的自我調節，協調各種矛盾，可以由矛盾、對立趨於統一，並在主體審美心理上達於統一和諧。例如主體對客體由不適應到適應就是由矛盾趨於統一。即使主體仍然不適應客體，甚至引起反感，但主體心理本身卻處於和諧平衡狀態。這種既對立又統一的原則體現了矛盾的雙方相互對立，互相排斥，又在一定條件下相互轉化，互相統一的矛盾運動法則，是宇宙萬物對立統一的普遍規律、共同法則在審美心理上的反映。[28]

從辭章之創作與鑑賞來看，鑑賞是由「末」（辭章）溯「本」（心理—構思）的逆向活動，而創作則正相反，是由「本」（心理—構思）而「末」（辭章）的順向過程；其中的原理法則，是重疊的，是一樣的。一篇作品，假如能透過分析，尋出其篇章規律，以進於鑑賞，則作者寫作這篇作品時的構思線索，就自然能加以掌握，即以形成「聯貫」的「調和」與「對比」而言，也不例外。

如此，一篇辭章，在「對比」與「調和」之聯貫下，經由局部之「統一」而趨於整體之「和諧」。而這種「統一」或「和諧」，歐陽周、顧建華、宋凡聖等在其《美學新編》裡，加以闡釋說：

> 所謂統一，是指各個部分在形式上的某些共同特徵以及它們之間的某種關聯、呼應、襯托、協調的關係，也就是說，各個部分都要服從整體的要求，為整體的和諧、一致服務。有多樣而

28 見邱明正：《審美心理學》，頁94-95。

> 無統一，就會使人感到支離破碎、雜亂無章、缺乏整體感；有統一而無多樣，又會使人感到刻板、單調和乏味，美感也難以持久。而在多樣與統一中，同中有異，異中求同，寓「多」於「一」，「一」中見「多」，雜而不越，違而不犯；既不為「一」而排斥「多」，也不為「多」而捨棄「一」；而是把兩個對立方面有機結合起來，這樣從多樣中求統一，從統一中見多樣，追求「不齊之齊」、「無秩序之秩序」，就能造成高度的形式美。……多樣與統一，一般表現為兩種基本型態：一是對比，二是調和。……無論對比還是調和，其本身都要要求在統一中有變化，在變化中求統一，把兩者巧妙地結合在一起，就能顯示出多樣與統一的美來。[29]

這種說法，如就辭章「0一二多」雙螺旋結構來看，則其中之「一0」（統一、和諧）與「多」（多樣對待、互動所形成之秩序、變化）也形成了「陰陽二元對待」，有機地結合在一起。也就是說，「一0」（統一、和諧）之美，需要奠基在「多」（秩序、變化）之上；而「多」（秩序、變化）之美，也必須仰仗「一0」（統一、和諧）來整合。在此，最值得注意的是：歐陽周等人特將這種屬於「陰陽二元」對待、互動的「調和」（陰）與「對比」（陽），結合「多」（秩序、變化）與「一0」（統一、和諧）作說明，凸顯出「二」（「調和」（陰）與「對比」（陽）徹下、徹上的居間作用。這對辭章「多」結構及其所產生美感方面的認識而言，有相當大的幫助[30]。

而這個「一」中的「0」，是對應於老子「道生一」、「有生於无」

29 見歐陽周、顧建華、宋凡聖等：《美學新編》，頁80-81。

30 見陳滿銘：〈辭章「多、二、一（0）」螺旋結構論〉，中山大學《文與哲》10期（2007年6月），頁483-514。

的「道」或「无」來說的[31]；這就與「潛」有關，因為「『有』就是顯，『无』就是潛」[32]。如果這種「道」或「无」落在在辭章中，則指的是風格、韻律、氣象、境界等辭章之抽象力量；而這些抽象力量，是與「剛」(對比)、「柔」(調和) 息息相關的。就以風格而言，即可用「剛」(對比)、「柔」(調和)」來概括。關於這點，姚鼐在其〈復魯絜非書〉中就已提出，大致是「姚鼐把各種不同風格的稱謂，作了高度的概括，概括為陽剛、陰柔兩大類。像雄渾、勁健、豪放、壯麗等都可歸入陽剛類；含蓄、委曲，淡雅、高遠、飄逸等都可歸入陰柔類。就這兩類看，認為『為文者之性情形狀舉以殊焉』，性情指作者的性格，跟陽剛、陰柔有關；形狀指作品的文辭，跟陽剛、陰柔有關。又指出這兩者『糅而氣有多寡進絀』，即陽剛和陰柔可以混雜，在混雜中，陰陽之氣可以有的多有的少，有的消，有的長，這就造成風格的各種變化」[33]。據此，則陽剛（對比）和陰柔（調和），不但與風格有關，而為各種風格之母；也一樣與作者性情與作品文辭有關，而為韻律、氣象、境界等的決定因素。這其中，一篇辭章之「義旨」與「章法」之「潛」(陰) 與「顯」(陽) 之對待、互動就產生了一定之影響。

對這種道理，吳功正在其《中國文學美學》裡，以美學的觀點，從「陰陽」這一範疇切入闡釋說：

> 由一個最簡括的範疇方式：陰陽，繁孵衍化出眾多的美學範疇：言與意、情與景、文與質、濃與淡、奇與正、虛與實、真

31 見陳滿銘：〈論「多、二、一（0）」的螺旋結構——以《周易》與《老子》為考察重心〉，臺灣師大《師大學報．人文與社會類》48卷1期（2003年7月），頁1-20。

32 見王希杰：〈詩歌章法（句法）的顯和潛〉。

33 見周振甫：《文學風格例話》（上海市：上海教育出版社，1989年7月一版一刷），頁13。

> 與假、巧與拙等等，顯示出中國美學的一個顯著特徵：擴散型；又顯示出中國美學的另一個顯著特徵：本源不變性。這兩個特徵的組合，便顯示出中國美學在機制上的特性。如劉勰的《文心雕龍》就以此作為理論的結構框架。關於審美的主客體關係，劉勰認為，心（主體）「隨物以宛轉」，物（客體）「與心而徘徊」。關於情與物的關係：「情以物興，故義必明雅；物以情觀，故詞必巧麗」。其他關於文質、情文、通變等範疇和問題，也都是兩兩對舉，都有著陰陽二元的基本因子的構成模式。[34]

在此，他提出了兩個重要觀點：一是指出心（義旨）與物（材料）、文與質、情與文、通與變等等範疇，都與「陰陽二元」有關。二為「陰陽二元」的特徵，既是「擴散」（徹下）的，也是「本源不變」（徹上）的。也正由於「陰陽二元」，是諸多範疇構成的基本因子，有著擴散（徹下）、本源不變（徹上）的特徵，所以既能繁衍為「多」（秩序、變化），也能歸本於「一0」（統一、和諧）。由此可知，陽剛（對比）和陰柔（調和）之重要，因而也凸顯了「二」（陽剛、陰柔或調和、對比）在「多」（秩序、變化）、「一0」（統一、和諧）之間不可或缺的地位；而「潛」與「顯」這一「陰陽二元」之對待、互動與「對比」、「調和」，就在其中產生了應有之作用。

綜上所述，可知「陰陽二元」之對待、互動，乃極普遍之現象，而「潛」（陰）和「顯」（陽）所形成之「對比」與「調和」類型，就是其中相當重要之一環。而這種現象，是可透過三個層面加以考察

---

34 見吳功正：《中國文學美學》下卷（南京市：江蘇教育出版社，2001年9月一版一刷），頁785-786。

的：第一個層面是在哲學上追索其理論依據，第二個層面是在辭章上尋出其應用例證，第三個層面是在美學上找到相應之詮釋。雖然限於篇幅，在辭章這一層，針對「對比」與「調和」這兩種類型，僅就「義旨」與「章法」兩方面，僅舉唐宋詞六例予以驗證而已，但是大致上，依然可達到所謂「以個別表現一般，以單純表現豐富，以有限表現無限」[35]之效果。而由此也可看出「潛性」（陰）與「顯性」（陽）之對待、互動與「對比」、「調和」，乃普遍性之存在，是能徹上、徹下「一以貫之」的。如此由雙螺旋互動而「一以貫之」，正是使辭章成為佳作的必備條件；這可從唐宋詞之表現獲得證明。

35 見葉朗：《中國美學史大綱》（臺北市：滄浪出版社，1986年9月初版），頁26。

第十章
章法風格

「章法」是建立在「陰柔、陽剛」二元雙螺旋互動之基礎上，以呈現其「0一二多」層次邏輯結構或系統[1]的；而其「風格」之形成，便與這種由二元（陰柔、陽剛）互動所組織而成的「0一二多」雙螺旋結構，與其「移位」、「轉位」、「調和、對比」與「包孕」之變化，息息相關。本文即以唐宋詞為語料，用這種由二元（陰柔、陽剛）互動所組織成之「0一二多」雙螺旋篇章[2]結構與其「移位」（順、逆）、「轉位」（拗）、「調和、對比」與「包孕」為依據，對整體結構之「陽剛 ⟷ 陰柔」消長的情形，進行探討，試予量化，並將這種「模式探索」之結果對應於傳統「直觀表現」之結晶作進一步的觀察。而由於這種「章法風格」，自古以來大都經由「直觀」加以捕捉，往往涉及主觀表現，因此難免因人而異；而如今辭章之「模式研究」則日新月異，已可試著用此成果進行探索，以補「直觀」之不足。因此本章特聚焦於「章法風格」剛柔成分的力度與進絀，凸顯「模式研究」之初步成果，並由此引證一些「直觀」累積之結晶，舉例加以說明，然後作綜合探討，以見「章法風格」在篇章上之呈現模式於一斑，供辭章家與辭章學家參考。

---

1 陳滿銘：〈論二元互動與章法結構──以「多、二、一（0）」螺旋結構切入作綜合考察〉，《東吳中文學報》18期（2009年11月），頁1-32。又，陳滿銘：〈論篇、章的邏輯結構系統〉，《當代修辭學》2013年期（2013年11月），頁84-91。

2 所謂「章法」是含「篇法」在內的。見鄭頤壽：〈含篇法的「辭章章法學」的發展──評介陳滿銘《章法學論粹》及其相關論著〉，《國文天地》19卷4期（2003年9月），頁106-112。

第一節　章法風格之形成

每一篇辭章，雖然各有各的「章法結構」與「風格」，但其形成之原理是一致的，茲概述如下。

作為一般術語，「風格」是指「作風、風貌、格調，是各種特點的綜合表現」，而這種表現是多方面的，有建築風格，雕塑風格、音樂風格、服裝設計風格、藝術風格，文學風格等[3]。即以其中的文學風格而言，又有文體、作家、流派、時代、地域、民族和作品等風格之異[4]。如再就其中之一篇作品來說，則又有內容與形式（藝術）風格的不同，而形式（藝術），更有文法、修辭和章法等風格之別。

從文學風格來看，在我國，自曹丕〈典論論文〉與劉勰《文心雕龍》開始，對「風格」概念，就探討、發展得很好，這可由傳統有關的許多論著中得知，而所探討的，大體而言，不外是作家風格、作品風格或文章風格[5]。而對其中之作品風格，大都僅就整體來作綜合探討，卻較少分為內容與形式加以析論，也十分自然地，從文法、修辭和章法等角度來推求其風格的，便更少見，甚至完全看不到。其中「章法風格」，就是如此；這是由於一直未注意到「章法」是建立在「陰陽二元」雙螺旋互動的基礎之上的緣故。

3　黎運漢：《漢語風格學》（廣州市：廣東教育出版社，2000年2月一版一刷），頁3。

4　周振甫：《文學風格例話》（上海市：上海教育出版社，1989年7月一版一刷），頁1-290。

5　黎運漢：「在我國傳統文論、詩話、文體以及20世紀初的修辭學論著中，都常用『體』、『體性』、『體式』、『文體』、『品』等表示風格的概念。例如曹丕〈典論論文〉說的『文以氣為主，氣之清濁有體』」和《文心雕龍．體性》篇、司空圖《二十四詩品》，以及龍伯純《文字發凡．修辭》（1905）的『簡潔體』、『剛健體』、『優柔體』、『華麗體』，王易《修辭學通詮》（1930）的『雄健體』、『富麗體』，陳望道《修辭學發凡》（1932）的〈語文的體類〉（後改為〈文體或辭體〉）等，都是講作家風格、作品風格或文章風格。」見《漢語風格學》，頁2。

直接由「陰陽二元」互動所形成之母性風格，是「剛」與「柔」。而中國涉及此「剛」與「柔」的特性來談「風格」的，雖然很早，如南朝梁鍾嶸的《詩品》、唐司空圖的《二十四詩品》、宋嚴羽的《滄浪詩話》………等，它們所談的「風格」，就有與「剛」、「柔」相接近或類似的，卻還沒直接提到「剛」與「柔」；就是明末清初的黃宗羲在〈縮齋文集序〉裡，固然以陰陽之氣論文，與「剛柔」有關，也一樣未直接提到「剛柔」[6]。真正說來，明明白白地提到「剛」與「柔」，而又強調用它們來概括各種「風格」的，首推清姚鼐的〈復魯絜非書〉：

> 鼐聞天地之道，陰陽剛柔而已。文者，天地之精英，而陰陽剛柔之發也。……其得於陽與剛之美者，則其文如霆，如電，如長風之出谷，如崇山峻崖，如決大川，如奔騏驥；其光也，如杲日，如火，如金鏐鐵；其於人也，如憑高視遠，如君而朝萬眾，如鼓萬勇士而戰之。其得於陰與柔之美者，則其文如升初日，如清風，如雲，如霞，如煙，如幽林曲澗，如淪，如漾，如珠玉之輝，如鴻鵠之鳴而入廖廓；其於人也，漻乎其如嘆，邈乎其如有思，渜乎其如喜，愀乎其如悲。觀其文，諷其音，則為文者之性情形狀舉以殊焉。且夫陰陽剛柔，其本二端，造萬物者糅而氣有多寡、進絀，則品次億方，以至於不可窮，萬物生焉。故曰：一陰一陽之為道。夫文之多變，亦若是已。

6 于民、孫通海：「以陽剛陰柔論文之美，早已有之，但大都不甚直接、明確、系統。到了明末至清代中期，這個問題就有了明顯的發展和反映。其代表作家是清初的黃宗羲與清代中期的姚鼐。黃宗羲的觀點……是崇陽而貶陰，以陽為陰制、陽氣突發為迅雷而論至文。」見《中國古典美學舉要》(合肥市：安徽教育出版社，2000年9月一版一刷)，頁962。

對這段話，周振甫作了如下闡釋：

> 在這裡，姚鼐把各種不同風格的稱謂，作了高度的概括，概括為陽剛、陰柔兩大類。像雄渾、勁健、豪放、壯麗等都歸入陽剛類，含蓄、委曲、淡雅、高遠、飄逸等都可歸入陰柔類。就這兩類看，認為「為文者之性情形狀舉以殊焉」，性情指作者之性格，跟陽剛、陰柔有關；形狀指作品的文辭，跟陽剛、陰柔有關。又指出這兩者「糅而氣有多寡進絀」，即陽剛陰柔可以混雜，在混雜中，陰陽之氣可以有的多有的少，有的消有的長，這就造成風格的各種變化。他雖然把風格概括為兩大類，但又指出陰陽之交錯所造成的各種不同風格是變化無窮的，這又承認風格的多樣化。[7]

可見「風格」之多樣，是由「剛」與「柔」的「多寡進絀」（多少、消長）而形成的，因此多樣的「風格」，可以概括為「陽剛」、「陰柔」兩大類，以其「剛」與「柔」之「多寡進絀」（多少、消長）而形成不同的風格。姚鼐這種「剛柔」的概念，承襲自古聖的典籍，他在〈復魯絜非書〉中說：

> 惟聖人之言，統二氣之會而弗偏，然而《易》、《詩》、《書》、《論語》所載，亦間有可以剛柔分矣。[8]

7　周振甫：《文學風格例話》，頁13。

8　于民、孫通海注此四句：「統二氣之會而弗偏，指《周易・繫辭上》所言『一陰一陽之謂道』。舊說〈繫辭傳〉為孔子所作。《易》、《詩》、《書》、《論語》所載的有關剛柔分的，如《易・噬嗑》：『剛柔分，動而明。』《詩經・大雅・烝民》：『柔嘉維則』、『剛亦不吐』。《尚書・舜典》：『剛而无虐』、『柔遠能邇』等等。」見《中國古典美學舉要》，頁965。

這種「陰陽、剛柔」源自《易》、《詩》、《書》、《論語》的說法，可藉以說明姚鼐所以「尚陽而下陰，伸剛而絀柔」（姚鼐〈海愚詩鈔序〉）的原因，因為儒家本來就是崇尚「陽剛」的，與道家之崇尚「陰柔」，有所不同。如果真正要「統二氣之會而弗偏」，則《周易》（含《易傳》）和《老子》二書有關「陰陽、剛柔」，亦即「0一二多」中「二」的說法[9]，當是剛柔「風格」之哲學基礎所在，是不宜有所偏倚的。

如上所述，「章法類型」與「章法結構」，既然是建立在「陰陽二元」，亦即「剛」與「柔」雙螺旋互動的基礎之上的，當然與「剛柔」風格就有直接之關係。而由「章法類型」與「章法結構」來解釋「剛柔風格」之形成，也自然最為利便。因此，要談「章法風格」之形成，就必須從「章法類型」與「章法結構」之「陰 ⟷ 陽」、「剛 ⟷ 柔」來探討。

先就「章法類型」本身之「陰 ⟷ 陽」、「剛 ⟷ 柔」來看，由於所有「章法類型」，無論是「調和性」或「對比性」的，都以「一陰一陽」對待、互動而形成，所以每一「章法類型」本身即自成「陰陽、剛柔」。大抵而論，屬於本、先、靜、低、內、小、近……的，為「陰」為「柔」，屬於末、後、動、高、外、大、遠……的，為「陽」為「剛」。而《周易．繫辭上》所謂「天尊地卑，乾坤定矣；卑高以陳，貴賤位矣；動靜有常，剛柔斷矣」，雖然沒有明說何者為「剛」？何者為「柔」？然而從其整個「陰陽、剛柔」學說看來，卻可清楚地加以辨別。陳望衡說：

9　陳滿銘：〈論「多、二、一（0）」的螺旋結構——以《周易》與《老子》為考察重心〉，臺灣師大《師大學報．人文與社會類》48卷1期（2003年3月），頁1-20。

> 《周易》中的剛柔也不只是具有性的意義，它也用來象徵或概括天地、日月、晝夜、君臣、父子這些相對立的事物。而且，剛柔也與許多成組相對立的事物性質相連屬，如動靜、進退、貴賤、高低……剛為動、為進、為貴、為高；柔為靜、為退、為賤、為低。[10]

這樣以「陰陽」或「剛柔」來看「章法類型」，則所有以《周易》（含《易傳》）與《老子》之「陰陽二元」為基礎而形成的「章法類型」，都可辨別它們的「陰陽」或「剛柔」。譬如：

> 今昔法：以「昔」為陰為柔、「今」為陽為剛。
> 遠近法：以「近」為陰為柔、「遠」為陽為剛。
> 大小法：以「小」為陰為柔、「大」為陽為剛。
> 本末法：以「本」為陰為柔、「末」為陽為剛。
> 虛實法：以「虛」為陰為柔、「實」為陽為剛。
> 賓主法：以「主」為陰為柔、「賓」為陽為剛。
> 正反法：以「正」為陰為柔、「反」為陽為剛。
> 立破法：以「立」為陰為柔、「破」為陽為剛。
> 凡目法：以「凡」為陰為柔、「目」為陽為剛。
> 因果法：以「因」為陰為柔、「果」為陽為剛。

以此類推，每種「章法類型」都各有其「陰陽」或「剛柔」，這樣，對「風格」之形成，便打好了最佳基礎。

---

10 陳望衡：《中國古典美學史》（長沙市：湖南教育出版社，1998年8月一版一刷），頁184。

以此為基礎，再配合「章法類型」本身之調和性（陰柔）或對比性（陽剛），就可約略推得它們的「陰陽」或「剛柔」來。大致說來，在約四十種「章法類型」中，除了貴與賤、親與疏、正與反、抑與揚、立與破、眾與寡、詳與略、張與弛……等，比較容易形成「對比」外，其他的，如遠與近、大與小、高與低、淺與深、賓與主、虛與實、平與側、凡與目、縱與收、因與果……等，都極易形成「調和」的關係。

再從「章法結構」之「陰陽」、「剛柔」來看，這就涉及了章法單元與結構單元的「移位」與「轉位」的問題。先就章法單元來說，所謂的「移位」，是指章法二元本身所形成的順向或逆向運動，如「正 → 反」（順）、「反 → 正」（逆）或「凡 → 目」（順）、「目 → 凡」（逆）等便是；而所謂的「轉位」，是指章法二元本身所形成的往復（合順、逆為一）運動，如「破 → 立 → 破」、「主 → 賓 → 主」、「實 → 虛 → 實」、「果 → 因 → 果 」等便是。後就結構單元來說，所謂的「移位」，是指「章法結構」所形成的順向或逆向運動，如「先立後破 → 先本後末」、「先點後染 → 先近後遠」、「先昔後今 → 先抑後陽」等便是；所謂的「轉位」，是指「章法結構」所形成的往復（合順、逆為一）運動，如「正 → 反」與「反 → 正」、「大 → 小」與「小 → 大」、「平 → 側」與「側 → 平」等便是[11]。而這種「移位」與「轉位」，雖然二者同是指「力」（勢）的變化，但是在程度上是有所不同的，亦即變化強度較弱者為順向之「移位」，較強者為逆向之「移位」，而變化強度最激烈者為「轉位」之「拗」，也因為這樣，「移位」（順與逆）與「轉位」（拗）所形成的

---

11 仇小屏：〈論章法的移位、轉位及其美感〉，《辭章學論文集》（福州市：海潮攝影藝術出版社，2002年12月一版一刷），頁98-122。

「章法風格」與所帶出的美感，也是有差別的。而推動這些運動的，是「陽剛 ⟷ 陰柔」之二元力量，如就全篇之「0一二多」來看，則都是由其「核心結構」發揮徹下、徹上之作用（「多 ⟷ 二」），由「包孕」逐層予以統合（「一 ⟷ 0」）的。

這樣看來，「章法結構」之「陽剛」或「陰柔」的強度（「勢」），當受到下列幾個因素的影響：

（一）章法本身的「陰柔、陽剛」屬性，如「近」為陰柔、「遠」為陽剛，「正」為陰柔、「反」為陽為剛，「凡」為陰柔、「目」為陽剛。

（二）章法結構的「調和、對比」屬性，如淺與深、賓與主、凡與目等形成調和，而正與反、抑與揚、立與破等則形成對比。

（三）章法結構之變化，如「移位」之「順」、「逆」與「轉位」之「拗」。其中「順」屬原型，「逆」與「拗」屬變型。

（四）章法結構由「包孕」形成之層級，如底層、次層、三層、四層……等。

（五）章法「多、二、一（0）」的核心結構。

以上幾個因素，對於「陰 ⟷ 陽」、「剛 ⟷ 柔」之「勢」（力量）之「消長」影響極大，而這所謂的「勢」，可用涂光社在《因動成勢》中的闡述來加以說明：

> 他們（按：指藝術家）或隱或顯地把宇宙萬物，尤其是把一切藝術表現對象都理解為不斷運動變化的存在，乃至是與自己心

> 靈相通的有生命有個性的活物。他們總是企求體察和反映出物態中存在的這種靈動之「勢」。[12]

而「勢」有順、有逆、有拗，正好反映出其所體察之不同：

> 「勢」有「順」有「逆」。「順」指其運動方式和取向與審美主體的心理傾向或思維習慣協調一致，能使欣賞者有意氣宏深盛壯、淋漓暢快的感受；「逆」則是其運動方式和取向與審美主體的心理傾向或思維習慣相牴觸、相違背，於是波瀾陡起，衝突、騷動和搏擊成為心態的主導方面。[13]

準此以觀，「順勢」較渾成暢快，「逆勢」較激盪騷動；「拗勢」則自然地，比起順、逆來，更為渾成暢快、激盪騷動。而這些「勢」的本身，雖然也有涉及「陰陽」（以弱、小者為陰、強、大者為陽），卻不能藉以確定「章法結構」之「陰」、「陽」，是完全要看結構內之運動而定的，如結構是向「陰」而動，則加強的是陰柔之「勢」；如「結構」是向「陽」而動，則加強的是陽剛之「勢」了。

如果這種看法或推測正確，則可根據以上所述幾種因素所形成的「勢」之大小強弱，約略地推算出一篇辭章亦即其「章法風格」中剛柔成分之比例來。大抵而言，據上述因素加以推定：

（一）除判其陰陽外，以起始者取「勢」之數為「1」（倍）、終末者取「勢」之數為「2」（倍）。

12 涂光社：《因動成勢》（南昌市：百花洲文藝出版社，2001年10月一版一刷），頁256。

13 涂光社：《因動成勢》，頁265。

（二）將「調和」者取「勢」數為「1」（倍）、「對比」者取「勢」之數為「2」（倍）。

（三）將「順」之「移位」取「勢」之數為「1」（倍）、「逆」之「移位」取「勢」之數為「2」（倍）、「轉位」之「拗」取「勢」之數為「3」（倍）；而「拗」向「陽」者取「勢」之數為「1」（倍）、「拗」向「陰」者取「勢」之數為「2」（倍）[14]。

（四）將處「底層」者取「勢」之數為「1」（倍）、「次層」者取「勢」之數為「2」（倍）、「三層」者取「勢」之數為「3」（倍）……以此類推。

（五）以核心結構一層所形成「勢」之數為最高，過此則「勢」之數（倍）逐層遞降。

雖然這些「勢」之數（倍），由於一面是出自推測，一面又為了便於計算，因此其精確度是不足的，卻也已大致可藉以推測出一篇辭章亦即其「章法風格」中剛柔成分之比例來，初步為姚鼐「夫陰陽剛柔，其本二端，造萬物者糅而氣有多寡、進絀，則品次億方，以至於不可窮，萬物生焉」的說法，作較具體的印證。

第二節　唐宋詞的章法風格

一篇辭章，是由多個「章法結構」先後連接、層層組合而成。而每個「章法結構」，又有「調和（陰柔）」或「對比（陽剛）」的不同，且皆各自成其陰（柔）陽（剛），經「移位」（順、逆）或「轉

14 「拗」向「陰」或「陽」部分，乃參酌仇小屏與謝奇懿之意見加以增訂。

位」（拗）之運動，以表現其「勢」。因此要探求每篇辭章所形成之「章法風格」，必須掌握層層結構之「調和或對比」、「陰（柔）」或「陽（剛）」經「移位」或「轉位」所形成「勢」之強弱，才能循「理」大致推得。由於「章法」所探討的原是「篇章內容的邏輯結構」，與「情」、「理」、「景（物）」、「事」等內容，關係極其密切，所以「章法風格」是最接近或相當於一篇「風格」的。茲特舉蘇軾之「清遠高峻」與辛棄疾之「豪壯沉鬱」詞格為例，附以結構系統表，概述如次：

一　蘇軾「清遠高峻」的詞格

蘇軾在創作詩、文之餘，也致力於填詞，共留下了三百二十多首詞作。它的風格，雖說一如辛棄疾「備四時之氣」[15]，應有盡有，但要以「清雄」[16]，較為後人所稱道；而「清峻」（清遠高峻）又是其中最足以反映作者生命情調的一種。在此即以其「清遠高峻」詞為範圍，從中選擇幾首，試著透過其「章法（篇章）結構」，對「風格」中的「剛柔成分」，加以量化，以見一斑。

（一）舉例解析

首先看〈南鄉子〉：

寒雀滿疏籬。爭抱寒柯看玉蕤。忽見客來花下坐，驚飛。蹋散芳英落酒卮。　痛飲又能詩。坐客無氈醉不知。花謝酒闌春

15 王易：《詞曲史》上（臺北市：廣文書局，1960年初版），頁195。

16 龍沐勛：〈東坡樂府綜論〉，《詞學季刊》二卷二號（臺北市：臺灣學生書局，1935年影印版），頁10。

到也，離離。一點微酸已著枝。

此詞題作「梅花詞，和楊元素」，是宋神宗熙寧七年（1074）冬日所寫。時蘇軾在密州，而楊元素（繪）正守杭，在杭州。它旨在藉詠梅來抒發個人身世之感，是採「先實後虛」的篇結構統合各章結構[17]而寫成的。「實」的部分，自篇首至「花謝酒闌」止，乃用「先目後凡」的章結構來組合，其中「寒雀滿疏籬」五句，用以實寫「花謝」，為「目一」，它首先以起二句，寫「花謝」之前，經由「寒雀」之「抱」與「看」，帶出梅的樹枝與白花，以交代白梅正盛開；然後以「忽見客來」三句，寫「花謝」之時，藉「客」來驚動樹上的群雀飛起，營造出梅花被「蹋散」而落入酒杯的清雅景致，以交代白梅已飄落。而「痛飲又能詩」二句，用以實寫「酒闌」，為「目二」，在此，用了唐代鄭虔的典實。鄭虔為廣文館博士，由於貧窮，客人來了，連坐氈都沒有，杜甫〈戲鄭廣文又兼呈蘇司業〉詩說：

才名三十年，坐客寒無氈。

所謂的「寒」，原指貧窮，而蘇軾用於此，一方面說醉到沒有氈席也不覺得冷，一方面也暗寓了自己不如意的感慨，是很耐人尋味的。而「凡」為「花謝酒闌春到也」句中的「花謝酒闌」四字，用以收上文之二「目」。至於「虛」的部分，為結尾「離離」二句，透過設想，虛寫「春到」之後，梅樹結實纍纍的景象，而作者在此視覺之外，又特地加上「微酸」二字，藉味覺來增強它的感染力，使得不如意的感

17 陳滿銘：〈論篇、章的邏輯結構系統〉，《當代修辭學》2013年5期（2013年11月），頁84-91。

慨推深一層。龍沐勛指出此二句有所「感喟」[18]，是很有見地的。陳邇冬在《蘇軾詞選》中以為：

> 花謝酒闌，結束眼前事；春到也，想像未來時。[19]

明白地道出了這一句的虛實作用。而「梅」，自古以來，即常用以象徵人品的高潔，而品格高潔之人，又因有所堅持，而不肯與世俗妥協，這樣自然就只有沈醉在酒中，以求寬慰了。杜甫〈晦日尋崔戢李封〉詩云：

> 濁醪有妙理，庶用慰沈浮。

即此意。此詞之所以呈現「清峻風格」，與此有關。附結構系統表供參考：

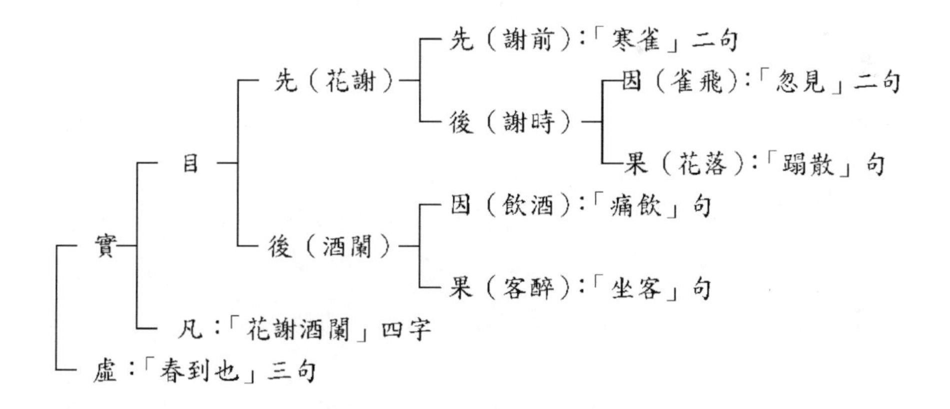

而將其剛柔成分加以量化，可呈現如下圖：

---

18 龍沐勛：《東坡樂府箋講疏》卷一（臺北市：廣文書局，1976年9月初版），頁28。

19 陳邇冬：《蘇軾詞選》（北京市：人民文學出版社，1986年7月二版三刷），頁22。

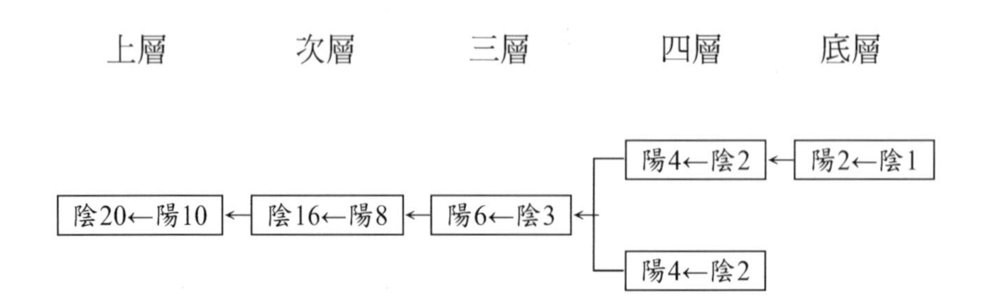

由上圖可知，此詞含五層結構：底層以「先因後果」形成順向的移位結構，其「勢」之數為「陰1、陽2」；四層以「先先後後」、「先因後果」又形成順向的移位結構，其「勢」之數依序為「陰2、陽4」、「陰2、陽4」；三層以「先先後後」再形成順向的移位結構，其「勢」之數為「陰3、陽6」；次層以「先目後凡」形成逆向的移位結構，其「勢」之數為「陰16、陽8」；上層以「先實後虛」又形成逆向的移位結構，其「勢」之數為「陰20、陽10」。這樣累積成篇，其「勢」之數的總和為「陰44、陽34」，如換算成百分比（四捨五入），則為「陰56、陽44」。

如此，對應於「0一二多」結構來看，則次層以下之章結構為「多」(「凡目」一疊、「先後」與「因果」各二疊)，它們由下而上地藉層層結構之陰陽流動與呼應，將「勢」形成層層節奏（韻律）[20]，以支撐上層「先實後虛」的篇結構，而這「先實後虛」的篇結構即為「二」，它一面徹下以統合「多」，一面又歸根於「一0」，以強化愛梅之情與身世之感，並呈現「柔中寓剛」的「清峻風格」。而此「柔中

20 「章法結構」，是先由其「移位」、「轉位」而形成節奏，再由各個節奏串聯而形成一篇韻律的。大致說來，「節奏是韻律的條件，韻律是節奏的深化。」見歐陽周、顧建華、宋凡聖等：《美學新編》(杭州市：浙江大學出版社，2001年5月一版九刷)，頁79。所以節奏是就局部而言，而韻律則是指整體來說的。見陳滿銘：〈章法「多、二、一 (0)」結構的節奏與韻律──以兩首詩詞為例〉,《中國科技發展精典文庫》二輯（北京市：中國言實出版社，2003年5月版)，頁367。

寓剛」，從「陰56、陽44」的量化結果看來，此詞中之剛柔成分是極接近的。

其次看〈西江月〉：

> 照野瀰瀰淺浪，橫空隱隱層霄。障泥未解玉驄驕，我欲醉眠芳草。　　可惜一溪風月，莫教踏碎瓊瑤。解鞍欹枕綠楊橋，杜宇一聲春曉。

此詞題作「頃在黃州，春夜行蘄水中。過酒家，飲酒醉，乘月至一溪橋上，解鞍，曲肱醉臥少休。及覺已曉，亂山攢擁，流水鏘然，疑非塵世也，書此語橋柱上」，為神宗元豐五年（1082）三月所寫，時蘇軾在黃州。主要藉自己對「一溪風月」的陶醉，來寫瀟灑出塵的意趣，以超脫出謫居之不幸[21]，是採「天（自然）、人（人事）、天（自然）」之篇結構統合各章結構加以敘寫而成的。

它首先以「照野」二句，寫自己「乘月至一溪橋上」的所見水天清景，由水光拓寬原野，由層霄襯映夜空，構成了極為迷人的畫面；為頭一個「天（自然）」的部分。其次以「障泥未解」五句，寫自己「解鞍，曲肱醉臥少休」之經過，採「先因後果」的章結構寫成。其中先「障泥」二句，交代作者置身於如此迷人畫面的直接反應，那就是欲「解鞍」而「醉眠」，寫來生動有致；接著以「可惜」二句，進一步交對代溪月之喜愛，以強化酒醉欲眠之情；在此用愛惜溪月，而不忍心被人馬踏碎的心意，在「醉」之外，為「解鞍」更找到不得不如此的理由。而「解鞍」句，則用來敘「果」，寫出自己就在此綠楊

21 徐中玉：「元豐五年三月作。詞人陶醉在澄澈寧靜的自然風光裡，似乎完全忘卻了謫居的不幸與痛苦。」見《蘇東坡文集導讀》（成都市：巴蜀書社，1990年6月一版一刷），頁244。

垂映之溪橋上斜躺下來憩息。如此幕天席地，縱意所如，恰恰印證了作者曠達的心胸，所謂「非塵世」，正是他此刻心境的寫照；這是「人（人事）」的部分。至於結尾的「杜宇」一句，用以寫「及覺已曉」之景，僅僅藉杜宇一聲，畫破曉空，以聽覺來收束全詞。此時，以近而言，是「曉風殘月下的綠楊翠嵐，橋下的淙淙流水與聲聲催歸的杜宇交織」[22]；以遠而言，則「亂出攢擁」；這是後一個「天（自然）」的部分。此時，在作者眼前所展現的，不又是一幅充盈著清峻之氣的畫面嗎？龍沐勛指出此乃「清絕之境」[23]，見得十分真切。

由此看來，東坡此刻之心，是澄澈如眼前一片清景的，但「杜宇」，亦名「杜鵑」，是周朝末年蜀地君主望帝的化身，而望帝則是政治鬥爭下的犧牲者，他所蒙受的冤屈，是令後人憤憤不平的。李商隱〈錦瑟〉詩：「望帝春心托杜鵑」，即用此典，以寄託詩人失意之無限怨恨；而蘇軾用於此，難道只是偶然涉筆嗎？顧易生講析蘇軾此詞云：

> 蘇軾因作詩受政治陷害，謫居黃州，實受看管。他徜徉於大自然懷抱，表現出一種逍遙自得、瀟灑出塵的意趣，實為對現實壓迫的蔑視和鄙視，這是我們讀本詞時所能感受到的。[24]

這是極合理的看法。附結構系統表供參考：

---

22 劉崇德語，見《唐宋詞鑑賞集成》（香港：中華書局香港分局，1987年7月初版），頁391。

23 龍沐勛：《東坡樂府箋講疏》卷二，頁7。

24 陳邦炎主編：《詞林觀止》上（上海市：上海古籍出版社，1994年4月一版一刷），頁279。

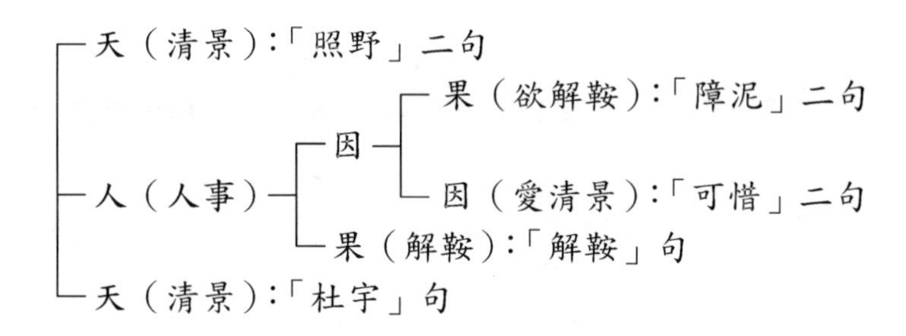

而將其剛柔成分加以量化，可呈現如下圖：

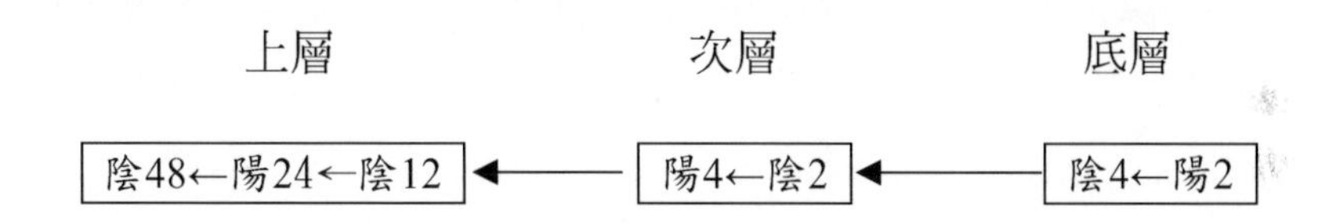

由上圖可知，此詞含三層結構：底層以「先果後因」形成逆向的移位結構，其「勢」之數為「陽2、陰4」；次層以「先因後果」形成順向的移位結構，其「勢」之數為「陰12、陽24、陰48」。這樣累積成篇，其「勢」之數的總和為「陰54、陽30」，如換算成百分比（四捨五入），則為「陰64、陽36」。

如此，對應於「0一二多」結構來看，則次層以下之章結構為「多」(「因果」形成二疊)，它們由下而上地藉層層結構之陰陽流動與呼應，將「勢」形成層層節奏（韻律），以支撐上層「天、人、天」的篇結構，而這「天、人、天」之篇結構即為「二」，它一面徹下以統合「多」，一面又歸根於「一0」，來寫瀟灑出塵的意趣，以超脫出謫居之不幸，並呈現「柔中寓剛」的「清峻風格」。而這「柔中寓剛」，從「陰64、陽36」的量化結果看來，此詞中之陰柔成分比上一首詞是稍「長」、稍「進」的。

又其次看〈卜算子〉：

缺月挂疏桐，漏斷人初靜。時見幽人獨往來，縹緲孤鴻影。
驚起卻回頭，有恨無人省。揀盡寒枝不肯棲，寂寞沙洲冷。

這首詞題作「黃州定惠院寓居作」，為元豐五年十二月所作，是採「先底（賓）後圖（主）」的篇結構統合各章結構而寫成的。

「底」（賓）的部分，為開篇二句，用「先天（自然）後人（人事）」的章結構寫成。它先就視覺，寫月缺桐疏之景，此為「天（自然）」；再就聽覺，寫漏斷人靜之景，此為「人（人事）」。而這種景是極其寂寞的，正好襯托出作者此刻身無所寄的心境，而且也為「孤鴻」出現，安排好一個適當的環境。

「圖」（主）的部分，為「時見」六句，用「先點後染」之章結構，寫「孤鴻」之寂寞。其中「時見」二句為「點」、「驚起」四句為「染」。而所謂「幽人」，原為隱士，而在此卻指「孤鴻影」，因為高飛在空中的孤鴻，被「缺月」投影在沙洲之上，模糊成一團，在那裡來回移動，人遠遠地看去，很容易誤認為是個隱士，看久了，到最後才確定那是孤鴻之影。所以「時見」之主人翁，不是別人，而是作者自己。既然「幽人」是「孤鴻」之影，便以「影」為媒介，令作者把注意力由「影」投注到高飛於夜空的「孤鴻」身上。其中「驚起」二句，用「先具（事）後泛（情）」之章結構，寫「孤鴻」有驚弓之恨，交代了牠所以高飛於空中的理由，這和作者不久前從「烏臺詩案」中撿回一條命，顯然是有關的，繆鉞以為此詞是：

東坡經歷烏臺詩案之後，貶居黃州，發抒其個人幽憤寂苦之情。[25]

25 繆鉞評析，見《唐宋詞鑑賞辭典》（上海市：上海辭書出版社，1999年1月一版十五刷），頁668。

這是很有見地的。而結尾二句，則以「先因後果」的章結構，進一步寫「有恨」之「孤鴻」，尋尋覓覓，都不肯棲於寒枝，以致「寂寞」地在沙洲之上來往高飛。澄波解釋說：

> 它不願棲息於高寒之枝，而甘願自守在冷漠的沙洲，遺憾的是當它受驚回首之時，又有誰能理解它心中隱含的淒恨和苦痛？這是蘇軾當時在官宦生涯中的實際遭遇。寒枝隱喻朝廷高位，沙洲猶如卑荒的黃州，作者以比興的手法出之，形象生動。[26]

解釋得很明白。可見作者乃托鴻以寫自己，這樣透過幽獨之鴻來抒發自身幽獨之恨，風格會趨於「清峻」，是很自然的事。附結構系統表供參考：

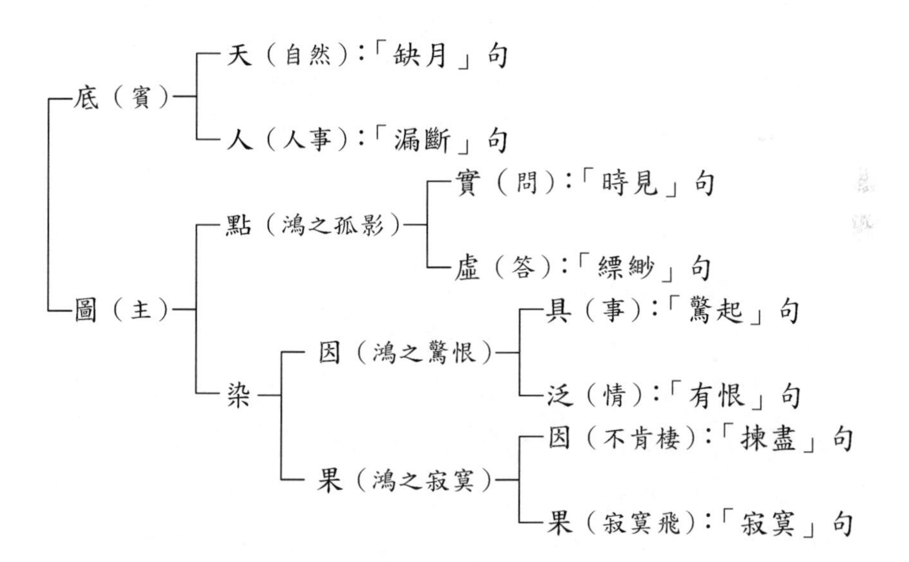

而將其剛柔成分加以量化，可呈現如下圖：

26 澄波評析，見《詞林觀止》上，頁286。

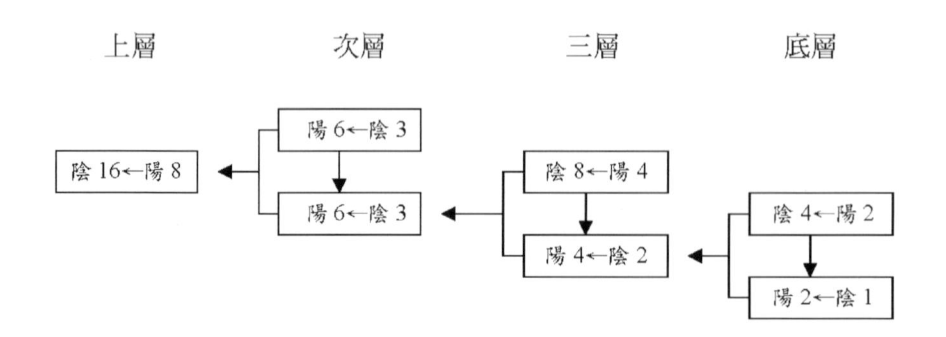

由上圖可知，此詞含四層結構：底層先以「先具後泛」形成逆向的移位結構，其「勢」之數為「陰4、陽2」，再以「先因後果」形成順向的移位結構，其「勢」之數為「陰1、陽2」；三層先以「先實後虛」形成逆向的移位結構，其「勢」之數為「陰8、陽4」，再以「先因後果」形成順向的移位結構，其「勢」之數為「陰2、陽4」；次層以「先天後人」、「先點後染」再形成順向的移位結構，其「勢」之數為「陰6、陽12」；上層以「先賓後主」又形成逆向的移位結構，其「勢」之數為「陰16、陽8」。這樣累積成篇，其「勢」之數的總和為「陰37、陽32」，如換算成百分比（四捨五入），則為「陰54、陽46」。

如此，對應於「0一二多」結構來看，則次層以下之章結構（「天人」、「點染」、「虛實」、「泛具」各一疊與二疊「因果」）為「多」，它們由下而上地藉層層結構之陰陽流動與呼應，將「勢」形成層層節奏（韻律），以支撐上層「先賓後主」之篇結構，而這「先賓後主」結構即為「二」，它一面徹下以統合「多」，一面又歸根於「一0」，以「發抒其個人幽憤寂苦之情」，並呈現「柔中寓剛」的「清峻風格」。而這「柔中寓剛」，從「陰54、陽46」的量化結果看來，此詞中之剛柔成分相當接近，可看成是「剛柔互濟」的作品。

在其次看〈好事近〉：

湖上雨晴時，秋水半篙初沒。朱檻俯窺寒鑑，照衰顏華髮。
醉中吹墮白綸巾，溪風漾流月。獨棹小舟歸去，任煙波搖兀。

這首詞題作「西湖夜歸」，為哲宗元祐五年（1090）重九日所作。當時作者知杭州，是採「先點後染」的篇結構統合各章結構而寫成的。

所謂的「點」，是指「湖上」二句，寫泛舟西湖時所見湖上雨霽、秋水沒篙的景象，以交代本詞時空之落足點。所謂「半篙初沒」，看似靜景，卻含有動意，因為「篙」（撐船的竹竿）既沒於「秋水」，就有「船行」的意思，不然船停在那裡，「篙」無所施，那就不會沒於水中了。此外，陳邇冬說：

> 半篙，寫秋水本淺；初沒，狀雨後水量新添。隱用杜甫〈南鄰〉「秋水才深四五尺」句意。[27]

可見此二句，在平實中卻帶有曲折，頗堪玩味。

而所謂的「染」，是指「朱檻」以下六句，用「圖、底、圖」之章結構組合而成。其中頭一個「圖」，為「朱檻」三句，乃以「先靜後動」之章結構寫成，它依序以「朱檻」二句，透過清澈如鏡之湖水，照見自己的「衰顏華髮」，寫自己衰老之狀；以「醉中」句，暗用晉朝孟嘉落帽的重九典實，寫自己失意之情。其中孟嘉的故事，見於《晉書・孟嘉傳》：

> （嘉）後為征西桓溫參軍，溫甚重之。九月九日，溫宴龍山，

27 陳邇冬：《蘇軾詞選》，頁92。

寮佐畢集。時佐吏並著戎服，有風至，吹嘉帽墮落，嘉不之覺。溫使左右勿言，欲觀其舉止。嘉良久如廁，溫令取還之，命孫盛作文嘲嘉，著嘉坐處。嘉還見，即答之，其文甚美，四坐嗟歎。

蘇軾把這個故事用在這裡，雖用以寫醉態，但也像杜甫〈九日藍田崔氏莊〉詩的「羞將短髮還吹帽」一樣，在「骨子裡透出一縷傷感、悲涼的意緒」[28]，以深化年華虛度的哀傷。

而「底」僅一句，即「溪風漾流月」，呼應起二句之「湖上」、「秋水」，寫風動水面、波光蕩月的大景，形成「染」這個部分的背景，以凸顯前後兩個「圖」，造成烘托的作用。

至後一個「圖」，則指「獨棹」二句。作者在此，呼應起二句之「半篙初沒」，寫自己在煙波搖兀中放舟歸去的小景；將自然之景（大）與人事之景（小）結合，構成一幅「清絕」的圖畫，並從中凸顯出作者遊心物外，不肯與世俗妥協的幽獨形象，予人以「清遠高峻」的深刻感覺。

如此實寫重九日在西湖之所見所為，卻暗寓了年華虛度的失意感慨，所謂「意在言外」，是很讓人感動的。附結構系統表供參考：

28 徐永端語，見蕭滌非編：《唐詩大觀》（香港：商務印書館香港分館，1986年1月一版二刷），頁474。

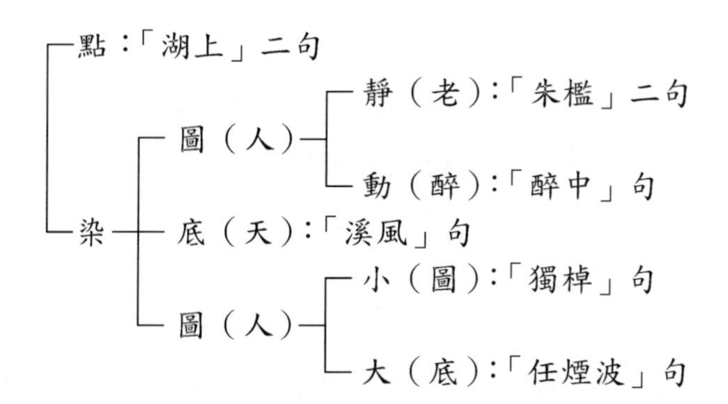

而將其剛柔成分加以量化，可呈現如下圖：

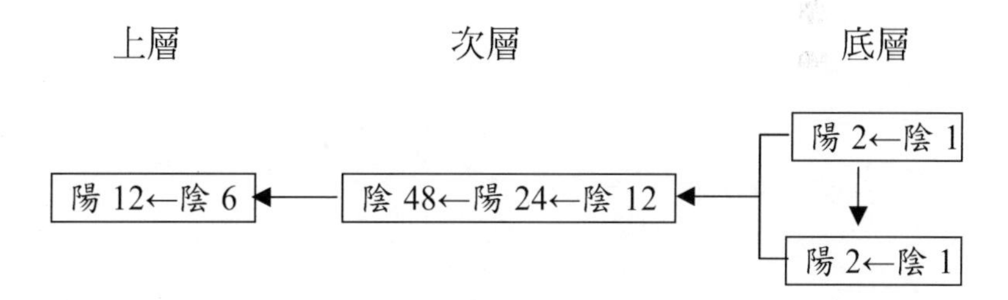

由上圖可知，此詞含三層結構：底層以「先靜後動」、「先圖後底」形成順向的移位結構，其「勢」之數依序為「陰1、陽2」、「陰1、陽2」；次層以「圖、底、圖」形成拗向陰的轉位結構，其「勢」之數為「陰60、陽24」；上層以「先點後染」又形成順向的移位結構，其「勢」之數為「陰1、陽2」。這樣累積成篇，其「勢」之數的總和為「陰68、陽40」，如換算成百分比（四捨五入），則為「陰63、陽37」。

如此，對應於「0一二多」結構來看，則次層之以下之章結構為「多」（「圖底」形成「拗」、「動靜」與「大小」形成「順」，各一疊），它們由下而上地藉層層結構之陰陽流動與呼應，將「勢」形成層層節奏（韻律），以支撐上層「先點後染」的篇結構，而這「先點後染」的篇結構即為「二」，它一面徹下以統合「多」，一面又歸根於

「一0），來寫作者遊心物外，不肯與世俗妥協的幽獨心境，並呈現「柔中寓剛」的「清峻風格」。而這「柔中寓剛」，從「陰63、陽37」的量化結果看來，此詞中之陰柔成分與上舉〈西江月〉詞是很接近的。

然後看〈賀新郎〉：

> 乳燕飛華屋。悄無人、桐陰轉午，晚涼新浴。手弄生綃白團扇，扇手一時似玉。漸困倚、孤眠清熟。簾外誰來推繡戶，枉教人、夢斷瑤臺曲。又卻是，風敲竹。　　石榴半吐紅巾蹙。待浮花浪蕊都盡，伴君幽獨。穠豔一枝細看取，芳心千重似束。又恐被、秋風驚綠。若待得君來，向此花前，對酒不忍觸。共粉淚，兩簌簌。

此詞不知作於何時，楊湜《古今詞話》以為乃蘇軾守杭時，為官妓秀蘭而作[29]，這是不可信的。

這是一首自傷幽獨之作，採「先實後虛」的篇結構統合各章結構而寫成。「實」的部分，自篇首至「芳心千重」句止。在這裡，作者先以整個上片，寫一位絕塵的佳人，藉她本身及周遭的「幽獨」物事，再加上「新」、「白」、「玉」、「清」和「俏」、「孤」等字眼，以烘托出她的高潔與孤單。而且又以清夢之驚斷，來強化她失意之情。經由這個清夢，她深入了閬苑仙境，卻在準備更深入時，朦朧地聽到有人在推門，使她驚斷了好夢，恍然醒來，不料發現自己又一次地被風竹蕭蕭之聲給騙了，於是悵惘失意，更顯得「幽獨」了。而在下片，

---

29 楊湜：《古今詞話》，見《詞話叢編》一（臺北市：新文豐出版公司，1988年2月臺一版），頁27。

則分初放與盛開兩階段，來描寫不與「浮花浪蕊」為伍，而願「伴君幽獨」的榴花，並予以擬人化，以表出無限的幽獨「芳意」。而這種「芳意」，從表面上看，是在形容重瓣的榴花，說它的花心被花瓣重重裹束，而實際上，卻用以象徵「君子」，也就是佳人蘊結不解的層層衷曲。至於「虛」的部分，則自「又恐被」句至篇末，完全透過想像，寫榴花驚風衰謝和佳人哀憐落淚的失意情狀，使得情寓景中，達於人花交融的境界。到了這個時候，究竟何者是花？何者是人？已完全無從分辨了。

由此看來，作者寫榴花是賓，寫佳人是主；而佳人又是作者的化身。丁紹儀在《聽秋聲館詞話》中以為此詞：

> 寄託深遠，與詠雁〈卜算子〉……同一比興。[30]

而劉乃昌、崔海正在《唐宋詞鑑賞集成》中更進一層地說：

> 在詩人筆下，榴花已被充分的人格化，詩人借榴花象徵佳人，榴花為賓，佳人為主，而佳人則經由詩人的感情胚胎孕育了她特定的個性化品格，雖然詩人沒有在作品中出現，也沒有直接抒發天涯淪落之感，但讀者不難從榴花聯想到佳人，從佳人又彷彿看到詩人的影子。作者用榴花比況佳人，用佳人寄託個人的不遇之感、孤高失時之悲，意在言外，餘味不窮。[31]

準此以觀，作者是有意藉此以寓其懷才不遇的抑鬱情懷與不肯和

30 丁紹儀：《聽秋聲館詞話》，見《詞話叢編》三，頁2706。
31 劉乃昌、崔海正評析，見《唐宋詞鑑賞集成》，頁404。

流俗妥協的孤高人格的，這就無怪乎會有一股清峻之氣流貫於篇什之間了。附結構系統表供參考：

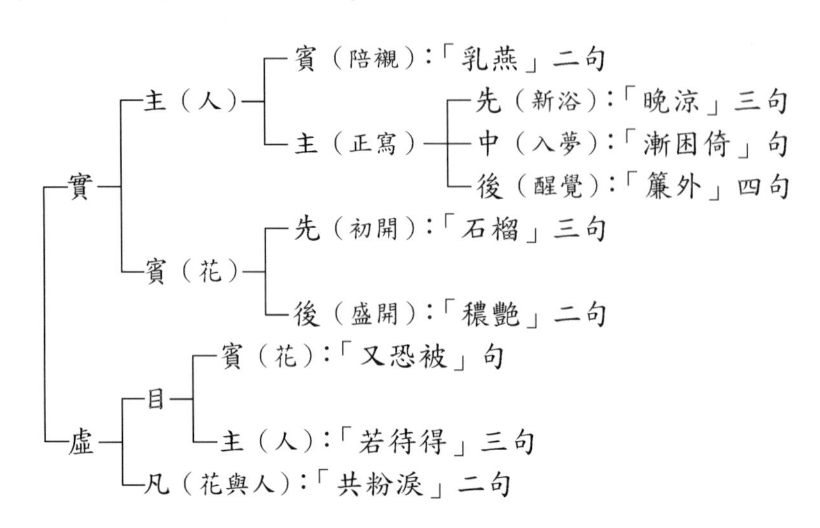

而將其剛柔成份加以量化，可呈現如下圖：

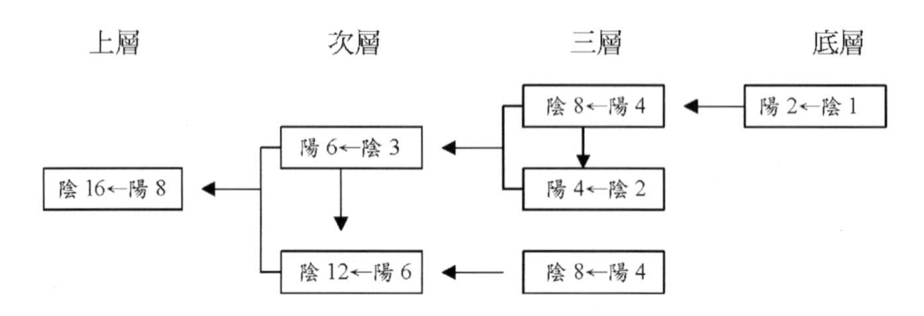

由上圖可知，此詞含四層結構：底層以「先、中、後」形成順向的移位結構，其「勢」之數為「陰1、陽2」；三層一面以二疊「先賓後主」形成逆向的移位結構，其「勢」之數為「陰16、陽8」，一面以「先先後後」形成順向的移位結構，其「勢」之數為「陰2、陽4」；次層先以「先主後賓」再形成順向的移位結構，其「勢」之數為「陰3、陽6」，再以「先目後凡」又形成逆向的移位結構，其「勢」之數

為「陰12、陽6」；上層以「先實後虛」再形成逆向的移位結構，其「勢」之數為「陰16、陽8」。這樣累積成篇，其「勢」之數的總和為「陰50、陽34」，如換算成百分比（四捨五入），則為「陰60、陽40」。

如此，對應於「0一二多」結構來看，則次層以下之章結構為「多」(「賓主」形成一「順」二「逆」等三疊與「先後」二疊)，它們由下而上地藉層層結構之陰陽流動與呼應，將「勢」形成層層節奏（韻律），以支撐上層「先實後虛」的篇結構，而這「先實後虛」之篇結構即為「二」，它一面徹下以統合「多」，一面又歸根於「一0」，以寓其懷才不遇的抑鬱情懷與不肯和流俗妥協的孤高人格，並呈現「柔中寓剛」的「清峻風格」。而這「柔中寓剛」，從「陰60、陽40」的量化結果看來，此詞中之陰柔成分比上一首詞要「消」、要「絀」一些。

(二) 綜合檢討

綜合以上的探討結果，可分幾層作綜合檢討：首先從蘇軾幾首清峻詞中剛柔成分「消長進絀」之幅度來看，它們可概括成下表：

清峻詞作	剛柔比例
〈南鄉子〉	剛44%，柔56%
〈西江月〉	剛36%，柔64%
〈卜算子〉	剛46%，柔54%
〈好事近〉	剛37%，柔63%
〈賀新郎〉	剛40%，柔60%

從上表可看出：上舉蘇軾的五首清峻詞，它們形成風格的剛柔成分，以陽剛而言，介於37%與46%之間；而以陰柔而言，則相應地介

於54與63之間。若以上定「（一）純剛、純柔者，其『勢』之數為『65→72』；（二）偏剛、偏柔者，其『勢』之數為『55→65』；（三）剛、柔互濟者，其『勢』之數為『45→55』」之準則加以對照，則這五首清峻詞，除〈卜算子〉一首外，其他四首全為「偏柔」的作品。

在此，值得注意的是，這五首清峻詞，沒有一首的剛柔成分是「剛」多於「柔」的。而蘇軾的詞，卻一直以來都被歸入「豪放」一派，似乎他的主要詞篇，應該全屬陽剛之作才對。但是，最足以代表他生命情調的清峻詞，其中的剛柔成分卻「柔」多於「剛」。這該是因為蘇軾之清峻詞，大都以「幽獨」為其骨髓。而「幽獨」本身，又以「幽」為因、「獨」為果。因為品格幽潔的人，常人既無法瞭解他，而他又不肯與流俗妥協，以至於終生都孤獨自守。這樣形之於文辭，往往就形成「清峻風格」。由於東坡一生，「幽獨」的情懷特別強烈，所以「清峻風格」在他的詞裡，也表現得最為出色。如上舉的〈賀新郎〉（乳燕飛華屋）一詞，被後人推為「蘇軾詞第一」，不是沒原因的。

本來，「篇章（章法）風格」之形成，與辭章之整體內涵有關，而辭章是結合「形象思維」、「邏輯思維」[32] 與「綜合思維」所形成的。而這三種思維，各有所主：首先就形象思維來說，如果是將一篇辭章所要表達之「情」或「理」，也就是「意」，主要訴諸各種偏於主觀的聯想、想像，和所選取之「景（物）」或「事」，也就是「象」，連結在一起，或者是專就個別之「情」、「理」、「景」（物）、「事」等材料本身設計其表現技巧的，皆屬「形象思維」；這涉及了「取材」

---

32 吳應天：「人們的思維既有形象性，也有邏輯性，所以既可寫成形象體系，也可寫成邏輯體系。」見《文章結構學》（北京市：中國人民大學出版社，1989年8月一版三刷），頁345。

與「措詞」等問題，而主要以此為探討對象的，就是意象學（狹義）、詞彙學與修辭學等。其次就邏輯思維來看，如果整個就「景（物）」或「事」（象）等各種材料，對應於自然規律，結合「情」與「理」（意），主要訴諸偏於客觀的聯想、想像，按秩序、變化、聯貫與統一之原則，前後加以安排、佈置，以成條理的，皆屬「邏輯思維」；這涉及了「佈局」（含「運材」）與「構詞」等問題，而主要以此為研究對象的，就字句言，即文（語）法學；就篇章言，就是章法學。末了就形象思維與邏輯思維的統合而言，即綜合思維；而一篇辭章用以統合「形象思維」（偏於主觀）與「邏輯思維」（偏於客觀）而為一的，乃是主旨與風格（韻律）等，這就涉及了主題學、文體學與風格學等。而以此整體或個別為對象加以研究的，則統稱為辭章學或文章學。

因此，影響一篇風格形成之主要因素，就辭章之內涵而言，有意象、詞彙、修辭、文法、章法與主旨、文體等；而章法由於可透過其「多、二、一（0）」結構，由「章」而「篇」地，藉「多」來整合意象群、藉「一」來凸顯一篇主旨，所以由此所呈現之章法風格，是與一篇風格「（0）」最為接近的。

所謂內容決定形式，而主旨又是內容的核心，因此主旨對風格之影響極大，就以上舉五首清峻詞而言，都離不開身世之感、物外之思：

詞作	主旨
〈南鄉子〉	寫愛梅之情（清），卻含藏身世之感（峻）。
〈西江月〉	寫瀟灑出塵的意趣（清），以超脫出謫居之不幸（峻）。
〈卜算子〉	寫孤鴻之幽（清）獨（峻），以寄自己孤高寂苦之情。
〈好事近〉	寫遊心物外（清），不肯與世俗妥協（峻）的心境。
〈賀新郎〉	寫幽（清）獨（峻）情懷。

對蘇軾而言，很多作品是離不開寫身世之感（峻）或物外之思（清）的，而清峻之作，則往往將二者融在一起來寫。從上表可看出：偏重於身世之感的，其陽剛的成分會高一些；同樣地，偏重於物外之思的，則其陰柔（清）的成分會多一些。譬如〈卜算子〉偏重於寫寂苦之情、〈南鄉子〉偏重於寫所含身世之感（陽），其超出之物外之思（清）的成分都相對地比較低；而〈西江月〉偏重於寫瀟灑出塵的意趣、〈好事近〉偏重於寫遊心物外的心境，相對地身世之感（剛）的成分都比較少，其陰柔的成分自然會多一些；至於〈賀新郎〉寫幽獨情懷，雖然其「幽」（柔）的成分一樣高於「獨」（剛）成分，但比起其他四首來，是比較居中而不偏不倚的。

蘇軾詞中單寫身世之感（峻）的，往往可使風格趨於「剛中寓柔」或「純剛」。如其〈江城子〉詞：

> 老夫聊發少年狂，左牽黃，右擎蒼。錦帽貂裘，千騎卷平岡。為報傾城隨太守，親射虎，看孫郎。　酒酣胸膽尚開張，鬢微霜，又何妨！持節雲中，何日遣馮唐？會挽雕弓如滿月，西北望，射天狼。

這是首藉抒發豪情壯志，以寫自己身世之感的作品，採「果、因、果」的篇結構統合各章結構而寫成。它先以「老夫聊發少年狂」一句，作為引子，以領起下文，為「泛」寫的部分；次以「左牽黃」七句，藉「密州出獵」（題目）時威武的場面寫「狂」，為「具」寫的部分；以上寫的是頭一個「果」。其次以「酒酣胸膽尚開張」三句，用來交代自己之所以會「聊發少年狂」（承上）而有靖邊願望（起下）的原因，以承上起下；這寫的是「因」。最後先用「持節雲中，何日遣馮唐」二句，藉期待朝廷用自己守邊的事寫「狂」；再用結三句，一面用「挽雕弓」回應「因」的部分，緊緊扣著首句的「狂」字作收，表現出英雄欲用武以靖邊的強烈願望[33]，而身世之感也由此透出；這寫的是後一個「果」的部分。附結構系統表如下：

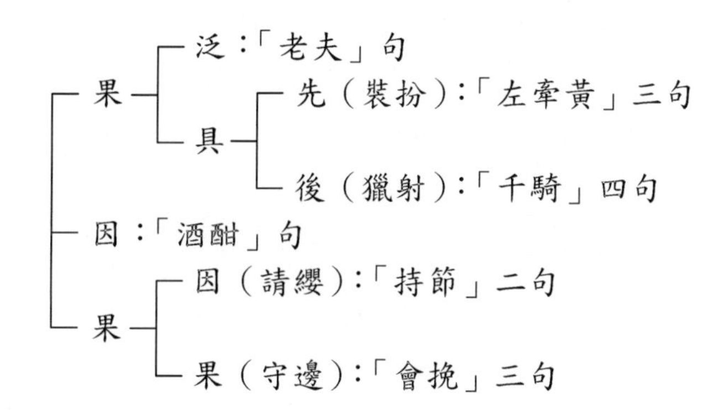

而將其剛柔成分加以量化，可呈現如下圖：

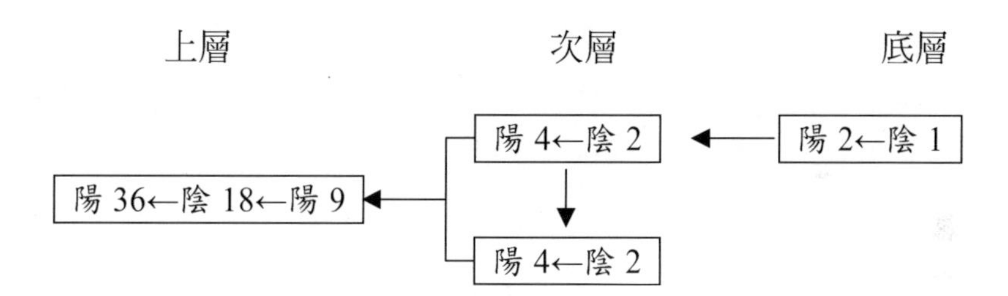

此詞含三層結構：它上層之「果、因、果」（抝、轉位）為其核心結構，其「勢」之數為「陰18、陽45」；此為「二」。而次層有「先泛後具」（順）、「先因後果」（順）等「移位」結構，其「勢」之數為「陰4、陽8」；至於底層僅有「先先後後」（順）的「移位」結構，其「勢」之數為「陰1、陽2」；以上是「多」。將三層加在一起，其「勢」之數為「陰23、陽55」；如換算成百分比（四捨五入），則為

33 于潔：「上半闋歇拍『親射虎』，下半闋結拍『射天狼』，一實一虛相映襯，表達了強烈的愛國激情，意象生動，詞情豪邁。」見《詞林觀止》上，頁293。

「陰29、陽71」。由此可知這闋詞所形成的是強烈的「純剛」風格。而這種「純剛」風格與「英雄欲有用武之地」的主旨，可說是「一（0）」。雖然有人以為它的「風格稍嫌粗豪」，但代表的卻是蘇軾的新詞風，是有其典範意義的[34]。

同樣地，蘇軾詞中也有單寫物外之思（清）的，這類作品往往使風格趨於「柔中寓剛」，甚至達到「純柔」的地步。如其另一首〈江城子〉詞：

> 夢中了了醉中醒，只淵明，是前生。走遍人間，依舊卻躬耕。昨夜東坡春雨足，烏鵲喜，報新晴。　　雪堂西畔暗泉鳴，北山傾，小溪橫。南望亭丘，孤秀聳曾城。都是斜川當日境。吾老矣，寄餘齡。

這是首寫老來歸耕的作品。作者在此，首先以「夢中了了醉中醒」三個因果句，指明自己的前生是陶淵明，以統括下文，這是「凡」的部分；其次以「走遍人間」五句，用「先久後暫」之結構，寫自己「鳥倦飛而知還」，終於躬耕於「東坡」的情況，來證明「只淵明，是前生」，這是就「人」（人事）來寫的，為「目一」的部分；接著以「雪堂西畔暗泉鳴」六句，採先目後凡的形式，寫自己「躬耕於東坡」（題目）之所聞（聽覺）所見（視覺），完全等於陶淵明當日「斜川之遊」（題目）[35]，進一步地證明「只淵明，是前生」，這是就

---

34 劉開揚：「平心而論，這首小詞寫得過於直露而少蘊藉，風格稍嫌粗豪，並非東坡詞中上乘之作。但是，蘇軾在這裡既然是把它作為與柳七風格相異的『自是一家』之作列舉出來的，則此詞就無疑具有代表蘇軾新詞風、顯示蘇軾改革詞體之方向的典範意義。」見《唐宋詞流派史》（福州市：福建人民出版社，1999年2月一版一刷），頁240。

35 本詞題作「陶淵明以正月五日遊斜川，臨流班坐，顧瞻南阜，愛曾城之獨秀，乃作

「天」（自然）來寫的，為「目二」的部分；然後以結二句，用陶淵明〈遊斜川詩〉「開歲倏五十，吾生行歸休」的句意，應起作收，這又是「凡」的部分。顯然的，這也是用「凡、目、凡」的單軌之篇結構形式所寫成的。附結構系統表如下：

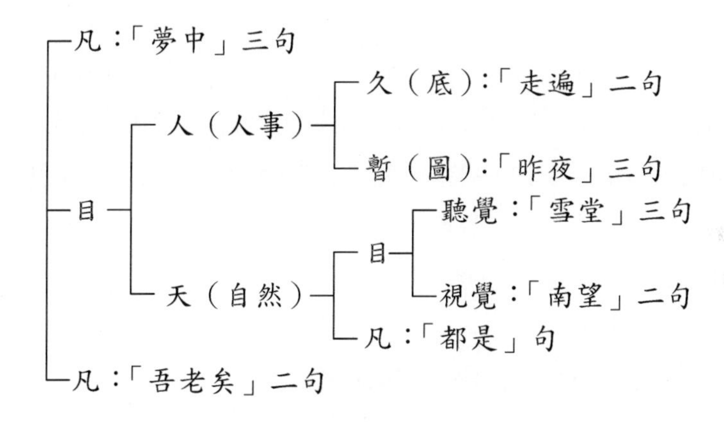

而將其剛柔成分加以量化，可呈現如下圖：

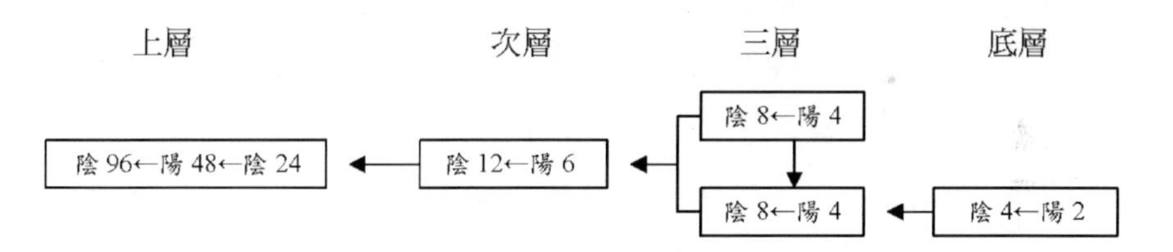

此詞含四層結構：它上層之「凡、目、凡」（拗、轉位）為其核心結構，其「勢」之數為「陰120、陽48」；此為「二」。而次層有「先人後天」（逆）的「移位」結構，其「勢」之數為「陰12、陽6」；而三層有「先久後暫」（逆）、「先目後凡」（逆）等移位結構，其「勢」之

〈斜川詩〉，至今使人想見其處。元豐壬戌之春，余躬耕於東坡，築雪堂居之，南挹四望亭之後丘，西控北山之微泉，慨然而嘆，此亦斜川之遊也。乃作長短句，以〈江城子〉歌之。」見龍沐勛：《東坡樂府箋》卷二（臺北市：華正書局，1978年9月初版），頁137。

數為「陰16、陽8」；至於底層僅有「先聽後視」（逆）的「移位」結構，其「勢」之數為「陰4、陽2」；以上是「多」。將四層加在一起，其「勢」之數為「陰152、陽64」；如換算成百分比（四捨五入），則為「陰70、陽30」。由此可知這闋詞所形成的是「純柔」的風格。而這種「純柔」之風格與嚮慕陶淵明的主旨，可說是「一（0）」。

上舉兩首作品，同樣是〈江城子〉詞，其風格卻因內容主旨不一樣，而有「純剛」、「純柔」的不同，可見內容主旨與風格，息息相關。因此蘇軾清峻詞中的剛柔成分，便與寫身世之感（峻）或物外之思（清）這種內容主旨之多寡、顯隱、強弱關係密切，這從所舉例子中可獲得初步的證明。

二　辛棄疾「豪壯沉鬱」的詞格

辛稼軒生當弱宋末造，懷高世之才，負經世之策，本來自信能股肱王室、恢復神州。卻不期率眾南來之後，居多閒廢，不受重用，即使偶受時用，又不能盡展其才。以一世之豪，而遭遇卻如此，中心之悲憤抑鬱，可以想見。這樣發而為豪雄悲鬱之詞，是很自然的事。陳廷焯說：「稼軒有吞八荒之概，而機會不來。正則可以為郭、李，為韓、岳；變則即桓溫之流亞。故詞極豪雄，而意極悲鬱。」[36] 在此，特以稼軒這種「豪壯沉鬱」詞為範圍，從中選擇幾首，試著透過其篇章結構，對風格中的剛柔成分，予以量化，以見一斑。

（一）舉例解析

首先看〈水龍吟〉：

36 見陳廷綽：《白雨齋詞話》卷六，《詞話叢編》，頁3925。

> 楚天千里清秋，水隨天去秋無際。遙岑遠目，獻愁供恨，玉簪螺髻。落日樓頭，斷鴻聲裡，江南遊子。把吳鉤看了，欄干拍遍，無人會，登臨意。　休說鱸魚堪鱠，儘西風，季鷹歸未？求田問舍，怕應羞見，劉郎才氣。可惜流年，憂愁風雨，樹猶如此！倩何人、喚取紅巾翠袖，搵英雄淚？

此詞當作於宋孝宗淳熙元年（1174），題作「登建康賞心亭」，旨在寫「無人會登臨意」（請纓無路）的愁緒。它首先以「楚天」五句，寫登亭所見景物，依序是天、水、山，而將愁恨寓於其中；接著以「落日」五句，用落日與斷鴻為媒介，把流落江南的自己（遊子）帶出來，以交代題目，並進而寫自己久看吳鉤、遍拍闌干的無奈；這可說是請纓無路的結果；為前一個「果」的部分。其次以「無人會」二句，正面寫「請纓無路」的痛苦，這是一篇主旨所在，為「因」中「主」的部分。又其次以「休說」九句，藉張翰、許汜與桓溫的故事，依次寫自己有家歸不得，求田不成與時不我予的困窘。從旁將請纓無路的痛苦推深一層，為「因」中「實」的部分。最後以「倩何人」三句，由實轉虛，表達請纓的強烈願望，以收拾全詞，這是後一個「果」的部分。透過這種結構，作者便將自己胸中的積鬱傾洩而出了。對此，梁啟超說：

> 詞中「落日樓頭，斷鴻聲裡，江南遊子。把吳鉤看了，欄干拍遍，無人會，登臨意」及「倩何人、喚取紅巾翠袖，搵英雄淚」等語，確是滿腹經綸在羈旅落拓或下僚沉滯中勃鬱一吐情狀。[37]

37 梁啟超：《辛稼軒先生年譜》，見鄧廣銘：《增訂本稼軒詞編年箋注》附（臺北市：華正書局，1978年12月版），頁8。

附其結構系統表如下：

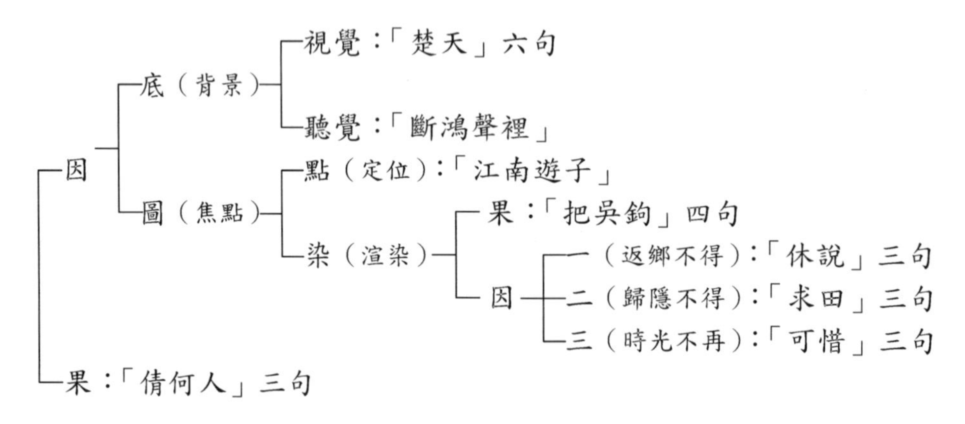

若單以其陰陽結構來呈現，則如下表：

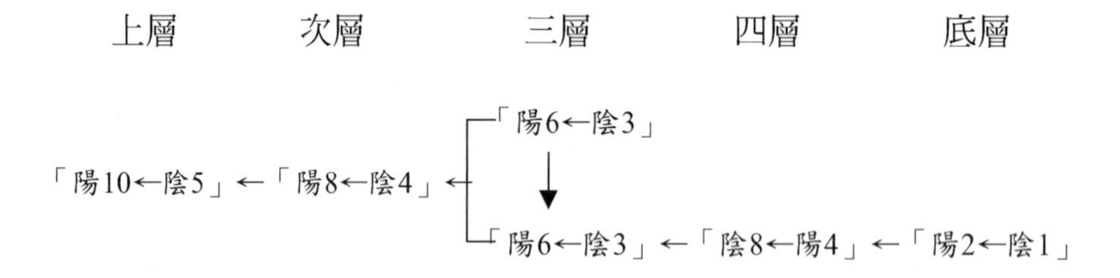

此詞含五層結構：其底層有一疊「並列」（順）的「移位」結構，其「勢」之數為「陰1、陽2」；四層有一疊「先果後因」（逆）的「移位」結構，其「勢」之數為「陰8、陽4」；三層有一疊「先視後聽」（順）與一疊「先點後染」（順）等「移位」結構，其「勢」之數為「陰6、陽12」；次層有一疊「先底後圖」（順）的移位結構，其「勢」之數為「陰4、陽8」；上層以一疊「先因後果」（順）的移位結構，其「勢」之數為「陰5、陽10」。總結起來看，此詞所形成之「勢」，其數為「陰25、陽36」，如換算成百分比（四捨五入），則為「陰41、陽59」。

掌握了這個圖，則此詞「0一二多」之結構，就一清二楚，那就是：「多⟷二」指的是用「因果」（一疊）、「圖底」（一疊）、「視聽」（一疊）、「點染」（一疊）、「並列」（一疊）等所形成的移位性結構與節奏（韻律），「一0」指的是「請纓無路之憾」的主旨與「沉鬱悲壯，慷慨生哀」[38]、「剛中具柔，曲折委婉」[39]之風格（韻律）。這種風格（韻律），從其「陰41、陽59」之量化結果看來，是屬於「偏剛」之作。

其次看〈水調歌頭〉：

> 我飲不須勸，正怕酒尊空。別離亦復何恨，此別恨匆匆。頭上貂蟬貴客，苑外麒麟高塚，人世竟誰雄。一笑出門去，千里落花風。　　孫劉輩，能使我，不為公。余髮種種如是，此事付渠儂。但覺平生湖海，除了醉吟風月，此外百無功。毫髮皆帝力，更乞鑑湖東。

這闋詞作於宋孝宗淳熙五年（1178），前有題序云：「淳熙丁酉，自江陵移師隆興，到官之三月被召，司馬監、趙卿、王漕餞別。司馬賦〈水調歌頭〉，席間次韻。時王公明樞密薨，坐客終夕為興門戶之歎，故前章及之。」從這裡可看出辛棄疾此作，除了抒發別離之恨外，最主要的還是在抒發身世之痛。而這種痛、這種恨，作者特別安排在篇腹加以呈現。這個部分，開端二句，敘欲大醉，為「果」（第二層）；自「別離」句起至「不為公」句止：其中「別離」二句，寫別離之恨；「頭上」三句，寫門戶之歎，用「並列」結構（因：第四層）加以呈現，而以「一笑」二句，用虛景（果：第四層）加以渲

38 劉揚忠評析，見陳邦炎主編：《詞林觀止》上，頁520。

39 李勤印評析，見俞長江、侯健主編：《中國歷代詩歌名篇鑑賞辭典》（北京市：農村讀物出版社，1989年12月一版一刷），頁1009。

染，以上都屬於「果」（第三層）。而「孫劉輩」三句，說到自己不見信於主而受到排斥，這可說是「因」（第三層），而一篇之主意便在這裡。如弄清這個「因」（第一層），則置於篇篇末的「果」（第一層），就全部可以一目了然。以篇末之「果」（第一層），它先以「余髮」二句，說自己已衰老；再以「但覺」三句，寫自己醉風月；然後以「毫髮」二句，說自己乞歸隱；這些又何嘗不是感身世（懷才不遇）的結果呢？可見這闋詞，除一疊「並列」外，用的全是「先因後果」或「先果後因」的結構。

關於此詞內容，常國武指出：

> 這首詞由別離起興，反映了作者不滿於朝中權貴的黨同伐異，也不願對他們阿諛逢迎，而寧可棄官歸隱的思想感情。作者寫作此詞的第二年，曾奏進〈論盜賊札子〉，中有「但臣生平則剛拙自信，年來不為眾人所容，顧恐言未脫口而禍不旋踵」等語，可見詞中「孫劉輩，能使我，不為公」云云，必有種種難以具言的背景和隱痛。急流勇退思想的萌發，同時宦海風波的險惡，也有很大的關係。[40]

附其結構系統表如下：

40 見常國武：《辛稼軒詞集導讀》（成都市：巴蜀書社，1988年9月一版一刷），頁142。

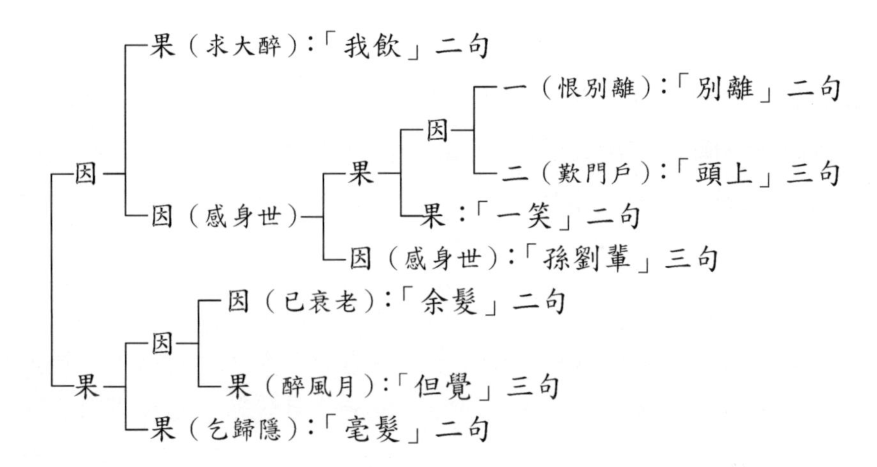

若單以其陰陽結構來呈現，則如下表：

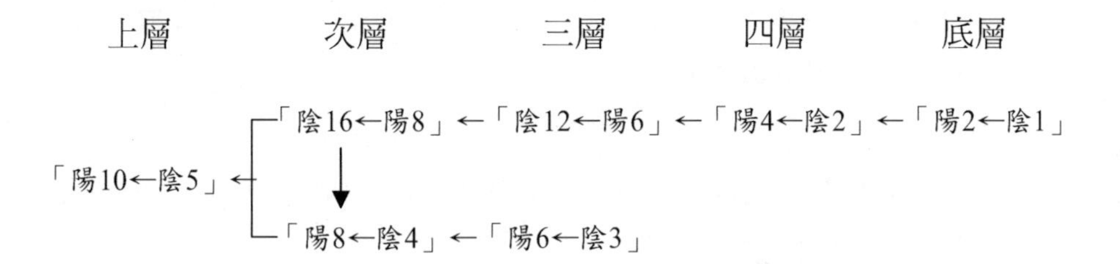

此詞含五層結構：其底層有一疊「並列」（順）的「移位」結構，其「勢」之數為「陰1、陽2」；四層有一疊「先因後果」（順）的「移位」結構，其「勢」之數為「陰2、陽4」；三層有一疊「先果後因」（逆）與一疊 「先因後果」（順）等「移位」結構，其「勢」之數為「陰15、陽12」；次層有一疊「先果後因」（逆）與一疊「先因後果」（順）的移位結構，其「勢」之數為「陰20、陽16」；上層以一疊「先因後果」（順）的移位結構，其「勢」之數為「陰5、陽10」。總結起來看，此詞所形成之「勢」，其數為「陰43、陽44」，如換算成百分比（四捨五入），則為「陰49、陽51」。

掌握了這個圖，則此詞「0一二多」之結構，就一清二楚，那就是：「多 ⟷ 二」指的是用「因果」（六疊）、「並列」（一疊）等所形成的移位性結構與節奏（韻律），「一0」指的是「寧可棄官歸隱」的主旨與「勃鬱中寓曠達」[41] 之風格（韻律）。這種風格（韻律），從其「陰49、陽51」之量化結果看來，是屬於「剛柔互濟」之作。

又其次看〈摸魚兒〉：

> 更能消、幾番風雨，匆匆春又歸去。惜春長怕花開早，何況落紅無數。春且住，見說道、天涯芳草無歸路。怨春不語。算只有殷勤，畫檐蛛網，盡日惹飛絮。　　長門事，準擬佳期又誤，蛾眉曾有人妒。千金縱買相如賦，脈脈此情誰訴。君莫舞，君不見、玉環飛燕皆塵土。閒愁最苦。休去倚危闌，斜陽正在，煙柳斷腸處。

這闋詞題作「淳熙己亥自湖北漕移湖南，同官王正之置酒小山亭，為賦」。為抒寫怨憤之作。

它的起首「更能消」兩句，泛寫春歸之速；「惜春」四句與「怨春」四句，依序藉無數落紅、天涯芳草及殷勤蛛網盡日惹絮的殘景，具寫春歸之速，含有無限「惜春」、「怨春」之情，預為下片的即事抒情鋪好路子。下片開端五句，用漢朝陳皇后被禁冷宮，請司馬相如作賦以感悟孝武帝的典故，抒寫自己當有新除而又遭讒，以致落空的怨憤；「君莫舞」兩句，用漢后趙飛燕與唐妃楊玉環的典故，以痛斥小人必不會有好的下場，把怨憤之情再予推深；「閒愁」句，以「閒愁」（即怨憤之情）點明一篇主旨，以統攝全詞。結尾三句，以煙柳上的

41 朱德才、薛祥生：「稼軒詞氣勃鬱、慷慨內斂。……這首詞，以曠達的風貌隱含悲憤譏刺之情，這是稼軒詞的本色。」見《辛棄疾詞新釋輯評》上（北京市：中國書店，2006年1月一版一刷），頁109。

斜陽，暗喻日非的國運，借景結情，結得「淒涼悲鬱」[42]，無可倫比。如此以「具（景、事）、泛（情）、具（景）」的結構詠來，其姿態之飛動、情思之激切，千古罕見。

對它的作意，梁啟超先生說明得最為清楚，他說：

> 先生兩年來，由江陵帥、隆興帥轉任漕司，雖非左遷，然先生本功名之士，惟專閫庶足展其驥足，碌碌錢穀，當非所樂，此次去湖北任，謂當有新除，然仍移漕湖南，殊乖本望，故曰：「本擬佳期又誤」也。本年〈論盜賊劄子〉有云：「臣孤危一身久矣，荷陛下保全，事有可危，殺身不顧」，又云：「生平則剛拙自信，年來不為眾人所容，恐言未脫口，而禍不旋踵」，則「蛾眉曾有人妒」，亦是實情。[43]

而鄧廣銘、辛更儒也加以詮釋說：

> 作者這時由湖北調往湖南，他對南宋面臨的嚴重局勢分外擔心，整個上片的詞意，都與此有關，也全相吻合。下片是作者的自述。他充分認識自己的險惡處境，曾在他抵達湖南後所上〈論盜賊劄子〉中有所披露：「臣孤危一身久矣，荷陛下保全，事有可危，殺身不顧。」又說：「生平則剛拙自信，年來不為眾人所容，恐言未脫口，而禍不旋踵。」可知詞中「娥眉曾有人妒」、「脈脈此情誰訴」當確有實際事例。他為求實現恢

---

42 常國武：「結拍以眼前哀景烘托滿腹閒愁，綜合全篇，極哀怨淒婉之致。陳廷焯《白雨齋詞話》評云：『結得愈淒涼、愈悲鬱。』信然。」見陳邦炎主編：《詞林觀止》上，頁518。

43 見《辛稼軒先生年譜》，鄧廣銘：《稼軒詞編年箋注‧附錄》，頁20。

復中原的理想，不顧個人安危，大聲疾呼，警告那些誤國奸邪；通過對斜陽煙柳的慘澹景象的描繪，更使人感受到作者對南宋國家前途和命運的關切。[44]

這首詞裡表現的情意是如此之真切，當然就能深深地感動人了。其結構系統表為：

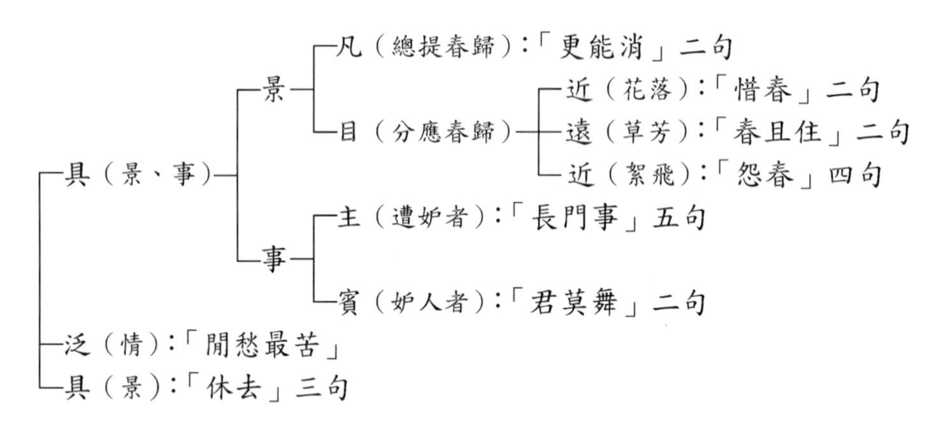

若單以其陰陽結構來呈現，則如下表：

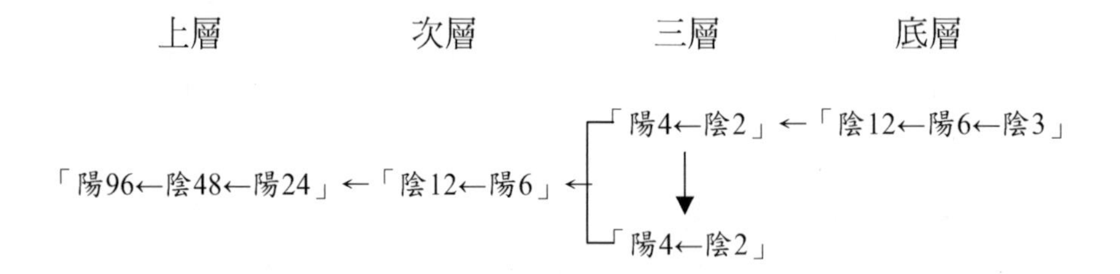

此此含四層結構：其底層有一疊「近、遠、近」（順）的「轉位」結構，其「勢」之數為「陰15、陽6」；三層有一疊「先凡後目」（順）與一疊「先主後賓」（順）等「移位」結構，其「勢」之數為「陰4、

44 見唐圭璋主編：《唐宋詞鑑賞集成》，頁862。

陽8」；次層有一疊「先景後事」（逆）的「移位」結構，其「勢」之數為「陰12、陽6」；上層以一疊「具、泛、具」（逆拗）的「轉位」結構，其「勢」之數為「陰48、陽120」。總結起來看，此詞所形成之「勢」，其數為「陰79、陽140」，如換算成百分比（四捨五入），則為「陰36、陽64」。

掌握了這個圖，則此詞「0一二多」之結構，就一清二楚，那就是：「多 ⟷ 二」指的是用「泛具」、「景事」、「凡目」、「賓主」、「遠近」等各一疊所形成的移位與轉位性結構與節奏（韻律），「一0」指的是「關涉身世、家國之最苦閒愁」的主旨與「纏綿激切」[45]之風格（韻律）。這種風格（韻律），從其「陰36、陽64」之量化結果看來，顯然是屬於「偏剛」的。

然後看〈賀新郎〉：

> 綠樹聽鵜鴂，更那堪、鷓鴣聲住，杜鵑聲切！啼到春歸無尋處，苦恨芳菲都歇。算未抵人間離別：馬上琵琶關塞黑，更長門翠輦辭金闕。看燕燕，送歸妾。　　將軍百戰身名裂，向河梁回頭萬里，故人長絕。易水蕭蕭西風冷，滿座衣冠似雪。正壯士、悲歌未徹。啼鳥還知如許恨，料不啼清淚長啼血。誰共我，醉明月。

這闋詞題作「別茂嘉十二弟。鵜鴂、杜鵑實兩種，見《離騷補註》」，是用「先因後果」的順序寫成的。其中的「因」，先以「綠樹」句起至「苦恨」句止，從側面切入，用鵜鴂、鷓鴣、杜鵑等春鳥之啼春，啼到春歸，以寫「苦恨」；這是頭一個「敲」的部分。再以

45 鄧廣銘、辛更儒析評，見唐圭璋、繆鉞、葉嘉瑩等：《唐宋詞鑑賞辭典》，頁862。

「算未抵」句起至「正壯士」句止，由「鳥」過渡到「人」，採「先平提後側收」[46] 的技巧，舉古代之二女〔昭君、歸妾〕二男〔李陵、荊軻〕為例，用「先反後正」的結構，來寫人間離別的「苦恨」，暗涉慶元黨禍，將朝臣之通敵與志士之犧牲，構成強烈的對比，以抒發家國之恨[47]；這是「擊」的部分。末以「啼鳥」二句，又應起回到側面，用虛寫（假設）方式，推深一層寫啼鳥的「苦恨」；這是後一個「敲」的部分。而「果」，則正式用「誰共我」二句，表出惜別「茂嘉十二弟」之意，以收拾全篇。所謂「有恨無人省」[48]，作者之恨在其弟離開後，將要變得更綿綿不盡了。對此，鞏本棟說：

> 鄧小軍先生所撰〈辛棄疾〈賀新郎．別茂嘉弟〉詞的古典與今典〉一文……認為辛棄疾〈賀新郎〉詞的主要結構，「乃是古典字面，今典實指。即借用古典，以指靖康之恥、岳飛之死之當代史。從而亦寄託了稼軒自己遭受南宋政權排斥之悲憤，及對南宋政權對金妥協投降政策之判斷。」[49]

---

46 通常將所要論說或敘述的幾個重點，以平等地位提明的，叫「平提」；而照應題面，對其中的一點或兩點加以關注的，叫「側注」。這種篇章組織的方法，如單就「側注」的部分而言，則稱為「側接」或「接筆」；如所提重點只限於兩組，則又叫做「兩義相權」。它無論是形成「先平提後側注」、「先側注後平提」、「平提、側注、平提」或「側注、平提、側注」等結構，在辭章裡，都隨處可見，沒什麼稀奇。但將所要論說或敘述的幾個重點，以同等的地位加以提明，而特別側於其中一點或兩點來收結，卻有回繳整體之功用的，則很少受到人的注意。見陳滿銘：〈談「平提側收」的篇章結構〉，《章法學新裁》（臺北市：萬卷樓圖書公司，2001年1月初版），頁435-459。

47 參見陳滿銘：〈唐宋詞拾玉（四）——辛棄疾的〈賀新郎〉〉，《國文天地》12卷1期（1996年6月），頁66-69。

48 蘇軾題作「黃州定慧院寓居作」之〈卜算子〉詞下片：「驚起卻回頭，有恨無人省。揀盡寒枝不肯棲，寂寞沙洲冷。」見龍榆生：《東坡樂府箋》，頁168。

49 見鞏本棟：《辛棄疾評傳》（南京市：南京大學出版社，1998年12月一版一刷），頁400-401。

如此既以「因」和「果」、「敲」和「擊」、「虛」和「實」、「凡」和「目」、「平提」和「側收」等結構，形成「調和」，又以「正」和「反」形成「對比」，也就是說在「調和」中含有「對比」，而這「對比」又出現在篇幅正中央，用以正「擊」的部分，這對此詞風格之趨於「沉鬱蒼涼，跳躍動盪」[50]，是有作用的。附結構系統表如下：

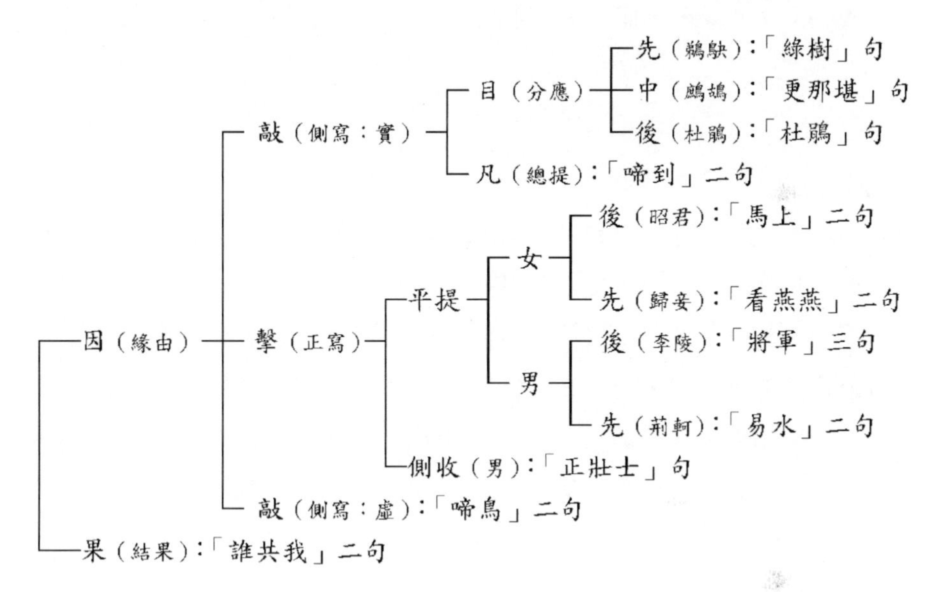

如此，既以「因」和「果」、「敲」和「擊」、「虛」和「實」、「凡」和「目」、「平提」和「側收」、「先」（昔）後「後」（今）等移位結構，形成「調和」，又以「男」和「女」之移位形成「對比」、「敲」和「擊」之轉位形成「變化」；也就是說，在「調和」中含有「對比」，在「順敘」中含有「變化」。而這「變化」的部分，既佔了差不多整個篇幅，其中「對比」又出現在篇幅正中央，形成核心結構，且用「擊」加以呈現，這樣在「變化」的牢籠之下，特用「對比」結構來凸顯其核心內容，使得其他「調和」的部分，也全為此而服務，所以

50 見陳廷焯《白雨齋詞話》卷一，《詞話叢編》4，頁3791。

這種安排，對此詞風格之趨於「沉鬱蒼涼，跳躍動盪」，是大有作用的。其分層陰陽簡圖如下：

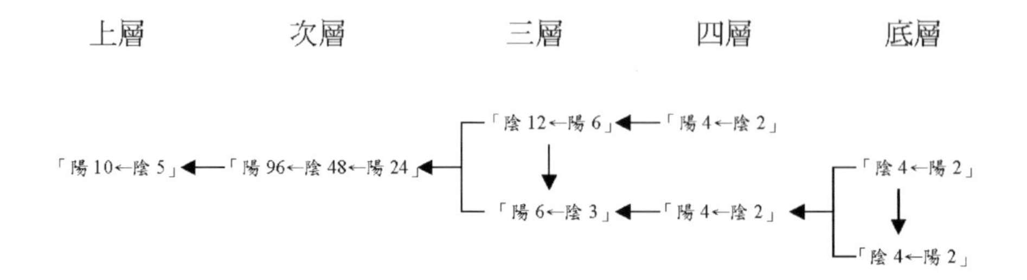

此詞含五層結構：其底層有兩疊「先『後』後『先』」（逆）的「移位」結構，其「勢」之數為「陰8、陽4」；四層有一疊「先『先』後『後』」（順）與一疊「先女後男」（順）的「移位」結構，其「勢」之數為「陰4、陽8」；三層有一疊「先目後凡」（逆）與一疊「先平提後側收」（順）等「移位」結構，其「勢」之數為「陰15、陽12」；次層有一疊「敲、擊、敲」（逆拗）的轉位結構；上層以一疊「先陰後果」（順）的移位結構，其「勢」之數為「陰5、陽10」。總結起來看，此詩所形成之「勢」，其數為「陰80、陽154」，如換算成百分比（四捨五入），則為「陰34、陽66」。

掌握了這個圖，則此詞「0一二多」之結構，就一清二楚，那就是：「多⟷二」指的是用「因果」（一疊）、「敲擊」（一疊）、「平提側收」（一疊）、「凡目」（一疊）、「男女」（一疊）、「先後（今昔）」（三疊）等所形成的移位與轉位性結構與節奏（韻律），「一0」指的是「家國之恨」的主旨與「沉鬱蒼涼，跳躍動盪」之風格（韻律）。這種風格（韻律），從其「陰34、陽66」之量化結果看來，是屬於「純剛」之作。

最後看〈永遇樂・京口北固亭懷古〉：

千古江山，英雄無覓，孫仲謀處。舞榭歌臺，風流總被，雨打風吹去。斜陽草樹，尋常巷陌，人道寄奴曾住。想當年，金戈鐵馬，氣吞萬里如虎。　　元嘉草草，封狼居胥，贏得倉皇北顧。四十三年，望中猶記，烽火揚州路。可堪回首，佛貍祠下，一片神鴉社鼓。憑誰問，廉頗老矣，尚能飯否。

此詞作於寧宗開禧元年（1205），是一首懷古傷今的作品，以「先因後果」之篇結構統合各章結構而寫成。

首先用開篇六句，藉發跡於此的首位英雄孫權的典實，以發出如今抗敵無人的慨歎；用「斜陽」五句，藉發跡於此的另一英雄劉裕的典實，以抒寫如今無人北伐的悲哀；這是「正寫」的部分，採「昔（盛）、今（衰）、昔（盛）」之章結構寫成。其次用「元嘉」三句，藉宋文帝草草北伐，致引進敵軍，倉皇北顧的典實，向朝廷提出不能草草用兵北伐的警告；用「四十」三句，藉親自目睹四十三年前金兵火焚揚州城的事例，為上三句的警告，提出有力的證據；用「可堪」三句，藉魏太武帝在瓜步山建立行宮（即佛貍祠）的故實，進一層地指明敵勢未衰，不可輕侮，由「知彼」上見出不能草草用兵北伐的原因；這是「反寫」的部分，採「先因後果」（第三層）之結構寫成。以上是著眼於第一層之「因」來寫的。最後用「憑誰問」三句，藉戰國趙將廉頗的故實，把自己譬作廉頗，表示自己雖老，卻還可以大用，假以時日必能收復中原的意思；這是著眼於第一層之「果」來寫的。如此以「先因後果」（第一層）之篇結構來寫，所謂「忠憤之氣，拂拂指端」（卓人月《詞統》），讀來感人異常。

對這首詞，鄭騫曾解釋說：

據岳珂《桯史》，知此詞作於宋寧宗開禧元年稼軒守鎮江時。

其年稼軒六十六歲。上距高宗紹興三十一年辛巳自山東率義兵七八千人渡江歸宋，恰為四十三年。登北固可望揚州，揚州為稼軒率兵渡江處，時金主亮南下侵宋，隔江對峙，揚州正在烽火中也。京口英雄，仲謀而後當推宋武，宋武一生事業自以北伐為首；稼軒亦主恢復之議者，且自信有恢復之才，特始終未得大用耳。故前章專寫孫劉二人而以劉為主，望古遙集，聲情激越。宋文帝元嘉中，用王玄謨諸人之議，出師北伐，而國力未集，致遭敗衄；魏太武帝遂引兵南下，直抵長江，飲馬瓜渡。文帝登石頭城，北望敵軍甚盛，頗有懼色。事詳南史及通鑑。稼軒守鎮江時，韓侂胄當國，力主北伐；而用人失當，措置乖方，其後草草出兵，卒致大敗。稼軒此時已隱憂事之不濟，故敘元嘉往事，以劉宋喻趙宋，諷喻當道不可輕舉妄動。文氣則仍承上金戈鐵馬氣吞萬里而來。「四十三」年以下，純是個人身世之感而仍與國事有關。此時金邦雖漸趨衰亂，餘勢尚盛，故有佛貍祠下，神鴉社鼓之語。宋則主和者泄沓，主戰者鹵莽，軍事財政，毫無準備。老成謀國之士，覩此情形，中心鬱悶，可以想見。然稼軒非反對北伐者，特主慎重從事，備而後動耳；故末二句有據鞍顧盻，以示可用之意，其所謂烈士暮年，壯心未已乎。羅大經鶴林玉露云，此詞為寄丘宻者。丘此時方為重臣，見《宋史》丘傳；然則末二句蓋求自試表之意也。顧炎武云：幼安久宦南朝，未得大用，晚年多有淪落之感，亦廉頗思用趙人之意爾（《日知錄》十三）。殊違知人論世之義。[51]

51 見鄭騫編：《詞選》（臺北市：中華文化出版事業委員會，1954年6月再版），頁100-101。

解釋詳盡，足供參考。附其結構系統表如下：

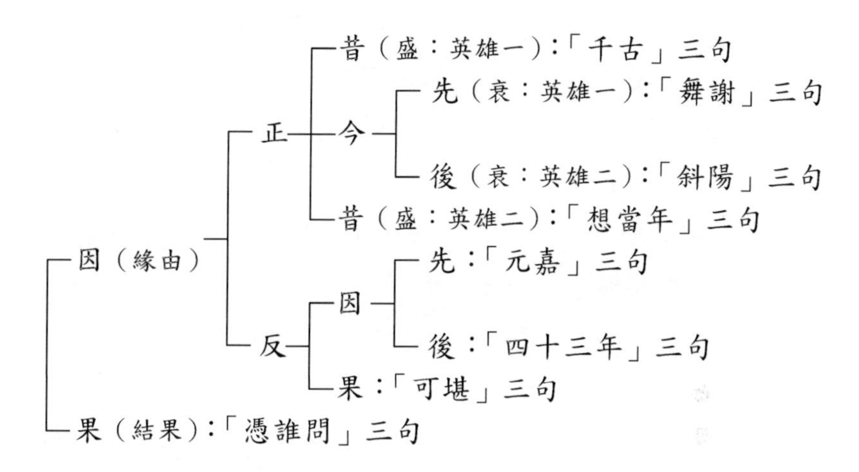

若單以其陰陽結構來呈現，則如下表：

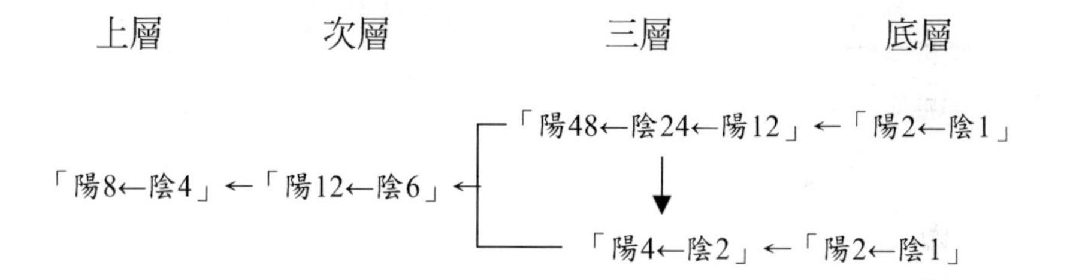

此此含四層結構：其底層有兩疊「先『先』後『後』」（順）的「移位」結構，其「勢」之數為「陰2、陽4」；三層有一疊「昔、今、昔」（逆拗）的「轉位」結構與一疊「先因後果」（順）的「移位」結構，其「勢」之數為「陰26、陽64」；次層有一疊「先正後反」（順）的「移位」結構，其「勢」之數為「陰6、陽12」；上層以「先因後後」（順）的移位結構，其「勢」之數為「陰4、陽8」。總結起來看，此詞所形成之「勢」，其數為「陰38、陽88」，如換算成百分比（四捨五入），則為「陰30、陽70」。

掌握了這個圖，則此詞「0一二多」之結構，就一清二楚，那就是：「多⟷二」指的是用「因果」(二疊)、「正反」(一疊)、「先後(今昔)」(三疊)等所形成的移位與轉位性結構與節奏(韻律)，「一0」指的是「隱憂國事，以劉喻趙諷諭當局」的主旨與「沉鬱頓挫，深宏博大」[52]之風格(韻律)。這種風格(韻律)，從其「陰30、陽70」之量化結果看，比起上一首〈賀新郎〉來，更為「純剛」，在稼軒詞作裡，應是最為陽剛的作品。

(二)綜合檢討

綜合以上的探討結果，可分幾層作綜合檢討：首先從辛稼軒「豪壯沉鬱」詞中剛柔成分「消長進絀」之幅度來看，它們可概括成下表：

豪壯沉鬱詞作	剛柔比例
〈水龍吟〉	剛59% 柔41%
〈水調歌頭〉	剛51% 柔49%
〈摸魚兒〉	剛64% 柔36%
〈賀新郎〉	剛66% 柔34%
〈永遇樂〉	剛70% 柔30%

從上表可看出：上舉稼軒的五首「豪壯沉鬱」詞，它們形成風格的剛柔成分，以陽剛而言，介於51%與70%之間；而以陰柔而言，則相應地介於30與49之間。若以上定「(一)純剛、純柔者，其『勢』之數為『65→ 72』；(二)偏剛、偏柔者，其『勢』之數為『55→65』；(三)剛、柔互濟者，其『勢』之數為『45→ 55』之準則加以對照，則這五首『豪壯沉鬱』詞，除〈水調歌頭〉一首屬「剛柔互

52 馬群評析，見唐圭璋、繆鉞、葉嘉瑩等：《唐宋詞鑑賞辭典》，頁1609。

濟」外，〈水龍吟〉與〈摸魚兒〉屬「偏剛」，〈賀新郎〉與〈永遇樂〉則為「純剛」的作品。

在此，值得注意的是，這五首「豪壯沉鬱」詞，沒有一首的剛柔成分是「柔」多於「剛」的。而稼軒一直以來都被歸入「豪放」一脈之集其大成者，當然他的主要詞篇，應該全屬陽剛之作才對。從上舉的五首詞來看，果然全無例外。因此，影響一篇風格形成之主要因素，就辭章之內涵而言，有「意象」、「詞彙」、「修辭」、「文法」、「章法」與「主旨」、「文體」等；而「章法」（含類型與結構）由於可透過其「0一二多」結構，由「章」而「篇」地，藉「多」來整合意象群、藉「一」來凸顯一篇主旨，所以由此所呈現之「篇章（章法）風格」，是與一篇風格「（0）」最為接近的。

所謂內容決定形式，而主旨又是內容的核心，因此「主旨」對「風格」之影響極大，就以上舉五首「豪壯沉鬱」詞而言，都離不開身世之感、家國之思：

詞作	主旨
〈水龍吟〉	主要寫羈旅落拓、請纓無路的憾恨。
〈水調歌頭〉	主要寫不願對權貴阿諛逢迎，寧可棄官歸隱的思想感情。
〈摸魚兒〉	主要寫關涉身世、家國的最苦閒愁。
〈賀新郎〉	主要寫自己對南宋政權對金妥協投降政策的憂慮。
〈永遇樂〉	主要寫隱憂國事，借劉喻趙以諷諭當局。

對稼軒而言，很多作品是離不開寫家國之思與身世之感的，而「豪壯沉鬱」之作，則往往將二者融在一起來寫。從上表可看出：偏重於家國之思的，其陽剛的成分會強一些；同樣地，偏重於身世之感的，其陽剛的成分會弱一些，而如果涉及隱退思想的，其陽剛的成分則會更

弱一些。譬如〈水龍吟〉偏重於寫身世之感、〈水調歌頭〉偏重於寫隱退之思，其陽剛的成分都相對地比較低，尤其是〈水調歌頭〉，其陽剛與陰柔的成分即相當接近，趨於平衡；兩者皆屬「偏剛」之作。而〈摸魚兒〉兼顧家國之思與身世之感，其陽剛之成分顯然比起前兩首為高；至於〈賀新郎〉與〈永遇樂〉，寫的都是家國之思，兩者皆屬「純剛」之作，尤其是〈永遇樂〉，是五首中最為陽剛的。

稼軒詞中單寫身世之感中又含有隱退之思的，往往可使風格趨於「剛柔互濟」或「偏柔」(柔中寓剛)。如〈鷓鴣天・有感〉：

> 出處從來自不齊。後車方載太公歸；誰知寂寞空山裡，卻有高人賦〈采薇〉。　　黃菊嫩，晚香枝，一般同是采花時。蜂兒辛苦多官府，蝴蝶花間自在飛。

在這闋詞裡，作者首先用「出處從來自不齊」一句，揭出一篇的主旨，以統括全詞，然後針對主旨，分別列舉三樣出處不齊的例證來：在第一個例證裡，太公望相周，是「出」；伯夷、叔齊隱於首陽山，採薇而食，是「處」；這是就人類的「不齊」來說的。在第二個例證裡，黃菊始開，是「出」；晚香將殘，是「處」；這是就植物的「不齊」來說的。在第三個例證裡，蜂兒辛苦，是「出」；蝴蝶自在，是「處」；這是就昆蟲的「不齊」來說的。所謂「綱舉目張」，寫來條理清晢異常。附結構系統表如下：

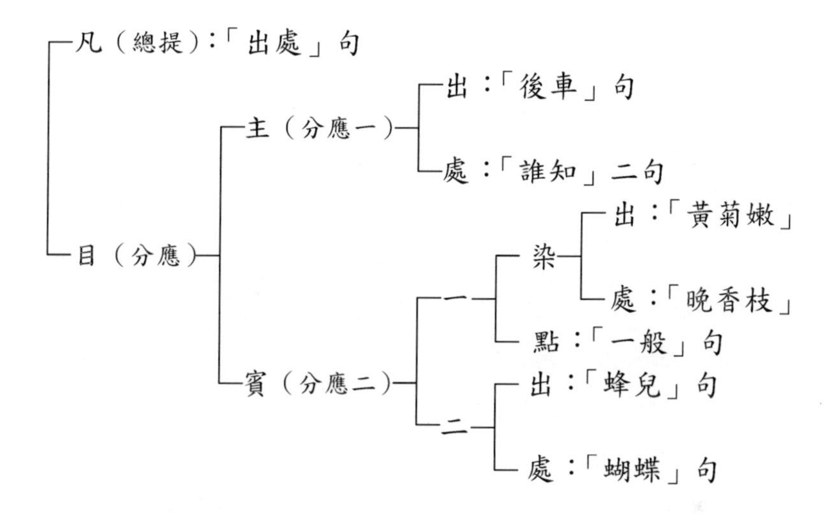

若單以其陰陽結構來呈現，則如下表：

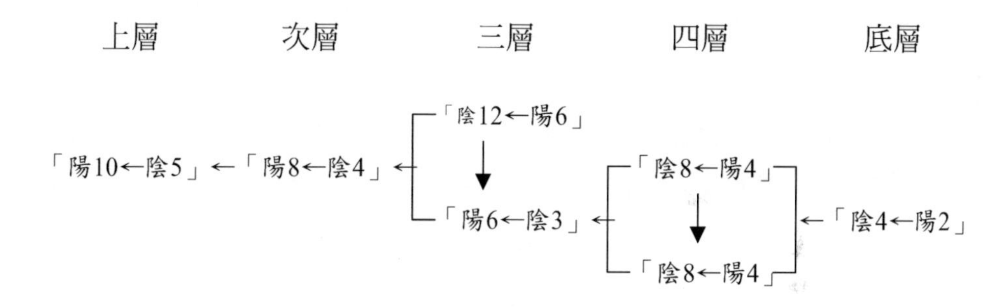

此詞含五層結構：其底層有一疊「先出後處」（逆）的「移位」結構，其「勢」之數為「陰4、陽2」；四層有一疊「先染後點」（逆）與一疊「先出後處」（逆）的「移位」結構，其「勢」之數為「陰16、陽8」；三層有一疊「先出後處」（逆）與一疊「並列」（順）等「移位」結構，其「勢」之數為「陰15、陽12」；次層有一疊「先賓後主」（順）的轉位結構；上層以一疊「先凡後目」（順）的移位結構，其「勢」之數為「陰5、陽10」。總結起來看，此詩所形成之「勢」，其數為「陰44、陽40」，如換算成百分比（四捨五入），則為「陰52、陽48」。

掌握了這個圖，則此詞「0一二多」之結構，就一清二楚，那就是：「多 ⟷ 二」指的是用「凡目」（一疊）、「賓主」（一疊）、「出處」（三疊）、「並列」（一疊）、「點染」（一疊）等所形成的移位與轉位性結構與節奏（韻律），「一0」指的是「出（出仕）處（隱退）不齊」的主旨與「平淡」之風格（韻律）[53]。這種風格（韻律），從其「陰52、陽48」之量化結果看來，是屬於「剛柔互濟」之作。

又如〈鷓鴣天·鵝湖寺道〉：

> 一榻清風殿影涼，涓涓流水響回廊。千章雲木鉤輈叫，十里溪風秝罷稏。　　衝急雨，趁斜陽，山園細路轉微茫。倦途卻被行人笑：只為林泉有底忙！

這是首記遊寫景的作品。上片四句，寫的是「鵝湖寺道」（題目）周遭的林泉勝景，首先是清風中的涼殿，其次是回廊外的流水，再其次是千章的雲木，最後是十里的香稻，景物由近而遠地寫得十分清麗，這是就結句的「林泉」二字來寫的，為「目一」的部分。下片開頭三句，寫的是「衝急雨」、「趁斜陽」、「轉微茫」的匆忙情形，這是就結句的「忙」字來寫的，為「目二」的部分。結二句為「凡」的部分，以「倦途卻被行人笑」句承上啟下，藉人之口帶出「只為林泉有底忙」的一句話來，以總括上面兩個條分的意思作結。附結構系統表如下：

---

53 劉坎龍：「這是一首即景抒懷的詞。……『出處從來自不齊』一句，籠罩著全篇，提出『出仕』與『隱居』自古以來就不是整齊劃一的。……作者借此抒發了一種對現實的憤懣和不平，但表現得極其平淡，那賦〈采薇〉的高士，那自在飛舞的蝴蝶，也滲透著自己閒居的影子。」見《辛棄疾詞全集詳注》（烏魯木齊市：新疆人民出版社，2000年11月一版），頁401。

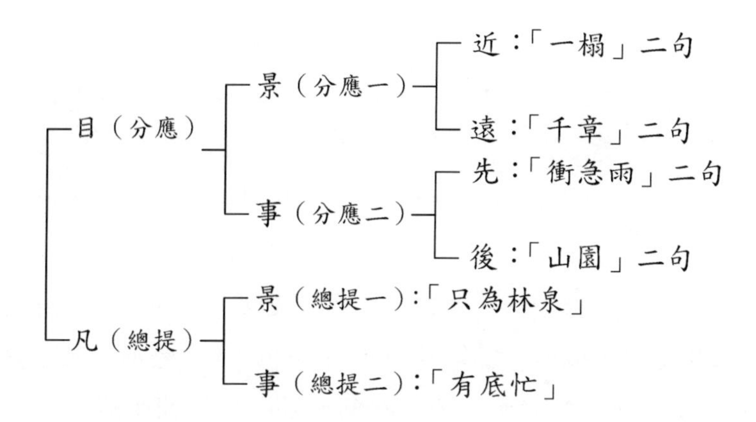

若單以其陰陽結構來呈現，則如下表：

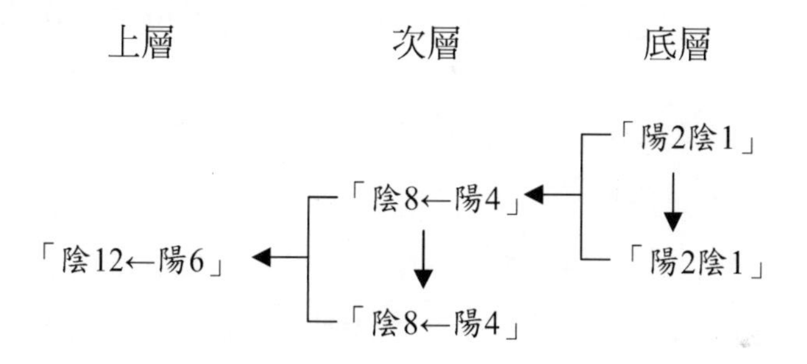

此此含三層結構：其底層有一疊「先近後遠」（順）與一疊「先『先』後『後』」（順）的「移位」結構，其「勢」之數為「陰2、陽4」；次層有兩疊「先景後事」（順）的「移位」結構，其「勢」之數為「陰16、陽8」；上層有一疊「先目後凡」（逆）的「移位」結構，其「勢」之數為「陰6、陽12」。總結起來看，此詞所形成之「勢」，其數為「陰30、陽18」，如換算成百分比（四捨五入），則為「陰63、陽37」。

掌握了這個圖，則此詞「0一二多」之結構，就一清二楚，那就是：「多 ⟷ 二」指的是用「凡目」（一疊）、「景事」（二疊）、「遠近」（一疊）與「先後」（一疊）等所形成的移位與轉位性結構與節奏

（韻律），「一0」指的是「放心林泉」的主旨與「清新閒適」之風格（韻律）[54]。這種風格（韻律），從其「陰63、陽37」之量化結果看來，應是屬於「偏柔」的作品。

上舉兩首作品，同樣是〈鷓鴣天〉詞，其風格卻因內容主旨稍有不同，就有「剛柔互濟」、「偏柔」的不同，可見內容主旨與風格，是息息相關的。因此稼軒「豪壯沉鬱」之詞，便與寫家國之思或身世之感有關，其中的剛柔成分，都是剛多於柔；而如果「隱退」之內容增多到某個程度，則往往造成柔多於剛的結果，這樣便不能歸入「豪壯沉鬱」一類了。由此可知作品之剛柔成分，是與這種內容主旨之多寡、顯隱、強弱關係密切的，這從上舉七篇例子中可獲得初步的證明。

綜上所述，可知稼軒詞中「豪壯沉鬱」之作，如就其篇章風格中之剛柔成分而言，不是屬於「偏剛」（55% → 64%）或「剛柔互濟」（45% → 54%），就是屬於「純剛」（65% → 72%）。如就其內容主旨來看，則主要為家國之思或身世之感，或兼兩者而有之。而這些都和層次邏輯系統[55]有關，由「陰陽二元」之雙螺旋互動為基礎，經其「調和」性或「對比」性之「移位」（順、逆）、「轉位」（拗）形成各層結構；而且透過它們所產生之或強或弱之「勢」，使得層層章法結構之「陰柔」或「陽剛」起了「多寡進絀」（多少、消長）的變化，結果就由「多」而「二」而「一0」，而呈現其「篇章（章法）風格」。

---

54 劉坎龍：「整首詞寫景自然清新，視覺、聽覺、觸覺、嗅覺等描寫角度的交錯使用，更添增了詞的藝術魅力。」見《辛棄疾詞全集詳注》，頁122。又朱德才、薛祥生：「本詞通過描寫鵝湖寺及其周圍景觀和詞人在其中的活動，表達了他忘情於林泉清賞中的快樂心情。」見《辛棄疾詞新釋輯評》，頁440。

55 參見陳滿銘：〈層次邏輯系統論——以哲學與章法作對應考察〉，《渤海大學學報．哲學社會科學版》27卷6期（2005年11月），頁1-7。

雖然在目前，對各種結構所引生「陰柔」或「陽剛」之「勢」數（倍）的推斷，還十分粗糙，以致影響量化結果；但畢竟已試著從「無」生「有」地跨出一步，作了破天荒之探討；就以豪放派蘇辛兩家詞而言，一篇於「清遠高俊」，一篇於「豪壯沉鬱」，其量化結果與前人評述大致相合。當然，這樣難免招來「走火入魔」之譏，卻還是強烈地希望藉此拋磚引玉，能使辭章風格學，甚至整個辭章學、章法學（含唐宋詞章法學）之研究，加緊腳步邁向科學化，在「智的直覺」與「經驗累積」之外，用「思維形式」為媒介，尋求能與自然規律隨時對應之「模式方法」[56]，以拓展「有理可說」的無限空間！

56 吳應天：「文章結構規律作為文章本質的關係，恰好跟人類的思維形式相對應，而思維形式又是客觀事物本質關係的反映。」見《文章結構學》，頁9。又，陳滿銘：〈篇章風格論——以直觀表現與模式探索作對應考察〉，臺灣師大《中國學術年刊》32期・春季號（2010年3月），頁129-166。

國家圖書館出版品預行編目(CIP)資料

跨界章法學研究叢書
唐宋詞章法學 ; 陳滿銘著.
許錟輝總策畫 ; 中華章法學會主編
-- 初版. -- 臺北市 : 萬卷樓, 2016.11
6冊 ; 17(寬)x23(高)公分
ISBN 978-986-478-033-4(全套:精裝)
ISBN 978-986-478-037-2(第3冊:精裝)

1.漢語 2.篇章學 3.文集

820.7607　　105018940

跨界章法學研究叢書

唐宋詞章法學　　ISBN 978-986-478-037-2

作　者　陳滿銘
總策畫　許錟輝
主　編　中華章法學會
出　版　萬卷樓圖書股份有限公司
總編輯　陳滿銘
發　行　萬卷樓圖書股份有限公司
發行人　陳滿銘
聯　絡　電話 02-23216565　　傳真 02-23944113
　　　　網址 www.wanjuan.com.tw
　　　　郵箱 service@wanjuan.com.tw
地　址　106 臺北市羅斯福路二段 41 號 6 樓之三
印　刷　百通科技股份有限公司
初　版　2016 年 11 月
定　價　新臺幣 12000 元　全套六冊精裝　不分售

　新聞局出版事業登記證號局版臺業字第 5655 號